나를 찾아줘

나를 찾아줘

GONE GIRL

길리언 플린 장편소설 | 강선재 옮김

푸른숲

차례

1부_____ 남자, 여자를 잃다　7

2부_____ 남자, 여자를 만나다　335

3부_____ 남자, 여자를 되찾다　565

"다섯 번째 결혼기념일이라, 휴스턴에 예약하셨겠군요?"

휴스턴은 이곳에 하나밖에 없는 고급 레스토랑이었다.

"물론이죠."

내가 경찰에게 한 다섯 번째 거짓말이었다. 그리고 그것은 시작일 뿐이었다.

남자, 여자를 잃다

닉 던

그날

아내를 생각할 때마다 나는 그녀의 머리를 떠올린다. 먼저 그 생김새를 생각한다. 아내를 처음 만났을 때 제일 먼저 눈에 들어온 것은 그녀의 뒤통수였다. 어딘가 모르게 사랑스러운 느낌을 주는 각도의 뒤통수. 단단한 옥수수 알 혹은 강바닥의 화석 같은. 빅토리아 시대 사람들이 '품위 있게 생긴 머리'라고 말했을 법한 머리. 누구나 어렵지 않게 상상할 수 있는 두개골이다.

나는 어디에 있든 아내의 머리를 알아볼 것이다.

그리고 아내의 머릿속을 생각한다. 그녀의 생각. 그녀의 뇌, 그 속의 수많은 신경 고리, 그 고리 내부를 광란의 속도로 오가는 지네 같은 생각. 마치 아이처럼, 나는 그녀의 두개골을 열고 머릿속을 이리저리 헤집으며 그녀의 생각들을 잡으려고 애쓰는 내 모습을 상상한다. 에이미, 무슨 생각 하고 있어? 내가 우리의 결혼 생활 중에 제일 자주 했던 질문이다. 비록 대답해줄 수 있는 사람에게 소리 내어 물어보지는 못했지만. 나는 다음의 질문이 세상의 모든 결혼 위에 먹구름처럼 떠 있다고 생각한다. 당신, 무슨 생각 하고 있어? 뭘 느끼고 있어? 당신은 누구지? 우리가 서로에게 무슨 짓을 한 걸까? 앞으로 무슨 짓을 하게 될까?

나는 정확히 오전 여섯 시에 눈을 떴다. 새가 날갯짓을 하듯 속눈썹을 파르르 떨다가 눈꺼풀을 부드럽게 깜빡이며 정신을 차린 것이 아니라, 마치 기계처럼 눈을 떴다. 딸깍 소리를 내며 눈꺼풀이 열리는 으스스한 복화술 인형처럼. 시커멓던 세상에 갑자기 짠 하고 불이 켜졌다. 눈을 뜨자마자 코앞에서 본 것은 시계의 '6-0-0'이었다. 낯선 느낌이었다. 이렇게 우수리가 없는 숫자를 보며 잠을 깬 적은 거의 없었다. 내 기상 시간은 8:43, 11:51, 9:26처럼 들쭉날쭉했다. 나는 알람을 맞추고 자는 사람이 아니니까.

'6-0-0'이라는 그 정확한 순간, 오크 나무들 위로 떠오른 태양이 한여름이면 늘 그렇듯 진노한 신과 같은 모습을 드러냈다. 강물에 비친 태양은 우리 집 쪽으로 너울거리며 다가왔다. 길고 난폭한 손가락 같은 그것은 우리의 허술한 침실 커튼을 뚫고 들어와 내게 손가락질하며 말했다. 너는 목격되었다. 너는 목격될 것이다.

나는 침대 위에서 뒹굴었다. 우리가 뉴욕에서 쓰다가 새집으로 가져온 침대였다. 이사한 지 2년이 된 지금까지도 우리는 이곳을 새집이라고 불렀다. 이 집은 미시시피 강 바로 옆에 지은 임대주택으로, 누가 봐도 단번에 '교외 졸부의 집'이라는 걸 알 수 있었다. 어린 시절, 이 소도시의 다른 구역, 넝마 같은 양탄자가 깔린 난평면(亂平面, 반층마다 마루의 높이가 다른 집이나 건물 구조-옮긴이) 주택들이 모여 있는 곳에서 살던 내가 동경했던 그런 집. 일반적으로 웅장하고 획일적이며 새로 지은 티가 한껏 나는, 누가 봐도 한눈에 알아볼 수 있는 그런 집. 아내가 혐오할, 실제로 혐오했던 집.

"들어가기 전에 유체이탈이라도 해야 할 것 같아." 이곳에 도착하자마자 아내가 했던 말이다. 그것은 타협이었다. 우리가 미주리 주에 위치한 내 작은 고향 마을에 그리 오래 처박혀 있지는 않을 거라고 굳게 믿었던 아내는, 이곳에서 집을 사지 않고 빌려야 한다고 고집을 부렸다. 하지만 임대용 주택들은 모두 실패한 개발지구에 모여 있었다. 불황이 덮치면서 값이 떨어진, 은행 소유의 저택들이 모여 있는 이 작은 유령 도시는 개방되기도 전에 폐쇄된 동네였다. 그것은 타협이었다. 하지만 에이미는 그렇게 생각하지 않았다. 조금도. 에이미에게 그것은 나의 지독한 변덕이자 칼을 비틀듯 잔인하고 고약하고 이기적인 행동이었다. 나는 그녀가 어떻게든 피하고 싶어 한 동네로 폭군처럼 그녀를 끌고 가서, 그녀가 조롱하던 부류의 집에서 살게 만든 것이다. 나는 한쪽만 타협이라고 생각하는 타협은 타협이 아니라고 생각하지만 우리의 타협은 언제나 이런 식이었던 것 같다. 우리 둘 중 한 명은 늘 화가 나 있었고, 그것은 대개 에이미였다.

이 유감스러운 일, '미주리 유감'을 두고 나를 탓하지 마, 에이미. 경제를 탓하고, 불운을 탓하고, 당신 부모를 탓하고, 인터넷을 탓하고, 인터넷을 하는 사람들을 탓해. 나는 한때 작가였다. 텔레비전과 영화와 책에 관해 쓰는 작가. 사람들이 종이에 적힌 글을 읽던 시절, 모두가 나의 생각에 귀를 기울이던 시절의 일이다. 나는 1990년대 말, 영광의 시대 막바지에 뉴욕에 입성했다. 물론 당시에는 아무도 그때가 막바지인 줄 몰랐다. 뉴욕에는 작가가 넘쳐났다. 잡지, 진짜 잡지가 셀 수 없이 많았던 때니까. 그때까지만 해도 인터넷은 출판계의 한쪽 구석에 웅크리고 있는 진기한 애완동물 같은 존재였다. 먹이 좀 던져줘봐, 줄에 묶인 채 춤추는 저 모습 좀 보라고, 꽤 귀여운데, 밤에 우리를 무는 일은 없겠어. 생각해보라. 대학을 갓 졸업한 애들이 뉴욕으로 가서 글을 쓰며 돈을 벌 수 있었던 시절을. 그때 우리는 이 직업이 10년 안에 사라질 거라고는 꿈에도 생각하지 못했다.

나는 11년 동안 해오던 일을 순식간에 빼앗겼다. 전국의 잡지사가 경제 파탄이 불러온 갑작스러운 전염병에 쓰러지며 문을 닫기 시작했다. 작가들(나와 같은 작가들—소설가 지망생들, 조용한 사색가들, 블로그를 하거나 링크를 걸거나 트위터를 할 만큼 머리 회전이 빠르지 못한 사람들, 구식이고 고집 센 허풍쟁이들)은 끝났다. 우리는 여성용 모자 제조업자나 구식 자동차에 달려 있는 긴 안테나 제조업체와 같은 신세였다. 우리의 시대는 끝났다. 내가 일자리를 잃고 3주 뒤, 에이미도 변변찮던 일을 그만두었다. (이제 나는, 에이미가 내가 나의 일과 불운에 대해 얘기하며 그녀의 일을 한마디로 무시해버렸던 때를 등 뒤에서 비웃는 것 같은 기분이 든다. 늘 그렇지 뭐, 하고 그녀는 말할 것이다. 당신답다고. '…… 하다니 당신다워'는 그녀의 후렴구였다. 그리고 그 앞에 오는 모든 것, 나다운 것은 모두 나쁜 것이었다.) 직업이 없는 두 명의 어른. 우리는 양말을 신고 파자마를 입은 채 브루클린에 있는 우리의 고급 주택을 배회하며 몇 주를 보냈다. 미래를 외면하고, 뜯지 않은 우편물을 온 탁자와 소파 위에 던져놓고, 오전 열 시에 아이스크림을 먹고 깊은 낮잠을 자면서.

그러던 어느 날, 전화벨이 울렸다. 나의 쌍둥이 여동생 마고였다. 그녀는 1년 전 실직한 뒤 고향으로 돌아가 있었다. 마고는 언제나 나보다 한 발 빨랐다. 재수 없는 일에서조차. 마고는 우리가 함께 자란 미주리 주 노스 카르타고의 고향 집에서 전화를 걸어왔다. 그녀의 목소리를 듣자, 거무스름한 머리카락이 모자처럼 머리를 덮고 있던, 멜빵 반바지를 입고 할아버지 집 뒤의 선창에 앉아 있던 열 살의 마고가 눈앞에 떠올랐다. 그녀는 깡마른 두 다리를 물 위에서 덜렁거리며 생선 살처럼 하얀 두 발 너머로 언제나처럼 아이답지 않게, 아주 골똘하고 더할 수 없이 침착하게 강을 바라보고 있었다.

착잡한 소식을 전하면서도 고의 목소리는 언제나처럼 따뜻하고 바스락거렸다. 굴하지 않는 정신력의 소유자인 어머니가 죽어가고 있었다. 기력이 다한 아버지도 저세상이 가까워지면서 (고약한) 정신과 (비열한) 감정이 모두 흐릿한 상태였지만, 어머니는 아버지보다 더 빨리 그곳과 가까워지고 있는 것 같았다. 어머니에게 남은 시간은 6개월, 길어야 1년 정도였다. 나는 고가 혼자서 의사를 만나러 가 지저분한 글씨로, 그녀 특유의 꼼꼼한 방식으로 메모를 해왔다는 걸 알 수 있었다. 고는 울먹이면서 자기가 쓴 글자를 알아보려고 애썼다. 날짜와 복용량인 것 같았다.

"젠장, 뭐라고 쓴 건지 모르겠어. 9인가? 이게 대체 무슨 뜻이지?"라고 고가 말했을 때 나는 불쑥 내뱉었다. 여기, 내 누이의 손바닥 위에 자두알 같은 임무, 한 가지 목표가 놓여 있었다. 나는 안도감에 눈물을 흘릴 뻔했다.

"고, 내가 갈게. 고향으로 돌아갈 거야. 너 혼자서 전부 감당할 수는 없어."

그녀는 내 말을 믿지 않았다. 전화기 너머로 숨소리만 들려왔다.

"진심이야, 고. 안 될 게 뭐야? 여긴 아무것도 없어."

긴 한숨 소리. "에이미는 어떡하고?"

이것이 내가 충분히 생각하지 않은 문제였다. 나는 뉴욕 토박이인 아내와 뉴욕에 있는 그녀의 관심사들과 뉴요커라는 그녀의 자부심을 한데 싸서, 아내를 뉴욕 토박이 부모로부터 떼어낸 다음, 이 정신없고 스릴 넘치는 미래 도시 맨해튼을 뒤로한 채 미주리 주의 조그만 강변 마을로 옮겨놓아도 아무런 문제가 없을 것이라고 생각했던 것이다.

그때는 그런 생각이 얼마나 어리석고 대책 없이 낙관적이며 '그야말로 나다운' 것인지를, 그것이 불러올 비극을 알지 못했다.

　"에이미는 괜찮을 거야. 에이미는⋯⋯." 이 대목에서 나는 고에게 "에이미는 엄마를 좋아하잖아"라고 말해야 했지만 그럴 수가 없었다. 에이미는 그때까지도 우리 어머니에 대해 아는 것이 거의 없었기 때문이다. 어머니와 아내는 몇 번밖에 만나지 않았는데 그때마다 두 사람 모두 당혹스러워했다. 아내는 어머니를 만나고 오면 며칠 동안 함께 나눈 대화를 분석했다. "그러니까 어머니 말씀은⋯⋯." 마치 어머니가 툰드라에서 단추 몇 개와 야크 고기를 한 아름 안고 와서 자기는 줄 생각도 없는 무언가와 맞바꾸려고 애쓰는 무식쟁이 원주민이라도 된다는 듯한 말투였다.

　에이미는 나의 가족들에게, 내가 태어난 곳에 관심이 없었다. 그럼에도 나는 고향으로 이사를 가는 것이 좋은 생각이라고 판단했던 것이다.

　입김으로 베개가 뜨뜻해질 때쯤 나는 다른 생각을 하기로 마음먹었다. 오늘은 비판이나 후회가 아니라 행동을 해야 하는 날이다. 아래층에서 오랫동안 듣지 못했던 소리가 다시 들려왔다. 에이미가 아침 식사를 준비하고 있었다. 나무 선반에 무언가가 부딪히는 소리(쿵-탁!), 금속과 유리 식기가 달가닥거리는 소리(팅-쨍!), 금속 냄비와 철 냄비가 이리저리 옮겨지며 정리되는 소리(덜그럭-뎅!). 주방 오케스트라의 악기들이 음을 맞추어 덜커덕거리며, 박력 있게 피날레를 향해 가고 있었다. 케이크팬이 바닥에서 둥둥 북소리를 내더니 심벌즈 같은 굉음을 내며 벽에 부딪혔다. 뭔가 대단한 것을 만들고 있는 모양이었다. 아마 크레이프였을 것이다. 크레이프는 특별하니까. 에이미는 오늘 특별한 음식을 만들고 싶어 했을 것이다.

그날은 우리의 다섯 번째 결혼기념일이었다.

나는 맨발로 계단 가장자리로 걸어가서 바닥 전체를 덮고 있는, 에이미가 질색하는 플러시(벨벳과 비슷하나 길고 보드라운 보풀이 있는 옷감-옮긴이) 카펫에 발가락을 끼워 넣은 채 그 소리를 들었다. 나는 아내를 만날 준비가 된 것인지 망설이고 있었지만, 그녀는 나의 망설임을 모른 채 구슬프고 친숙한 곡을 콧노래로 부르고 있었다. 그것이 어떤 곡인지 생각해내려고 애썼다. 민요? 자장가? 그러다 마침내 알아냈다. 그 곡은 〈매쉬〉라는 TV 드라마 시리즈 주제곡인 〈자살은 고통이 없다〉였다. 나는 아래층으로 내려갔다.

나는 부엌 입구에서 서성거리며 아내를 지켜보았다. 아내는 높이 올려 하나로 묶은 버터빛 금발머리를 줄넘기 줄처럼 유쾌하게 흔들며, 불에 덴 손가락 끝을 심란한 듯 빨면서 콧노래를 흥얼거리고 있었다. 아내가 콧노래를 부르는 것은 툭하면 노래 가사를 틀리기 때문이다. 우리가 처음 데이트를 하던 날, 라디오에서 제네시스의 노래가 나왔다. '그녀에게는 보이지 않는 손길이 있는 것 같아.' 하지만 에이미는 "그녀는 내 모자를 벗겨서 선반 맨 위칸에 놓았어"라고 흥얼거렸다. 그녀에게 어째서 그 가사가 제대로 된 가사라고, 조금이라도, 어렴풋하게라도 맞다고 생각하느냐고 묻자, 그녀는 노래 속 여자가 남자의 모자를 맨 위칸에 놓았으니 그 남자를 진심으로 사랑하는 거라고 늘 생각해왔다고 말했다. 나는 그런 그녀가 좋았다. 무엇에 관해서든 설명할 수 있는 그녀가.

따뜻한 추억을 떠올리면서 얼어붙을 것 같은 한기를 느끼는 데는 어딘가 불안한 구석이 있다.

에이미는 프라이팬에서 지글거리는 크레이프를 들여다보더니 손목에서 무언가를 핥아냈다. 의기양양한 주부의 모습이었다. 지금 그녀를 안으면 그녀에게서 딸기와 가루설탕 냄새가 날 것이다.

　더러운 사각팬티 차림에 만화영화 캐릭터 히트 마이저처럼 사방으로 뻗친 머리를 하고 숨어 있던 나를 발견한 그녀가 조리대에 몸을 기대며 말했다. "안녕, 미남."

　분노와 두려움이 목구멍에서 스멀스멀 기어 올라왔다. 나는 생각했다. 좋아, 가자.

　일터로 가야 할 시간이 한참이나 지났다. 나와 여동생은 고향으로 돌아와서 어리석은 일, 우리가 언제나 말하던 일을 벌였다. 바를 연 것이다. 우리는 에이미에게 8만 달러를 빌렸다. 한때 8만 달러는 에이미에게 푼돈이었지만 바를 열 때쯤에는 그녀의 전 재산이나 다름없었다. 나는 그녀에게 이자까지 쳐서 갚겠노라고 맹세했다. 아내의 돈을 탕진하는 남자는 되지 않을 것이다. 그런 발상만으로도 아버지는 입술을 비죽거리며 말할 것이다. 세상에는 온갖 부류의 남자가 있지. 이 말 뒤에 생략된, 아버지의 가장 파괴적인 말. 넌 나쁜 부류야.

　그러나 정말이지 그것은 현실적인 결정이자 현명한 사업 수단이었다. 에이미도 나도 새로운 일자리가 필요했다. 바는 나의 일자리가 될 것이었다. 언젠가는 그녀도 일을 하게 될지 모르지만, 당장은 에이미의 마지막 신탁기금을 활용한 이곳에서 수입이 생길 것이다. 내가 임대한 맥맨션처럼, 바도 어릴 적 내 기억 속에서 상징적인 존재였다. 어른들만 들어가서 어른들만 할 수 있는 일을 하는 곳. 내가 원래의 생계 수단을 빼앗긴 후 바를 사야 한다고 고집을 부린 것은 어쩌면 이 때문인지도 모른다. 바는 내가 여전히 어른이자 성인 남자, 쓸모 있는 인간임을 상기시켜주었다. 비록 나 자신을 어른이자, 쓸모 있는 성인 남자로 느낄 수 있게 만들어준 직업을 잃었다 하더라도. 나는 다시는 같은 실수를 하지 않을 것이다. 한때 발에 차이도록 많았던 잡지 기고 작가들은 계속해서 도태되었다. 인터넷 때문에, 불경기 때문에, 잡지 대신 텔레비전을 보거나 비디오 게임을 하거나 친구들에게 전자기기로 '젠장, 비가 와!' 따위의 정보를 전달하는 미국인들 때문에. 하지만 더운 날 시원하고 어두운 바 안에서 버번 한 잔을 마시고 얼큰하게 취하는 것을 대신해줄 앱은 없다. 세상은 언제까지고 술을 원할 것이다.

길모퉁이에 있는 우리 바는 일관성 없는 마구잡이식 미적 감각을 자랑한다. 바에서 가장 훌륭한 것은 카운터 뒤에 있는 빅토리아풍의 오크 나무 장식장이다. 이 형편없는 플라스틱의 시대에 만들어진 사치스러운 목공품에는 용의 머리와 천사의 얼굴이 달려 있다. 하지만 바의 나머지 공간에는 궁색하기 그지없는, 모든 시대의 구질구질한 고안물이 진열돼 있다. 타버린 토스트처럼 가장자리가 위로 들린 아이젠하워 시대의 리놀륨 바닥에, 1970년대 홈포르노 비디오에서 튀어나온 듯한 나무 패널 벽, 뜻하지 않게 1990년대의 내 기숙사 방을 추억하게 만든 할로겐 플로어 스탠드까지. 하지만 희한하게도 이것들이 한데 모이니 편안한 느낌을 주면서, 바라고 하기보다는 험하지 않게 방치된 폐가 같은 분위기를 자아냈다. 유쾌하기까지 하다. 우리는 근처 볼링장과 주차장을 함께 쓰는데, 가게 문이 활짝 열리고 손님이 들어올 때면 요란한 스트라이크 소리가 환영 인사를 한다.

우리는 이곳에 '더 바'라는 이름을 붙였다. "사람들은 우리가 아이디어를 못 낸 게 아니라 역설적으로 작명한 거라고 생각할 거야." 동생이 말했다.

그렇다. 우리는 우리가 똑똑한 뉴요커처럼 굴고 있다고 생각했다. 이 이름은 우리 외엔 아무도 제대로 이해할 수 없는 농담이라고. 누구도 이 이름을 우리처럼 한 차원 높게 이해할 수는 없을 거라고. 우리는 얼굴을 찌푸리며 이렇게 말하는 동네 사람들을 상상했다. 왜 가게 이름을 '더 바'라고 한 거죠? 하지만 우리의 첫 손님, 이중초점 안경을 쓰고 분홍색 운동복을 입은 노부인은 말했다. "가게 이름이 좋네요. 〈티파니에서 아침을〉에서 오드리 헵번이 키우던 고양이 이름도 '고양이'였죠."

그 일이 있은 뒤 우리는 훨씬 덜 거만해졌고, 그것은 좋은 일이었다.

나는 주차장에 차를 세우고 볼링장에서 스트라이크가 터져 나올 때까지 기다린 다음—고마워, 고마워, 친구들—차에서 내려 아직도 익숙해지지 않은 주변 풍경을 감탄하며 바라보았다. 길 건너편에 있는 땅딸막한 벽돌 건물인 우체국과(이제 토요일마다 문을 닫는다) 길 아래쪽에 있는 상아색의 평범한 사무실 건물(이제 완전히 문을 닫았다). 이곳은 절대 발전하고 있다고 말할 수 없는 데다, 카르타고는 미주리 주에 두 개나 있으니 독창성마저 없었다. 노스 카르타고라는 이 고장의 이름은 쌍둥이 도시 같은 인상을 주지만, 이곳은 다른 카르타고에서 수백 킬로미터나 떨어져 있는데다 크기도 더 작다. 이 작고 예스러운 1950년대 도시는 확장되어 중간 크기의 교외가 되었고, 그것을 발전이라고 불렀다. 하지만 이곳은 내 어머니가 성장하고, 나와 고를 키운 곳이다. 이곳은 그저 흔해빠진 낡고 지루한 교외가 아니라 역사를 간직한 곳이다. 적어도 나한테는 그렇다.

나는 잡초가 무성한 콘크리트 주차장을 가로질러 바를 향해 걸어가면서 길 바로 밑으로 흐르는 강물을 바라보았다. 이것이 내가 이 소도시를 사랑하는 이유다. 이곳은 미시시피 강이 내려다보이는 안전한 고지대 위에 만든 도시가 아니라 미시시피 강 위에 만든 도시다. 길을 걷다가 1미터 정도만 아래로 내려가면 흡입관을 따라 테네시까지 갈 수 있었다. 시내의 모든 건물에는 1961년, 1975년, 1984년, 1993년, 2007년, 2008년, 2011년에 발생한 대홍수 때의 강 수위를 표시한 선이 그어져 있었다.

강은 불어난 상태는 아니었지만 강하고 무겁게 일렁이며 세차게 흐르고 있었다. 남자들이 어깨가 경직된 채 발끝을 쳐다보면서 강을 따라 길게 줄을 이뤄 빠른 걸음으로 어딘가로 꿋꿋하게 가고 있었다. 한 남자가 고개를 들어 나를 보았다. 그늘이 드리워진 얼굴, 타원형의 암흑. 나는 고개를 돌렸다.

갑자기 실내로 들어가고 싶다는 강렬한 욕구를 느꼈다. 6미터 정도 걸었을 뿐인데 목에서 땀이 줄줄 흘렀다. 태양은 아직도 하늘에서 성난 눈을 뜨고 있었다. 너는 목격되었다.

배 속이 뒤틀렸다. 나는 더 빨리 움직였다. 술이 필요했다.

에이미 엘리엇

2005년 1월 8일 일기

랄랄라! 나는 지금 이 글을 쓰면서 입양된 고아처럼 활짝 웃고 있다. 어찌나 기분이 좋은지, 당황스러울 정도다. 마치 테크니컬러 만화 속에서 포니테일 머리를 하고 친구와 통화하는 10대 소녀가 된 것 같다. 머리 위 말풍선 속 대사는 '나, 남자 만났어!'

실제로 나는 한 남자를 만났다. 이것은 구체적이고 경험적인 사실이다. 나는 멋지고, 잘생기고, 근사하고, 재미있고, 엉덩이가 예쁜 남자를 만났다. 후세를 위해 상황 설명을 좀 해야겠다(아, 안 돼, 정신 차려, 후세라니! 헐!). 그래도 해야겠다. 때는 새해는 지났지만 여전히 새해 분위기에 젖어 있는, 해가 빨리 지는 몹시 추운 겨울이었다.

카르멘이라는 새로 생긴 친구—친구 비슷한, 친구가 될까 말까 한, 약속을 취소할 수 있을 만큼 가깝지는 않은—가 브루클린에서 열리는 작가 파티에 놀러 가자고 했다. 나는 작가 파티를 좋아한다. 작가들을 좋아한다. 나는 두 작가의 딸이고, 나도 작가다. 난 아직도 신청서나 설문지, 서류 직업란에 작가라고 쓰는 게 너무나 좋다. 비록 '당대의 주요 사안'에 대해서가 아니라 심리테스트 코너에 글을 쓰고 있지만, 어쨌거나 작가는 작가다. 나는 글 쓰는 연습을 하기 위해 이 일기를 쓰고 있다. 기교를 향상시키고 디테일과 의견을 기록해두기 위해. 행동이 아닌 말로써 온갖 작가다운 헛소리를 보여주기 위해('입양된 고아처럼 웃다'라니, 꽤 괜찮지 않은가). 하지만 나는 진심으로, 심리테스트 글을 쓴다는 사실만으로도 작가라 불릴 자격이 충분하다고 생각한다. 최소한 직함으로는. 그렇지 않은가?

당신은 유명 신문과 잡지에 글을 쓰는, 재능 있는 진짜 작가로 가득한 파티에 와 있다. 당신은 삼류 여성잡지의 심리테스트 코너에 글을 쓰고 있을 뿐이다. 누군가가 당신에게 무슨 일을 하느냐고 물으면 당신은

1) 당황한 표정으로 "그냥 심리테스트 코너에 글을 쓰고 있어요. 바보 같은 일이죠"라고 말한다.
2) "작가예요. 하지만 좀 더 도전적이고 가치 있는 일을 찾고 있죠. 그러는 당신은 무슨 일을 하는데요?"라고 공격적으로 묻는다.
3) 자신의 분야에 자부심을 갖는다. "심리학 석사 과정에서 배운 것들을 활용해 심리테스트 코너를 담당하고 있어요. 아, 재미있는 사실 하나 알려드릴까요? 전 인기 아동도서 시리즈의 실제 모델이랍니다. 분명 들어보셨을 거예요, 《어메이징 에이미》라고요. 맞아요. 그러니 그런 바보 같은 질문은 하지 마, 이 속물아!"

답: 3번, 당연히 3번

어쨌거나, 파티 주최자는 영화잡지에 영화 관련 기사를 쓰는 카르멘의 친한 친구다. 카르멘은 그가 아주 재미있는 사람이라고 말한다. 카르멘이

그와 나를 엮으려고 할까 봐 잠시 고민한다. 나는 누군가와 억지로 엮이는 것에 흥미가 없다. 나는 사랑의 야생 재칼에게 나도 모르는 사이에 느닷없이 습격당해야 한다. 그러지 않으면 상대의 시선을 지나치게 의식하게 될 것이다. 매력적으로 보이려 애쓰는 듯한 기분이 들 것이고, 곧 그렇게 하고 있다는 사실을 깨닫게 될 것이며, 이어 가짜 매력을 만회하기 위해 한층 더 매력적으로 보이려 애쓸 것이다. 종국에는 라이자 미넬리로 변신해 스팽글이 붙은 타이츠를 입고 춤을 추며 나를 사랑해달라고 애원하게 될 것이다. 이를 다 드러내고 웃으며 중산모를 쓰고 쫙 펼친 두 손을 앞으로 내밀면서.

하지만 아니다. 줄기차게 그 사람 얘기를 하는 카르멘을 보니 그녀가 그를 좋아하는 게 틀림없다. 다행이다.

우리는 층계참이 세 개나 있는 휘어진 계단을 올라가 작가다운 모습을 한 사람들이 뿜어내는 열기 속으로 들어간다. 검은 테 안경과 더벅머리, 가짜 웨스턴 셔츠와 흐린 색의 터틀넥 셔츠, 소파 곳곳에 내던져져 바닥까지 흘러내린 검은색 모직 피코트, 페인트칠을 한, 금 간 벽에 붙은 영화 〈도주〉의 독일어 포스터, 오디오에서 흘러나오는 프란츠 퍼디난드의 〈나와 함께 나가요〉.

남자들 한 무리가 카드게임용 탁자 근처를 맴돌며 잔에 술을 받아 몇 모금 만에 다 마신 후, 다시 술을 받기를 반복하고 있다. 이곳의 모든 술이 곧 바닥날 것이 분명하다. 나는 슬쩍 끼어들어서 거리의 악사처럼 플라스틱 컵을 앞으로 내민다. '우주 침공' 티셔츠를 입은 귀여운 남자가 얼음과 함께 보드카를 따라준다.

누가 나가서 술을 사오지 않으면 얼마 안 있어 주인장이 얄궂게 선택한, 끔찍한 맛이 날 것 같은 초록색 사과주만 남게 될 상황이다. 하지만 아무도 술을 사러 갈 것 같지 않다. 다들 마지막으로 술을 사러 갔다 온 사람이 자기라고 확신하기 때문이다. 연휴 동안의 과식과 짜증나는 일들의 여파에서 아직 완전히 벗어나지 못한 이 1월의 파티 참석자들은 분명 나른하면서도 한편으론 신경이 곤두서 있을 것이다. 사람들은 지나치게 술을 많이 마시고, 교묘한 말로 시비를 걸며, 나가서 피우라는 집 주인의 말을 듣고도 창가에서 담배 연기를 내뿜는다. 이전의 수많은 휴일 파티에서 대화를 나눈 적 있는 사람들은 더 이상 할 이야기가 없는지 지루함을 느낀다. 그렇지만 다시 1월의 추위 속으로 나가고 싶지는 않다. 지하철 계단을 뛰어오르느라 피곤한 다리를 좀 더 쉬게 해야 한다.

나는 파티 주최자에게 카르멘을 빼앗겼다. 두 사람은 주방 한쪽 구석에서 심각한 대화를 나누고 있다. 몸을 앞으로 기울여 서로 마주보고 있는 모습이 하트 모양을 그리고 있다. 잘됐군. 나는 학교 식당에 온 전학생처럼 웃으며 방 한가운데에 멀거니 서 있지 않기 위해 뭔가를 좀 먹기로 한다. 그러나 남은 음식이 거의 없다. 커다란 플라스틱 통 바닥에 남아 있는 감자칩 부스러기. 커피 테이블 위에 놓인 슈퍼마켓 즉석식품용 대형 접시에는 아무도 손대지 않은 시들시들한 당근과 쭈글쭈글한 셀러리와 정액 같은 소스가 있다. 심지어 담배꽁초까지 보너스 야채스틱처럼 여기저기 흩어져 있다. 순간 나는 충동을 느낀다. 지금 당장 극장 2층의 발코니석에서 뛰어내리면 어떨까? 지하철 맞은편에 앉아 있는 노숙자를 혀로 핥으면? 여기 퍼질러 앉아 담배꽁초를 포함해 저 즉석식품 접시에 있는 것들을 죄다 먹어버린다면?

"거기 있는 건 아무것도 먹지 마요." 그가 말한다. 그다(둥둥둥!). 하지만 나는 아직 그가 그라는 사실을 모른다(둥-둥-둥). 내가 아는 사실은 그가 내게 말을 걸려고 하는 남자라는 것, 건방지지만 건방진 모습이 잘 어울리는 남자라는 것이다. 그는 섹스를 많이 해본 것처럼 행동하는 남자, 여자를 좋아하는 남자, 내게 제대로 된 섹스를 선사할 것 같은 남자다. 나는 제대로 된 섹스를 해줄 남자를 원한다! 나의 연애사는 세 부류의 남자를 중심으로 돌아가는 것 같다. 자기가 피츠제럴드 소설의 주인공이라고 믿는 도련님 같은 아이비리그 졸업생들, 눈과 귀와 입에 달러 표시가 달려 있는 번지르르한 월가의 금융인들, 그리고 자의식이 지나쳐 세상만사가 농담 같은 예민하고 똑똑한 남자들. 피츠제럴드형 남자들은 침대에서 쓸데없이 포르노를 찍으며 다양한 음향 효과와 곡예를 선보이지만 결과는 영 신통찮다. 금융가 남자들은 분노에 휩싸여 축 늘어진다. 똑똑이들은 섹스를 하면서 매스록을 작곡하는 것 같다. 이 손으로는 여기를 퉁기고, 이 손가락으로 멋진 베이스 리듬을 내면서…… 꽤 난잡한 여자처럼 말하고 있군. 여기서 잠시 세어봐야겠다……. 열한 명이다. 나쁘지 않군. 난 언제나 열두 명 정도에서 정착하는 게 괜찮을 것 같다고 생각해왔다.

"진담입니다." 열두 번째 남자가 말을 잇는다. (하!) "그 접시에서 떨어져요. 제임스가 냉장고에 다른 음식을 세 가지 정도 넣어뒀어요. 머스터드 올리브를 만들어줄게요. 올리브는 한 알뿐이지만."

올리브는 한 알뿐이지만. 이 말은 별로 재미있지 않았지만 벌써부터 우리 둘만의 농담처럼 느껴지기 시작한다. 향수 어린 반복을 통해 점점 더 재미있어지는 그런 농담. 나는 생각한다. 지금으로부터 1년 후, 우리는 어느 해질녘, 브루클린 다리를 걸어가고 있다. 우리 중 하나가 속삭인다. 올리브는 한 알뿐이지만. 그리고 우리는 웃음을 터뜨린다. (순간 나는 정신을 수습한다. 끔찍해라. 내가 벌써 지금으로부터 1년 뒤를 생각하고 있는 걸 안다면 그는 그 길로 도망칠 것이고, 나는 달려가는 그를 응원하는 신세가 될 것이다.)

인정한다. 내가 웃는 가장 큰 이유는 그가 잘생겼기 때문이다. 정신이 산란해지도록 잘생긴, 두 눈이 핑핑 돌아갈 것 같은 외모다. 그를 보면 방 안의 모든 사람들이 애써 무시하고 있는 사실을 입 밖으로 꺼내며 말을 걸고 싶은 충동을 느낄 것이다. "당신, 되게 잘생긴 거 알고 있죠?" 남자들은 분명 그를 싫어할 것이다. 그는 1980년대 청소년 영화에 나오는 못된 부잣집 아이처럼 생겼다. 따돌림 당하는 예민한 아이를 괴롭히는 아이. 결국 식당 안 모든 학생들의 환호성 속에서 얼굴에 파이를 맞고, 뒤집힌 옷깃에서 휘핑크림이 흘러내리는 아이.

하지만 그가 실제로 그런 사람은 아니다. 그의 이름은 닉이다. 마음에 든다. 그 이름은 그가 착하고 평범한 사람이라는 느낌을 주고, 실제로 그렇다. 그가 자신의 이름을 말했을 때 나는 "이름은 현실감이 있네요"라고 말한다. 그는 얼굴이 환해지더니 농담을 던지기 시작한다. "닉은 같이 맥주를 마실 수 있는 남자, 여자 친구가 차 안에 토를 해도 뭐라고 하지 않는 그런 부류의 남자죠. 닉!"

그는 변변찮은 말장난을 늘어놓기 시작한다. 나는 그가 언급하는 영화의 4분의 3 정도를 알고 있다. 어쩌면 3분의 2 정도. (메모: 〈사랑에 눈뜰 때〉를 빌려 볼 것.) 그는 내가 부탁하지 않아도 얼마 남지 않은 좋은 술을 어디선가 찾아내 나의 빈 술잔을 채워준다. 그는 나를 차지했다. 내게 깃발을 꽂았다. 내가 제일 먼저 왔어. 그녀는 내 거야. 여성을 존중하는 신경증적인 포스트 페미니스트 남자를 여럿 만나본 후인 지금, 누군가의 영토가 되는 기분이 솔직히 나쁘지 않다. 그의 미소는 멋지다. 고양이 같은 미소다. 나를 보며 웃는 그의 입에서 트위티의 노란 깃털이 튀어나올 것 같다. 그는 내 직업을 묻지 않는다. 마음에 든다. 남들과 다르다. (내가 작가라고 말했던가요?) 그는 물결치는 강물 같은 미주리 액센트를 쓴다. 그는 마크 트웨인이 소년 시절을 보냈던 곳이자 《톰 소여의 모험》의 배경인 해니벌의 외곽에서 나고 자랐으며, 10대 시절에는 증기선에서 일하면서 관광객들에게 저녁 식사와 여흥을 제공했다고 한다. 내가('기타 여러 사람들이 모여 사는 주', 중부 지역의 크고 거친 주에는 한 번도 가본 적 없는, 건방지기 그지없는 뉴욕 여자인 내가) 웃자 그는 미주리가 마법 같은 곳이라고, 세상에서 가장 아름답고 즐거운 곳이라고 말한다. 긴 속눈썹이 달린 그의 눈은 장난꾸러기 같다. 나는 그의 어릴 적 모습을 상상할 수 있다.

우리는 함께 택시를 타고 집으로 간다. 가로등이 어지러운 그림자를 만들어내고 택시는 쫓기기라도 하듯 속력을 낸다. 새벽 한 시, 우리는 뉴욕의 원인 모를 교통 체증에 갇힌다. 내 아파트에서 열두 블록 떨어진 곳이다. 우리는 택시에서 기어 나와 추위 속으로 내려선다. 그다음은? 닉은 걸어서 나를 집까지 바래다주기로 한다. 그는 한 손으로 나의 허리를 감고 있다. 추위 때문에 우리의 얼굴이 벙벙하다. 길모퉁이를 돌자 동네 제과점에서 가루설탕을 들여놓고 있다. 가루설탕은 시멘트처럼 큰 포대에 담겨 지하 저장고로 옮겨진다. 흰색의 달콤한 구름 속에서 우리가 볼 수 있는 것은 설탕을 옮기는 사람들의 그림자뿐이다. 안개로 자욱한 그 거리에서 닉은 나를 가까이 끌어당기더니, 다시 한 번 특유의 미소를 짓는다. 그러고는 두 손가락으로 내 머리카락을 한 움큼 잡고 끝까지 쓸어내린 다음, 마치 벨을 울리듯 두 번 잡아당긴다. 가루설탕이 그의 속눈썹을 장식하고 있다. 그가 몸을 숙이기에 앞서 내 입술에서 설탕을 닦아낸다. 내 입술을 맛볼 수 있도록.

닉 던

그날

나는 바 문을 활짝 열어젖히고 어둠 속으로 미끄러지듯 들어가서, 그날 처음으로 깊은 숨을 들이쉬었다. 담배와 맥주 냄새, 똑똑 떨어지는 버번위스키의 향, 오래된 팝콘의 묘한 냄새를 들이마셨다. 손님은 한 명밖에 없었다. 바의 맨 끝에 혼자 앉아 있는 노부인의 이름은 수로, 석 달 전 남편이 죽기 전에는 목요일마다 남편과 함께 오던 손님이다. 이제 그녀는 목요일마다 혼자 와서, 맥주 한 잔을 시켜놓고 말은 거의 하지 않고 십자말풀이를 하며 과거의 의식을 이어가고 있었다.

여동생은 바 뒤에서 일하고 있었다. 촌스러운 편으로 머리카락을 뒤로 넘긴 그녀는 뜨거운 비눗물에 맥주잔을 담갔다 빼느라 두 팔이 빨갛게 달아올라 있다. 고는 호리호리한 몸집에 얼굴은 독특하게 생겼다. 매력적이지 않다는 건 아니다. 그녀의 생김새를 파악하려면 시간이 좀 걸린다. 강인한 턱과 홀쭉하고 귀여운 코, 동그랗고 거무스름한 눈. 시대극이었다면 그 애를 본 남자는 이렇게 말할 것이다. "기가 막힌 계집이구먼!" 1930년대 스크루볼 영화 속 여왕 같은 얼굴이 픽시 요정 공주의 시대에도 각광

받는 것은 아니지만, 함께 자란 세월을 통해 고가 남자들에게 인기가 많다는 사실을 알고 있었다. 이 사실은 나로 하여금 오빠 특유의 우쭐하면서도 걱정스러운 기분을 느끼게 한다.

"요즘도 피멘토 햄이 나와?" 내가 온 것을 알아차린 고가 고개도 들지 않고 인사 대신 이렇게 말했고, 나는 그녀를 볼 때면 거의 언제나 그렇듯 안도감을 느꼈다. 상황이 아주 좋지 않을지 모르지만, 나쁘지도 않을 것이다.

내 쌍둥이, 고. 내가 이 말을 어찌나 많이 했던지, 그냥 말이 아니라 안도감을 주는 만트라가 되었다. 내 쌍둥이 고. 우리는 1970년대에 태어났다. 쌍둥이가 아직 드물던, 쌍둥이를 조금은 신기한 존재로, 유니콘의 사촌, 요정의 형제라고 생각하던 시절이다. 우리는 쌍둥이 특유의 텔레파시까지 어느 정도 통했다. 고는 진정으로, 함께 있어도 내가 완벽하게 나 자신일 수 있는 세상에서 유일한 사람이다. 고에게는 나의 행동을 설명할 필요가 없다. 일일이 설명할 필요도, 의심할 필요도, 걱정할 필요도 없다. 이제 나는 그녀에게 모든 것을 얘기하지는 않지만, 여전히 가장 많은 이야기를 한다. 나는 고에게 최대한 많은 이야기를 하려고 한다. 우리는 아홉 달 동안 등을 맞댄 채 서로 붙어 있었고, 이는 평생의 습관이 되었다. 고가 여자라는 사실은 나에게 전혀 문제가 되지 않았다. 낯을 심하게 가리는 아이였던 나로서는 이상한 일이었다. 뭐라고 할까? 그녀는 언제나 아주 쿨했다.

"피멘토 햄? 런천미트 비슷한 것 말이지? 아마 그럴걸."

"그걸 좀 사놔야겠어." 고가 나를 보더니 한쪽 눈썹을 찡긋했다. "괜찮을 것 같아."

고는 나에게 묻지도 않고 위생 상태가 의심스러운 컵에 PBR 맥주를 한 잔 따라서 건넸다. 그녀는 컵 가장자리의 얼룩을 쳐다보는 나를 보더니 맥주 컵을 자신의 입가로 가져가 혀로 얼룩을 핥아낸 다음, 침 자국이 묻은 컵을 내게 내밀었다. "이제 됐나요, 왕자님?"

고는 내가 우리 부모의 제일 괜찮은 부분만 물려받았다고 굳게 믿고 있다. 나는 그들이 계획한, 감당할 수 있는 유일한 아들이었지만 자신은 내 발목을 꽉 움켜쥐고 느닷없이 이 세상에 나온, 원치 않는 이방인이었다고. (특히 아버지에게 그랬다.) 그녀는 어린 시절 내내 스스로 자신을 돌봐야 했다고 생각한다. 간헐적으로 물려받는 옷과 부모님이 사인하기를 잊어버리는 가정통신문의 주인. 빠듯한 생활비와 후회의 원천. 이러한 시각이 어느 정도는 사실이지만, 나는 인정하고 싶지 않다.

"그래, 나의 지저분한 신하여." 나는 왕가의 은혜를 베풀듯 두 손을 까딱이며 말했다.

나는 맥주잔 앞에 웅크리고 앉았다. 앉아서 맥주를 한 잔, 아니 석 잔 정도는 마시고 싶었다. 나는 오늘 아침부터 신경이 계속 곤두서 있었다.

"무슨 일 있어?" 고가 물었다. "초조해 보여." 그녀가 나를 향해 비눗물을 조금 튕겼다. 냉방 장치가 작동되면서 고와 나의 정수리 쪽 머리카락이 흐트러졌다. 우리는 '더 바'에서 꼭 있어야 할 시간보다 더 많은 시간을 보냈다. 이곳은 우리가 어린 시절에 한 번도 누려보지 못한 클럽 아지트가 되어주었다. 우리는 지난해 어느 술 취한 밤, 어머니의 집 지하실에 있는 수납상자를 열었다. 어머니가 돌아가시기 직전, 우리에게 위안거리가 필요할 때였다. 우리는 캔맥주를 홀짝이고 연이어 탄성을 내지르면서 우리의 장난감과 놀잇거리를 되찾았다. 8월의 크리스마스였다. 어머니가 돌아가신 뒤 고는 우리의 옛 집으로 이사했고, 우리는 옛 장난감을 하나씩, 천천히 바로 옮겼다. 어떤 날에는 이제 향기가 다 사라진 딸기케이크

인형이 바 의자 위에 불쑥 나타났고(내가 고에게 선물했던 것), 또 어떤 날에
는 바퀴가 하나 빠진 조그만 장난감 자동차가 선반 한쪽 구석에 등장했다
(고가 나에게 선물했던 것).

우리는 보드게임의 밤을 열자고 생각하고 있었다. 비록 '배고픈 하마'
나, 조그만 플라스틱 자동차에 탄 바보 같은 플라스틱 배우자와 아기가
딸린 '인생 게임'에 향수를 느끼기에는 바의 손님 대부분이 나이가 너무
많았지만. 나 역시 이런 게임에서 이기는 방법이 기억나지 않았다(오늘의
해즈브로(미국의 완구업체명-옮긴이) 명상).

고는 우리의 맥주잔을 다시 채웠다. 그녀의 왼쪽 눈꺼풀이 약간 처져
있었다. 정확하게 열두 시, 정오였다. 나는 그녀가 언제부터 술을 마셨는
지 궁금해졌다. 고의 지난 10년은 험난했다. 로켓 과학자의 두뇌와 로데
오의 영혼을 가진 내 사색적인 누이는 대학을 중퇴하고 1990년대 말에
맨해튼으로 갔다. 그녀는 초창기 IT계의 천재 중 한 명이었다. 2년 동안
돈을 엄청나게 벌다가 2000년도에 인터넷 버블이 터졌지만, 고는 동요
하지 않았다. 당시 스물다섯도 되지 않았던 그녀는 괜찮았다. 고는 학위
를 따고 투자은행이라는 회색 정장의 세계에 합류하며 인생 2막을 열었
다. 그녀는 중간관리자였고 현란한 것들과는 무관했으며 아무런 잘못도
하지 않았지만, 2008년 금융위기가 닥치면서 순식간에 해고당했다. 나는
고가 어머니 집에서 전화를 걸어 난 포기했어, 하고 말할 때까지 그녀가
뉴욕을 떠난 줄도 몰랐다. 어떻게든 타이르고 회유하려 했지만 수화기 너
머에는 화난 듯한 침묵만이 감돌았다. 나는 전화를 끊고 걱정스런 마음에
바워리에 있는 고의 아파트로 갔다가, 그녀가 아끼던 고무나무 '개리'가
화재 피난 장치 위에서 노랗게 말라 죽어 있는 것을 보고 그녀가 다시는
돌아오지 않을 것임을 깨달았다.

'더 바'는 그녀의 기운을 북돋아주는 것 같았다. 고는 장부를 관리하고 맥주를 따랐다. 거의 정기적으로 팁 항아리에서 돈을 꺼냈지만 그러고 나면 나보다 더 늦게까지 일을 했다. 우리는 우리의 지난 인생에 대해서는 절대 얘기하지 않았다. 우리는 던 가의 일원이었고, 끝난 사람들이었다(이들의 성(姓)인 'Dunne'과 끝났다는 뜻의 'done'의 발음이 같은 것을 이용한 말장난―옮긴이). 그리고 이상하게도 그 사실에 만족하고 있었다.

"그래서, 뭐야?" 고가 말했다. 그녀가 대화를 시작할 때 쓰는 일반적인 대사였다.

"어."

"어, 뭐? 어디 안 좋아? 안색이 나빠."

나는 긍정하는 뜻으로 어깨를 으쓱해 보였다. 고가 내 얼굴을 찬찬히 뜯어보았다.

"에이미 때문이야?" 그녀가 물었다. 쉬운 질문이었다. 나는 다시 한 번 어깨를 으쓱했다. 이번에는 확인의 뜻, '그래서 뭐 어쩌겠어' 하는 으쓱거림이었다.

고는 바에 양 팔꿈치를 대고 턱을 괴며 흥미롭다는 표정을 지었다. 내 결혼을 예리하게 분석하기 위한 준비 자세였다. 단독 전문가 패널, 고.

"에이미가 왜?"

"그냥, 오늘 좀 안 좋아. 그뿐이야."

"에이미 때문에 고민하지 마." 고가 담배에 불을 붙였다. 그녀는 하루에 딱 한 개비를 피웠다. "여자들은 미쳤어." 자신이 여자의 범주에 들어간다고 생각하지 않는 고는, 조롱하듯 '여자들'이라고 말했다.

나는 고의 담배연기를 그녀 쪽으로 불어냈다. "오늘은 우리의 다섯 번째 결혼기념일이야."

"와우." 고가 고개를 뒤로 젖혔다. 고는 내 결혼식 날 온통 보라색으로 치장하고 신부 들러리를 섰지만—"보랏빛에 싸인 아름다운 흑발의 귀부인"이라고 에이미의 어머니는 말했다—결혼기념일 같은 것을 기억하는 사람은 아니었다. "이런, 젠장. 벌써 그렇게 됐군." 고는 암에 천천히 걸리기 게임이라도 하는 듯 내 쪽으로 담배연기를 더 많이 뿜었다. "에이미가 또 그걸 하겠네. 뭐였지? 물건 찾기?"

"보물찾기." 내가 말했다.

아내는 게임을 좋아했다. 대부분은 신경전이지만 재미를 위한 진짜 게임도 좋아했다. 아내는 결혼기념일마다 공들여 보물찾기를 준비했다. 최종 목적지에 도착해 선물을 찾아낼 때까지, 각각의 단서는 다음 단서가 숨겨진 장소로 나를 안내했다. 보물찾기는 장인이 결혼기념일마다 장모를 위해 준비하던 이벤트였다. 내가 남편으로서의 역할을 제대로 파악하지 못하거나 장인의 이벤트에서 힌트를 얻지 못한 것은 아니지만, 나는 에이미의 집이 아닌 우리 집에서 성장했고, 내가 기억하기로 아버지가 어머니에게 준 마지막 선물은 포장도 안 된 채 부엌 조리대 위에 놓여 있던 다리미였다.

"올해는 에이미가 얼마나 화를 낼지 내기라도 해야 하는 거야?" 고가 맥주잔을 든 채 웃으며 물었다.

에이미의 보물찾기에는 문제가 하나 있었다. 나로서는 절대로 단서를 알아낼 수가 없다는 것이다. 뉴욕에서 맞이한 우리의 첫 번째 결혼기념일에, 나는 일곱 개의 단서 중 두 개를 찾았다. 이것이 지금까지의 최고 기록이었다. 그해의 첫 번째 단서는 다음과 같았다.

이곳은 벽에 있는 구멍 같은 곳이지만

지난가을 어느 화요일에 우린 이곳에서 굉장한 키스를 했어.

어렸을 때 철자법 대회에 나가본 적이 있는가? 단어가 제시된 뒤의 그 싸늘한 순간, 그 단어의 철자를 알아내기 위해 뇌의 구석구석을 샅샅이 뒤져본 적이? 나는 꼭 그때처럼 멍한 공황 상태에 빠졌다.

"아일랜드와 별로 관계없는 곳에 있던 아이리시 바." 에이미가 슬쩍 힌트를 주었다.

나는 입술을 깨물고 어깨를 으쓱 올리며 답이 나타나기라도 할 것처럼 거실을 둘러보았다. 에이미는 다시 한 번 한참 동안 나의 대답을 기다렸다.

"비 오던 날 우리가 길을 잃었을 때 있잖아." 곧 토라질 것 같은 목소리로 그녀가 말했다.

나는 들어 올렸던 어깨를 내렸다.

"맥맨스야, 닉. 기억 안 나? 차이나타운에서 만두 가게를 찾다가 길을 잃었잖아. 공자 동상 옆에 있다고 했는데 알고 보니 그곳에 공자 동상이 두 개 있었고. 결국 둘 다 비를 흠뻑 맞고 그 바로 무작정 들어가서 위스키를 왕창 마셨잖아. 그때 당신이 나를 확 끌어안으면서 키스했어. 그래서……"

"맞아! 공자 동상을 단서로 주지 그랬어. 그럼 내가 알았을 텐데."

"중요한 건 동상이 아니라 장소였어. 나한텐 그 순간이 아주 특별했던 말이야." 에이미는 내가 한때 매력을 느꼈던 아이 같은 억양으로 말을 맺었다.

"물론 특별했지." 나는 그녀를 당겨 안고 키스했다. "그곳에서 한 키스가 내가 준비한 결혼기념일의 특별 공연이었어. 지금 맥맨스로 가서 다시

한 번 키스해."

맥맨스의 수염 난 커다란 곰돌이 같은 바텐더는 우리가 들어오는 것을 보더니 활짝 웃으며 위스키를 따라준 뒤, 그다음 단서를 던져주었다.

내가 지치고 우울할 때
가야 할 곳은 바로 이곳이죠.

답은 그녀가 자신의 기분을 아이처럼 들뜨게 해준다고 말했던—그녀는 내게 말했다고, 그것도 여러 번 말했다고 했다—센트럴 파크의 이상한 나라의 앨리스 동상인 것으로 밝혀졌다. 나는 그런 말을 들은 기억이 없다. 맹세하건대, 정말이다. 나는 주의력 결핍 장애가 약간 있는 데다, 아내는 언제나 눈부셨기 때문이다. 문자 그대로, 밝은 빛을 볼 때처럼. 아내의 곁에서 아내의 말을 듣는 것만으로도 충분했다. 그녀가 하는 말의 내용이 항상 중요한 것은 아니었다. 그것으로 충분해야 했지만, 그렇지 않았다.

그날이 끝나갈 무렵, 우리가 진짜 선물—1주년 결혼기념일에 일반적으로 주고받는 종이 선물—을 교환할 즈음에는, 에이미는 내게 말을 하지 않았다.

"사랑해, 에이미. 당신도 알잖아." 나는 인도 한가운데에 멍하게 서 있는 얼빠진 가족 단위 관광객들을 헤치며 걸어가는 아내의 뒤를 쫓으며 말했다. 에이미는 센트럴 파크에 북적대는 인파를 미끄러지듯 지나치며 걸어갔다. 그녀는 눈을 부릅뜨고 조깅하는 사람들과 가위처럼 다리를 교차시키며 스케이트를 타는 사람들, 무릎을 굽히고 앉은 부모들과 술주정뱅이처럼 질주하는 아이들 사이를 곡예하듯 빠져나갔다. 그녀는 입을 꽉 다

문 채 줄곧 나보다 앞서서 잰걸음으로 정처 없이 걸었다. 그러다가 마침 내 멈춰 서서 상상 속의 손가락으로 분노를 내리누르며, 변명을 늘어놓는 나를 무표정한 얼굴로 바라보았다. "내 사랑을 증명하기 위해 왜 당신과 똑같은 것을 똑같은 방식으로 기억해야 하는지 모르겠어. 그렇게 하지 못 한다고 해서 내가 당신과 함께하는 삶을 사랑하지 않는 것은 아니야."

옆에서는 광대가 동물 모양 풍선을 불고 있었고 한 남자가 장미를 사고 있었으며 어린아이가 아이스크림을 핥고 있었다. 이때 우리 사이에 내가 결코 잊지 못할 하나의 전통이 탄생했다. 에이미는 언제나 잔뜩 흥분해 있고 나는 소득 없는 노력을 계속한다. 결혼기념일 축하해, 얼간이.

"내 생각에―이제 5년째니까―에이미는 화를 아주 많이 낼 거야." 고 가 말을 이었다. "그러니까 정말 멋진 선물을 해야 해."

"해야 할 일 목록에 있어."

"그 뭐냐, 5주년 상징 같은 게 뭐였지? 종이인가?"

"종이는 1주년이야." 내가 말했다. 첫 번째 결혼기념일의 보물찾기가 예상치 못한 씁쓸한 결과를 불러오며 끝났을 때, 에이미는 내게 윗부분에 내 이름의 약자가 새겨져 있는 값비싼 편지지를 선물했다. 종이가 어찌나 부드러운지 만지면 손에 물기가 묻어날 것 같았다. 나는 아내에게 싸구려 잡화점에서 산, 공원과 소풍, 따뜻한 여름 바람이 그려진 선명한 붉은색 종이 연을 선물했다. 우리는 둘 다 자신의 선물보다 상대방의 것이 더 마 음에 들었다. 뒤집힌 오 헨리의 소설 같았다.

"은이었나?" 고가 짐작했다. "청동? 조각세공품? 뭐야?"

"나무." 내가 말했다. "나무로 된 것 중에 낭만적인 선물은 없어."

바의 반대쪽 끝에서 수가 신문을 반듯하게 접어 빈 컵과 5달러짜리 지 폐 옆에 올려놓았다. 그녀가 바에서 나갈 때 우리는 말없이 미소를 교환했다.

"알았어." 고가 말했다. "집으로 가서 에이미의 뇌가 튀어나오게 그걸 해줘. 그런 다음 네 거시기로 두들겨 패면서 소리를 지르는 거야. '이게 나무로 된 네년 선물이다!'"

우리는 웃음을 터뜨렸다. 둘 다 볼의 같은 부위가 빨개졌다. 이것은 고가 내게 수류탄처럼 던지기를 즐기는, 누이답지 않은 지저분한 농담 중 하나였다. 이 때문에 고등학교 시절, 우리가 같이 자는 사이라는 소문이 늘 떠돌았다. 쌍둥이의 근친상간. 우리는 지나치게 가까웠다. 우리 둘만 아는 농담과 파티장 구석에서 속삭이던 이야기. 해명할 필요도 없는 소문이라고 생각하지만, 당신은 고가 아니니까 오해를 방지하기 위해 말하겠다. 나와 내 여동생은 한 번도 같이 잔 적이 없다. 같이 자려는 생각조차 한 적이 없다. 우리는 서로를 무척 좋아하는 것뿐이다.

이제 고는 거시기로 아내를 때리는 팬터마임을 하고 있었다.

이쯤 되면 에이미와 고가 절대 친해질 수 없다는 사실이 분명해졌을 것이다. 둘은 각자의 영역이 지나치게 뚜렷했다. 고는 내 인생의 알파걸 역할을, 에이미는 모든 사람들의 알파걸 역할을 하는 데 익숙해져 있었다. 두 사람은 같은 도시에 ─ 한 번은 뉴욕, 현재는 이곳 ─ 살면서도 서로에 대해 아는 것이 거의 없었다. 그들은 마치 타이밍을 잘 맞추는 배우처럼 내 인생에 휙 들어왔다가 휙 나갔다. 한 사람이 문 밖으로 나갈 때 다른 사람이 들어오는 식이었다. 두 사람은 같은 방 안에 있었던 적이 거의 없었고, 둘 다 이런 상황이 조금 곤혹스러운 것처럼 보였다.

에이미와 내가 진지한 사이가 되어 약혼을 하고 결혼을 하기 전에, 나는 고의 이런저런 말을 통해 그녀의 생각을 엿볼 수 있었다. 재미있네, 난 그 여자 속을 잘 모르겠어, 진짜 모습이 어떤지 말이야. 그리고 넌 그 여자랑 있을 때면 네 자신이 되지 못하는 것 같아. 누군가를 진정으로 사랑하는 것과 그 사람에 대한 생각을 사랑하는 것은 달라. 마지막으로 고는 이렇게 말했다. 그 여자가 널 정말로 행복하게 해준다는 게 중요하지.

그때 에이미는 정말로 나를 행복하게 해주었다.

에이미 역시 고에 대한 의견을 말했다. 고는 아주…… 미주리 출신다워, 그렇지 않아? 그리고, 당신은 동생에게 제대로 처신해야 해. 고는 당신한테 좀 의존하는 것 같아. 당신 말고는 주위에 아무도 없는 것 같긴 하지만.

나는 우리가 모두 미주리에서 살게 되면 둘 사이가 나아질 거라고 생각했다. 서로 다름을 인정하고 받아들일 거라고. 그러나 그렇게 하는 사람은 아무도 없었다. 고는 에이미보다 재미있었고, 따라서 어울리지 않는 적수였다. 에이미는 영리하고, 남을 기죽게 만들고, 냉소적이었다. 에이미는 나를 열 받게 만들고, 가시 돋친 날카로운 지적을 할 수 있는 반면, 고는 언제나 나를 웃게 만들었다. 배우자를 보고 웃는 것은 위험한 일이다.

"내 생식기 이야기는 다시는 안 하기로 약속한 걸로 아는데." 내가 말했다. "남매 사이에 있어서만큼은 난 생식기가 없어."

그때 전화벨이 울렸다. 고는 맥주를 한 모금 더 마신 뒤 전화를 받더니 나를 보고 눈을 굴리며 웃었다. "당연히 여기 있죠, 잠시만 기다리세요!" 그리고 내게 말했다. "칼이야."

칼 펠리는 우리 부부의 집 건너편에 살았다. 은퇴한 지 3년, 이혼한 지 2년 된 그는 이혼 직후 이 주택단지로 이사를 했다. 그는 어린이용 파티용품 외판원으로, 40년간 모텔 생활을 해서인지 집을 집처럼 느끼지 못하는 것 같았다. 그는 거의 날마다 냄새 나는 햄버거 봉투를 들고 바에 들어와 서비스 술을 한 잔 얻어마실 때까지 생활비가 쪼들린다고 불평했다. (더 바에서 그를 여러 날 지켜본 결과, 나는 그가 정상적인 생활은 가능하지만 심각한 알코올 중독자라는 사실을 알게 되었다.) 그는 고와 내가 '없애려고 애쓰는' 모든 것을 진심으로 흔쾌히 받아들였다. 그는 우리가 지하실에서 발견한, 먼지 쌓인 1992년산 지마 맥주만 한 달 내내 마셨다. 숙취 때문에 집에 있어야 할 때면 그는 온갖 이유를 들먹이며 전화를 했다. 니키, 오늘 보니까 자네 집 우편함이 터질 것처럼 꽉 차 있어. 소포가 왔나 봐. 또는 비가 올 거라던데 자네 집 창문을 내가 대신 닫아줄까 해서 등. 이런 것들은 다 핑계였다. 칼은 그저 유리잔이 부딪치는 소리와 술 따르는 소리를 듣고 싶은 것이었다.

나는 수화기를 들고, 칼이 자신의 진을 상상할 수 있도록 얼음이 든 큰 컵을 가까이에서 흔들었다.

"어이 니키," 칼의 축축한 목소리가 들려왔다. "방해해서 미안해. 그냥 알려줘야 할 것 같아서…… 자네 집 문이 활짝 열려 있고 고양이가 밖에 나와 있어. 이상한 것 같아, 그렇지?"

나는 애매하게 앓는 소리를 냈다.

"내가 가서 봐주고 싶지만 몸이 좋지 않아서 말이야." 칼이 무거운 목소리로 말했다.

"걱정 마세요. 안 그래도 지금 집에 가려고 했어요." 내가 말했다.

집은 강변길을 따라 북쪽으로 15분 달려가면 있었다. 우리가 사는 주택단지에 들어설 때면 입을 크게 벌린 수많은 어두운 집 때문에 이따금 몸이 떨렸다. 사람이 산 적 없는 집, 또는 살던 사람이 내쫓긴 적이 있는 집. 사람 없이 텅 빈 채, 당당하게 서 있는 집.

에이미와 내가 이사를 왔을 때, 몇 안 되는 이웃이 우리 집으로 몰려들었다. 캐서롤을 들고 온, 혼자서 아이들을 키우는 중년의 여자, 여섯 개들이 맥주 팩을 가져온 젊은 세쌍둥이 아빠(아내는 쌍둥이들과 함께 집에 있다고 했다), 몇 집 건너에 살던 기독교인 노부부, 그리고 길 건너편의 칼까지. 우리는 우리 집 뒷베란다에 앉아 강을 바라보았다. 그들은 모두 우울한 목소리로 변동금리 모기지와 제로금리, 계약금 없는 주택융자에 대해 이야기했다. 그리고 강 바로 옆에 살면서 자녀가 없는 유일한 사람인 나와 에이미에 대해 한마디씩 했다. "둘뿐이라고요? 이 큰 집에?" 혼자서 아이들을 키우는 여자가 스크램블 에그 비슷한 음식을 나눠주면서 물었다.

"네, 우리 둘만 살아요." 나는 웃으며 대답했고, 푸딩처럼 흔들거리는 달걀 요리를 한 움큼 받아 들며 감사의 뜻으로 고개를 끄덕였다.

"외로울 것 같아요."

그건 사실이었다.

넉 달 뒤, 그 부인은 담보 대출과의 싸움에서 패배했고 세 아이를 데리고 밤중에 사라졌다. 그녀의 집은 지금도 비어 있다. 거실 창문에는 아이가 그린 나비 그림이 아직까지 테이프로 붙어 있다. 밝은 색 사인펜으로 칠한 부분은 햇빛을 받아 갈색으로 변했다. 얼마 전에는 저녁에 차를 타고 그 집 앞을 지나가다가 그 그림 뒤에서 밖을 내다보고 있는, 수염이 난 후줄근한 남자를 보았다. 마치 어두운 수족관 안에서 물고기가 슬프게 떠 있는 것 같았다. 그는 자신을 바라보는 나를 보더니 순식간에 집 안 깊숙한 곳으로 사라졌다. 다음 날 나는 갈색 종이봉투에 샌드위치를 잔뜩 담아 그 집 계단 앞에 놓아두었다. 봉투는 일주일 내내 햇빛을 받으며 그 자리에서 축축하게 썩어갔고, 결국 나는 그것을 도로 가져와서 버렸다.

조용함. 이 주택단지는 언제나 불안할 정도로 조용했다. 내 차의 엔진

소리가 다 들리는 것을 느끼며 우리 집 근처까지 갔을 때, 정말로 집 밖 계단 위에 고양이가 있었다. 칼이 전화한 뒤 20분이 지났는데도 아직 계단 위에 있다니. 이상했다. 이 고양이를 너무나 좋아하는 에이미는 고양이의 발톱을 제거했고 절대로 밖에 내보내지 않았다. 이 고양이, 블리커는 귀엽긴 하지만 말도 못하게 멍청하기 때문이다. 이 수고양이의 털로 뒤덮인 군살 속 어딘가에 조그만 추적 장치가 달려 있었지만, 에이미는 녀석이 밖으로 나간다면 다시는 볼 수 없게 될 거라는 사실을 알고 있었다. 고양이는 곧장 뒤뚱뒤뚱 걸어가 미시시피 강에 빠져 그 길로 멕시코 연안까지 흘러가서 배고픈 상어의 입속으로 들어갈 것 같았다.

하지만 이제 보니 고양이는 계단을 내려가지도 못할 만큼 멍청했다. 블리커는 땅딸막하지만 자부심 넘치는 얼굴을 한 보초병처럼 앞 베란다의 가장자리에 앉아 있었다. 내 차가 진입로로 들어서자 칼이 나와서 계단 앞에 섰다. 차에서 내려 집으로 걸어가는 동안 고양이와 칼이 나를 지켜보고 있음을 느낄 수 있었다. 집터 가장자리를 따라 핀 붉은 모란꽃이 자신을 삼켜달라는 듯 통통한 물기를 가득 머금고 있었다.

나는 고양이를 잡기 위해 수비진을 치려다가 현관문이 열려 있는 것을 보았다. 칼이 말한 대로였지만 직접 보니 기분이 이상했다. 문은 쓰레기를 버리고 곧 돌아오기 위해 열린 것이 아니었다. '불길하게 입을 크게 벌린 듯' 열려 있었다.

칼은 나의 반응을 기다리는 듯 길 건너편에서 서성거리고 있었다. 나는 어느새 형편없는 행위 미술 작품처럼 '걱정하는 남편'을 연기하고 있었다. 나는 중간 계단에 서서 얼굴을 찌푸린 다음 재빨리, 한 번에 두 개씩 계단을 올라가며 아내의 이름을 불렀다.

침묵.

"에이미, 안에 있어?"

곧장 위층으로 뛰어 올라갔지만, 에이미는 없었다. 펼쳐진 다리미판 위에 다리미가 놓여 있었고 그 옆에는 아직 다리지 않은 옷 한 벌이 있었다.

"에이미!"

나는 다시 아래층으로 뛰어 내려갔다. 칼은 여전히 열린 현관문 근처에서 양손을 엉덩이에 얹은 채 지켜보고 있었다. 나는 거실 쪽으로 몸을 틀다가 순간 멈춰 섰다. 카펫에는 유리 파편이 널려 반짝거렸고 커피 테이블은 산산조각이 나 있었다. 그 옆에 협탁들이 쓰러져 있었고 카드 마술을 할 때처럼 바닥 여기저기에 책이 떨어져 있었다. 무거운 앤티크풍 오토만까지 뒤집힌 채 마치 죽은 생물처럼 네 개의 작은 다리를 공중으로 쳐들고 있었다. 이 난장판 한가운데에 날카로운 가위가 하나 떨어져 있었다.

"에이미!"

나는 큰 소리로 아내의 이름을 부르며 뛰기 시작했다. 주전자가 끓고 있는 부엌을 지나 지하의 텅 빈 손님용 객실로 내려갔다가, 뒷문을 통해 밖으로 나갔다. 마당을 가로질러 강으로 이어진 좁다란 보트 갑판으로 달려갔다. 나는 우리의 유람용 보트 안을 들여다보며 아내가 있는지 확인했다. 선창에 묶인 채 흔들리는 보트 안에서 아내를 찾은 적이 있기 때문이다. 그때 그녀는 햇빛에 얼굴을 내놓은 채 눈을 감고 있었고 나는 강물에 반사된 눈부신 빛을, 그녀의 아름답고 고요한 얼굴을 엿보고 있었다. 순간 눈을 뜬 아내는 내게 아무 말도 하지 않았고, 나 역시 아무 말도 하지 않은 채 혼자서 집으로 돌아갔다.

"에이미!"

그녀는 강가에 없었다. 집에도 없었다. 에이미는 그곳에 없었다.

에이미는 사라졌다.

에이미 엘리엇

2005년 9월 18일 일기

이런, 이런, 이런. 누가 돌아왔는지 아는가? 닉 던, 브루클린 파티남, 설탕구름 키스의 주인공, 종적을 감춘 남자. 8개월 2주하고도 며칠 동안 아무런 소식이 없던 그가, 마치 모든 것이 계획의 일부였다는 듯이 다시 나타났다. 알고 보니 내 전화번호를 잃어버렸던 거였다. 그는 휴대전화 배터리가 나가서 내 번호를 포스트잇에 적어 갔는데, 그걸 청바지 주머니에 넣은 채로 세탁기에 돌려버린 것이다. 포스트잇은 회오리 모양의 펄프 덩어리로 변해버렸고 그는 그것을 펼쳐보려고 애썼지만 3과 8밖에 알아볼 수 없었다(고 그는 말했다).

그 후 그는 일 때문에 정신없이 바빴고, 정신을 차려보니 3월이 되었으며, 시간이 너무 많이 흐른 뒤라 나를 찾겠다는 생각을 단념했다(고 그는 말했다).

물론 나는 화가 났다. 계속 화가 나 있었다. 하지만 이제는 아니다. 상황 설명을 해야겠다.(그녀가 말했다.) 거센 9월의 바람이 불던 오늘, 7번가를 걸으며 식품가게 밖에 나열된 상품들을—수많은 머스크멜론과 감로

멜론과 멜론이 담긴 플라스틱 용기가 오늘 팔아야 할 물고기처럼 얼음 위에 진열되어 있었다 — 보며 점심거리를 고민하고 있는데, 한 남자가 항해하는 내 옆에 들러붙는 느낌이 들었다. 나는 곁눈질로 침입자를 쳐다보았고, 그를 알아보았다. 그였다. '나 남자 만났어!'의 바로 그 남자.

나는 그대로 걸으면서 그에게 고개만 돌린 채 이렇게 말했다.

1) "절 아세요?"(의뭉스럽게, 도전적으로)

2) "어머나, 이렇게 반가울 데가!"(열성적으로, 현관 깔개처럼)

3) "꺼져, 개자식!"(공격적으로, 불쾌하게)

4) "마음을 정하기까지 오래 걸렸나 봐요, 닉?"(가볍게, 장난처럼, 느긋하게)

답: 4번

그리고 우리는 이제 함께다. 함께, 함께. 이토록 쉽게.

참으로 기가 막힌 타이밍이다. 말하자면 좋은 시기다. 바로 어젯밤, 부모님의 신간 출간 기념회가 있었다. 《어메이징 에이미의 결혼식 날》. 그렇다, 랜드와 메리베스는 굴복하고 말았던 것이다. 그들은 딸의 동명이인에게 딸에게는 줄 수 없었던 남편을 선사했다. 그렇다, 제20권에서 '어메이징 에이미'는 결혼을 한다! 우―. 아무도 관심이 없었다. 누구도 어메이징 에이미가 성인이 되는 것을 바라지 않는다. 특히나 나는. 그 애는 무릎 양말과 리본 머리끈을 하게 놔두고 나만 성인이 될 수 있도록, 나의 또다른 문학적 자아, 문고본 속 나의 반쪽에 구애되지 않고 내가 원하는 내가 될 수 있게 해달란 말이다.

하지만 '에이미'는 엘리엇 가문의 생계 수단이고 그동안 우리 가족을 잘 보필해왔으니 그녀의 완벽한 짝을 시기해서는 안 되겠지. 그녀는 물론 오랜 좋은 친구, '유능한 앤디'와 결혼한다. 그들은 딱 나의 부모처럼 살 것이다. 아주 행복하게.

단지 불안한 것은 책 주문량이 너무 적다는 것이다. 1980년대에 《어메이징 에이미》 시리즈의 신간은 보통 초판으로 10만 부를 찍었지만 지금은 만 부만 찍는다. 따라서 어제의 출간 기념회는 화려함과는 거리가 멀었다. 칙칙했다. 여섯 살의 조숙한 계집애로 인생을 시작해서, 여전히 어린애처럼 말하는 서른 살 예비신부가 된 소설 주인공에게 어떻게 파티를 열어주겠는가? ("휴." 에이미는 생각했다. "내 사랑하는 약혼자는 원하는 걸 얻지 못하면 불평투성이 괴물이 되는군……." 이것은 실제로 책을 인용한 것이다. 나는 이 책을 읽는 내내 그녀의 티끌 한 점 없는 멍청한 성기에 주먹을 날리고 싶었다.) 이 책은 향수를 자극하는 아이템, 어메이징 에이미와 함께 자란 여자들을 타깃으로 한 상품이지만 솔직히 말해 누가 이 책을 읽고 싶어 할지 모르겠다. 물론 나는 읽었고, 이 책을 축복하기까지 했지만—그것도 여러 차례. 엄마와 아빠는 내가 에이미의 결혼을 싱글로 머물러 있는 나에 대한 공격으로 받아들일까 봐 두려워했다. ("저는 개인적으로 여자들이 서른다섯 살이 되기 전에 결혼해서는 안 된다고 생각한답니다." 스물세 살 때 아빠와 결혼한 엄마는 이렇게 말했다.)

나의 부모는 내가 에이미를 지나치게 개인적으로 받아들일까 봐 항상 걱정했다. 두 사람은 언제나 나에게 에이미에게 너무 큰 의미를 두지 말라고 말한다. 그럼에도 불구하고 나는 무슨 일을 망칠 때마다 에이미는 그러지 않는다는 사실을 떠올리지 않을 수 없다. 열두 살 때 내가 결국 바이올린을 그만뒀을 때, 다음 책에서 에이미는 신동인 것으로 밝혀졌다. ("휴, 바이올린은 정말 어려워. 하지만 실력이 나아지려면 열심히 연습하는 수밖에!")

열여섯 살 때 내가 주말에 친구들과 해변에 놀러 가느라 청소년 테니스 선수권 대회에 나가지 않았을 때, 에이미는 경기에 다시 전념했다. ("휴. 친구들과 시간을 보내는 건 즐겁지만 내가 대회에 나가지 않으면 다들 실망할 거야.") 그것은 나를 미치게 만들었지만, 하버드 입학으로 집을 떠나게 된 후('에이미'는 물론 엄마 아빠의 모교를 선택했다) 나는 이 모두가 지독하게 우스꽝스럽다는 생각이 들었고 더는 그것에 대해 생각하지 않기로 결심했다. 아동 심리학자 부부인 나의 부모가 자식에게 그토록 구체적이고 공개적인 방식으로 소극적인 공격을 감행한 것은, 미친 짓일 뿐 아니라 어리석고 기괴하고 조금은 웃기기까지 한 일이라고. 내버려두자고.

출간 기념회는 그 책만큼이나 정신분열증적이었다. 장소는 유니언 스퀘어 근처의 블루나이트. '야심만만한 젊은이'가 된 듯한 기분을 느끼게 해줄 안락의자와 아르데코풍 거울이 있는 수상쩍은 살롱 중 하나. 일그러진 미소를 짓는 웨이터들이 떠받치고 있는 쟁반 위에서 진 마티니가 찰랑거리는 곳. 다 안다는 듯이 능글맞게 웃는, 밑 빠진 독처럼 탐욕스러운 기자들이 더 멋진 장소로 가기 전에 얼큰하게 취하기 위해 들르는 곳.

엄마와 아빠는 손을 잡은 채 실내를 돌아다닌다. 그들의 러브 스토리는 언제나 어메이징 에이미의 일부다. 30년간 책을 함께 쓰고 있는 남편과 아내. 소울메이트. 두 사람은 실제로 서로를 그렇게 부르고, 그것은 가식이 아니다. 내가 보기에도 그런 것 같으니까. 오랜 세월 외로운 외동딸로 자라면서 그들을 관찰해온 내가 그 사실을 보증할 수 있다. 엄마와 아빠는 서로에게 날선 말을 하지도, 상처 주는 싸움을 하지도 않는다. 그들은 들러붙은 해파리처럼—본능적으로 몸을 팽창시켰다가 수축하며, 마치 액체처럼 서로의 빈 곳을 메우면서—평생을 함께 달려왔다. 소울메이트처럼 편안한 모습으로. 사람들은 파탄 난 가정의 아이들이 힘들게 산다고들 하지만, 행복한 결혼 생활을 하는 부부의 자식에게도 나름의 고충이 있다.

나는 물론 소음을 피해 구석에 있는 긴 벨벳 의자에 앉아 있어야 한다. '한마디 따오라'는 편집장의 강요를 받은 애처로운 몇몇 어린 인턴과 인터뷰를 하기 위해서다.

마침내 에이미가 앤디와 결혼하게 되었는데 기분이 어떠세요? 아직 미혼이시라고요?

질문자는

1) 메신저백 위에 노트북을 올린 채 균형을 잡고 있는, 수줍은 표정으로 눈을 크게 뜬 애송이
2) 튀는 하이힐에 지나치게 차려입은, 세련된 헤어스타일을 한 어린애
3) 어울리지 않게 '에이미'에 관심이 많아 보이는, 문신을 한 로커빌리 스타일의 여자애
4) 위의 셋 모두
답: 4번

나: "에이미와 앤디가 함께하게 되어 너무 기뻐요. 둘이 잘 살았으면 좋겠어요. 하하."

기타 모든 질문에 대한 나의 대답. 무작위 순:

"에이미 이야기 일부는 제 이야기예요. 순수하게 허구인 부분도 있고요."

"저는 지금 행복한 싱글이에요. '유능한 앤디'를 아직 못 찾았답니다!"

"아뇨, 저는 에이미 시리즈가 남녀의 역할을 지나치게 단순화한다고는 생각하지 않아요."

"아뇨, 저는 에이미 시리즈가 구식이라고 생각하지 않아요. 고전이라고 생각해요."

"네, 아직 싱글이에요. '유능한 앤디'는 아직 못 찾았어요."

"어째서 '어메이징' 에이미가 그냥 '유능한' 앤디와 결혼하느냐고요? 강하고 멋진 여자들이 평범한 남자에게 안주하는 경우가 많다는 거 모르세요? '평범한 조와 유능한 앤디' 말이에요. 아니, 그냥 농담이에요. 이건 쓰지 마세요."

"네, 아직 싱글이에요."

"네, 제 부모님은 분명 서로의 소울메이트예요."

"네, 언젠가 저도 부모님처럼 되고 싶어요."

"그래, 싱글이다, 망할 자식아."

되풀이되는 몇몇 질문과, 그들이 깊은 생각이 요구되는 질문을 한 것처럼 고심하는 척하려 애쓰는 나. 그리고 깊은 생각이 요구되는 질문을 하고 있는 척하려 애쓰는 그들. 정말이지 술이 공짜라 다행이다.

그러고는─그토록 빨리─더는 나와 이야기를 하고 싶어 하는 사람이 없자, 홍보 담당 여자는 그것이 좋은 일인 척한다. 이제 다시 돌아가 파티를 즐기실 수 있겠네요! 나는 (몇 안 되는) 사람들이 모여 있는 곳으로 꿈틀거리듯 돌아간다. 엄마 아빠는 아직도 상기된 얼굴로 더할 나위 없이 주최측답게 행동하고 있다. 이를 드러낸 채 선사시대의 괴물 물고기 같은 미소를 짓고 있는 아빠와, 닭처럼 명랑하게 고개를 까닥거리고 있는 엄마. 그들은 깍지를 끼고, 서로를 웃게 하고, 서로를 즐기고, 서로로 인해 너무나 행복하다. 그리고 나는 생각한다. 난 죽을 만큼 외로운데.

나는 집으로 가서 잠시 운다. 나는 곧 서른두 살이다. 많은 나이는 아니다, 특히나 뉴욕에서는. 하지만 문제는 내가 누군가를 진심으로 좋아한 지 아주 오래되었다는 것이다. 결혼할 만큼 사랑하는 사람을 만나는 것은 차치하고 내가 사랑하는 사람을 만날 확률은 얼마나 될까? 내가 함께할 사람이 누구인지, 아니 누군가와 함께할 수나 있을지도 모른 채 사는 것에 지쳤다.

내 주위에는 결혼한 친구들이 많다. 행복한 결혼 생활을 하는 친구들은 적지만 결혼한 친구들은 많다. 몇 안 되는 행복한 친구들은 나의 부모와 비슷하다. 그들은 내가 독신이라는 사실에 당혹스러워한다. 나처럼 똑똑하고 예쁘고 착한 여자가, 그토록 많은 관심사와 열정, 멋진 직업, 서로 사랑하는 가족이—그리고 솔직히 말해, 돈이—있는 여자가. 그들은 미간을 찌푸리며 내게 소개시켜줄 만한 남자들을 생각하는 척하지만 다들 이제는 남은 남자가, 제대로 된 남은 남자가 없다는 사실을 알고 있다. 그리고 나는 그들이 속으로는 내게 뭔가 문제가 있다고, 내게 남들이 모르는 뭔가 부족하고 모자란 점이 있다고 생각한다는 것을 안다.

소울메이트가 되지 못한 채 안주한 사람들은 내가 독신이라는 사실을 훨씬 더 경멸한다. 그들은 결혼할 사람을 찾는 것이 어려운 일이 아니라고 말한다. 완벽한 관계는 없다고. 그들은 의무적인 섹스와 허풍 같은 침실 의식으로 적당히 타협하며 산다. 대화 대신 텔레비전에 만족하고, 남편의 항복—알았어 자기야, 좋아 자기야—이 화목함과 동의어라고 믿는다. 그는 다투기도 싫을 정도로 무관심하기 때문에 네가 하라는 대로 할 뿐이야, 하고 나는 생각한다. 너의 자잘한 요구들은 네 남편이 우월감을 느끼거나 화가 나게 만들 뿐이고, 언젠가 그가 자기한테 아무것도 요구하지 않는 어리고 예쁜 회사 동료와 바람이 나면 너는 충격에 휩싸이겠지. 나는 약간의 투지가 남아 있는 남자, 나의 헛소리에 반박할 수 있는 남자(그러면서도 나의 헛소리를 어느 정도 좋아하는 남자)를 원한다. 그렇지만 서로 끊임없이 트집을 잡고 모욕을 농담으로 가장하는 그런 커플이 되기는 싫다. 친구들 앞에서 눈을 굴리며 '장난인 척' 말다툼을 하면서 친구들은 아무 관심도 없는 싸움에서 서로 자기 편을 들어주기를 바라는 커플. 끔찍한 '하기만 한다면' 커플. ……하기만 한다면 우리 결혼 생활은 괜찮을 텐데. 그리고 이 '하기만 한다면' 목록은 그들이 생각하는 것보다 훨씬 길다.

그래서 나는 내가 안주하지 않기를 잘했다고 생각하지만, 그렇다고 친구들이 짝을 지어 놀러 나간 금요일 밤, 와인 한 병에 곁들일 사치스러운 음식을 만들어 먹으며 혼자만의 데이트를 만끽하고 있다는 듯 혼잣말을 할 때 기분이 나아지는 것은 아니다. 파티장과 야간 바를 끝없이 드나들며, 향수와 스프레이를 뿌리고 기대감에 차서는, 미심쩍은 디저트처럼 혼자서 실내를 배회할 때도, 나는 착하고 잘생기고 똑똑한 남자들과 데이트를 한다. 나로 하여금 낯선 땅에서 이해받기 위해 노력하는, 자신이 누구인지 알리기 위해 애쓰는 듯한 기분을 느끼게 하는, 겉보기에는 완벽한 남자들. 누군가에게 나를 이해시키고 알리는 것이 모든 관계의 핵심이지 않은가? 그는 나를 알아. 그녀는 나를 알아. 이것이 바로 마법의 문구이지 않은가?

그리하여 너는 겉으로 보기에 완벽한 남자 앞에서 밤새도록 애를 쓴다. 이해받지 못하는, 더듬거리는 농담, 허공으로 던져져 사라지는 재치 있는 말. 어쩌면 그는 네가 재치 있게 말했다는 것은 알지만 어떻게 반응해야 할지 모를 수도 있다. 그는 그것을 마치 가래침처럼 손 안에 쥐고 있다가 나중에 닦아버릴 것이다. 너는 서로를 발견하고 알아보려고 한 시간 더 애를 쓰다가 다소 지나치게 술을 마시고 다소 지나치게 노력한다. 그런 다음 집으로 돌아와 차가운 침대에 누워 생각한다. '괜찮은 날이었어'. 너의 인생은 괜찮은 것들의 연속이다.

그러다 너는 7번가에서 썰어놓은 멜론을 사다가 닉 던과 마주친다. 펑. 그는 너를, 너는 그를 이해한다. 그들은 서로를 안다. 두 사람은 기억할 가치가 있는, 정확하게 같은 것을 발견한다. (올리브는 한 알뿐이지만.) 그들은 같은 리듬을 갖고 있다. 딸깍. 그들은 그냥 서로를 아는 것이다. 순식간에, 너는 침대에서 책을 읽고 일요일마다 와플을 먹고 아무것도 아닌 것에 웃고, 그의 입술이 네 입술 위에 있다는 사실을 깨닫는다. 그것은 괜찮은 정도를 훨씬 넘어서는 것이기에 다시는 네가 괜찮은 것들로 돌아갈 수 없음을 알게 된다. 그토록 빨리. 너는 생각한다. 아, 이곳에 나의 남은 인생이 있구나. 마침내 도착한 거야.

닉 던

그날

처음에 나는 주방에서 경찰을 기다렸다. 그러나 타버린 찻주전자에서 나는 매캐한 냄새에 목구멍 안쪽이 메스꺼워 헛구역질이 날 지경이라, 집 앞 현관으로 나와 계단 꼭대기에 앉아서 속을 가라앉히려고 애썼다. 에이미의 휴대전화로 계속 전화를 걸었지만 곧바로 연락하겠다는 똑 부러지는 음성사서함 메시지로 연결될 뿐이었다. 아내는 언제나 곧바로 연락을 주는 사람이었다. 나는 두 시간 동안 다섯 개의 메시지를 남겼지만 아내는 연락이 없었다.

에이미가 전화를 할 거라고 기대한 것은 아니었다. 나는 경찰에 말할 것이다. 아내는 결코 찻주전자를 불에 올려놓거나 문을 열어둔 채로, 혹은 다림질할 옷을 내버려둔 채 집을 나가는 사람이 아니라고. 아내는 골치 아픈 일을 끝까지 해내고야 마는 여자고, 프로젝트를 포기하는 사람이 아니었다. 설사 그 프로젝트가 마음에 들지 않더라도. (손볼 데 많은 그녀의 남편을 포함해서.) 그녀는 2주 동안 우리의 신혼여행지인 피지의 해변에서 엄숙한 표정으로 엄청나게 두꺼운 《태엽 감는 새》를 고군분투하며 완독

하면서, 스릴러물을 연거푸 읽어제끼고 있는 나를 한심하다는 듯 곁눈질하곤 했다. 아내가 실직한 뒤 함께 미주리로 이사한 때부터 그녀의 삶은 사소하고 시시한, 끝없는 프로젝트의 완성을 위해 돌아가고 있었다.(버려지고 있었나?) 그 옷은 다려져 있어야 했다.

그리고 거실이 있었다. 싸움이 벌어진 흔적. 나는 이미 에이미가 연락하지 않을 것임을 알고 있었고, 그저 다음이 시작되기를 원할 뿐이었다.

하루 중 가장 좋은 때였다. 구름 한 점 없는 7월의 하늘, 동쪽의 스포트라이트와 같은 지는 해는 모든 것을 화려한 금빛으로, 플랑드르 회화로 바꿔놓고 있었다. 경찰이 도착했다. 특별할 것 없는 느낌이었다. 나는 계단 위에 앉아 있었고 저녁의 새는 나무에서 노래하고 있었으며 경찰 두 명은 동네에 소풍이라도 온 듯 느긋하게 차에서 내리고 있었다. 귀가 시간이 넘도록 돌아오지 않는 10대 자녀들을 걱정하는 부모를 진정시키는 데 익숙해진, 자신만만하고 평범한 20대 중반의 어린 경찰들이었다. 거무스름한 머리카락을 하나로 길게 땋은 라틴계 여자와 해병대원 같은 자세를 취하고 있는 흑인 남자. 내가 떠나 있는 동안 카르타고는 백인의 비중이 조금(아주 조금) 줄긴 했지만 여전히 인종적으로 극도로 편향된 지역이었다. 내가 일상생활에서 보게 되는 유색 인종은 대개 돌아다니는 일을 하는 사람들—배달원, 외판원, 우편공무원—이었다. 그리고 경찰. ("이 지역은 충격적일 정도로 백인 중심적이야." 에이미는 말했다. 인종의 용광로인 맨해튼에서도 단 한 명의 아프리카계 미국인 친구를 두었던 그녀였다. 나는 그것이 소수 인종을 배경으로 삼는 전시 행정이라고 비난했지만 먹혀들지 않았다.)

"던 씨? 저는 벨라스케스 경관입니다." 여자가 말했다. "이쪽은 리오던 경관이고요. 아내분을 걱정하고 계신다고요?"

리오던은 입안에 든 사탕을 빨면서 길 건너편을 바라보고 있었다. 그의 시선이 강물 위에서 쏜살같이 날아오르는 새 한 마리를 따라 움직이는 것이 보였다. 그런 다음 그는 재빨리 내 쪽으로 시선을 옮겼다. 비죽거리는 그의 입술이, 남들이 내게서 보는 것을 그가 보았다고 말해주고 있었다. 내 얼굴은 한 대 때려주고 싶게 생겼다. 부잣집 얼간이처럼 생긴, 아일랜드계 노동자 집안의 아들. 나는 이런 내 얼굴을 만회하기 위해 많이 웃지만 먹히는 경우는 거의 없다. 대학 시절에는 상냥하고 위협적이지 않은 느낌을 줄 거라 생각해 잠시 동안 도수 없는 안경을 쓰고 다닌 적도 있었다. "그러면 더 나쁜 놈처럼 보인다는 거 몰라?" 고의 말에, 나는 안경을 벗어던지고 더 열심히 웃었다.

"집 안을 좀 보세요."

두 경관은 벨트에 총이 쓸리는 소리를 내며 삐걱대는 계단을 올라갔다. 나는 거실 입구에 서서 난장판이 된 곳을 가리켰다.

"이런." 리오던 경관이 말하고는 손마디를 꺾었다. 갑자기 그가 덜 지루해하는 듯이 보였다.

리오던과 벨라스케스는 식탁 앞으로 바싹 당겨 앉은 채 내게 기본적인 질문들을 퍼부었다. 누가, 언제, 얼마나 오랫동안. 그들의 귀는 말 그대로 쫑긋 서 있었다. 내가 들을 수 없게 누군가와 전화 통화를 마친 리오던이 형사들이 올 거라고 말해주었다. 나는 진지하게 받아들여진 것에 대해 커다란 자부심을 느꼈다.

리오던이 내게 최근에 동네에서 낯선 사람을 본 적이 있느냐고 두 번째로 물은 뒤 카르타고 시내를 돌아다니는 노숙자 무리에 대해 세 번째로 상기시키고 있을 때, 전화벨이 울렸다. 나는 총알처럼 거실을 가로질러 수화기를 낚아챘다.

불퉁스러운 여자의 목소리. "던 씨, 컴포트 힐 요양원이에요." 알츠하이머에 걸린 아버지를 맡긴 곳이었다.

"지금은 통화할 수 없습니다. 나중에 다시 걸죠." 나는 퉁명스럽게 내뱉고 전화를 끊었다. 나는 컴포트 힐에서 일하는 여자들을 경멸했다. 웃지도 않고 상냥하지도 않은 여자들. 박봉인 그녀들. 아마 그 터무니없는 급여가 그들이 절대 웃지도, 상냥하지도 않은 이유일 것이다. 그들에게 분노하는 것이 잘못된 일임을 알고 있었다. 나를 그토록 분노케 하는 것은 엄마는 땅속에 있는데 아버지는 아직 살아 있다는 사실이었다.

이번 달은 고가 위탁비를 보낼 차례였다. 7월은 고가 낼 차례라고 나는 확신했고, 고는 이번을 내 차례로 생각하고 있을 거라고도 확신했다. 전에도 이런 적이 있었다. 고는 우리 둘 다 잠재의식에서 그곳에 돈을 부치는 일을 잊고 있는 것이 분명하다고, 우리가 정말로 잊고 싶어 하는 것은 아버지라고 했다.

리오던에게 인근의 빈집에서 본 낯선 남자에 대해 얘기하고 있을 때 초인종이 울렸다. 초인종 소리는 여느 때와 다름없었다. 주문한 피자를 기다리는 기분이었다.

형사 두 명이 교대 근무 후의 피로한 모습으로 들어섰다. 남자는 팔다리가 길고 마른 체형에 턱 끝으로 갈수록 급격하게 좁아지는 얼굴형을 하고 있었다. 여자는 놀랍도록 못생겼다. 보통 못생겼다고 하는 외모의 범위를 벗어난, 뻔뻔스러울 만큼 못생긴 외모였다. 단추처럼 단단하게 박혀 있는 작고 동그란 두 눈, 길고 휘어진 코, 조그만 뾰루지가 잔뜩 난 피부, 먼지 덩어리 색깔의 길고 볼품없이 죽 뻗은 머리카락. 나는 못생긴 여자들을 좋아한다. 나는 눈살을 찌푸리게 하는 세 여자—할머니, 엄마, 이모—의 손에서 자랐다. 그들은 모두 똑똑하고 친절하고 재미있고 건장한, 착하디착한 여자들이었다. 에이미는 내가 최초로 진지하게 만난 예쁜 여자였다.

못생긴 여자가 벨라스케스 여경이 이미 한 것과 똑같은 말을 했다. "던 씨? 저는 론다 보니 경위입니다. 이쪽은 제 동료 짐 길핀 경위고요. 아내 분 때문에 걱정이시라고요."

내 배에서 모두에게 들릴 만큼 크게 꼬르륵 소리가 났지만 다들 못 들은 척했다.

"우리가 좀 둘러봐도 되겠습니까, 선생님?" 길핀이 말했다. 그는 눈 밑에 지방이 있었고 콧수염에는 드문드문 흰 털이 섞여 있었다. 셔츠는 구겨지지 않았지만 그가 입고 있으니 구겨진 것처럼 보였다. 그에게서 담배 꽁초와 시큼한 커피 냄새가 날 것 같았지만 사실은 그렇지 않았다. 다이얼 비누 냄새가 났다.

나는 두 사람을 몇 걸음 떨어져 있는 거실로 데려가 다시 한 번 그 난장판을 가리켜 보였다. 두 젊은 경찰은 그곳에서 쓸모 있는 일을 하고 있는 것처럼 보이고 싶은 듯이 조심스럽게 무릎을 꿇고 앉아 있었다. 보니는 나를 주방에 있는 의자 쪽으로 이끌었다. 싸움이 벌어진 흔적에서 떨어져 있으면서도 그것이 보이는 장소였다.

론다 보니는 참새가 경청하는 듯한 눈으로 나를 바라보면서 내가 벨라스케스와 리오던에게 대답했던 기본적인 내용을 다시 물었다. 길핀은 거실 바닥에 한쪽 무릎을 대고 앉아 주변을 살펴보고 있었다.

"부인께서 함께 있을 만한 사람들, 친구나 가족에게 전화해보셨나요?" 론다 보니 경위가 물었다.

"전…… 아뇨. 아직요. 그냥 경찰이 오기를 기다리고 있었던 것 같아요."

"아." 그녀가 웃었다. "맞춰볼게요. 막둥이죠?"

"네?"

"막둥이요."

"쌍둥이 여동생이 있습니다." 나는 그녀가 속으로 어떤 판단을 내리고 있음을 감지했다. "왜 그러시죠?" 에이미가 아끼는 꽃병이 벽과 맞닿은 채 깨진 곳 없이 바닥에 넘어져 있었다. 그것은 결혼 선물로, 일본산 명품이었다. 에이미는 매주 청소하는 사람이 올 때마다 박살 날 게 분명하다며 꽃병을 다른 곳으로 치워두었다.

"그냥 던 씨가 우리를 기다린 이유를 추측해본 거예요. 항상 다른 사람이 리드하는 데 익숙한 사람인가 하고요." 보니가 말했다. "제 남동생이 그렇거든요. 출생 순서 이론 같은 거지요."

보니는 메모장에 뭔가를 끄적거렸다.

"그렇군요." 나는 화난 듯이 어깨를 으쓱했다. "제 별자리도 알려드릴까요, 아니면 일을 시작하실 건가요?"

보니는 상냥하게 웃으며 내 말을 기다렸다.

"제가 지금까지 기다린 이유는, 그러니까, 지금 아내가 친구와 있는 것 같지 않기 때문입니다." 나는 어질러진 거실을 가리키며 말했다.

"여기 오신 지는, 음, 2년 되셨고요?"

"그렇습니다."

"다른 지역에서 이사 오신 건가요?"

"뉴욕에서요."

"뉴욕 시요?"

"네."

그녀는 손가락으로 위층을 가리키며 무언의 허락을 구했다. 나는 고개를 끄덕이고 그녀의 뒤를 따랐다. 길핀이 내 뒤를 따라왔다.

"저는 뉴욕에서 작가였습니다." 나는 나도 모르게 불쑥 내뱉었다. 이곳으로 돌아온 지 2년이 지난 지금까지도, 나는 누군가가 이것이 나의 유일한 삶이라고 생각하는 것을 못 견뎌 했다.

보니: "대단하시네요."

길핀: "무슨 작가요?"

나는 계단을 올라가면서 박자를 맞추어 대답했다. 저는 잡지에 글을 기고했습니다(한 계단), 남성 잡지에(한 계단) 팝 컬처에 대한 글을 썼죠(한 계단). 계단을 다 올라와서 뒤를 돌아보니, 길핀은 여전히 거실 쪽을 돌아보고 있었다. 그가 재빨리 말했다.

"팝 컬처?" 계단을 오르기 시작하면서 그가 말했다. "그게 정확히 뭐죠?"

"대중문화요." 내가 대답했다. 계단 꼭대기에 다다르니 보니가 우리를 기다리고 있었다. "영화, 텔레비전, 음악, 아, 아시겠지만 순수예술, 형이상학적인 것들은 빼고요." 나는 말하고 나서 얼굴을 찌푸렸다. 형이상학적? 잘난 척은. 너희 두 촌놈을 위해 영어, '교양 있는 동부 해안 영어'를 '서민적인 중서부 영어'로 통역해줄게. 저는 그 뭐시냐, 활동사진을 보고 난 뒤 머릿속에 떠오르는 것들을 끄적거리죠!

"이 친구가 영화를 좋아해요." 길핀이 보니 쪽을 가리키며 말했다. 보니가 고개를 끄덕였다—맞아요.

"지금은 시내에서 '더 바'를 운영하고 있죠." 나는 덧붙였다.

보니는 나와 길핀을 복도에 멈춰 서게 한 채 욕실 안을 들여다보고 있었다.

"아, 그래요?" 보니가 말했다. "나 거기 알아요. 한번 가보고 싶었는데.

이름이 좋아서요. 아주 메타적이에요."

"재치 있는 이름 같군요." 길핀이 말했다. 보니가 침실로 향했고 우리는 뒤따라갔다. "맥주에 빠진 인생이 그리 나쁘진 않죠."

"때때로 답은 병 밑바닥에 있죠." 나는 말하고 나서, 부적절한 인용을 했다 싶어 다시 한 번 얼굴을 찌푸렸다.

우리는 침실로 들어갔다.

길핀이 웃었다. "그 기분 잘 알죠."

"보세요. 다리미도 꺼내놓은 채잖아요?" 내가 말했다.

보니는 고개를 끄덕이고는 널찍한 옷장 문을 열고 그 안으로 들어서며 불을 켠 다음, 라텍스 장갑을 낀 두 손으로 셔츠와 드레스들을 헤치며 안쪽으로 들어갔다. 그녀는 갑자기 소리를 내며 몸을 굽히더니 몸을 뒤쪽으로 돌렸다. 그녀의 손에 화려한 은색 포장지에 싸인 정사각형 상자가 들려 있었다.

배 속이 쥐어짜이는 것 같았다.

"누구 생일인가요?" 보니가 물었다.

"아내와 저의 결혼기념일입니다."

보니와 길핀은 둘 다 거미처럼 입술을 실룩거렸지만 곧 그러지 않은 척했다.

우리가 거실로 돌아왔을 때 젊은 경찰들은 보이지 않았다. 길핀은 무릎을 꿇고 앉아 뒤집어진 오토만을 쳐다보았다.

"아, 저는 조금 겁이 나는군요." 내가 입을 열었다.

"그럴 만도 합니다, 닉." 길핀이 진지하게 말했다. 그의 옅은 푸른색 눈이 불안하게 떨리며 제자리에서 조금씩 움직였다.

"아내를 찾기 위해 뭔가 해야 하지 않을까요? 내 말은, 아내가 이곳에 없는 건 확실하니까요."

보니가 벽에 걸린 결혼 사진을 가리켰다. 턱시도를 입고 이를 드러낸 채 억지웃음을 지으며 형식적으로 에이미의 허리에 두 팔을 감고 있는 나와, 말아 올린 금발을 스프레이로 단단히 고정시키고 케이프 코드의 해풍에 면사포를 흩날리고 있는 에이미. 그녀는 두 눈을 지나치게 크게 뜨고 있었다. 언제나 결정적 순간에 눈을 감는 그녀가 눈을 감지 않으려고 필사적으로 노력하고 있었기 때문이다. 불꽃놀이에 쓰는 유황 냄새와 바다의 짠내가 섞여 나던, 독립기념일 다음 날. 여름이었다.

케이프 코드는 마음에 드는 장소였다. 나는 몇 달 뒤 내 여자친구 에이미가 유명한 작가 부부가 애지중지하는 외동딸로, 꽤 부유하기까지 하다는 사실을 알게 된 날을 기억한다. 어릴 때 본 적 있는 것 같은 도서 시리즈와 이름이 같은, 일종의 아이콘. 어메이징 에이미. 에이미는 내가 혼수상태에서 깨어난 환자라도 되는 것처럼 차분하고 침착한 어조로 그 사실을 말해주었다. 마치 그동안 자신이 그 말을 수없이 많이 해야 했고, 그 끝이 좋지 않았다는 것처럼—지나친 열광을 불러일으킨 부의 인정, 자신이 만든 것이 아닌 비밀스런 정체성의 폭로.

에이미가 자신이 누구이며 또 어떤 존재인지 밝힌 뒤, 우리는 낸터킷 사운드에 있는 엘리엇 집안의 역사적인 저택에 갔고, 함께 항해를 했다. 나는 생각했다. 미주리 출신인 내가 나보다 훨씬 더 많은 것을 본 사람들과 함께 바다를 가로지르고 있다니. 이제 나는 성공적인 인생을 살며 세상을 보기 시작했지만 저들을 따라잡지는 못하겠지. 그렇다고 질투가 난 것은 아니었다. 나는 만족감을 느꼈다. 나는 한 번도 부나 명예를 열망한 적이 없었다. 나를 키운 부모는 자식이 미래의 대통령이 될 거라고 상상하는, 꿈이 큰 사람들이 아니었다. 나는 적당히 생계를 유지하는, 미래에 평범한 직장인이 된 자식을 상상하는 현실적인 부모 밑에서 자랐다. 나로서는 엘리엇 사람들의 옆에 있는 것만으로도, 대서양을 미끄러져 나아가다가 1822년 포경선 선장이 지은 호화로운 복원 저택으로 돌아와 내가 제대로 발음할 줄도 모르는 건강한 유기농 재료로—퀴노아, 그때 나는 그것이 물고기 이름인 줄 알았다—식사를 하는 것만으로도 황홀했다.

그렇게 우리는 짙푸른 목요일에 해변에서 결혼을 하고 돛처럼 부풀어 오른 하얀 천막 아래에서 먹고 마셨다. 몇 시간 뒤 나는 에이미와 함께 어둠 속으로, 파도 치는 바다를 향해 몰래 빠져나갔다. 나는 너무나 꿈같은 기분에 젖어 있었고, 내가 희미한 한 줄기 빛이 되었다고 생각했기 때문이었다. 살갗에 닿는 차가운 수증기가, 나를 뒤로 잡아끌었다. 에이미가 나를 뒤로 잡아끈 것이다. 신들이 만찬을 즐기고 있는, 모든 산해진미가 차려져 있는 천막의 황금 불빛 쪽으로.

"부인이 참 예쁘네요." 보니가 말했다.

"네, 아름다운 사람이죠." 내가 말했다. 배 속이 요동쳤다.

"몇 번째 기념일인가요?" 보니가 물었다.

"다섯 번째입니다."

나는 뭔가를 해야 한다는 생각에 양쪽 발에 번갈아 몸무게를 실으며 안달하고 있었다. 아내가 얼마나 예쁜지에 대해 그들과 토론하고 싶지 않았다. 그들이 나가서 내 빌어먹을 아내를 찾아오기를 원했다. 물론 이런 생각을 소리 내어 말하지는 않았다. 나는 종종 필요한 때조차 속마음을 털어놓지 않는다. 나는 주변에서 걱정할 만큼 참고 자제한다. 나의 몸속 깊숙한 곳에는 분노와 절망, 두려움이 담긴 수백 개의 병이 있다. 하지만 나를 보는 사람들은 그 사실을 상상조차 할 수 없을 것이다.

"다섯 번째 결혼기념일이라, 중요한 날이네요. 휴스턴에 예약하셨겠군요?" 길핀이 물었다. 휴스턴은 이곳에 하나밖에 없는 고급 레스토랑이었다. 휴스턴에 꼭 가보렴. 우리가 이사 왔을 때 엄마는 말했다. 그곳이 카르타고만의 작은 비밀이라고 생각하면서, 에이미가 그곳에 가서 기뻐하기를 바라면서.

"물론이죠."

내가 경찰에게 한 다섯 번째 거짓말이었다. 그리고 그것은 시작일 뿐이었다.

에이미 엘리엇 던

2008년 7월 5일 일기

나는 사랑으로 배가 부르다! 열정으로 꽉 찼다! 열애로 인한 병적 비만 상태! 결혼이라는 열의에 찬 행복하고 분주한 호박벌 한 마리. 나는 그의 주위에서 윙윙거리며 법석을 떨고 매만진다. 나는 낯선 존재, 아내가 되었다. 그의 이름을 입 밖에 내기 위해 대화라는 배의 키를─흥분해서, 부자연스럽게─잡는 나 자신을 발견한다. 나는 아내가 되었다. 지루한 인간이 되었다. '독립적인 젊은 페미니스트'라는 명함을 박탈당했다. 상관없다. 나는 그의 수입을 관리하고 그의 머리를 손질한다. 나는 완전히 구식이 되어 언젠가는 입술을 붉게 칠하고 나풀거리는 트위드 코트를 입고 '미장원'에 가기 위해 문 밖으로 느릿느릿 걸어 나가면서 '손가방'이라는 단어를 입에 올리게 될 것이다. 아무 걱정이 없다. 모든 일이 잘 풀릴 것만 같고, 모든 걱정거리는 저녁식사 때 얘기할 재미난 이야깃거리로 변할 것 같다. 그래서 내가 오늘 부랑자 하나를 죽였어, 여보…… 하하하하! 아, 재미있군!

닉은 맛 좋은 독주 같다. 그는 매사를 옳은 시각으로 바라본다. 다른 시각이 아니라 옳은 시각. 닉과 함께 있으면 나는 전기세 납부가 며칠 늦어 져도, 내가 최근에 작성한 테스트가 조금 시시해도(농담이 아니라, 내가 최근에 쓴 심리테스트는 다음과 같다. '당신은 어떤 나무가 되고 싶은가?' 나? 나는 사과나무! 여기에는 아무런 뜻도 없다!) 정말로 별 문제가 아니라는 것을 깨닫게 된다. 새로 나온 《어메이징 에이미》가 완전히, 그리고 정당하게 혹평을 받고, 서평은 악의에 차 있으며, 부진한 출발 이후 매출은 곤두박질쳤더라도. 내가 우리의 방을 무슨 색으로 칠했건, 차가 막혀서 얼마나 늦건, 우리의 재활용 쓰레기가 정말로 재활용이 되건 말건(솔직히 말해봐, 뉴욕. 되는 거야?) 상관이 없다. 내 짝을 찾았기 때문이다. 나의 짝은 침착하고 똑똑하고 재미있으며 복잡하지 않은 닉이다. 고민하지 않고 행복한 사람. 착한 성격. 큰 성기.

내가 나 자신에 대해 마음에 들어 하지 않았던 모든 것은 나의 뇌 한쪽 구석으로 밀려났다. 아마 이것이 내가 그를 좋아하는 가장 큰 이유일 것이다. 그가 나를 변화시키는 방식. 나의 감정이 아니라 나 자체를 변화시키는 것. 나는 재미있다. 나는 쾌활하다. 나는 기운이 넘친다. 당연히 나는 행복하고 완벽하게 만족스럽다. 나는 아내다! 이런 말을 하다니 이상하군. (정말이지, 재활용 말인데, 뉴욕! 괜찮으니 말해보라니까.)

우리는 바보 같은 일을 한다. 지난 주말에는 차를 타고 델라웨어에 갔다. 우리 둘 다 델라웨어에서 섹스를 해본 적이 없다는 게 이유였다. 상황 설명을 하겠다. 이제는 정말로 후세를 위해. 우리는 주 경계선을 넘는다―델라웨어에 오신 걸 환영합니다! 라고 표지판은 말한다. 작은 기적과 최초의 주와 면세 쇼핑의 고향.

델라웨어, 다양한 정체성이 존재하는 주.

나는 닉을 쳐다보며 처음 나온 흙길을 가리킨다. 우리는 5분 동안 덜컥

거리며 달려, 사방이 소나무로 빽빽한 곳에 도착한다. 말은 하지 않는다. 그가 의자를 뒤로 젖힌다. 나는 치마를 추어올린다. 나는 속옷을 입지 않고 있다. 그의 입꼬리가 아래로 당겨지며 헐거운 표정이 된다. 그가 흥분할 때면 짓는, 약에 취한 것 같은 결연한 표정이다. 나는 그의 위에 올라탄다. 차 앞 유리를 보며, 그에게는 등을 보이면서. 내 몸은 운전대에 밀착해 있다. 우리가 함께 움직이는 동안 경적은 나를 흉내 내듯 작은 울음소리를 내고, 앞 유리를 짚고 있는 나의 한 손은 문지르는 소리를 낸다. 닉과 나는 어디서든 절정에 이를 수 있다. 우리는 둘 다 무대 공포증이 없고, 이 사실에 대해 꽤 자부심을 갖고 있다. 그런 다음 우리는 곧바로 집으로 출발한다. 나는 조수석 계기판 위에 벗은 발을 올려놓고 쇠고기 육포와 쌀밥을 먹는다.

우리는 우리 집을 아주 좋아한다. 《어메이징 에이미》가 지어준 집. 엄마와 아빠가 내게 사준 집. 바로 앞에 산책로가 있고 널찍한 맨해튼 전망을 자랑하는 브루클린의 고급 주택. 너무 비싸서 죄책감이 들기도 하지만 완벽한 집이다. 나는 되도록 버릇없는 부잣집 딸 티를 내지 않으려고 애쓴다. 많은 부분을 DIY로 한다. 우리는 2주 동안 주말에 직접 페인트칠을 했다. 스프링 그린과 연노랑과 벨벳 블루 색으로. 원칙적으로는 그렇다. 우리가 생각했던 대로 나온 색은 하나도 없지만 어쨌거나 우리는 만족하는 척한다. 벼룩시장에서 산 자질구레한 장식품으로 집을 가득 채우고 닉의 전축으로 들을 음반을 사들인다. 어젯밤 우리는 골동품인 페르시아 양탄자에 앉아 와인을 마시며 레코드판이 긁히는 소리를 듣고 있었다. 하늘은 어둑어둑해지고 맨해튼은 불을 켜기 시작했다. 닉은 말했다. "이게 내가 언제나 꿈꾸던 모습이야. 내가 꿈꾸던 그대로야."

주말마다 우리는 네 겹의 이불 밑에서 이야기를 나눈다. 햇빛이 드는 노란색 이불 밑에서 우리의 얼굴이 따뜻해진다. 마룻장마저 쾌활하다. 문을 통과할 때마다 낡고 삐걱거리는 두 장의 마루판이 큰 소리로 우리를 부른다. 나는 이곳이 좋다. 이곳이 우리 집이라는 사실이 좋다. 오래된 전기스탠드, 또는 늘 클립 하나 외엔 아무것도 들어 있지 않은, 커피포트 옆에 있는 못생긴 도자기 컵 뒤에 우리의 아름다운 이야기가 있다는 사실이. 나는 하루 종일 그를 위해 할 수 있는 달콤한 일을 생각한다—따뜻한 돌처럼 그의 손바닥 위에 놓일 페퍼민트 비누나, 그의 리버보트 시절을 기리기 위해 그에게 요리해줄 얇게 저민 송어 사러 가기. 알고 있다. 나는 이상해졌다. 그래도 좋다. 나는 내가 절대로 남자 때문에 이상해질 수 없는 사람인 줄 알았다. 다행이다. 심지어 그가 사랑스럽게 뒤엉킨 자세를 하고 벗는 양말조차 까무러치게 좋다. 마치 강아지가 다른 방에서 물어온 양말처럼.

오늘은 우리의 첫 번째 결혼기념일이고 나는 사랑으로 배가 부르다. 사람들은 첫해가 가장 힘들 거라고 말하고 또 말했다. 마치 우리가 전쟁터로 행군하는 순진한 어린애인 것처럼. 하지만 힘들지 않았다. 우리는 천생연분인가 보다. 오늘은 우리의 첫 번째 결혼기념일이고 닉은 점심시간에 퇴근할 것이다. 나의 보물찾기가 그를 기다리고 있다. 단서는 모두 우리에 관한 것, 함께 보낸 지난 1년에 관한 것이다.

> 사랑하는 우리 남편은 감기에 걸릴 때마다
> 이 요리를 먹으면 금방 나아요.

정답: 프레지던트 스트리트에 있는 타이 타운의 톰얌쿵 수프. 그곳 지배인은 오늘 오후에 시식 접시와 다음 단서를 들고 기다리고 있을 것이다.

차이나타운에 있는 맥맨스와 센트럴 파크의 앨리스 동상에도 가야 한다. 맨해튼 일주다. 종착지인 풀턴 스트리트의 어시장에서 우리는 예쁜 바닷가재 한 쌍을 산 다음 택시를 탈 것이다. 닉은 바닷가재가 든 상자를 무릎 위에 올려놓은 내 옆에서 신경질적으로 흠칫거릴 것이다. 그리고 재빨리 집으로 들어와 내가 수많은 여름을 케이프에서 보낸 여자답게 숙련된 솜씨로 오래된 스토브 위에 새 냄비를 놓고 바닷가재를 넣는 동안, 닉은 키득거리며 주방 문 바깥에서 겁먹고 숨는 시늉을 할 것이다.

나는 그냥 햄버거를 먹자고 했고 닉은 코스 요리가 때맞춰 척척 나오고 웨이터들이 유명인사의 이름을 들먹이는―5성급의, 고급―레스토랑에 가자고 했다. 따라서 바닷가재는 완벽한 타협안이 될 것이다. 바닷가재는 모두가 우리에게 말했던(말하고 또 말했던) 결혼의 실체, 타협이다!

우리는 오래된 재즈음반 속의 여자가 터널 저 안쪽에서 들려오는 듯한 목소리로 노래를 불러주는 동안, 버터 바른 바닷가재를 먹고 방바닥에서 섹스를 할 것이다. 닉이 제일 좋아하는 고급 스카치위스키를 마시며 천천히, 나른하게 취할 것이다. 그리고 나는 그에게 선물을 건넬 것이다. 그가 갖고 싶어 했던, 고급 잉크로 쓴 작가의 글이 담길, 두껍고 매끄러운 종이 위에 황록색의 깨끗한 산세리프체가 찍힌 크레인 앤드 컴퍼니의 편지지. 작가와, 아마도 한두 통의 러브레터를 받아내려고 할 작가의 아내를 위한 편지지.

그런 다음 우리는 다시 한 번 섹스를 할 것이다. 그리고 심야의 햄버거. 더 많은 스카치. 짠! 이 블록에서 가장 행복한 커플! 그런데도 사람들은 결혼이 아주 힘든 것이라고 말한다.

닉 던

그날 밤

보니와 길핀은 망해가는 지역 은행처럼 생긴 경찰서로 인터뷰 장소를 옮겼다. 그들이 나를 작은 방 안에 혼자 놔둔 40분 동안, 나는 동요하지 않으려고 노력했다. 침착하게 보이려 애쓰면 어느 정도는 침착하게 된다. 나는 탁자 앞에 앉아 팔에 턱을 대고 구부정한 자세로 기다렸다.

"에이미의 부모님께 전화하시겠어요?" 보니가 물었다.

"걱정시켜드리고 싶지 않군요." 내가 말했다. "지금부터 한 시간이 지나도 아내한테서 연락이 없으면 전화하겠습니다."

우리는 이 대화를 세 번 반복했다.

마침내 경찰들이 들어와 맞은편에 앉았다. TV 쇼와 어쩌나 똑같은 느낌인지, 웃고 싶은 것을 겨우 참았다. 이 방은 내가 지난 10년 동안 채널을 돌려가며 봤던 심야 케이블 방송의 방과 똑같았고, 두 명의—지친 모습의 진지한—경찰은 주연 배우처럼 행동했다. 완벽한 가짜. 에프코트 경찰서. 심지어 보니는 종이컵에 든 커피와 소도구 같은 서류철까지 들고 있었다. 경찰의 소도구. 나는 들떴고, 한순간 우리 모두가 연기 중이라는 느낌이 들었다. 자, '실종된 아내' 게임을 시작합시다!

"닉, 괜찮아요?" 보니가 물었다.

"네, 왜 그러시죠?"

"웃고 계셔서요."

들뜬 기분이 타일바닥 위로 떨어졌다.

"죄송합니다. 전 그냥……."

"알아요." 어깨를 토닥거리는 것 같은 표정으로 보니가 말했다. "이상한 경험이죠, 저도 알아요." 그녀가 목을 가다듬었다. "먼저, 우리는 당신이 이곳에서 편안하기를 바랍니다. 필요한 것이 있으면 말씀하세요. 지금당장 우리에게 많은 정보를 주실수록 수사에 도움이 되겠지만, 집으로 돌아가고 싶으시면 그렇게 하셔도 괜찮습니다."

"마음대로 하십시오."

"좋습니다. 감사합니다." 보니가 말했다. "음, 좋아요. 그럼 성가신 문제부터 처리하겠습니다. 짜증나는 문제죠. 아내분이 정말로 납치를 당했다면—아직은 모르는 일이지만요—그렇다는 가정하에, 저희는 범인을 잡고 싶고, 범인이 잡힌다면 단단히 붙잡아두고 싶습니다. 빠져나갈 구멍이나 여지를 주고 싶지 않은 거죠."

"네."

"그래서 가장 빠르고 쉽게 당신을 용의선상에서 제외하고자 합니다. 범인이 우리더러 어째서 남편을 조사하지 않았느냐고 할 수 없도록 말입니다. 무슨 말인지 아시죠?"

나는 기계적으로 고개를 끄덕였다. 사실은 무슨 말인지 잘 몰랐지만 되도록 협조적으로 보이고 싶었기 때문이었다.

"마음대로 하십시오."

"겁주려고 그러는 게 아닙니다." 길편이 덧붙였다. "단지 모든 조치를 취하고 싶은 겁니다."

"전 괜찮아요."

범인은 언제나 남편이지. 나는 생각했다. 언제나 남편이 범인이라는 걸 다들 알고 있잖아. 그러니 그냥 이렇게 말하지 그래. 우리는 당신이 남편 이기 때문에 의심한다고. 범인은 언제나 남편이라고. 저녁 뉴스만 봐도 아는 사실이라고.

"좋아요, 닉." 보니가 말했다. "우선 면봉으로 볼 안쪽을 닦겠습니다. 집 안에 있는 DNA 증거들이 당신의 것이 아니라고 확인하기 위해서예요. 괜찮죠?"

"그럼요."

"양손에 발사 잔여물이 있는지도 살펴보겠습니다. 다시 말하지만, 만에 하나……."

"잠깐, 잠깐만요. 아내가 총에 맞았다는 증거라도 발견된……."

"아니, 아닙니다." 길편이 갑자기 끼어들었다. 그는 의자 하나를 탁자 쪽으로 끌어당겨 의자 뒤쪽이 앞으로 오게 해서 앉았다. 나는 경찰들이 정말로 그렇게 하는 것인지 궁금했다. 아니면 어떤 영리한 배우가 처음 그런 연기를 한 뒤로 경찰 역을 맡은 다른 배우들이 따라서 하자, 경찰들 이 멋있다며 똑같이 하기 시작한 것일까?

"그냥 의례적인 형식입니다." 길편이 말을 이었다. "모든 조치를 하려 고 노력하는 거지요. 손도 살펴보고, DNA도 채취하고. 그리고 선생님 차도 좀 살펴봤으면 하는데……."

"그러세요. 아까도 말했듯이, 마음대로 하십시오."

"고마워요, 닉. 정말 감사드립니다. 가끔 사람들은 그런 의심을 받는다는 이유만으로 우리를 골탕 먹이거든요."

나는 정확히 그 반대였다. 아버지는 나의 어린 시절을 무언의 비난으로 가득 채웠다. 그는 살금살금 돌아다니며 화를 낼 건수를 찾는 남자들 중 하나였다. 이 때문에 고는 부당한 트집은 절대 잡히지 않으려는 방어적인 사람으로 변했고, 나는 권위에 자동적으로 아첨하는 놈이 되어버렸다. 엄마, 아빠, 선생님들. 네, 당신의 일이 편해진다면 마음대로 하세요. 나는 끊임없이 호감을 주려고 애썼다. "넌 사람들이 네가 좋은 사람이라고 믿게 할 수만 있다면 거짓말, 사기, 절도는 물론이고 살인까지 저지를 거야." 언젠가 고가 말했다. 우리는 고가 살던 옛 뉴욕 아파트에서 멀지 않은 요나 시멜에서 크니쉬를 사기 위해 줄을 서 있었고—내가 그때를 이렇게나 잘 기억하고 있는 것을 보라—나는 식욕이 싹 달아났다. 고의 말은 그때까지 내가 한 번도 깨닫지 못한, 거부할 수 없는 진실이었기 때문이다. 고가 말을 마치기도 전에 나는 생각했다. 나는 지금을 절대 잊지 못할 거라고. 이 순간은 영원히 나의 뇌리에 박히게 될 거라고.

내가 보니, 길핀과 독립기념일의 불꽃놀이와 날씨에 대해 잡담을 나누는 동안 나의 두 손은 발사 잔여물 검사를 받았고 매끄러운 볼 안쪽으로는 면봉이 지나갔다. 별일 아니라는 듯이, 치과에라도 온 것처럼.

그 후 보니는 내게 커피를 한 잔 더 따라준 뒤 내 어깨를 움켜잡았다.

"죄송합니다. 우리 일 중 가장 고약한 과정이죠. 이제 몇 가지 질문을 해도 될까요? 조사에 큰 도움이 될 겁니다."

"그럼요, 얼마든지 하세요."

그녀는 내 앞에 얇은 디지털 녹음기를 놓았다.

"괜찮겠죠? 이렇게 하면 같은 질문에 반복해서 대답하실 필요가 없거든⋯⋯." 그녀는 내가 말을 바꾸지 못하게 내 말을 녹음하려고 했다. 변호사를 불러야겠어. 나는 생각했다. 하지만 변호사가 필요한 건 죄를 지은 사람뿐이야. 그래서 고개를 끄덕였다. 문제없어요.

"그럼 시작하죠." 보니가 말했다. "두 분은 여기서 사신 지 오래되었나요?"

"2년 정도밖에 안 됐습니다."

"아내분은 원래 뉴욕 시 출신이고요."

"네."

"부인께서는 일을 하셨습니까?" 길핀이 말했다.

"아니오. 아내는 성격테스트를 썼죠."

형사들이 서로를 쳐다보았다. 테스트?

"청소년 잡지나 여성 잡지에요." 내가 말했다. "아실 거예요. 당신은 질투하는 타입인가? 테스트를 해보라! 남자들은 당신을 무섭다고 생각할까? 테스트를 해보라!"

"멋지네요. 저 그런 거 좋아해요." 보니가 말했다. "그런 글을 쓰는 직업이 있는 줄은 몰랐네요. 그러니까, 전문적으로요."

"뭐, 이제는 없어요. 인터넷에서 그런 테스트를 얼마든지 무료로 해볼수 있으니까요. 에이미의 글은 좀 더 특별했지만. 아내는 심리학 석사였거든요. 아니, 심리학 석사예요." 나는 말실수를 무마하기 위해 부자연스럽게 웃음을 터뜨렸다. "하지만 특별한 것도 공짜는 못 당하죠."

"그래서요?"

나는 어깨를 으쓱했다. "그래서 이곳으로 이사를 왔죠. 요즘 아내는 그냥 집에 있어요."

"아! 자제분들이 있나 봐요?" 보니가 좋은 소식이라도 발견한 것처럼 유쾌하게 말했다.

"없습니다."

"아. 그럼 부인께서는 대부분의 시간을 어떻게 보내시죠?"

그건 나 역시 궁금했다. 한때 에이미는 늘 모든 것을 조금씩 하는 여자였다. 우리가 함께 살기 시작했을 때 그녀는 프랑스 요리를 집중 탐구하면서 신들린 칼 솜씨와 뵈프 부르기뇽을 선보였다. 에이미의 서른네 번째 생일날 함께 바르셀로나로 여행을 갔을 때는 전음(顫音)을 내며 스페인어로 대화를 해 나를 놀라게 했다. 몇 달 동안 몰래 배운 것이었다. 아내는 명석한 두뇌와 탐욕스러운 호기심의 소유자였다. 하지만 경쟁은 그녀의 집착을 부채질했다. 그녀는 남자들을 압도하고 여자들의 질투를 받아야 했다. 당연히 에이미는 프랑스 요리를 만들 수 있고, 스페인어를 유창하게 할 수 있고, 바느질과 뜨개질을 할 수 있고, 마라톤을 할 수 있고, 주식 단타 매매를 할 수 있고, 비행기도 조종할 수 있다. 그녀는 언제나 '어메이징 에이미'여야 했다. 이곳 미주리 여자들은 타깃에서 쇼핑을 하고 부지런히 소박한 식사를 준비했으며 고등학교 때 배운 스페인어가 하나도 기억나지 않는다고 웃으며 말한다. 경쟁에는 관심이 없다. 에이미의 지칠 줄 모르는 성취는 이곳 사람들에게 거리낌 없이 받아들여졌겠지만, 그와 더불어 약간의 연민도 불러일으켰으리라. 그런 상황은 나의 경쟁심 강한 아내에게 최악일 것이다.

"아내는 취미가 많아요." 내가 말했다.

"선생님을 걱정시키는 취미는 없었나요?" 보니가 근심 어린 표정으로 물었다. "약물이나 음주에 대해서 걱정하신 적은 없나요? 아내분을 나쁘게 말하려는 건 아닙니다. 생각보다 많은 주부들이 그런 것들에 기대 시간을 보내거든요. 혼자 있으면 낮이 길게 느껴지죠. 술을 마시다가 약물 쪽으로 넘어가기도 하고요. 여기에는 헤로인뿐만 아니라 처방된 진통제까지 포함됩니다. 요즘 나쁜 물건을 팔면서 돌아다니는 놈들이 있거든요."

"근래 마약 거래 문제가 심각합니다." 길펀이 말했다. "경찰들도 그 문제로 많이 ─5분의 1 정도─ 잘렸어요. 처음부터 아주 엄하게 다뤘죠. 내 말은, 그게 아주 심각하다는 겁니다. 아주 만연한 문제예요."

"지난달에는 어떤 주부가, 참한 여자였는데, 옥시코틴 때문에 이가 빠졌어요." 보니가 말했다.

"아뇨, 아내는 와인 같은 걸 한 잔 정도 마실 수는 있지만 약은 하지 않습니다."

보니가 나를 쳐다보았다. 그녀가 원하는 대답이 아닌 것이 분명했다.

"아내분이 여기서 친구들은 좀 사귀셨나요? 확인을 위해 친구분들한테도 전화를 좀 해야겠는데. 나쁜 뜻이 있는 건 아니고요. 가끔은 약물 문제를 제일 늦게 알게 되는 사람이 배우자이기도 해요. 창피해서 숨기거든요, 특히 여자들은."

친구들. 에이미는 뉴욕에서 매주 친구들을 만들었다가 정리했다. 그녀에게 친구란 프로젝트 같은 것이었다. 그녀는 처음에는 친구 때문에 한껏 들뜬다. 에이미에게 노래 강습을 해주는 캐머런은 목소리가 죽여주게 좋았다(에이미는 매사추세츠 주에 있는 기숙학교를 나왔다. 나는 아주 가끔 그녀가 뉴잉글랜드 사람처럼 굴 때를 좋아했다. 죽여주게 좋았다). 그리고 패션디자인 강습소에서 만난 제시. 하지만 한 달 뒤 내가 제시나 캐머런에 대해 물어보면 에이미는 생전 처음 듣는 이야기라는 표정으로 나를 쳐다보았다.

남자 친구들도 있었다. 그들은 늘 에이미 주변에서 법석을 떨며 그녀의 남편이 해주지 못하는 남편의 임무를 해주고 싶어 안달이 나 있었다. 의자 다리 고치기, 그녀가 좋아하는 아시아산 수입 차(茶) 구하러 다니기 등등. 에이미는 그들이 친구라고, 좋은 친구일 뿐이라고 맹세했다. 그녀는 언제나 팔 하나 정도 떨어진 거리에 그들을 대기시켰다. 내가 화가 나지 않을 정도로 멀되 손가락만 까딱하면 자신의 명령을 따를 수 있을 만큼 가까운 거리에.

미주리에서는…… 맙소사, 정말이지 떠오르는 게 없었다. 그것도 이제야 깨달았다. 정말이지 넌 형편없는 놈이야. 나는 생각했다. 우리가 이곳에서 산 2년 동안, 정신없이 이웃을 맞이하고 인사하던 처음 몇 달을 제외하면, 에이미는 정기적으로 만나는 사람이 아무도 없었다. 그녀에게는 지금은 세상을 떠난 내 어머니와 나뿐이었고, 우리의 주된 대화 형태는 공격과 반격이었다. 과거 우리가 1년에 한 번씩 내 고향에 다녀올 때면, 나는 신사 흉내를 내며 묻곤 했다. "그래, 노스 카르타고는 어떠셨소, 던 부인?" 그녀는 대답했다. "뉴 카르타고겠지."

나는 그 말이 무슨 뜻인지 물어보지 않았지만 모욕이라는 것은 알 수 있었다.

"아내에게 친한 친구들이 몇 명 있기는 하지만 대부분 동부 지역에 살아요."

"아내분의 가족은?"

"뉴욕 시에 삽니다."

"그런데도 지금껏 아무한테도 연락을 안 했다고요?" 보니가 어리벙벙하게 웃으며 물었다.

"난 당신들이 하라고 한 다른 모든 일을 하고 있었잖아요. 그럴 기회가 없었어요." 나는 신용카드와 현금인출 기록을 조회하고 에이미의 휴대전화를 추적해도 좋다는 동의서에 서명했다. 고의 휴대전화 번호와 내가 도착한 시간을 증언해줄, 더 바에 있던 과부 수의 이름도 넘겨주었다.

"막둥이 같네요." 보니가 고개를 저었다. "당신을 보면 정말이지 내 남동생이 생각나요." 침묵. "아, 좋은 뜻으로 하는 말이에요, 정말로."

"보니가 애지중지하는 동생이죠." 길핀이 수첩에 뭔가를 끄적거리며 말했다. "자, 그러니까 선생님은 아침 일곱 시 반쯤 집을 나와서 정오쯤 바에 도착했습니다. 그 사이에는 강가에 있었고요."

우리 집에서 북쪽으로 16킬로미터 정도 떨어진 곳에 비치헤드가 있다. 모래와 실트와 깨진 맥주병 조각으로 이루어진 그다지 유쾌하지 않은 장소다. 쓰레기통은 스티로폼 컵과 더러운 기저귀로 넘쳐난다. 하지만 맞바람이 부는 쪽에 해가 잘 드는 테이블이 있어, 거기서 강 쪽을 바라보면 다른 허접쓰레기들은 무시할 수 있다.

"가끔씩 그곳에 커피와 신문을 들고 가서 그냥 앉아 있어요. 여름 기분을 한껏 내는 거죠."

아뇨, 거기서 누군가와 대화를 하지는 않았습니다. 아뇨, 저를 본 사람은 아무도 없어요.

"거기가 평일에 한적한 곳이기는 하죠." 길핀이 수긍했다.

경찰이 나를 아는 누군가와 얘기를 한다면 내가 강가에 가는 일이 거의 없으며, 그저 아침 시간을 즐기기 위해 커피를 들고 가는 일은 절대 없다는 사실을 금방 알게 될 것이다. 나는 아일랜드계다운 흰 피부의 소유자였고 쓸데없는 공상에는 취미가 없었다. 비치보이와는 거리가 멀었다. 내가 경찰에게 말한 내용은 에이미의 생각이었다. 아내는 내게 혼자 있을 수 있는 곳에 가서 내가 좋아하는 강을 바라보며 우리가 함께한 삶을 돌아보라고 했다. 오늘 아침, 그녀가 만든 크레이프를 함께 먹고 난 뒤였다. 그녀는 몸을 앞으로 기울이고 말했다. "요즘 우리가 힘든 시간을 보내고 있다는 거 알아. 닉, 난 아직도 당신을 정말 사랑해. 내가 고쳐야 할 점이 많다는 것도 알고. 하지만 난 당신에게 좋은 아내이고 싶고, 당신이 계속 나의 남편이기를 바라고, 행복하기를 바라. 하지만 당신은 당신이 원하는 게 무엇인지 결정해야 해."

아내는 분명 그 말을 연습했을 것이다. 그녀는 당당하게 미소를 지으며 그 말을 했다. 그리고 아내가 이토록 친절한 제안을 할 때조차 나는 생각했다. 아마 그녀는 극적 효과를 노리고 이 말을 연출했겠지. 그녀가 원하는 건 나와 굽이쳐 흐르는 강의 이미지야. 내가 수평선을 바라보며 우리의 삶을 돌아볼 때 강바람에 내 머리카락이 흩날리는 모습. 내가 던킨 도넛에나 가는 건 싫은 거지.

당신은 당신이 원하는 게 무엇인지 결정해야 해. 에이미에게는 안된 일이지만, 나는 이미 결정을 내린 상태였다.

보니가 수첩에서 고개를 들고 밝게 웃으며 물었다. "아내분 혈액형이 뭔지 말씀해주시겠어요?"

"아, 글쎄요. 모르겠는데요."

"부인 혈액형을 모르신다고요?"

"아마도 O형?"

보니는 미간을 찌푸리더니 마치 요가를 하듯 질질 끌며 말했다. "좋아요, 닉. 이제 우리는 이렇게 도와드릴 거예요." 그녀가 설명했다. 에이미의 휴대전화 통화 내역을 조회하고, 그녀의 사진을 배포하고, 그녀의 신용카드 사용 내역을 조사한다. 이 지역 성범죄 전과자들을 인터뷰한다. 몇 안 되는 우리 이웃들을 탐문 조사한다. 몸값을 요구하는 전화가 올 경우를 대비해 우리 집 전화를 도청한다.

나는 이제 무슨 말을 해야 할지 확신할 수가 없었다. 대사를 찾아 머릿속을 구석구석 뒤졌다. 영화에서는 이 시점에서 남편이 무슨 말을 하더라? 그가 유죄냐 무죄냐에 따라 다르다.

"그것만으로는 안심이 되지 않는군요. 지금 상황이 납치입니까, 실종입니까? 정확하게 무슨 일이 벌어지고 있는 거죠?" TV 쇼에서 내가 지금 출연 중인 상황과 똑같은 내용에 관한 통계를 본 적이 있다. 첫 48시간 동안 아무런 진척이 없을 경우 그 사건은 미제로 남을 가능성이 크다. 첫 48시간이 핵심이다. "제 말은, 아내가 사라졌다고요. 제 아내가 사라졌단 말입니다!" 나는 이제야 내가 처음으로, 응당 그래야 하는 방식으로, 겁에 질리고 화가 나서 말했다는 사실을 깨달았다. 아버지는 끝도 없이 다양한 방식으로 비꼬고 화를 내고 혐오하는 사람이었다. 나는 아버지처럼 되지 않기 위해 평생을 분투하면서 부정적인 감정은 아예 내색할 수 없는 사람이 되어버렸다. 이것이 내가 불쾌한 놈처럼 보이는 또 하나의 이유였다. 내 배 속은 미끌미끌한 뱀장어로 가득 차 있지만, 내가 하는 말이나 얼굴에서는 아무것도 읽어낼 수 없을 테니까. 언제나 이것이 문제였다. 지나치게 통제하거나 아예 통제가 되지 않는 것.

"닉, 우리는 상황을 극도로 진지하게 받아들이고 있습니다." 보니가 말했다. "지금 감식반 사람들이 가 있으니 더 많은 정보를 얻을 수 있을 겁니다. 현재로서는 남편께서 아내분에 대해 많은 것을 알려주실수록 도움이 됩니다. 아내분은 어떤 분이죠?"

보통 남편들이 하는 말들이 떠올랐다. 아내는 상냥하고, 좋은 여자예요. 아내는 착해요, 저를 지지해줘요.

"아내가 어떤 사람이라니요?" 내가 물었다.

"아내분의 성격을 짐작할 수 있는 얘기를 해주세요." 보니가 말했다. "결혼기념일 선물은 어떤 걸로 준비하셨죠? 보석?"

"아직 준비를 못했습니다. 오늘 오후에 준비하려고 했어요."

나는 보니가 웃으며 다시 "막둥이 같아"라고 말하기를 기다렸지만 그녀는 그렇게 하지 않았다.

"알겠습니다. 그럼 아내분에 대해 말씀해주세요. 외향적인가요? 어떻게 표현해야 할지 모르겠지만, 뉴욕 사람 같은가요? 어떤 사람들이 보기에는 무례할 수 있는 그런 성격? 의도하지 않게 사람들을 화나게 하는?"

"모르겠습니다. 아내는 낯선 사람을 절대 만나지 않는 그런 사람은 아닙니다. 아내는 누군가 자신을…… 해치게 할 만큼 화를 돋우는 사람이 아니었어요."

나의 열한 번째 거짓말이었다. 지금의 에이미는 때때로 죽이고 싶을 만큼 화를 돋우었다. 내가 사랑했던 여자와는 조금도 닮은 구석이 없는 지금의 에이미에 국한하자면 말이다. 고약한 반전이 있는 동화 같은 변화였다. 불과 몇 년 만에, 활짝 웃는 편안한 여자였던 예전의 에이미는 말 그대로 자신을, 몸과 영혼을 땅바닥에 내팽개쳤고, 현재의 새로운 에이미, 성가시고 신랄한 에이미로 나타났다. 나의 아내는 더 이상 내 아내가 아니라 내게 자신을 풀어보라고 부추기는 레이저 와이어의 매듭이었다. 나의 굵고 둔하고 신경질적인 손가락으로는 도저히 풀 수 없는 매듭. 촌놈의 손가락. '에이미 풀기'라는 복잡하고 위험한 일에 대한 훈련을 받아본 적 없는, 중서부 지역에 사는 평범한 사람의 손가락. 내가 절단되어 피가 나는 팔을 들어 올리면 그녀는 한숨을 쉬고 몸을 돌려 나의 온갖 결함을 기록하는 비밀노트를 펼쳤다. 끝없이 적히는 실망감, 결점, 단점. 나의 옛 에이미는 정말이지 재미있는 여자였다. 그녀는 재미있는 사람이었다. 그녀는 나를 웃게 만들었다. 이 사실을 나는 잊고 있었다. 그리고 그녀도 웃었다. 목구멍 저 밑에서부터, 그 작고 손가락처럼 생긴 구멍 바로 뒤에서 나오는 웃음. 가장 멋진 웃음이 나오던 곳. 그녀는 불만이라고 해봐야 새

모이 한 움큼 정도를 흩뿌렸고, 불만은 그곳에 있다가 금방 사라졌다.

그녀는 내가 가장 두려워하는, 예전에는 그렇지 않았지만 이제는 그런 여자가 되었다. 화난 여자. 나는 화난 여자들을 어떻게 다뤄야 하는지 모른다. 그들은 내 안에서 불쾌한 어떤 것을 끄집어낸다.

"아내분은 권위적인가요?" 길핀이 물었다. "리드하는 타입?"

순간 나는 에이미의 달력을 떠올렸다. 향후 3년까지 이어지던 그녀의 달력. 1년 뒤를 보아도 약속이 적혀 있었다. 피부과, 치과, 동물병원.

"아내는 계획을 꼼꼼하게 세워요. 뭐든 즉흥적으로 하는 법이 없죠. 목록을 만들고 한 일을 체크하는 걸 좋아하는 사람이에요. 일을 끝까지 해내죠. 그러니 말이 안 되는 겁니다. 아까……."

"그런 사람 옆에 있으면 피곤할 수 있죠." 보니가 동정하듯 말했다. "같은 타입이 아니라면요. 선생님은 전형적인 B형 성격(미국 심장내과의 프리드먼과 로즈먼이 주장한 성격 유형. 일에 쉽게 몰두하고 시간관념이 철저한 A형과 느긋하고 낙천적인 B형 성격으로 나뉜다─옮긴이)인 것 같은데요."

"전 좀 더 느긋한 성격이라고 생각합니다." 이어서 나는 덧붙이려던 말을 했다. "우리는 서로를 보완하는 관계죠."

나는 벽에 걸린 시계를 쳐다보았다. 보니가 내 손을 두드렸다.

"이제 아내분의 부모님께 전화를 드리는 게 어때요? 분명 고마워하실 겁니다."

자정이 넘은 시각이었다. 장인과 장모는 아홉 시면 잠자리에 들었다. 그들은 이 이른 취침 시간을 이상하게 자랑스러워했다. 지금쯤 그들은 깊이 잠들어 있을 것이고 따라서 이 전화는 한밤중의 긴급한 전화가 될 것이다. 두 사람의 휴대전화는 저녁 8시 45분이면 어김없이 꺼진다. 그러므로 장인 랜드 엘리엇은 침대에서 복도 끝까지 걸어가 그 무겁고 오래된 수화기를 들어 올려야 할 것이다. 그는 안경을 더듬어 찾을 것이고 허둥거리며 테이블 램프를 켤 것이다. 그리고 그 한밤중의 전화를 걱정하지 않아도 되는 온갖 무해한 이유를 스스로에게 상기시킬 것이다.

나는 전화를 걸어 두 번은 전화벨이 끝까지 울리기 전에 끊었다. 그런 다음 전화벨이 끝까지 울릴 때까지 기다리자 장인이 아닌 장모의 낮은 목소리가 귓가를 울렸다. "장모님, 저 닉입니다……." 그리고 나는 할말을 잃었다.

"무슨 일인가, 닉?"

나는 숨을 들이마셨다.

"에이미 일인가? 말해보게."

"어, 죄송합니다. 좀 더 일찍 전화……."

"맙소사, 무슨 일이야!"

"에이미가 어디 있는지 모르겠습니다." 나는 더듬거리며 말했다.

"에이미가 어디 있는지 모른다고?"

"네, 그러니까……."

"실종된 거야?"

"확실하지는 않습니다. 아직……."

"언제부터?"

"확실치 않습니다. 오늘 아침 일곱 시 넘어서 제가 집을 나왔습니다……."

"지금은 새벽 한 시네, 닉."

"죄송합니다. 확실해지고 나면 전화를……."

"맙소사. 오늘 저녁에 우린 테니스를 쳤어, 테니스. 그때 우리는…… 세상에. 경찰은 불렀나? 경찰에 알렸어?"

"지금 경찰서에 있습니다."

"책임자를 바꾸게, 닉. 부탁이네."

나는 어린애처럼 길핀을 부르러 갔다. 우리 장모님이 바꿔달래요.

장인과 장모에게 전화를 하면서 사태는 공식화되었다. 비상사태—에 이미가 사라지다—는 외부에 알려졌다.

조사실로 돌아가는데 아버지의 목소리가 들렸다. 가끔씩, 특히 수치스러운 순간에 나는 머릿속에서 아버지의 목소리를 듣곤 했다. 하지만 이번에는 실제로 아버지의 목소리가 들렸다. 아버지의 말이 악취 나는 늪에 부글거리는 축축한 거품처럼 떠올랐다. 씨발년 씨발년 씨발년. 정신이 나간 아버지는 조금이라도 당신을 화나게 하는 모든 여자에게 이 말을 퍼부었다. 씨발년 씨발년 씨발년. 나는 여러 회의실 중 한곳을 들여다보았다. 그 방 안에, 벽에 붙어 있는 긴 의자에 아버지가 앉아 있었다. 한때 아버지는 홈이 팬 턱에 진지한 표정을 한 잘생긴 남자였다. 이모는 아버지를 거슬릴 정도로 근사하다고 묘사했다. 이제 아버지는 가시나무 수풀이라도 헤치고 나온 것처럼 헝클어진 금발에 흙투성이 바지를 입고, 두 팔은 여기저기 긁힌 채로 땅바닥에 앉아 뭐라고 중얼거리고 있었다. 턱까지 이어진 한줄기 침 자국이 달팽이가 지나간 흔적처럼 희미하게 보였다. 그는 아직 시들지 않은 팔 근육을 굽혔다 폈다 하고 있었다. 옆에는 여자 경관 한 명이 긴장한 표정으로 앉아 있었다. 그녀는 화가 난 듯 입술을 일그러뜨린 채 아버지를 애써 외면하고 있었다. 씨발년 씨발년 씨발년. 넌 씨발년이야.

"무슨 일입니까?" 나는 그녀에게 물었다. "이분은 제 아버집니다."

"연락 못 받으셨습니까?"

"무슨 연락이요?"

"아버님을 데리고 가라는 연락이요." 그녀는 내가 멍청한 열 살짜리 애라도 되는 듯이 지나치게 분명한 발음으로 말했다.

"전, 제 아내가 지금 실종 상태예요. 전 오늘 밤 계속 여기 있었어요."

그녀는 조금도 개의치 않고 나를 노려보았다. 나는 그녀가 태도를 바꿔 사과하고 상황을 물어야 할지 고민하고 있다는 것을 알았다. 그때 아버지가 다시 입을 열었고—씨발년 씨발년 씨발년—그녀는 태도를 바꾸지 않기로 결정했다.

"컴포트 힐에서 하루 종일 그쪽한테 전화를 했습니다. 그쪽 아버지가 아침 일찍 화재 대피구를 통해 시설을 빠져나갔다고요. 보시다시피 여기저기 긁히고 까지긴 했지만, 심각한 것은 아닙니다. 저희는 몇 시간 전에 이분이 강변도로에서 이리저리 헤매는 걸 발견하고 데려왔습니다. 그런 다음 그쪽한테 계속 전화를 했단 말입니다."

"난 바로 여기 있었어요. 여기 빌어먹을 옆방에요. 어떻게 아무도 그걸 모를 수가 있죠?"

씨발년 씨발년 씨발년. 아버지가 내뱉었다.

"제게 그런 식으로 말하지 마십시오."

씨발년 씨발년 씨발년.

보니는 내가 그들과의 볼일을 끝마칠 수 있도록 어느 남자 경관에게 아버지를 집까지 데려다주라고 지시했다. 우리는 경찰서 바깥에 있는 계단 위에 서서, 아직도 중얼거리고 있는 아버지가 차에 타는 모습을 지켜보았다. 아버지는 끝까지 나를 알아보지 못했고, 차가 떠날 때도 뒤돌아보지 않았다.

"두 분 사이가 별로인가 봐요?" 보니가 물었다.

"전형적으로 별로인 관계죠."

새벽 두 시쯤 모든 질문을 끝낸 경찰은 정오에 있을 기자회견을 위해 푹 자고 오전 열한 시까지 나오라고 말하며 나를 놓아주었다.

나는 내 집으로 가도 되느냐고 묻지 않았다. 나는 고의 집으로 갔다. 고는 아직 깨어 있을 것이고, 나와 함께 술을 마셔주고 샌드위치를 만들어줄 거라는 것을 알기 때문이다. 한심하게도 그때 내가 원한 것은 그게 다였다. 내게 샌드위치를 만들어주고 어떤 질문도 하지 않을 여자.

"에이미를 찾고 싶지 않아?" 먹고 있는 내 앞에서 고가 물었다. "같이 차 타고 돌아다녀보자."

"소용없는 짓이야." 내가 우물거렸다. "어디 가서 찾아?"

"닉, 지금 진짜 심각한 상황이야."

"나도 알아, 고."

"그럼 그에 걸맞게 행동해, 알았어, 랜스? 미우미우미우거리지 말란 말이야." 그것은 어물거리는 소리, 나의 우유부단함을 지적할 때마다 고가 멍하게 눈을 굴리고 평소에는 쓰지 않는 나의 진짜 이름을 부르며 내는 소리였다. 나처럼 생긴 사람은 랜스라고 불려서는 안 된다. 고는 버번이 담긴 큰 컵을 내밀었다. "이거 마셔. 하지만 이걸로 끝이야. 내일 숙취에 시달리고 싶지는 않을 테니. 도대체 에이미는 어디 있는 거야? 젠장, 속이 뒤집힐 것 같아." 고는 유리컵에 스카치를 따라 급하게 들이켠 다음 조금씩 마시려고 노력했다. "걱정도 안 돼, 닉? 어떤 놈이 길거리에서 에이미를 보고 갑자기 납치하기로 한 건 아닐까? 머리를 때린 다음에……."

"머리를 때리다니, 무슨 그런 말을 해?"

"미안해, 상상하려는 건 아닌데, 난 그냥…… 모르겠어. 계속 생각하게 돼. 어떤 미친놈에 대해서."

고가 자기 컵에 스카치를 더 부었다.

"미친 사람 얘기가 나와서 말인데," 내가 말했다. "오늘 아버지가 또 탈출했어. 강변도로를 따라 걷다가 발견됐대. 아까 컴포트 힐로 돌아갔어."

고는 어깨를 으쓱했다. 알았어. 지난 반년 동안 아버지가 시설을 탈출한 건 이번이 세 번째다. 고는 담배에 불을 붙였다. 그녀는 아직도 에이미를 생각하고 있었다.

"그러니까, 우리가 얘기해볼 만한 사람은 없는 거야?" 고가 물었다. "우리가 할 수 있는 일이 없는 거냐고?"

"맙소사! 나를 얼마나 더 무력감에 빠뜨려야겠어?" 내가 쏘아붙였다. "난 도무지 어떻게 해야 할지 모르겠단 말이야. '아내 실종 개론' 같은 건 없어. 경찰이 이제 가봐도 좋다고 했다고. 난 경찰이 하라는 대로 하고 있어."

"물론 그렇지." 고가 우물거렸다. 나를 반항아로 변화시키려는 고의 임무는 오랫동안 진전이 없었다. 앞으로도 그럴 것이다. 나는 고교 시절 귀가 시간을 지키는 고등학생이었고 마감일을—가짜 마감이라 해도—지키는 작가였다. 나는 규칙을 존중한다. 규칙을 지키면 일은 보통 순조롭게 흘러가게 마련이니까.

"젠장, 고, 난 몇 시간 뒤에 다시 경찰서로 가야 해, 알겠어? 잠시 동안 그냥 좀 상냥하게 굴면 안 돼? 난 지금 무서워서 똥줄이 탄다고."

우리는 5초 동안 서로를 노려본 후, 고가 사과의 의미로 내 잔에 다시 술을 따라주었다. 고는 내 옆에 앉아 내 어깨 위에 손을 얹고 말했다.

"불쌍한 에이미."

에이미 엘리엇 던

2009년 4월 21일 일기

불쌍한 나. 상황 설명을 하겠다. 캠벨과 인슬리 그리고 나는 타블로에서 저녁을 먹고 있다. 충분한 양젖 치즈 타르트와 양고기 미트볼, 로켓 상추. 왜 이렇게 법석을 떠는지는 잘 모르겠지만 우리는 거꾸로 가고 있다. 저녁을 먼저 먹고, 캠벨이 예약해둔 좁은 구석자리에서 술을 마신다. 우리 집 거실과 별반 다를 것 없는 곳에서 비싸게 빈둥거릴 수 있는 작은 별실 같은 곳이다. 하지만 괜찮다. 가끔은 바보 같은 유행을 따르는 것도 재미있으니까. 우리는 모두 화려한 드레스 차림에 베일 듯한 하이힐을 신고 작은 접시에 담긴, 우리만큼이나 장식적이고 실속 없는 한입 크기의 음식을 먹고 있다.

남편들을 불러 함께 술을 마시자는 이야기가 나왔다. 그래서 우리는 저녁을 먹고 난 뒤 작은 별실에 있다. '지금 막 버스에서 내린 어려 보이는 여자'라는 단역 오디션을 보고 있는 것 같은 여종업원이 모히토와 마티니 그리고 내가 마실 버번을 가져다준다.

할 얘기가 다 떨어졌다. 오늘은 화요일이고 다들 딱 화요일 같은 기분에 젖어 있다. 술은 신중하게 비운다. 인슬리와 캠벨은 둘 다 내일 아침에 모호한 약속이 있고 나는 일을 해야 하므로 열광적인 밤을 보낼 상황이 아니다. 우리는 차분하고, 분위기는 점점 생기를 잃고 지루해지고 있다. 언제 나타날지 모르는 남자들을 기다리지 않았다면 자리를 벌써 파했을 것이다. 캠벨은 끊임없이 블랙베리를 흘끔거리고, 인슬리는 장딴지에 힘을 주어 여러 각도에서 살펴보고 있다. 존이 가장 먼저 도착한다. 그는 캠벨에게 호들갑을 떨며 사과하고 활짝 웃으며 모두에게 키스를 보낸다. 여기 와서 너무 신이 나고, 도시를 가로질러 칵테일 아워의 말미에 도착해 술 한 잔을 벌컥 들이켠 다음 아내와 함께 집으로 가게 되어 너무나 기쁘다는 듯이. 그로부터 20분쯤 뒤에 조지가 나타난다. 긴장해서 머뭇거리며. 일 때문이라는 간단한 변명에 인슬리는 쏘아붙인다. "40분이나 늦었잖아." 그도 맞받아친다. "그래, 돈 벌어서 미안하다." 둘은 다른 사람들과 대화를 하면서도 서로에게는 거의 말을 하지 않는다.

닉은 결코 나타나지 않는다. 전화조차 없다. 우리는 45분을 더 기다린다. 캠벨이 걱정한다("마감이 급한가 봐." 그녀는 급한 마감 때문에 아내의 뜻을 거스르는 일이 결코 없는, 장한 존을 향해 미소를 지으며 말한다). 인슬리는 자기 남편이 여기서 그나마 두 번째로 나쁜 놈이라는 것을 깨닫게 되면서 화가 누그러진다("정말 문자도 안 왔어, 에이미?").

나는 그저 웃는다. "그이가 어디 있는지 알 게 뭐야. 나중에 집에서 보지, 뭐." 순간 남자들이 습격이라도 당한 듯한 표정을 짓는다. 그게 용인된다는 말이야? 고약한 결말 없이 오늘 밤을 넘길 수 있다고? 죄책감이나 분노나 부루퉁함 없이?

뭐, 당신들은 그럴 수 없겠지만.

닉과 나는 가끔씩 사랑을 증명한답시고 남편에게 몹쓸 짓을 시키는 여자들을 비웃는다. 그것도 아주 대놓고. 무의미한 임무, 무수한 희생, 끝없는 자잘한 항복. 우리는 이런 남자들을 '춤추는 원숭이'라 부른다.

닉은 야구장에서 하루를 보낸 뒤 땀에 전 짠 냄새를 풍기며 맥주에 얼큰하게 취해 집으로 돌아올 것이다. 나는 그의 무릎 위에 웅크리고 누워 경기에 대해 묻고, 그의 친구 잭이 즐거운 시간을 보냈는지 물을 것이다. 닉은 대답하겠지. "아, 잭은 춤추는 원숭이가 됐어. 불쌍한 제니퍼가 '진짜 스트레스 받는 한 주'를 보내서 그가 꼭 집에 있어야 한다고 했다나."

또는 술자리에 참석하지 못한 닉의 직장 동료. 그의 여자 친구는 그에게 자신이 친구와 저녁을 먹고 있는 시외 레스토랑에 꼭 들러달라고 했다. 그리하여 마침내 두 사람이 만날 수 있도록. 자신의 원숭이가 얼마나 순종적인지 보여줄 수 있도록. 그는 내가 부르면 와. 내가 공들여 관리한 그의 스타일도 좀 보렴!

이거 입어, 그건 입지 마. 지금은 이 일을 하고 시간 나면 이 일도 해. '시간 나면'이란 바로 지금이야. 그리고 당신이 좋아하는 것들은 나를 위해 반드시, 반드시 포기해야 해. 그러면 나는 당신이 나를 가장 사랑한다는 증거를 갖게 될 거야. 그것은 여자들의 시합이다. 한가하게 독서 모임과 칵테일파티에 몰려다니면서, 남자들이 자기를 위해 희생하는 것들을 시시콜콜 나열하는 것보다 여자들이 더 좋아하는 것은 거의 없다. 전화를 걸어서 이렇게 말한다. "어머, 자기야, 나 감동받았어."

나는 그 무리의 일원이 아니라서 행복하다. 나는 감정을 강요하는 데 가담하지 않는다. 닉에게 행복한 남편―어깨를 으쓱하는, 쾌활하고 순종적인, '자기야, 쓰레기는 내가 갖다버릴게' 하는 남편―연기를 강요하는 것도 즐기지 않는다. 모든 아내가 꿈꾸는 남편. 모든 남자들이 섹스와 독한 술을 좋아하는 상냥하고 화끈하고 느긋한 여자를 꿈꾸는 것과 마찬가지다.

나는 닉에게 끊임없이 증명하기를 요구하지 않아도 그가 나를 사랑한다는 사실을 알 만큼 당당하고 안정적이고 성숙하다고 생각하고 싶다. 내친구들에게 되풀이해서 말할 한심한 춤추는 원숭이 시나리오는 필요 없다. 나는 닉이 닉답게 살도록 하는 것에 만족한다.

어째서 여자들은 그걸 그토록 어려워하는지 모르겠다.

그날 밤 집에 도착했을 때, 내가 탄 택시가 멈춰 섰을 때 그도 막 택시에서 내리고 있었다. 그는 길에 서서 나를 향해 두 팔을 벌리며 함박웃음을 짓고—"자기야!"—나는 달려가 그의 품에 안긴다. 그는 내 뺨에 짧은 수염이 난 자신의 뺨을 비빈다.

"오늘 밤엔 뭘 했어?" 내가 묻는다.

"일 끝나고 남자들끼리 포커를 치는데 나도 껴서 좀 놀았어. 괜찮지?"

"물론이지." 나는 말한다. "나보단 재미있었겠네."

"누구랑 있었는데?"

"캠벨이랑 인슬리랑 걔네들의 춤추는 원숭이들. 지루했어. 당신은 난관을 피했어. 정말이지 시시한 난관."

그는 강인한 두 팔로 나를 으스러지게 껴안은 다음 위층으로 데려간다.

"정말 사랑해, 자기야." 그가 말한다.

그런 다음 우리의 크고 부드러운 침대에서 섹스와 독한 술과 지친 생쥐들처럼 뒤엉켜 자는 달콤한 잠이 이어진다. 불쌍한 나.

닉 던

실종 다음 날

나는 술에 대한 고의 충고를 무시하고, 혼자서 소파에 앉아 반병을 해치웠다. 열여덟 번째로 솟구친 아드레날린의 효과가 나타나던 순간, 마침내 자러 가야겠다고 생각했다. 눈이 감기고 있었다. 나는 베개를 이리 벴다가 저리 벴다가 했다. 눈을 감으면 아내가 보였다. 아내는 금발 머리카락에 피가 엉겨 붙은 채 고통스럽게 울면서 부엌 바닥을 기어가며 내 이름을 불렀다. 닉, 닉, 닉!

나는 잠을 자기 위해 술병 주둥이를 연거푸 입으로 가져갔지만, 질 게 뻔한 싸움이었다. 잠은 고양이와 같아서 외면할 때만 다가온다. 나는 더 많이 마시면서 반복해서 주문을 외웠다. 생각은 그만해, 한 모금. 머리를 비우는 거야, 한 모금. 이제 진짜 머리를 비워, 지금 당장, 한 모금. 내일은 빈틈없이 굴어야 해. 잠을 자야 한다고! 한 모금. 결국 나는 동틀 무렵 어수선한 선잠에 들었다가, 한 시간 뒤 숙취를 느끼며 눈을 떴다. 몸을 가누지 못할 정도는 아니었지만 상당한 숙취였다. 머리는 띵하고 동작은 굼 떴다. 답답했다. 아직 술이 덜 깬 것 같았다. 나는 터덜터덜 걸어서 고의 차로 갔다. 걷는 느낌이 낯설었다. 다리가 거꾸로 달린 것 같았다. 나는 당분간 고의 차를 타기로 했다. 경찰은 조사를 한다며 내가 조심조심 탄 제타를 가져가버렸다.

우리 블록에는 순찰차 세 대가 서 있었고 몇 안 되는 이웃이 서성거리고 있었다. 칼은 없었지만 얀 테버러—기독교인 여자—와, 시험관 시술로 낳은 세 살배기 세쌍둥이 트리니티와 토퍼, 탈룰라의 아버지인 마이크가 보였다. ("이름만 들어도 하나같이 싫어." 유행하는 것이라면 뭐든 엄격하게 비판하는 에이미가 말했다. 내가 에이미도 한때 유행하던 이름이라고 하자 아내는 "닉, 당신은 내 이름에 얽힌 사연을 알잖아"라고 말했다. 그녀가 무슨 말을 하는 건지 이해할 수 없었다.)

얀은 멀리서 나와 눈을 맞추지 않고 고개를 까딱했지만 마이크는 차에서 내리고 있는 내게 성큼성큼 걸어왔다.

"정말 유감이에요. 뭐든 내가 도울 수 있는 게 있으면 알려주세요. 뭐든지요. 잔디는 오늘 아침에 내가 깎았으니까 적어도 그 점은 걱정하지 않아도 돼요."

마이크와 나는 번갈아가며 우리 단지 내에 버려지고 차압당한 집의 잔디를 깎고 있었다. 봄에 내린 폭우로 마당들이 정글로 변하면서 너구리가 몰려들었기 때문이다. 너구리는 어디에나 있었다. 녀석들은 밤늦게 쓰레기를 뒤지고 지하실로 숨어들었으며, 게으른 애완동물처럼 현관에서 빈둥거렸다. 잔디를 깎는다고 녀석들이 사라지는 것은 아니었지만 적어도 녀석들이 오는 모습은 볼 수 있었다.

"고맙습니다. 정말 고마워요." 내가 말했다.

"사건 이야기를 듣고 나서부터 우리 집사람이 계속 히스테리 상태예요." 그가 말했다. "심각할 정도로요."

"저런, 유감이군요. 그럼 전 이만." 나는 우리 집 문 쪽을 가리켰다.

"주저앉아서 에이미 씨 사진을 보면서 울어요."

마이크의 아내 같은 여자들의 가련한 욕구를 충족시키기 위해 인터넷에는 하룻밤 사이에 수많은 사진이 떴다. 나는 호들갑 떠는 여자들에게 아무런 동정심을 느끼지 못했다.

"이봐요, 물어볼 게 있어서." 마이크가 말했다.

나는 그의 팔을 두드린 다음 긴급한 용무가 있는 것처럼 다시 한 번 문 쪽을 가리켰다. 그리고 그가 질문을 던지기 전에 몸을 돌려 걸어가 우리 집 문을 두드렸다.

벨라스케스 경관이 나를 위층으로, 내 침실과—정사각형 은색 선물 상자를 지나—그곳에 있는 옷장으로 안내한 다음, 내가 옷장을 뒤지도록 허락해주었다. 갈색 머리카락을 길게 땋은 이 젊은 여자, 나를 평가하며 의견을 결정하고 있음이 분명한 이 여자 앞에서 옷을 고르는 일은 나를 긴장시켰다. 결국 나는 손에 잡히는 대로 아무 옷이나 꺼냈다. 바지와 반소매 셔츠로, 회의에 참석하러 가는 듯한 비즈니스 캐주얼 차림이었다. 이건 흥미진진한 얘깃거리가 될 거라고 나는 생각했다. 사랑하는 사람이 실종된 마당에 잘 차려입을 옷을 고르다니. 탐욕스럽게 기회를 노리는 내 안의 작가 마인드는 사라질 줄을 모른다. 나는 가방에 옷을 모두 집어넣고 뒤돌아서서, 방바닥에 놓여 있는 선물 상자를 쳐다보았다.

"선물 상자를 풀어봐도 될까요?" 내가 물었다.

그녀는 망설이더니 위험을 피하기로 했다. "죄송하지만 안 됩니다. 지금 당장은 보지 않는 게 좋을 것 같군요."

나는 선물 포장지의 가장자리가 조심스럽게 잘려 있는 것을 보았다.

"누군가가 풀어본 겁니까?"

그녀는 고개를 끄덕였다. 어떤 경찰이 보물찾기의 첫 번째 단서를 읽은 것이다.

나는 벨라스케스 경관 옆을 돌아 상자를 향해 다가갔다. "이미 열어본 거라면."

그녀가 내 앞을 가로막았다. "이러시면 안 됩니다."

"이건 말도 안 돼요. 그건 내 아내가 나한테 준⋯⋯."

나는 그녀 뒤로 가서 몸을 굽혀 한 손을 상자 가장자리에 댔다. 순간 그녀가 뒤에서 한 팔을 뻗어 내 앞을 막았다. 순간적으로 분노가 솟구쳤다. 이 여자가 내 집에서 나한테 명령을 내릴 수 있다고 생각하는 건가. 어머니의 착한 아들이 되려고 아무리 애를 써도 머릿속에서는 아버지의 목소리가 불청객처럼, 끔찍한 생각과 추잡한 말과 함께 들려왔다.

"선생님, 이곳은 범죄 현장입니다. 이러시면⋯⋯."

멍청한 년.

그 순간 그녀의 동료인 리오던이 방으로 들어와 함께 나를 제지했다. 나는 그들을 뿌리쳤고—알았다, 알았어, 젠장—그들은 나를 아래층으로 내려보냈다. 한 여자가 현관문 근처에서 엎드린 자세로 마룻바닥을 따라 다람쥐처럼 기어가고 있었다. 핏자국을 찾고 있는 것 같았다. 그녀는 무표정하게 나를 올려다본 다음, 다시 고개를 숙였다.

나는 긴장을 풀려고 애쓰면서 옷을 갈아입기 위해 차를 몰고 다시 고의 집으로 갔다. 이것은 수사가 진행되는 동안 경찰이 내게 어쩔 수 없이 가하는 많은 짜증나고 터무니없는 일 중 하나일 뿐이었고(나는 이치에 맞는 규칙을 좋아한다. 논리가 없는 규칙은 싫다) 나는 진정할 필요가 있었다. 경찰을 적으로 만들면 안 돼. 나는 스스로에게 말했다. 필요하다면 반복하라. 경찰을 적으로 만들면 안 돼.

경찰서로 들어가는 길에 보니를 만났다. "장인어른과 장모님이 오셨어요, 닉." 그녀는 격려하는 말투로 말했다. 마치 내게 따뜻한 머핀이라도 내주고 있다는 듯이.

장모 메리베스와 장인 랜드 엘리엇은 서로의 허리에 팔을 두른 채 서 있었다. 경찰서 한복판에서 졸업무도회 사진을 찍기 위해 포즈를 취하고 있는 것 같았다. 그들은 언제나 그런 모습으로 포착된다. 서로의 손등을 두드리고 턱을 비비고 빰을 문지르면서. 그들의 집을 방문할 때마다 나는 강박적으로 헛기침을 하게 된다―저 들어갑니다. 어느 모퉁이에서든 서로를 애지중지하는 두 사람을 보게 될 수 있기 때문이다. 그들은 헤어질 때마다 입술을 다 덮으며 키스를 했고, 장인은 장모의 옆을 지나갈 때마다 그녀의 엉덩이를 감싸 쥐었다. 내게는 낯선 광경이었다. 나의 부모는 내가 열두 살 때 이혼했고, 내가 아주 어렸을 때 아버지와 어머니가 결코 피할 수 없는 경우에 한해서만 서로의 볼에 정숙하게 키스하는 모습을 본 기억이 났다. 크리스마스, 생일. 메마른 입술. 두 사람이 가장 잘 지냈던 시절조차 아버지와 어머니의 의사소통은 전적으로 업무적이었다. 우유가 또 떨어졌잖아. (오늘 사놓을게.) 이 옷 제대로 다려놔. (오늘 다려놓을게.) 우유 사는 게 그렇게 어려워? (침묵) 배관공 또 안 불렀지. (한숨) 빌어먹을, 지금 당장 코트 입고 나가서 망할 우유 좀 사와. 당장. 이런 메시지와 명령을 전달하던 사람은 어머니를 기껏해야 무능력한 직원 다루듯 하던, 전화 회사의 중간 관료였던 나의 아버지였다. 최악의 경우에는? 아버지는 어머니를 때리지는 않지만 말로 표현할 수 없는 아버지의 순수한 분노는 며칠 또는 몇 주 동안 집을 가득 채웠고, 집안 공기는 축축하고 숨쉬기가 힘들었다. 아래턱을 내민 채 온 집을 돌아다니던 아버지는 복수심에 불타는 상처 입은 권투선수 같았고, 이를 가는 소리는 어찌나 컸던지

방 반대편에서도 들릴 정도였다. 아버지는 어머니를 맞히지는 않았지만 어머니 옆으로 물건을 던졌다. 아버지는 분명 이렇게 생각했을 것이다. 나는 절대 아내를 때리지 않아. 이러한 기술적인 문제 때문에 아버지는 자신이 절대 학대하는 남편이 아니라고 생각했음이 분명하다. 그러나 그는 우리 가족의 삶을 화가 나서 이를 악문 운전자가 잘못된 방향으로 모는, 끝나지 않는 장거리 자동차 여행으로 바꾸어놓았다. 차 돌리게 하지 마라. 제발, 정말이지, 차 좀 돌려요.

내 생각에 아버지가 특별히 어머니하고만 문제가 있었던 것 같지는 않다. 아버지는 여자 자체를 싫어했다. 아버지에게 있어 여자는 멍청하고 비논리적이고 짜증나는 존재였다. 저런 멍청한 년. 아버지를 화나게 하는 모든 여자를 위한 단골 문구. 옆에 가는 운전자, 웨이트리스, 아버지가 실제로 본 적도 없는 고와 나의 초등학교 선생님들까지 — 학부모회는 여자 냄새가 코를 찌르는 영역이었으니까. 나는 1984년에 제럴딘 페라로가 부통령 후보로 지명되었던 때를 아직도 기억한다. 우리 가족은 저녁식사 전에 그 소식을 전하는 뉴스를 보고 있었다. 어머니, 나의 작고 다정한 어머니는 한 손을 고의 뒤통수에 대고 말했다. 멋진 일이구나. 그때 아버지가 텔레비전을 끄고는 말했다. 이건 장난이야. 빌어먹을 장난. 원숭이가 자전거를 타는 꼴이지.

어머니가 아버지와의 관계가 끝났다고 결정하기까지는 그로부터 5년이 더 걸렸다. 어느 날 학교에서 돌아오니 아버지가 떠나고 없었다. 오늘 아침에 그곳에 있던 아버지가 오후에 사라진 것이다. 어머니는 나와 고를 식탁 앞에 앉혀두고 말했다. "너희 아버지와 나는 우리가 따로 사는 것이 모두를 위해 좋다고 결정했단다." 고는 울음을 터뜨리며 "잘됐네요, 두 분 다 미워요!"라고 말하더니, 흔한 각본대로 자기 방으로 뛰어 들어가는 대신 어머니를 껴안았다.

그렇게 아버지는 떠났고, 나의 여위고 아파 보이던 어머니는 뚱뚱해지고 행복해졌다—상당히 뚱뚱해지고 극단적으로 행복해졌다—마치 처음부터 그랬어야 했다는 것처럼, 오그라든 풍선에 바람을 넣은 것처럼. 1년도 되지 않아 어머니는 분주하고 따뜻하고 유쾌한 아줌마로 변신해, 돌아가실 때까지 그렇게 사셨다. 이모는 말했다. "하느님 감사합니다. 옛날의 모린이 돌아왔어요." 마치 우리를 키운 여자는 가짜였다는 듯이.

여러 해 동안 나는 아버지와 한 달에 한 번 정도 통화를 했다. 대화는 정중한 뉴스 같았다. 있었던 일 암송하기. 아버지가 에이미에 대해 했던 유일한 질문은 "에이미는 어떠냐?"였다. "잘 지내요" 외에는 어떤 대답도 구하지 않는 질문. 아버지는 60대에 치매로 정신이 흐려졌을 때조차 고집스럽게 거리를 유지했다. '언제나 서두르면 늦을 일이 없다'는 아버지의 신조는 알츠하이머에도 적용되었다. 느린 기억력 감퇴가 갑작스럽고 급격한 기억력 추락으로 진행되면서, 우리는 어쩔 수 없이 독립적이고 여성 혐오증이 있는 아버지를 여자 도우미들에 둘러싸여 지내야 하는, 닭고기 육수와 오줌 냄새가 진동하는 거대한 집으로 옮겨야만 했다. 하.

아버지에게는 약점이 있었다. 마음씨 고운 엄마는 우리에게 늘 이렇게 말했다. 아버지에게는 약점이 있지만 악의는 없다고. 그렇게 말해주는 건 참 상냥한 일이지만, 아버지는 실제로 악의가 있었다. 내 여동생이 평생 결혼을 할 수 있을지 의심스럽다. 고는 슬프거나 기분이 나쁘거나 화가 나면 혼자 있어야 한다. 그녀는 자신의 여성스러운 눈물을 일축하는 남자를 두려워한다. 나 역시 젬병이다. 나는 어머니에게서 여러 장점을 물려받았다. 나는 농담을 하고, 웃고, 놀리고, 축하하고, 지지하고, 칭찬할 수 있다. 나는 기본적으로 밝은 분위기에 있을 때 제대로 작동한다. 하지만 화가 났거나 눈물을 흘리는 여자들은 견딜 수가 없다. 아버지의 분노가 가장 추악한 방식으로 내 안에서 올라오는 것을 느낀다. 에이미라면 이에 대해 말해줄 수 있을 것이다. 그녀가 여기 있다면 분명 그럴 것이다.

나는 장인과 장모가 나를 보기 전까지 두 사람이 내게 얼마나 화가 났을까 생각하며 잠시 그들을 바라보고 있었다. 나는 그토록 오랫동안 그들에게 연락하지 않는, 용서할 수 없는 짓을 저질렀다. 나의 비겁함 때문에 장인과 장모는 죽을 때까지 테니스를 치던 그날 밤을 잊지 못하게 될 것이었다. 따뜻한 저녁 무렵, 코트에 부딪치는 나른한 노란 공, 찍찍거리는 테니스화. 딸이 실종되는 동안 그들이 보냈던 평범한 목요일 밤.

"닉." 나를 본 장인 랜드 엘리엇이 말했다. 그는 나를 향해 크게 세 걸음을 걸어와서, 한 대 얻어맞을 준비를 하고 있던 나를 으스러지도록 꽉 껴안았다.

"괜찮은가?" 그는 내 목에 대고 속삭인 다음 흐느끼기 시작했다. 마침내 그는 꿀꺽 삼키는 소리, 울음을 삼키는 소리를 내고 나의 양팔을 잡았다. "우리는 에이미를 찾아낼 걸세, 닉. 그것 외에 다른 결말은 없어. 그렇게 믿고 있겠지?" 장인은 나를 잡은 채 푸른색 눈동자로 나를 몇 초 더 쳐다보더니 다시 흐느꼈다. 딸꾹질 소리 같은, 여자애 같은 세 번의 헐떡임. 이어 장모 메리베스가 합세해 장인의 겨드랑이에 얼굴을 묻었다.

우리가 서로에게서 몸을 뗐을 때 메리베스는 놀라서 크게 뜬 눈으로 나를 올려다보았다. "이건 정말, 정말 끔찍한 악몽이야." 그녀는 말했다. "자넨 어떤가, 닉?"

메리베스가 자넨 어떤가, 라고 물었을 때 그것은 예의상 하는 말이 아니라 실존적인 질문이었다. 그녀는 내 얼굴을 살폈다. 나는 그녀가 나를 살펴보고 있다고, 끊임없이 나의 모든 생각과 행동을 관찰할 것이라고 확신했다. 장인과 장모는 세상의 모든 특징이 숙고하고 판단하고 분류할 대상이라고 믿었다. 모든 것은 의미가 있고 쓸모가 있다. 엄마, 아빠, 딸. 심리학 석사 학위를 가진 3인조 선구자들은 오전 아홉 시가 되기 전에 대부분 사람들이 한 달 내내 생각하는 것보다 더 많은 생각을 했다. 한번은 저녁식사 때 내가 체리파이를 먹지 않겠다고 했더니 장인이 고개를 들고 말했다. "아! 인습 타파주의자로군. 손쉽게 애국주의를 드러내는 걸 경멸하지." 내가 애써 웃어넘기며 체리 코블러도 좋아하지 않는다고 했더니 장모가 장인의 팔을 만지며 말했다. "이혼 때문이에요. 모든 소박한 음식, 가족들이 함께 먹는 디저트 같은 음식은 닉에게 나쁜 기억일 뿐이죠."

이 사람들이 나를 이해하기 위해 이렇게나 많은 에너지를 쓰다니, 바보 같지만 믿을 수 없이 다정한 일이었다. 정답: 나는 그냥 체리가 싫을 뿐이다.

열한 시 반쯤 되자 경찰서는 소음으로 들끓었다. 전화가 울려대고 사람들은 여기저기서 소리를 질렀다. 나는 이름도 모르는, 말할 때 위아래로 머리를 까닥까닥 흔드는 여자로만 인식하고 있는 여자 하나가 갑자기 내 옆에서 말을 하고 있었다. 언제부터 거기 있었는지 알 수 없었다. "……여기서 중요한 건 사람들이 아내분을 찾게 만들고 아내분에게 자신을 사랑하고 기다리는 가족이 있다는 것을 알리는 거예요. 이 일은 세심하게 조정될 거예요. 이제부터 할 일은…… 선생님?"

"네."

"사람들은 에이미 씨의 남편이 한마디라도 해주기를 바랄 거예요."

바로 그때 회견장 저편에서 고가 나를 향해 돌진하고 있었다. 고는 바일을 처리하느라 30분 정도 이곳을 떠나 있었다. 지금 돌아온 그녀는 마치 나를 일주일은 버려둔 것처럼 행동하고 있었다. 고는 자신을 안내하는 임무를 맡았음이 분명한 젊은 경관을 깔끔하게, 조용하고 당당한 태도로 무시하면서 책상 사이를 지그재그로 통과하고 있었다.

"별일 없었어?" 친구들끼리 포옹하듯 한 팔로 나를 껴안으며 고가 말했다. 던 집안의 자식들은 포옹에 서투르다. 고의 엄지손가락이 내 오른쪽 유두에 닿아 있었다. "엄마가 여기 있었으면 좋겠어." 고가 속삭였다. 나도 그렇게 생각하고 있었다. "새로운 소식은?" 고가 내게서 몸을 떼며 말했다.

"없어. 젠장, 아무것도."

"안색이 형편없어."

"죽을 것 같아." 나는 술에 관한 고의 충고를 듣지 않은 것이 얼마나 바보 같은 짓이었는지 말하려고 했다.

"나라도 한 병 다 마셨을 거야." 고가 내 등을 두드렸다.

"시간이 거의 다 됐어요." 또다시 마술처럼 나타난 홍보 담당 여자가 말했다. "7월 넷째 주 주말치고는 사람들이 꽤 많이 왔어요." 그녀는 우리를 알루미늄 블라인드와 접이식 의자와 지루한 표정을 한 기자들이 있는 음침한 회의실로 데려가 연단 위에 세웠다. 나는 별 볼일 없는 컨벤션에서 비즈니스 캐주얼풍의 파란 양복을 입고 억지로 시간을 때워야 하는, 시차에 시달리며 점심 메뉴를 생각하고 있는 청중에게 연설하는 삼류 강연자가 된 듯한 기분이 들었다. 하지만 기자들은 나—젊고 멀쩡해 보이는 남자—를 보자 갑자기 눈을 반짝였다. 홍보 담당 여자가 옆에 있던 이젤에 판지로 만든 포스터를 올려놓았다. 확대한 에이미의 사진이었다. 놀랄 만큼 예쁘게 나온, 계속해서 쳐다보게 만드는 얼굴이었다. 에이미가 저렇게 예뻤던가? 그렇다, 그녀는 예뻤다. 아내의 사진을 뚫어져라 쳐다보는 나를 카메라 여러 대가 찍어댔다. 나는 뉴욕에서 에이미와 다시 만났던 날을 떠올렸다. 내가 본 것은 그녀의 금발과 뒤통수뿐이었지만 나는 그녀를 알아보았고, 그것이 운명이라고 생각했다. 그때까지 나는 살면서 수없이 많은 머리를 보았지만 그때 내 앞에서 7번가를 떠다니고 있던 것이 에이미의 예쁜 두개골이라는 것을 단박에 알 수 있었다. 나는 그녀를 알아보았고, 우리가 함께할 것임을 알았다.

카메라 플래시가 펑펑 터졌다. 나는 몸을 돌렸다. 눈앞에 점 같은 것들이 보였다. 초현실적이었다. 이것은 사람들이 그저 희귀할 뿐인 순간을 묘사할 때 늘 하는 말이다. 나는 생각했다─넌 초현실이 뭔지 좆도 모르잖아. 숙취가 정말로 심해지고 있었다. 왼쪽 눈이 심장처럼 두근거렸다.

카메라들이 찰칵거리는 가운데 두 가족이 함께 섰다. 우리는 모두 입을 살짝 벌리고 있었다. 조금이라도 사람처럼 보이는 건 고뿐이었다. 나머지 사람들은 구색을 맞추기 위해 들것에 싣고 와서 받침대로 받쳐놓은 허수아비 같았다. 이젤 위에 얹혀 있는 에이미가 오히려 더 현실적으로 보였다. 우리는 모두 이런 기자회견을 본 적이 있었다. 다른 여자들이 실종되었을 때. 우리는 시청자들이 기대하는 장면을 연출해야 할 것이다. 걱정하면서도 희망을 잃지 않는 가족. 카페인 때문에 멍한 두 눈과 봉제인형 같은 두 팔.

내 이름이 불렸다. 방 안의 모두가 기대에 차, 침을 꿀꺽 삼키는 듯하다. 쇼타임.

나중에 방송을 봤을 때 나는 내 목소리를 알아채지 못했다. 얼굴은 겨우 알아차렸다. 피부 바로 밑까지 진창처럼 올라온 취기 때문에 나는 천박해 보일 만큼 육감적인 살찐 건달 같았다. 목소리가 떨릴까 걱정한 나머지 발음은 지나치게 정확하고 말투는 딱 부러져서, 흡사 주식 기사를 읽고 있는 것 같았다. "우리는 에이미가 무사히 집으로 돌아오길 바랄 뿐입니다……." 전혀 설득력 없고 지리멸렬했다. 무작위의 숫자들을 읽고 있는 것 같았다.

장인 랜드 엘리엇이 앞으로 나와 나를 구해주려고 애썼다. "우리 딸 에이미는 다정하고 쾌활한 아이입니다. 우리의 하나밖에 없는 딸이자 똑똑하고 아름답고 친절한 여성입니다. 실제로 '어메이징 에이미'예요. 우리 부부는 그 애가 돌아오기를 바랍니다. 닉도 그렇게 바라고 있습니다." 그는 눈가를 훔치며 내 어깨에 한 손을 올렸다. 순간 나도 모르게 뻣뻣해졌다. 또 아버지다―남자는 우는 게 아니다.

랜드가 말을 이었다. "우리 모두 그 애가 마땅히 있어야 할 곳, 가족의 품으로 돌아오길 바랍니다. 데이스 인에 상황실을 설치했습니다……."

뉴스는 실종된 여자의 남편인 닉 던이 장인 옆에서 팔짱을 낀 채 아내의 부모가 우는 동안, 멍한 눈과 거의 지루해 보이는 표정을 하고 뻣뻣하게 서 있는 모습을 보여줄 것이다. 여기서 끝이 아니다. 내 차가운 눈초리와 거만하고 얼간이 같은 얼굴에도 불구하고, 사람들에게 내가 나쁜 놈이 아니라 좋은 사람임을 상기시키기 위한 나의 오랜 습관이 발휘될 것이다.

그것은, 그렇게, 난데없이, 장인이 딸이 돌아오기를 기원하는 동안 불쑥 튀어나왔다. 나의 죽여주는 미소가.

에이미 엘리엇 던

2010년 7월 5일 일기

닉을 비난하지 않을 것이다. 나는 닉을 비난하지 않는다. 나는 건방지고 공격적이고 화난 여자로 바뀌기를 거부—거부!—한다. 결혼할 때 나는 스스로에게 두 가지를 약속했다. 하나, 춤추는 원숭이를 요구하지 않는다. 둘, 절대로 "물론 나는 괜찮아(당신이 오늘 늦게 들어와도, 남자들끼리 주말을 보내도, 당신이 하고 싶은 것을 해도)"라고 말해놓고 내가 괜찮다고 한 일을 했다는 이유로 그를 책망하지 않는다. 그리고 나는 지금 이 두 가지 약속을 어기기 직전이다.

그렇지만 오늘은 우리의 세 번째 결혼기념일이고, 나는 지금 눈물에 덮여 가면처럼 뻣뻣해진 얼굴을 하고 혼자 집에 있다. 왜냐하면, 오늘 오후 닉에게서 음성메시지가 왔을 때 나는 이미 일이 틀어질 것임을 알았기 때문이다. 음성메시지를 듣는 즉시 알았다. 닉의 휴대전화 너머로 남자들의 목소리가 들렸기 때문이다. 닉은 무슨 말을 할지 정하려고 애쓰는 듯한참 뜸을 들인 뒤 택시 안에서 울리는 목소리로, 이미 술 때문에 축축하고 나른해진 목소리로 말했고 나는 화가 날 것임을 알았다. 그 재빠른 들숨, 팽팽해지는 입술, 올라가는 어깨, 나도 화를 내고 싶지 않지만 화내게 되리라는 느낌. 남자들은 이런 느낌을 모르는 건가? 화를 내고 싶지 않지만 그럴 수밖에 없는 느낌. 왜냐하면 규칙, 좋은 규칙, 근사한 규칙이 깨졌기 때문이다. 아니, 어쩌면 규칙이란 잘못된 단어다. 관례? 의례? 물론 그 규칙, 관례, 의례―우리의 기념일―가 타당한 이유로 깨졌다는 건 나도 안다. 소문은 사실이었다. 닉의 잡지사에서 작가 열여섯 명이 해고되었다. 전체 인원의 3분의 1이다. 닉은 이번 위기는 넘겼지만 당연히 해고된 동료들과 함께 술을 마시고 취해야 한다는 의무감을 느낀다. 그들은 2번가로 향하는 택시에 몸을 구겨넣고 용감한 척하는 남자들이다. 몇 명은 집에 있는 아내에게 돌아갔지만 놀랄 만큼 많은 남자들이 밖에 남았다. 닉은 우리의 결혼기념일 밤을 이 남자들에게 술을 사고, 스트립 클럽과 저질 바에 가서 스물두 살짜리들을 집적거리며 보낼 것이다. ("여기 내 친구가 오늘 잘렸거든요. 포옹 한 번 해줘요.") 이 실직한 남자들은 내 은행계좌로 연결된 신용카드로 자신들의 술값을 내는 닉을 멋진 남자라고 치켜세울 것이다. 닉은 음성메시지에서는 언급조차 하지 않은 우리의 결혼기념일에 참으로 즐거운 시간을 보낼 것이다. 그는 이렇게 말했다. 우리한테 할 일이 있다는 건 알지만…….

나는 여자처럼 굴고 있다. 나는 하나의 전통이 탄생할 거라고 생각했다. 나는 도시 곳곳에 사랑의 메시지를, 우리가 함께한 지난해를 상기시키는 메시지를 흩뿌려놓았다. 나의 보물찾기. 센트럴 파크 근처에 있는 로버트 인디애나의 'LOVE'의 V자 굽은 부분에 스카치테이프로 붙여놓은 세 번째 단서가 펄럭거리는 모습이 눈에 선하다. 내일, 엄마와 아빠 뒤에서 터벅터벅 걷고 있던 지루한 열두 살짜리 관광객이 그것을 떼어내 읽어본 다음 어깨를 으쓱하고는 껌 종이처럼 던져버리겠지.

나의 보물찾기 피날레는 완벽했다. 그러나 지금은 아니다. 엄청나게 근사한 빈티지 서류가방. 가죽. 결혼 3주년은 가죽이다. 지금 당장은 상황이 별로 좋지 않으니 일과 관련된 선물은 잘못된 선택일지 모른다. 늘 그렇듯이, 아니 늘 그랬어야 했듯이, 지금 우리 집 주방에는 살아 있는 바닷가재 두 마리가 있다. 엄마한테 전화해서 상자 속에서 멍하게 돌아다니는 바닷가재를 하루 동안 놔둬도 되는지, 아니면 와인으로 몽롱해진 눈을 하고 뛰어들어서 그것들과 씨름해 쓸데없이 냄비에 넣고 삶아야 하는지 물어봐야 한다. 나는 먹지도 않을 바닷가재 두 마리를 죽이려 하고 있다.

아빠가 우리의 결혼기념일을 축하해주기 위해 전화했을 때, 나는 쿨한 척 하려 했지만 말을 시작하자마자 울음을 터뜨리고 말았고, 나는 끔찍한 어린애 말투로 뫄하-와아-구우와-그래서-와아아-와 하고 있었다. 아빠에게 무슨 일이 있었는지 말해야만 했다. 아빠는 내게 와인 한 병을 따서 조금 마시라고 했다. 아빠는 언제나 응석을 부리며 부루퉁해하는 나를 옹호해주었다. 하지만 닉은 내가 아빠에게 말했다고 화를 낼 것이다. 물론 아빠는 아빠답게 닉의 어깨를 두드리며 "결혼기념일에 술을 마셔야 하는 비상사태가 있었다고 들었네, 니키"라고 말한 다음 싱긋 웃겠지. 따라서 닉은 알게 될 것이고, 내게 화를 낼 것이다. 닉은 나의 부모님이 자기를 완벽하다고 믿기를 원하니까―그는 내가 엄마 아빠에게 그가 정말이지 흠잡을 데 없는 사위라고 말할 때 기뻐서 얼굴이 환해졌다.

적어도 오늘 밤 그는 그런 사위가 아니다. 안다, 안다, 나는 여자처럼 굴고 있다.

새벽 다섯 시다. 지금 막 떠오르고 있는 해는 방금 꺼진 거리의 가로등만큼 밝다. 나는 언제나 깨어서 이 전환을 바라보는 것을 좋아한다. 때때로 잠이 오지 않을 때면 나는 침대를 빠져나가 동틀 무렵의 거리를 걷는다. 모든 가로등이 툭 하고 꺼질 때면 언제나 특별한 것을 목격한 것 같은 기분이 든다. 가로등이 꺼진다! 크게 선언이라도 하고 싶다. 뉴욕에서 새벽 세 시나 네 시는 고요한 시간이 아니다. 바마다 지나치게 많은 유랑자들이 쏟아져 나와 택시에 올라타며 서로에게 고함을 지르고, 취침 전 마지막 담배를 미친 듯이 빨면서 휴대전화에 대고 악을 쓴다. 새벽 다섯 시, 이때가 최고의 시간이다. 이때는 보도 위에서 또각거리는 자신의 하이힐 소리가 낯설게 느껴진다. 모든 사람들이 자신의 상자 속으로 들어가고, 거리는 혼자만의 것이 된다.

닉은 네 시가 조금 지났을 때 공 모양의 맥주와 담배와 달걀프라이 냄새를, 악취 나는 태반을 몸에 붙인 채 들어왔다. 나는 그때까지 자지 않고 그를 기다리고 있었다. 〈로 앤 오더〉를 연속으로 본 뒤라 뇌에서는 붕괴되는 소리가 났다. 그는 오토만에 앉아 탁자 위에 놓인 선물을 흘깃 보더니 아무 말이 없다. 나는 그의 등을 노려본다. 그는 분명 지나가는 말로라도 사과하지 않을 것이다. 미안해. 오늘 일이 이상하게 꼬였어. 내가 원하는 건 이게 다인데. 그저 재빠른 인정.

"결혼기념일 다음 날을 축하해." 내가 시작한다.

그는 한숨을 쉰다. 억울하다는 듯 깊은 신음소리. "에이미, 난 최악의 날을 보내고 왔어. 부탁인데 그 위에 죄책감까지 얹지는 말아줘."

무슨 일이 있어도 절대 사과하지 않는 아버지 밑에서 자란 닉은 자기가 일을 망쳤다고 느끼면 공격을 감행한다. 이 사실을 아는 나는 그의 공격이 끝날 때까지 기다린다. 평소에는.

"결혼기념일 축하한다고 말했을 뿐이야."

"'기념일 축하해. 내 특별한 날에 나를 무시한 얼간이 남편'이겠지."

우리는 잠시 동안 말없이 앉아 있다. 배 속이 조여온다. 지금 여기서 나쁜 사람이 되고 싶지 않다. 그건 부당하다. 닉이 일어선다.

"그래, 어땠어?" 내가 멍하게 묻는다.

"어땠냐고? 좆같이 끔찍했어! 내 친구 열여섯 명이 이제 실직자야. 끔찍했다고. 아마 나도 몇 달 있으면 잘릴 거야."

친구. 그는 오늘 함께 있었던 남자들 중 절반도 좋아하지 않는다. 하지만 나는 아무 말도 하지 않는다.

"상황이 심각한 건 알아, 닉. 하지만……."

"너한텐 심각하지 않아, 에이미. 너한테는 절대 심각하지 않지. 하지만 우리 나머지 사람들은? 얘기가 아주 다르거든."

또 이런다. 닉은 내가 돈에 대해 걱정할 필요가 없었고, 앞으로도 그럴 거라는 사실에 화를 낸다. 그는 이 사실이 나를 남들보다 물렁하게 만든다고 생각하고, 그것은 나도 부정하지 않는다. 하지만 나는 일을 한다. 정시에 출근하고 정시에 퇴근한다. 내 여자 친구들 중 몇몇은 말 그대로 한 번도 일을 해본 적이 없다. 그들은 일하는 사람들에 대해 말할 때 '그토록 예쁜 얼굴을 한 뚱뚱한 여자'에 대해 말할 때처럼 안됐다는 듯이 이야기한다. 그들은 몸을 앞으로 기울인 채 말할 것이다. "하지만 물론, 엘런은 일을 해야만 해." 마치 노엘 카워드의 연극에 나오는 대사처럼. 그들에게 나는 예외다. 원한다면 언제고 그만둘 수 있기 때문이다. 나는 여러 자선 위원회와 실내 장식과 정원 가꾸기와 자원봉사로 생활을 설계할 수 있고, 그런 것들을 일과의 중심으로 삼는 삶이 잘못되었다고 생각하지 않는다. 세상에서 가장 아름답고 선한 일들은 사람들이 경멸하는 여자들이 하는 것이다. 하지만 나는 일을 한다.

"닉, 난 당신 편이야. 무슨 일이 있어도 우린 괜찮을 거야. 내 돈은 당신

돈이야."

"혼전 합의서에 따르면 그렇지 않지."

그는 취했다. 그가 혼전 합의서를 입에 올리는 것은 취했을 때뿐이다. 순간 모든 분노가 되돌아온다. 나는 그에게 수백 번, 그야말로 수백 번을 말했다. 혼전 합의서는 순수하게 사업적인 것이라고. 나를 위한 것도, 나의 부모를 위한 것도 아니라고. 우리 부모의 변호사들을 위한 거라고. 그것은 우리에 대해, 당신과 나에 대해 아무것도 말해주지 않는다고.

그는 주방으로 걸어가서 지갑과 시들시들한 지폐들을 커피 테이블 위에 던지고, 메모지 한 장을 구겨서 신용카드 영수증 뭉치와 함께 쓰레기통에 던져넣었다.

"그건 아주 더러운 말이야, 닉."

"이건 아주 더러운 기분이야, 에이미."

그는 주방 바로 걸어가서―술주정뱅이의 그 조심스럽고, 늪을 헤치는 듯한 걸음걸이로―술을 한 잔 더, 그야말로 입속에 들이부었다.

"그러다 병 나." 내가 말한다.

그는 나를 향해 '엿 먹어'라고 하는 듯이 잔을 들어 올린다.

"당신은 전혀 이해 못해, 에이미. 전혀 못한다고. 나는 열네 살 때부터 일을 했어. 난 좆같은 테니스 캠프랑 글짓기 캠프랑 SAT 자율학습을, 뉴욕 시의 모든 사람들이 당연하게 하는 그 모든 똥 같은 일을 할 수 없었다고. 왜냐하면 나는 쇼핑몰에서 탁자를 닦고 있었고, 잔디를 깎고 있었고, 해니벌까지 차를 몰고 가서 관광객들을 위해 좆같은 허클베리 핀 옷을 입고 있었고, 자정에 퍼넬 케이크용 프라이팬을 닦고 있었으니까."

나는 웃고 싶은, 정말로 깔깔 웃고 싶은 충동을 느낀다. 닉을 휙 들어 올릴, 배에서 나오는 커다란 웃음을. 그러면 우리는 곧 함께 웃게 될 것이고 이 상황은 끝날 것이다. 형편없는 일자리에 대한 장황한 이야기. 닉과 결혼하면서 나는 언제나 사람들은 돈을 위해 끔찍한 일들을 해야만 한다는 것을 떠올리게 된다. 나는 닉과 결혼한 이후 음식으로 분장한 사람들에게 언제나 손을 흔들어 인사한다.

"난 잡지사에 들어갈 때부터 거기 있는 다른 누구보다도 더 많이 노력해야만 했어. 지금 내 위치에 서기 위해 20년을 애썼는데 그게 이제 다 사라질 판이라고. 그리고 이 일 대신 무슨 일을 해야 할지 단 한 가지도 떠오르지 않아. 고향으로 돌아가 다시 강가에 사는 쥐가 되는 거 말고는."

"허클베리 핀 역을 하기엔 당신은 이제 너무 늙었어." 내가 말했다.

"좆까, 에이미."

그리고 그는 침실로 갔다. 그는 지금까지 한 번도 내게 그런 말을 한 적이 없었다. 하지만 그 말이 그의 입에서 그토록 쉽게 나오는 걸 보고 나는 추측했다―지금까지 한 번도 해본 적 없는 생각이었다―그가 속으로 그런 말을 해왔다고. 내가 남편에게 좆까라는 말을 듣는 여자가 되리라고는 꿈에도 몰랐다. 게다가 우린 화가 난 채 침대에 눕지 말자고 맹세하지 않았던가. 타협, 대화, 그리고 절대 화난 채로 침대에 눕지 않기―모든 신혼부부에게 주어지는 세 가지 충고. 하지만 최근 들어 타협하는 사람은 나뿐인 것 같다. 우리의 대화는 아무것도 해결하지 못하고 닉은 화난 상태로 침대에 눕는 일에 아주 능숙하다. 그는 마치 분출구처럼 자신의 감정을 쏟아낼 수 있다. 그는 벌써 코를 골고 있다.

그 순간 나는 내가 상관할 일이 아니라는 걸 알면서도, 닉이 알게 되면 불같이 화를 낼 걸 알면서도 자제할 수가 없다. 나는 쓰레기통으로 가서 영수증 뭉치를 꺼낸다. 그가 밤새도록 어디에 있었는지 알기 위해. 술집 두 군데와 스트립 클럽 두 군데. 각각의 장소에서 친구들에게 내 얘기를 하는 닉의 모습이 보인다. 그 비열하고 더럽고 천박한 말이 그토록 쉽게 나오는 걸 보면 이미 내 얘기를 한 것이 틀림없다. 나는 값비싼 스트립 클럽에 있는 그들을 떠올린다. 자신들이 아직 상대방을 지배할 수 있는 남자라고, 여자들은 자신들을 섬겨야 한다고 믿게 만드는 호화로운 클럽. 고의적으로 설치한 나쁜 음향 시설과 쿵쿵거리는 음악 때문에 아무도 말을 할 필요가 없는 곳. 가슴을 한껏 내민 여자가 다리를 벌리고 내 남편 위에 올라타고 있다(그는 이 모든 것이 순전히 재미를 위한 것이라고 맹세한다). 그녀의 머리카락은 등까지 흘러내리고 입술은 글로스로 축축하지만 나는 위협을 느껴서는 안 된다. 그건 그저 재미를 위한 거니까. 나는 웃어넘겨야 한다. 편안한 여자가 되어야 한다.

나는 구겨진 메모지를 펼치고 여자의 손 글씨 ─ 한나 ─ 와 전화번호를 본다. 나는 그녀의 이름이 영화에서처럼 캔디나 밤비 같은 멍청한 것이기를 바란다. 눈을 굴리며 볼 수 있는 이름. 모든 'i'자마다 하트로 점을 대신한 미스티(Misti) 같은 이름. 하지만 한나다. 현실 속의 여자, 어쩌면 나와 같은 여자. 닉은 한 번도 바람을 피운 적이 없다. 그의 맹세에 따르면. 하지만 나는 그에게 기회가 많다는 것도 안다. 내가 그에게 한나에 대해 묻는다면 그는 말하겠지. 그 여자가 나한테 왜 전화번호를 줬는지는 모르지만 난 그냥 무례하게 굴기 싫어서 받은 거야. 사실일 수도 있다. 아닐 수도 있고. 그는 바람을 피울 수 있고, 내게 절대로 말하지 않을 것이다. 그리고 알아채지 못하는 나를 갈수록 덜 떠올리게 될 것이다. 아침 식탁 건너편에서 순진하게 후루룩거리며 시리얼을 먹는 나를 보며 바보라고 생각하겠지. 바보를 존중할 사람은 아무도 없다.

지금 나는 다시 울고 있다. 한나를 손에 쥔 채.

남자들의 하룻밤을 눈덩이처럼 굴려서 결혼 생활을 파탄 낼 불륜으로 확대하다니, 참으로 여자처럼 굴고 있지 않은가?

어떻게 해야 할지 모르겠다. 새된 목소리의, 입이 건 여자, 또는 멍청한 현관 깔개가 된 것 같은 기분이다. 이러고 싶지 않다. 나는 화를 내고 싶지 않다. 화를 내야 하는 것인지조차 모르겠다. 호텔에 가서 자야 할까, 그래서 닉이 나를 다시 보게 해야 할까.

나는 몇 분간 그 자리에 있다가 숨을 들이쉰 다음, 축축한 술 냄새가 나는 침실로 들어간다. 내가 침대에 들어가자 닉은 내 쪽으로 몸을 돌리고 나를 껴안으며 내 목에 얼굴을 묻는다. 우리 둘은 동시에 말한다. 미안해.

닉 던

실종 다음 날

플래시 세례가 쏟아졌다. 나는 얼른 웃음을 거뒀지만 이미 늦었다. 열기가 목까지 파도처럼 밀려 올라오는 느낌이 들면서 코 위로 땀방울이 맺혔다. 멍청해, 닉, 멍청해. 곧―내가 정신을 차린 직후―기자회견은 끝이 났고 나에 대한 다른 인상을 심어주기에는 너무 늦어버렸다.

내가 고개를 푹 숙이고 장인, 장모와 함께 걸어 나가는 동안 또 한차례 플래시 세례가 쏟아졌다. 출구에 거의 도착했을 때 길핀이 종종걸음으로 기자회견실을 가로지르며 다가와 나를 불러 세웠다. "닉, 잠깐 볼까요?"

그는 나와 함께 뒤쪽에 있는 사무실로 가면서 새로운 소식을 알려주었다. "누군가가 침입했다는 이웃집을 조사했는데 여러 명이 그곳에서 야영을 한 것 같아 감식반을 보냈습니다. 그리고 단지 가장자리에 있는 또다른 집에도 무단 점유자들이 있었던 것으로 밝혀졌습니다."

"제가 걱정하는 것이 그겁니다. 사람들이 도처에서 야영을 하고 있어요. 이 도시에는 화난 실직자들이 득실거린다고요."

1년 전만 해도 카르타고는 기업 도시였다. 그 기업이란 잘나가던 리버

웨이 몰로, 그 자체가 하나의 작은 도시와 같았다. 한때 카르타고 인구의 5분의 1에 해당하는 4천 명의 주민이 그곳에서 일했다. 리버웨이 몰은 1985년 중서부 전역의 쇼핑객을 불러들일 계획으로 세워진 쇼핑몰이다. 나는 몰이 개장하던 날 그곳에 갔던 일을 지금도 기억한다. 나와 고, 어머니와 아버지는 타르를 칠한 주차장에 모인 군중의 맨 뒤에서 축제 행사를 구경하고 있었다. 아버지는 늘 어느 곳에서든 재빨리 자리를 뜰 수 있기를 원하는 사람이었기 때문이다. 그는 야구장에서조차 출구 근처에 차를 대고 8회에 자리를 떴고, 초조하게 경기를 지켜보느라 햇빛에 뜨거워진 나와 고는 머스터드를 묻힌 채 우는 소리를 했다. 우리는 끝을 보는 적이 없어. 하지만 그날은 멀리 떨어진 곳이라 좋았던 것이, 그 행사의 전체적인 모습이 눈에 들어왔기 때문이다. 발을 구르며 초조하게 기다리는 군중과 빨갛고 하얗고 파란 연단 위에 선 시장. 귓전을 울리는 단어들―자부심, 성장, 번영, 성공―이 비닐에 싸인 수표장과 누비로 된 핸드백으로 무장하고 소비 지상주의의 전쟁터에 나선 군인인 우리의 머리 위로 굴러갔다. 이윽고 열리는 문들. 냉방, 단조로운 배경음악, 우리의 이웃인 미소 띤 점원들 속으로 돌진. 그날은 아버지조차 우리가 안에 들어가도록 해주었고, 줄을 섰으며, 우리에게 뭔가―땀 냄새가 나는 종이컵에 담긴 오렌지 줄리어스―를 사주었다.

사반세기 동안 리버웨이 몰은 기정사실이었다. 그 후 불황이 덮쳐 리버웨이를 쓸어버렸다. 상점이 하나둘씩 사라지더니 결국 쇼핑몰 전체가 파산했다. 이제 그곳은 2백만 평방피트의 메아리다. 그곳을 차지하러 오는 회사도, 부활을 약속하는 사업가도 없었다. 그곳을 어찌해야 할지, 혹은 그곳에서 일했던 그 모든 사람은 어떻게 될 것인지 아는 사람은 아무도 없었다. 그중에는 슈비두비(Shoe-Be-Doo-Be)에서 실직한 내 어머니도 있었다. 무릎을 꿇고, 주무르고, 상자를 정리하고, 축축한 양말을 주우며 보낸 20년이 하루아침에 사라져버린 것이다.

리버웨이 몰의 몰락은 사실상 카르타고를 파산시켰다. 사람들은 직업과 집을 잃었다. 조만간 좋은 날이 올 거라고 믿는 사람은 아무도 없었다. 우리는 끝을 보는 적이 없어. 하지만 이번에 고와 나는 끝을 보게 될 것 같았다. 우리 모두가 그럴 것이다.

그 파산은 나의 정신에 완벽하게 부응했다. 수년간 나는 지루해하고 있었다. 징징거리고 산만한 아이의 지루함이 아닌(내게 이런 모습이 없었다는 건 아니지만), 밀도 높고 압도적인 무기력함. 새롭게 발견될 것은 다시는 없을 것처럼 보였다. 우리 사회는 완전히, 터무니없이 파생적이었다('파생적'이라는 말로 비평하는 것 역시 파생적이지만). 우리는 최초로 무언가를 보게 되는 일이 결코 없는 최초의 인간이다. 우리는 세계의 경이로움을 흐리멍덩하고 무덤덤한 눈으로 바라본다. 모나리자, 피라미드, 엠파이어스테이트 빌딩. 사냥하는 정글의 동물, 붕괴하는 태곳적부터의 빙산, 분출하는 화산. 나는 놀라운 것을 직접 볼 때면 늘 곧바로 어떤 영화나 텔레비전 프로그램을 떠올렸다. 당신도 형편없는 광고의 그 끔찍하고 싫증나는 노랫말을 알 것이다—봐아아았어. 말 그대로 전부 다 봤다. 그리고 최악은, 내 뇌를 폭파시켜버리고 싶게 만드는 것은 언제나 간접 경험이 더 낫다는 사실이다. 이미지는 더 선명하고 풍경은 더 멋지다. 카메라 앵글과 사운드트랙은 현실이 더 이상 어떻게 할 수 없는 방식으로 나의 감성을 조종한다. 이제는 우리가 실제로 인간이라고 할 수 있는지조차 모르겠다. TV와 영화와 인터넷과 함께 자란 우리는 대부분이 비슷하다. 우리는 배신을 당했을 때 뭐라고 말해야 하는지 알고 있다. 사랑하는 이가 죽었을 때 뭐라고 말해야 하는지 알고 있다. 색마나 건방진 놈이나 바보처럼 굴고 싶을 때 해야 할 말을 알고 있다. 우리는 모두 똑같은 낡은 대본을 이용하며 살고 있다.

쉬지 않는 캐릭터 오토매트에서 고른 성격적 특징들의 집합체가 아닌 사람이, 진짜 사람이 되는 것이 아주 어려운 시대다.

우리 모두가 연기를 하고 있다면 소울메이트 같은 건 존재할 수가 없다. 우리에겐 진짜 영혼이 없기 때문이다.

나는 그때, 중요한 것은 아무것도 없다는 단계에 와 있었다. 나는 진짜 사람이 아니고, 그건 다른 사람들도 마찬가지니까.

나는 진짜라는 느낌을 얻기 위해 무슨 짓이든 했을 것이다.

길핀은 지난밤 내가 조사를 받았던 방의 문을 열었다. 에이미의 은색 선물 상자가 탁자 한가운데에 놓여 있었다.

나는 탁자 한가운데에 놓인 상자를 노려보며 서 있었다. 선물 상자는 이 새로운 배경에서 순간 너무나 불길해 보였다. 공포감이 엄습했다. 어째서 진작 이걸 발견하지 못했을까? 나는 이것을 찾아냈어야 했다.

"어서요." 길핀이 말했다. "한번 살펴보세요."

나는 그 안에 사람 머리가 들어 있기라도 한 것처럼 조심스럽게 상자를 열었다. 그 안에는 '단서 1'이라고 적힌 옅은 파란색 봉투가 달랑 들어 있을 뿐이었다.

길핀이 능글맞게 웃었다. "우리가 얼마나 혼란스러웠을지 아시겠습니까? 실종 사건이 일어났는데 '단서 1'이라고 적힌 봉투를 발견했으니."

"이건 내 아내의 보물찾기."

"압니다. 결혼기념일 행사라고 에이미 씨의 아버지가 말해줬습니다."

나는 봉투를 열어 한 번 접은 두꺼운 하늘색 종이—에이미의 개인 편지지—를 꺼냈다. 목구멍까지 울화가 치밀었다. 보물찾기는 언제나 단 하나의 질문으로 귀결되었다. 에이미는 누구인가? (내 아내는 무슨 생각을 하고 있는가? 지난 한 해 그녀에게 가장 중요했던 것은 무엇인가? 그녀는 어떤 순간에 가장 행복했나? 에이미, 에이미, 에이미, 에이미에 대해 생각해보자.)

나는 이를 악물고 첫 번째 단서를 읽었다. 지난해 우리의 결혼 생활을 감안했을 때 이것은 나를 형편없는 사람처럼 보이게 할 것이다. 나는 나를 형편없는 사람처럼 보이게 할 것이 더는 필요하지 않았다.

> 당신의 학생인 나를 그려봐.
> 너무나 잘생기고 현명한 선생님 앞에서
> 나의 마음이 열려(물론 나의 두 허벅지도!)
> 내가 당신의 제자라면 꽃다발은 필요없어.
> 그저 당신 근무시간 중의 발칙한 약속이면 될 거야.
> 그러니 서둘러, 출발해, 제발 시작해.
> 그러면 아마 이번에는 내가 당신에게 한두 가지를 가르쳐줄 거야.

그것은 일종의 대안적인 삶을 위한 여행 안내서였다. 아내의 예상대로 일이 흘러갔다면 그녀는 어제 이 시를 읽는 내 주위를 맴돌며 기대에 찬 표정으로 나를 쳐다보고 있었을 것이다. 얼굴의 열기처럼 희망을 뿜어내면서. 제발 알아맞혀줘. 제발 나를 알아줘.

그리고 그녀는 마침내 어때, 하고 물을 것이고 나는 말할 것이다.

"아, 알 것 같아요! 이건 분명 전문대학의 제 사무실을 뜻하는 걸 겁니다. 제가 거기서 비상근 교수로 일하고 있거든요. 하. 그러니까, 그곳이 틀림없을 거예요, 그렇겠죠?" 나는 눈을 가늘게 뜨고 다시 읽었다. "올해는 아내가 쉬운 문제를 냈네요."

"제가 그곳까지 태워다드릴까요?" 길핀이 물었다.

"아뇨, 제 동생 차를 가져왔습니다."

"그럼 따라가겠습니다."

"이게 중요하다고 생각하세요?"

"실종되기 하루나 이틀 전 부인의 행적을 보여주는 것이니 중요하지 않다고는 할 수 없지요." 그가 편지지를 보며 말했다. "사랑스럽지 않습니까? 보물찾기라니, 영화에 나오는 것 같군요. 저와 제 아내는 카드나 한 장 교환하고 외식하는 게 전부인데. 두 분은 참 제대로 기념하고 사시는군요. 낭만을 지키면서 말입니다."

길핀은 발끝을 쳐다보며 부끄러운 듯한 표정을 짓더니 열쇠를 짤랑거리며 걷기 시작했다.

그 전문대학은 내게 상당히 후한 대접을 해주어 책상 한 개와 의자 두 개, 책장 몇 개가 들어갈 만큼 널찍한 사무실을 제공했다. 길핀과 나는 서머스쿨 학생들 사이를 헤치며 걸었다. 그들은 터무니없이 어린 아이들(표정은 지루하지만 분주하게 문자를 보내거나 음악 볼륨을 높이고 있다)이거나, 나로서는 쇼핑몰 실직자들이라고 추측할 수밖에 없는, 새 직장을 찾기 위해 재교육을 받으려는 열성적인 어른들로 구성돼 있다.

"뭘 가르치십니까?" 길핀이 물었다.

"언론학, 잡지언론이요." 문자를 보내며 걷던 여자애가 방향감각을 잃어버리고 나와 정면으로 부딪힐 뻔했다. 그녀는 고개를 들어보지도 않고 옆으로 비켜섰다. 나는 괴팍한 늙은이가 된 듯한 기분이 들었다. 내 잔디밭에서 나가!

"그쪽 일은 이제 안 하시는 줄 알았습니다."

"원래 현장에서 일할 수 없는 사람들이……." 나는 웃었다.

나는 잠겨 있는 사무실 문을 열고 숨이 막힐 것 같은 냄새가 나는, 미세먼지가 떠다니는 공기 속으로 들어섰다. 나는 이번 여름에 쉬기로 했던 터라 여기 들어오는 것은 몇 주 만이었다. 내 책상 위에 '단서 2'라고 적힌 봉투가 놓여 있었다.

"열쇠는 항상 닉 씨의 열쇠고리에 있습니까?" 길편이 물었다.

"네."

"그럼 에이미 씨는 이곳에 들어오기 위해 열쇠를 빌렸겠군요?"

나는 봉투의 가장자리를 찢었다.

"집에 여벌 열쇠가 하나 있어요." 에이미는 뭐든지 두 개씩 만들어두었다. 내가 열쇠나 신용카드, 휴대전화를 엉뚱한 곳에 두고 못 찾는 일이 많기 때문이다. 하지만 길편에게 이 이야기를 해서 다시 한 번 '막둥이 공격'을 받고 싶지 않았다. "왜 그러시죠?"

"아, 그냥, 수위나 그런 사람을 거치지 않아도 되게 하려고요."

"이곳에 프레디 크루거 같은 살인마는 없는 것 같아요."

"그 영화는 본 적이 없습니다." 길편이 대답했다.

봉투 속에는 두 장의 종이가 접혀 있었다. 한 장에는 하트 모양이 그려져 있었고 다른 한 장에는 '단서 2'라는 제목이 붙어 있었다.

두 개의 편지. 다르다. 배 속이 조여왔다. 에이미가 무슨 말을 써놓았을지 누가 알겠는가. 나는 길편을 이곳에 데려오지 말았어야 했는데 생각하며 첫 구절을 읽었다.

사랑하는 내 남편

난 이곳이, 내가 당신을 얼마나 똑똑한 남자라 여기는지 알려주기에 완벽한 장소라고 생각했어. 이 텅 빈 배움의 강당! 당신에게 자주 말하지는 못했지만 난 당신의 지성에 감탄해. 멋진 통계와 일화, 낯선 사실, 온갖 영화를 인용하는 놀라운 능력, 예리한 기지, 사물을 말로 아름답게 표현하는 방식. 함께 여러 해를 보내고 나니, 부부는 서로가 정말 놀라운 사람이란 걸 발견했던 순간을 쉽게 잊어버릴 수 있다는 생각이 들어. 우리가 처음 만났을 때를 기억해. 당신이 얼마나 눈부셨는지를. 그래서 난 잠시 시간을 내서 내게 당신은 아직도 그렇다고, 그리고 당신의 그런 점을 내가 정말 좋아한다고 말하고 싶어. 당신은 똑똑해.

입안에 침이 고였다. 내 어깨너머로 메모를 읽은 길핀이 한숨을 쉬었다. "사랑스럽군요," 그가 말한 다음 목을 가다듬었다. "음, 하, 이거 선생님 겁니까?"

그는 연필 끝에 달린 지우개로 여자 속옷 두 개를 들어 올렸다(정확하게 말하자면 끈처럼 생기고 레이스가 달린 빨간색 팬티지만 나는 여자들이 이 단어에 질색한다는 사실을 알고 있다. 구글에 '팬티라는 말 싫어'를 쳐보라). 그것은 방금 에어컨 스위치에서 땅바닥으로 떨어진 참이었다.

"이런. 민망하군요."

길핀은 설명을 기다렸다.

"어, 한번은, 에이미와 내가, 그러니까, 아내가 쓴 메모 보셨죠. 우리는 일종의, 아시겠지만, 가끔씩은 양념을 좀 칠 필요가 있잖아요."

길핀이 싱긋 웃었다. "아, 알겠습니다. 흥분한 교수와 발칙한 학생. 알았어요. 두 분은 정말 즐기면서 사셨군요." 나는 속옷을 향해 팔을 뻗었지만 길핀은 벌써 주머니에서 증거품 봉투를 꺼내 그것들을 집어넣고 있었다. "그저 만약을 위해섭니다." 길핀이 무슨 뜻인지 모를 말을 했다.

"아, 제발 그러지 마세요." 내가 말했다. "에이미가 알면 죽으려고."

순간 나는 말을 멈췄다.

"걱정하지 마세요, 닉. 다 의례적인 거니까요. 경찰들이 얼마나 명령을 잘 따르는지 모르실 겁니다. 만일을 위해, 만일을 위해. 우스꽝스럽죠. 다음 단서는 뭐라고 합니까?"

나는 다시 그가 어깨너머로 읽게 두었다. 그에게서 풍기는 거슬리도록 상쾌한 냄새 때문에 정신이 산란했다.

"이게 무슨 뜻이죠?" 그가 물었다.

"모르겠습니다." 나는 거짓말을 했다.

나는 마침내 길핀에게서 벗어나, 이렇다 할 목적지 없이 고속도로를 달리며 내 일회용 휴대전화로 전화를 걸었다. 상대방은 받지 않았다. 나는 음성메시지를 남기지 않았다. 나는 얼마 동안 마치 어디로든 갈 수 있다는 듯이 속력을 내다가, 25분 만에 다시 도시로 돌아왔다. 데이스 인에 있는 장인과 장모를 만나기 위해서였다. 데이스 인의 로비는 중서부 임금 판매상 협회 회원들로 북적이고 있었다. 도처에 놓여 있는 바퀴 달린 가방과 작은 플라스틱 컵에 담긴 환영의 음료를 홀짝이는 가방 주인들, 목구멍 안쪽에서 나오는 듯한 억지웃음과 명함을 찾아 뒤적이는 호주머니. 나는 카키색 바지와 골프 셔츠를 입고 있는, 하나같이 머리가 벗겨지고 있는 네 명의 남자와 함께 엘리베이터를 타고 올라갔다. 명찰에 달린 끈이 결혼한 둥그런 배들에 부딪쳐 튀어올랐다.

장모 메리베스가 휴대전화에 대고 말하면서 문을 열어주었다. 그녀는 손가락으로 텔레비전 쪽을 가리키며 "쟁반에 차가운 햄이 있으니 들게"

라고 속삭인 뒤 욕실로 들어가 문을 닫았다. 그녀의 말소리가 계속 들려왔다.

몇 분 뒤 그녀는 에이미의 실종을 머리기사로 다룬 세인트루이스 5시 지역 뉴스 시간에 맞춰 나왔다. "완벽한 사진이야." 에이미가 우리를 응시하고 있는 화면을 보며 장모가 중얼거렸다. "사람들이 이걸 보면 실제 에이미가 어떻게 생겼는지 알겠지."

나는 그 사진—에이미가 잠깐 배우 생활을 했을 때 찍은 얼굴 사진—이 아름답지만 불편하다고 생각하고 있었다. 에이미의 사진은 그녀가 실제로 쳐다보고 있는 것 같은 느낌을 주었다. 두 눈이 왼쪽에서 오른쪽으로 움직이는, 귀신 들린 집의 오래된 초상화처럼.

"좀 더 자연스러운 사진도 보여달라고 부탁해야겠어요." 내가 말했다. "일상생활 중에 찍은 것들로요."

엘리엇 부부는 앞서거니 뒤서거니 하며 고개를 끄덕였지만 텔레비전에 시선을 고정한 채 아무 말도 하지 않았다. 보도가 끝나자 장인 랜드가 침묵을 깼다. "속이 울렁거리는군."

"알아요." 장모가 말했다.

"어떻게 지내나, 닉?" 장인이 물었다. 그는 두 손을 양쪽 무릎 위에 얹고 구부정한 자세로 앉아 있었다. 소파에서 일어나고 싶지만 왠지 그럴 수 없는 것처럼 보였다.

"사실대로 말씀드리면 미칠 것 같습니다. 제가 너무 쓸모없는 사람 같아서요."

"알아야 해서 묻네만, 자네 고용인들은 어떤가, 닉?" 장인이 마침내 일어섰다. 그는 미니바로 가서 진저에일을 따른 뒤 나와 장모를 향해 돌아섰다. "아무도 없어? 뭔가 없나? 아무것도?" 나는 고개를 저었다. 장모가 탄산수를 부탁했다.

"진을 좀 섞을까, 여보?" 장인이 물었다. 그의 낮은 목소리가 마지막 단어에서 높아졌다.

"물론이죠. 네. 그래줘요." 메리베스는 눈을 감고 몸을 반으로 접으며 무릎 사이에 얼굴을 묻더니 깊은 한숨을 쉬었다. 그런 다음 정확히 아까처럼 다시 몸을 일으키고 앉았다. 마치 그 모든 것이 하나의 요가 동작이었다는 듯이.

"모든 사람들의 목록을 그쪽에 넘겼어요." 내가 말했다. "하지만 이건 아주 평범한 사업입니다, 장인어른. 거기서 뭔가 나올 것 같지는 않아요."

장인은 손을 입으로 가져가 위쪽으로 얼굴을 문질렀다. 볼살이 눈 근처로 쏠렸다. "물론, 우린 우리의 사업에 대해서도 똑같이 하고 있다네, 닉."

장인과 장모는 《어메이징 에이미》 시리즈를 언제나 사업이라는 말로 표현했고, 그것은 내게 항상 바보같이 느껴졌다. 이 시리즈는 한 완벽한 소녀를 다룬 아동용 도서다. 시리즈의 모든 책 표지에는 아내 에이미의 만화 버전인 소녀가 그려져 있다. 물론 그 시리즈는 사업이(었)다. 그것도 큰 사업. 그것은 거의 20년간 초등학교들의 고정 수요 상품이었는데, 많은 부분은 각 장의 끝에 나오는 퀴즈 덕분이었다.

예를 들어, 어메이징 에이미는 3학년 때 친구 브라이언이 학급에서 키우는 거북이에게 먹이를 지나치게 많이 준다는 사실을 알게 되었다. 에이미는 브라이언을 설득하려 노력하지만 그가 계속 먹이를 많이 주겠다고 고집하자 선생님에게 몰래 이르는 수밖에 없었다. "티블스 선생님, 전 고자질쟁이가 되고 싶지는 않지만 어떻게 해야 할지 모르겠어요. 브라이언에게 직접 이야기를 해봤지만 이제는…… 어른의 도움이 필요한 것 같아요." 그 결과

1) 브라이언은 에이미에게 믿을 수 없는 친구라고 말하고 더 이상 에이미와 말을 하지 않았다.

2) 에이미의 소심한 친구 수지는 에이미가 선생님께 말하지 않고 브라이언 몰래 먹이를 건져 올렸어야 한다고 말했다.

3) 에이미의 라이벌 조애나는 에이미가 질투가 났던 거라고, 자기가 거북이에게 먹이를 주고 싶었던 거라고 말했다.

4) 에이미는 굴하지 않았다. 에이미는 자신이 옳은 일을 했다고 느꼈다.

누가 옳을까?

뭐, 쉽다. 에이미는 모든 이야기에서 언제나 옳기 때문이다. (내가 진짜 에이미와의 말다툼에서 이 말을 하지 않았다고 생각하진 말길. 실제로 한 번 이상 했으니까.)

그ㅡ'당신처럼 부모이기도 한 두 명의 심리학자!'들이 출제한ㅡ퀴즈들은 자녀의 성격적 특징을 알아내는 데 도움을 주었다. 당신의 아이가 브라이언 같은, 꾸중을 못 견뎌 하고 잘 삐치는 아이인가? 수지 같은 나약한 방조자? 조애나 같은 말썽쟁이? 아니면 에이미 같은 완벽한 아이? 그 책은 당시 부상하던 여피족 사이에서 큰 인기를 얻었다. 육아용 펫 록. 자녀양육용 루빅큐브. 엘리엇 집안은 돈방석에 앉았다. 미국의 모든 학교 도서관에 《어메이징 에이미》가 있다고 추정되던 때도 있었으니까.

"이 사건이 '어메이징 에이미' 사업과 관련이 있을 수도 있다고 걱정하십니까?" 내가 물었다.

"몇 사람은 분명 확인해볼 만한 가치가 있다고 생각하고 있네." 장인이 말했다.

나는 밸듯이 웃음을 터뜨렸다. "주디스 비오스트가 알렉산더를 위해 에이미를 납치한 거라고 생각하시는 건가요, 알렉산더에게《정말정말 재수 꽝인 날》이 없도록?"

깜짝 놀란 장인과 장모가 실망한 얼굴로 나를 보았다. 두 얼굴이 서로 잘 어울렸다. 그런 역겹고 천박한 말을 하다니. 내 뇌는 상황이 안 좋을 때 이토록 부적절한 말을 트림처럼 내보낸다. 내가 통제할 수 없는 정신의 가스. 나의 경찰 친구인 보니를 볼 때마다 속으로〈보니 마로니〉의 가사를 흥얼거리는 것처럼. 그녀는 마카로니 가닥처럼 말랐어. 론다 보니 경위가 실종된 아내를 찾기 위해 강을 훑는 방법을 이야기하고 있을 때, 나의 뇌는 비밥을 흥얼거리곤 했다. 방어기제다, 나는 스스로에게 말했다. 그저 이상한 방어기제일 뿐이라고. 이제는 그만했으면 좋겠다.

나는 두 다리를 조심스럽게 가지런히 놓고, 내 말을 정교한 도자기처럼 다루었다.

"죄송합니다. 왜 그런 말을 했는지 모르겠어요."

"우리 모두 지친 거야." 장인이 말했다.

"경찰에게 비오스트를 잡아들이라고 하겠네." 메리베스가 애썼다. "그리고 망할 비벌리 클리어리 년도." 농담이라기보단 면죄부 같은 말이었다.

"두 분께 말씀드려야 할 것 같아서요." 내가 말했다. "경찰들이, 이런 사건의 경우 통상적으로……."

"남편을 가장 먼저 주목한다는 것, 알고 있네." 장인이 끼어들었다. "난 경찰한테 시간 낭비라고 말했지. 그들이 우리에게 한 질문은……."

"모욕적이었어." 장모가 말을 받았다.

"경찰이 두 분과 제 얘기를 했습니까?" 나는 미니바로 가서 아무렇지 않은 듯 진을 따랐다. 석 잔을 연속으로 들이켰는데도 여전히 속이 메스꺼웠다. "어떤 질문을 하던가요?"

"자네가 에이미를 때린 적이 있느냐, 그 애를 위협했다는 말을 들어보았느냐." 메리베스가 알려주었다. "자네가 바람을 피우느냐, 에이미가 자네가 바람을 피웠다고 말한 적이 있느냐, 이런 걸 묻더군. 에이미가 그럴 아이인가? 난 그들에게 우리가 현관 깔개를 키우지는 않는다고 말했네."

장인이 내 어깨에 손을 얹었다. "닉, 우리가 가장 먼저 했어야 했던 말은 이거야. 우린 자네가 결코, 절대 에이미를 해치지 않을 거라는 걸 안다. 난 경찰에 이 얘기까지 했네. 자네가 해변 별장에서 쥐끈끈이에 걸린 쥐를 살려준 것 말이야." 그는 마치 장모는 이 얘기를 처음 들을 거라는 듯 그녀를 올려다보았고, 장모는 엄청나게 집중하는 모습으로 화답했다. "그 망할 녀석을 구석으로 모느라 한 시간을 보낸 다음에 말 그대로 그 쥐새끼를 동네 밖으로 쫓아버렸다고. 그런 사람이 아내를 해치겠느냐고."

나는 강렬한 죄책감과 자기혐오가 솟구치는 것을 느꼈다. 순간 울음을 터뜨릴 것 같았다.

"우린 자네를 사랑하네, 닉." 장인이 마지막으로 나를 꽉 움켜쥐며 말했다.

"정말이야, 닉." 장모도 말했다. "자넨 우리 아들이야. 우린 자네가 에이미가 사라진 것도 모자라, 이런 것 ─ 구름 같은 의심 ─ 까지 견뎌야 한다는 사실이 너무나 유감일세."

나는 '구름 같은 의심'이라는 표현이 마음에 들지 않았다. '의례적인 조사' 혹은 '형식상의 절차'가 마음에 들었지만 아무도 그렇게 말하지 않을 것이다.

"그들은 그날 밤 자네가 한 레스토랑 예약을 아주 궁금해했어." 장모가 지나치게 아무렇지 않은 시선을 보내며 말했다.

"제가 한 예약이요?"

"경찰이 자네가 휴스턴에 예약을 했다고 해서 확인해봤더니 예약이 안 되어 있다고 하더라고. 그 사실에 관심이 많은 것 같았어."

나는 예약을 하지 않았고 선물도 준비하지 않았다. 왜냐하면 남편은 그 날 아내를 죽이려고 계획을 세웠으니까. 그에겐 그날 밤의 예약도, 줄 일 없을 선물도 필요하지 않았겠지. 극도로 실용적인 살인자의 특징.

그는 지나치게 실용적이죠—내 친구들은 경찰에게 분명 이렇게 말했을 것이다.

"아, 이런. 아니에요. 전 예약을 한 적이 없어요. 경찰이 제 말을 잘못 들었나 봅니다. 경찰에 말해야겠어요."

나는 장모의 맞은편에 있는 소파에 무너지듯 앉았다. 장인이 또 내 몸에 손을 대지 않기를 바랐기 때문이다.

"아, 그렇군. 됐네." 장모가 말했다. "그 애가, 어, 자네, 올해도 보물찾기 선물을 받았나?" 장모가 물었다. 그녀의 눈시울이 다시 붉어졌다. "그 일이 있기 전에……."

"네, 경찰이 오늘 제게 첫 번째 단서를 줬습니다. 길핀과 함께 저의 대학 사무실에서 두 번째 단서를 찾았고요. 그것의 의미를 알아내려고 계속 노력 중입니다."

"우리가 한번 봐도 되겠나?" 장모가 물었다.

"지금 저한테 없어서요." 나는 거짓말을 했다.

"그걸……. 그걸 알아내주겠나, 닉?" 장모가 물었다.

"그럼요, 장모님. 꼭 알아낼 겁니다."

"그 애가 만진 것들이 저 바깥에 덩그러니 놓여 있다고 생각하니 싫어."

나의 일회용 휴대전화가 울렸다. 화면을 흘끗 보고 끊어버렸다. 이걸 없애버려야 한다. 하지만 그럴 수 없다. 아직은.

"전화를 다 받아야 하네, 닉." 장모가 말했다.

"제가 아는 번호예요. 대학 졸업생 기금이요. 돈 달라는 거죠."

장인이 내 옆에 앉았다. 우리에게 오랫동안 시달려온 쿠션이 우리 몸무게로 폭삭 주저앉자, 우리는 서로를 향해 몸이 기울어지면서 팔이 맞닿았다. 장인에게는 괜찮은 일이었다. 그는 누군가에게 다가가면서 '저는 포옹하는 사람입니다'라고 선언하는 부류로, 상대방의 동의를 구하는 법이 없었다.

장모가 다시 사업 얘기를 꺼냈다. "우린 '에이미'에 집착하는 사람이 그 앨 데려갔을 수도 있다고 생각하네." 그녀는 내 쪽을 보며 주장을 펼치듯 말했다. "오랫동안 그런 사람들이 있었지."

에이미는 자신에게 집착하는 남자들에 대한 이야기를 꺼내길 좋아했다. 그녀는 결혼 생활을 하는 동안 여러 번에 걸쳐 와인 잔을 앞에 놓고 작은 목소리로 스토커들을 묘사했다. 그녀를 생각하고 원하는, 지금도 저 바깥 어딘가에 있는 남자들. 나는 그런 이야기가 과장이라고 생각했다. 그 남자들이 주는 위험은 언제나 딱 그 정도, 내가 걱정은 해야 하지만 경찰을 부를 필요는 없는 정도였다. 다시 말하면, 그것은 내가 에이미의 명예를 지킬 수 있는, 가슴이 떡 벌어진 그녀의 영웅으로 남을 수 있는 상상의 세계였다. 하지만 너무나 독립적인 현대 여성 에이미는 그 사실을 인정하지 않았다. 그녀는 공주 놀이를 하고 싶었던 것이다.

"최근에도요?"

"아니, 최근엔 없었네." 장모가 입술을 깨물며 말했다. "하지만 고등학교 때 정서가 아주 불안한 여자애가 하나 있었어."

"얼마나 불안했는데요?"

"그 앤 에이미한테 집착했어. 그러니까, 《어메이징 에이미》 말일세. 이름이 힐러리 핸디였는데, 책에 나오는 에이미의 단짝인 수지를 자신의 모델로 삼았어. 처음에는 그냥 귀여운 정도였던 것 같아. 하지만 언제부턴가 좋지 않은 상황이 벌어졌네. 그 앤 들러리 수지가 아닌 '어메이징 에이미'가 되고 싶어 했고, 우리 에이미를 흉내 내기 시작했어. 에이미처럼 입고, 금발로 염색하고, 뉴욕의 우리 집 바깥을 어슬렁거렸지. 한번은 내가 길을 걷고 있는데 그 애가, 낯선 여자애가 달려오더니 나한테 팔짱을 끼고 말하는 거야. '이제 내가 당신의 딸이 될게요. 난 에이미를 죽이고 당신의 새로운 에이미가 될 거예요. 당신은 그래도 개의치 않을 거니까요, 그렇죠? 당신은 어떤 에이미든 에이미이기만 하면 되잖아요.' 마치 우리 딸이 그 애가 대신할 수 있는 허구의 인물이라는 듯이 말이네."

"결국 우린 접근 금지 명령을 받아냈어. 그 애가 에이미를 학교 계단에서 밀었거든." 장인이 말했다. "정서가 매우 불안한 아이였네. 그런 정신 상태는 호전되지 않지."

"그리고 데시." 장모가 말했다.

"그래, 데시도 있지." 장인이 말을 받았다.

데시는 나도 알고 있었다. 에이미는 매사추세츠에 있는 워셔 아카데미라는 기숙학교 출신이었다. 내가 본 사진들 속에서 에이미는 라크로스 치마를 입고 헤어밴드를 하고 있었고, 배경은 언제나 가을빛이었다. 마치그 학교의 배경은 소도시가 아니라 10월인 것처럼. 데시 콜링스는 워셔 아카데미와 결연을 맺은 남자 기숙학교 학생이었다. 에이미의 이야기 속에 나오는 그는 창백하고 낭만적인 인물이었고, 그들의 교제에는 기숙학교의 갖가지 이벤트가 등장했다. 냉랭한 럭비 경기와 과열된 댄스파티, 라일락 코르사주, 빈티지 재규어를 타고 달리는 드라이브. 하나같이 약간

중세적이었다.

에이미와 데시는 1년 동안 꽤 진지하게 만났다. 하지만 그녀는 그가 위험하다는 생각을 하기 시작했다. 그는 그녀와 약혼이라도 한 것처럼 말했고, 두 사람이 낳을 아이의 숫자와 성별도 알고 있었다. 그들이 네 명의 자녀를 낳을 것이며, 넷 다 아들이라는 것이었다. 수상하게도 그 구성은 데시의 가족 관계와 비슷했다. 그가 자신의 어머니를 데려왔을 때, 에이미는 자신과 놀랄 만큼 닮은 그 부인을 보고 메스꺼움을 느꼈다. 그녀는 에이미의 뺨에 싸늘하게 입을 맞추며 차분한 목소리로 속삭였다. "행운을 빌어." 에이미는 그것이 경고인지 협박인지 알 수 없었다.

에이미가 절교를 선언한 후에도 데시는 워셔 캠퍼스 주변을 맴돌았다. 거무스름한 블레이저를 입은 유령 같은 모습으로, 겨울이라 잎이 다 떨어진 떡갈나무에 기대어 서서. 2월의 어느 밤, 댄스파티에서 돌아온 에이미는 그가 약을 아주 약간 과용하고 정신이 혼미한 상태로 벌거벗은 채 그녀의 침대 이불 위에 누워 있는 것을 발견했다. 얼마 후 데시는 학교를 떠났다.

그러나 그는 여전히, 지금까지도 에이미에게 전화를 했고 1년에 몇 번 두꺼운 패딩 봉투를 보냈다. 에이미는 그가 보낸 봉투를 내게 보여준 뒤 열어보지도 않고 버렸다. 거기에는 세인트루이스 소인이 찍혀 있었다. 40분 거리. "끔찍하고 불행한 우연일 뿐이야." 에이미는 내게 말했다. 세인트루이스에는 데시의 어머니 쪽 친척들이 살았다. 그것이 에이미가 아는 전부였고, 더 이상 알려고 하지도 않았다. 한번은 쓰레기통을 뒤져 알프레도 소스가 묻은 편지를 찾아내 읽어봤더니 그야말로 시시하기 짝이 없었다. 테니스와 여행과 그 외 예비학교에서 있었던 일들. 추종자들. 나는 이 호리호리한 멋쟁이를 상상해보려고 노력했다. 나비넥타이와 별갑 테

안경을 쓴 녀석이 우리 집으로 쳐들어와 매니큐어를 칠한 보드라운 손가락으로 에이미를 잡아챈다. 그가 자신의 빈티지 로드스터 트렁크에 에이미를 던져 넣고 향한 곳은…… 버몬트에 있는 고택. 데시. 데시의 짓이라고 믿을 사람이 누가 있을까?

"사실 데시는 그리 멀지 않은 곳에 살고 있어요." 내가 말했다. "세인트루이스요."

"자, 봤지?" 장인이 말했다. "왜 경찰은 그쪽을 조사하지 않는 걸까?"

"누군가는 해야 합니다." 내가 말했다. "제가 가겠습니다. 내일 이곳의 수색 작업이 끝난 뒤에요."

"경찰은 실마리가 분명…… 집 가까이에 있다고 보는 것 같아." 장모가 말했다. 그녀의 눈이 조금 지나칠 정도로 오랫동안 내게 머물렀다. 곧 그녀는 어떤 생각을 떨쳐버리려는 듯이 고개를 흔들었다.

에이미 엘리엇 던

2010년 8월 23일 일기

여름. 작은 새들. 햇살. 오늘은 하루 종일 프로스펙트 파크에서 발을 끌며 걸어 다녔다. 피부는 부드러워지고 뼈는 약해졌다. 고통과 싸우기. 나아진 거다. 뻣뻣해진 파자마 차림으로 다섯 시까지 술을 마시면서 시간을 때우던 지난 사흘에 비하면. 다르푸르의 참상을 기억하려고 애쓰면서. 더 큰 시각으로 보자. 하지만 이건 다르푸르 사람들을 다시 한 번 착취하는 것에 지나지 않는 것 같다.

지난주에는 너무 많은 일이 있었다. 나는 이렇게 생각한다. 모든 일이 한순간에 일어났다고. 나는 지금 감정적 잠수병(潛水病)에 걸렸다. 닉은 한 달 전에 실직했다. 불황은 점차 회복되기 마련이건만 아무도 이 사실을 모르는 것 같다. 그래서 닉은 실직했다. 닉의 예상대로 두 번째 대량 해고 사태가 벌어졌다. 첫 번째 사태 이후 고작 몇 주 만에—이런, 우린 사람들을 한참 더 잘라야 해. 멍청이들.

처음에는 닉이 괜찮을 거라고 생각한다. 그는 늘 하고 싶어 했던 일을 긴 목록으로 작성한다. 목록에 있는 사소한 일들은 이런 것이다. 시계 건 전지를 교체하고 시간을 새로 맞춘다. 싱크대 밑의 파이프를 교체하고 예전에 우리가 칠하고 나서 마음에 안 들어 했던 방을 전부 다시 칠한다. 실제로 그는 많은 일을 끝낸다. 할 일이 없을 때 뭔가 실질적인 개조 작업에 착수하는 건 괜찮은 일이다. 이어 그는 더 큰 일에도 착수한다. 《전쟁과 평화》를 읽는다. 아라비아어 수업을 들어볼까 하고 생각해본다. 그는 앞으로 몇십 년 동안 시장에서 팔릴 기술을 알아내는 데 많은 시간을 할애한다. 마음이 아프지만, 그를 위해 그렇지 않은 척한다.

나는 끊임없이 그에게 묻는다. "당신 정말 괜찮아?"

처음에는 진지하게 시도한다. 커피 잔을 앞에 두고, 눈을 맞추고, 그의 손을 잡으며. 그다음엔 경쾌하게, 가볍게, 지나가는 말투로 시도한다. 그런 다음에는 부드럽게, 침대에서, 그의 머리카락을 쓸어 넘기며.

그의 대답은 항상 똑같다. "난 괜찮아. 그 얘기는 별로 하고 싶지 않아."

나는 시대에 딱 맞는 퀴즈를 썼다. '당신이 실직에 대처하는 방식은?'

1) 파자마를 입고 앉아서 아이스크림을 실컷 먹는다. 부루퉁하게 있는 것은 치유에 도움이 되니까!
2) 옛 상사에 대한 험담으로 인터넷을 도배한다. 분출하는 쾌감!
3) 새로운 일을 구할 때까지 새로 생긴 시간에 할 유용한 일을 찾으려고 노력한다. 지금 뜨고 있는 외국어 배우기, 드디어 《전쟁과 평화》 읽기 등등.

이것은 닉에 대한 찬사였지만—정답은 3번—내가 퀴즈를 보여주자 그는 쓴웃음만 지었다.

몇 주가 지나자 분주함도, 유용함도 다 사라졌다. 어느 날 아침, 그는

'씨발, 알 게 뭐냐?'라고 적힌 낡고 먼지 쌓인 표지판 밑에서 깨어난 것처럼 보였다. 그의 눈이 흐리멍덩해졌다. 이제 닉은 텔레비전을 보고, 인터넷에서 포르노를 물색하고, 텔레비전 포르노를 본다. 배달음식을 잔뜩 먹는다. 이미 넘친 쓰레기통 옆에 스티로폼 용기가 쌓여 있다. 그는 내게 말을 하지 않는다. 대화를 하면 정말로 몸이 아프다는 듯이, 내가 그것을 강요하는 악랄한 여자라는 듯이 군다.

내가 해고당했다고 말하자 그는 거의 알아볼 수 없게 어깨를 으쓱할 뿐이었다. 지난주의 일이다.

"안됐네, 유감이야." 그가 말한다. "그래도 당신은 의지할 돈이라도 있잖아."

"'우리'가 돈이 있는 거야. 어쨌든 난 내 일이 좋았어."

그는 〈원하는 것을 늘 얻을 수는 없어〉를 틀린 음정으로, 새된 목소리로, 조금 휘청거리게 춤을 추면서 부르기 시작한다. 그가 취했다는 걸 알아차린다. 아름답고 푸르른 날의 늦은 오후, 모든 커튼이 쳐진 우리 집은 눅눅한 중국 음식이 상해가는 달큰한 냄새로 가득 차 있다. 나는 미세먼지가 걱정돼, 방마다 돌아다니며 커튼을 젖히고 환기를 시킨다. 그러다가 불 꺼진 구석방 바닥에 놓인 가방에 발이 걸리고, 걸리고, 또 걸린다. 사방에 쥐덫을 놓은 방 안을 걷는 만화 속 고양이처럼. 불을 켜자 쇼핑백 수십 개가 나타난다. 실직자들은 가지 않는 곳의 쇼핑백이다. 최고급 남성복 가게들, 맞춤 양복을 파는 곳들. 가죽 팔걸이의자에 몸을 파묻은 남자 손님에게 점원들이 팔에 걸친 넥타이를 차례차례 대령하는 곳들. 즉, 이 망할 물건들은 맞춘 옷이다.

"이게 다 뭐야, 닉?"

"면접을 위해서야. 누군가 다시 채용 공고를 낸다면 말이지만."

"이렇게까지 많이 필요해?"

"우리가 돈이 있다며?" 그가 팔짱을 끼고 나를 보며 차갑게 웃는다.

"최소한 좀 걸어놓고 싶지 않아?" 비닐 커버 몇 개는 블리커가 씹어서 찢어져 있고 3천 달러짜리 양복 옆에는 고양이 토사물이 작은 언덕처럼 쌓여 있다. 맞춤 흰색 셔츠는 고양이가 깔고 낮잠을 자서 오렌지색 털투성이가 되었다.

"별로. 싫어." 그가 대답하고는 씩 웃는다.

나는 한 번도 잔소리를 한 적이 없다. 그런 나를 늘 자랑스럽게 생각해 왔다. 그래서 닉이 잔소리하지 않을 수 없게 만드는 것이 화가 난다. 나는 기꺼이 적당히 칠칠맞고 게으르고 나태한 생활을 받아들이며 살아갈 것이다. 내가 닉보다 A형 성격에 가깝다는 걸 알기에, 나의 결벽과 할 일 목록을 작성하는 성격으로 그를 괴롭히지 않으려고 노력한다. 닉은 청소기를 돌리거나 냉장고를 청소할 생각을 하지 않는 부류의 남자다. 말 그대로 그런 기미가 보이지 않는 남자. 괜찮다. 정말로. 하지만 난 어느 정도의 삶의 질은 유지되기를 원한다. 쓰레기가 문자 그대로 흘러넘쳐서는 안 되며, 콩 부리토가 말라붙은 접시가 일주일 내내 싱크대에 방치되어서는 안 된다는 건 정당한 요구라고 생각한다. 이건 선량한 성인 룸메이트의 기본적인 매너다. 닉은 아무것도 하지 않기 때문에 나는 잔소리를 해야만 하고, 이것이 나를 화나게 만든다. 당신은 나를 결코 되어본 적도 없고 되고 싶지도 않은 잔소리꾼으로 만들었어. 당신이 아주 기본적인 의무도 저버리고 있기 때문이야. 그러지 마, 그러면 안 돼.

나도 안다, 안다, 알고 있다. 해고되는 건 엄청난 스트레스라는 걸, 남자에게는 더욱 그렇다는 것도. 그것은 가족이 죽는 것과 같은 일이며, 항상 일을 해온 닉 같은 남자에게는 더욱 그렇다고들 한다. 그래서 나는 심호흡을 하고, 분노를 머릿속에서 빨간 고무공으로 만들어 발로 차 우주로 보내버린다. "그럼 내가 이것들을 걸어놔도 될까? 나중에 당신이 입기 편하도록?"

"마음대로 해."

그와 그녀의 실직이라. 달콤하지 않은가? 난 우리가 대부분의 사람들보다 운이 좋다는 사실을 알고 있다. 나는 초조해질 때마다 인터넷에 접속해서 나의 신탁기금을 확인한다. 나는 닉이 신탁기금이라는 단어를 쓰기 전까지는 그런 표현을 써본 일이 없다. 그리 대단치 않은 액수다. 내 말은, 꽤 괜찮은 금액이긴 하다. 부모님 덕분에 내 계좌에 들어 있는 78만 5,404달러. 하지만 평생 일하지 않아도 될 만큼의 돈은 아니다. 특히 뉴욕에서는. 부모님의 의도는 그저 내가—학업이나 직업에 있어—돈 때문에 다른 선택을 하지 않아도 될 정도로 안정감을 주면서도 일을 그만두고 싶다는 유혹을 느낄 만큼 풍족하지는 않게 하는 것이었다. 닉은 놀리지만, 나는 그것이 부모가 해줄 수 있는 훌륭한 의사표현이라고 생각한다. (그리고 엄마와 아빠가 내 어린 시절을 가지고 책을 썼다는 사실을 고려하면 이 정도는 정당하다.)

하지만 나는 아직도 실직, 우리의 실직 때문에 기분이 좋지 않다. 아빠가 전화를 해서 엄마와 함께 우리 집에 들러도 되겠느냐고 묻는다. 우리와 할 얘기가 있다고. 지금 당장은 아니지만, 괜찮다면 오늘 오후에. 물론 괜찮다고 말하면서도 속으로 생각한다. 거절해, 거절해, 거절해.

현관에 들어선 부모님은 꽤 신경 쓴 것 같은 옷차림을 하고 있다. 완벽하게 다림질을 하고 단을 접고 광을 낸 아빠는 쑥 들어간 눈 밑만 빼면 흠잡을 데 없는 모습이다. 엄마는 밝은 보라색 옷 중 한 벌, 강연을 하거나 행사장에 갈 때마다 입는—그런 초청을 받던 시절의 얘기지만—보라색 원피스 차림이다. 엄마 말에 따르면 보라색을 소화하려면 자신감이 있어야 한다.

두 분 모두 멋져 보이지만 부끄러워하는 것처럼 보인다.

"얘들아, 네 엄마와 나는, 우리가 말이다." 아빠가 말을 시작하다가 중단하고 기침을 한다. 무릎 위에 놓인 아빠의 손마디가 창백하다. "그러니까, 우리의 재정 상태는 거의 지옥 수준이란다."

어떻게 반응해야 할지 모르겠다. 충격을 받은, 위로하는, 실망한? 부모님은 지금까지 내게 어떤 문제도 고백한 적이 없다. 내 생각에 두 분은 지금껏 별 문제 없이 살아왔다.

"사실은, 우리가 무책임했어." 엄마가 말을 받았다. "우린 한창 잘나가던 예전의 20년 동안 돈을 벌던 것처럼 지난 10년을 살았어. 사실은 그렇지 않은데 말이다. 사실 예전의 반도 벌지 못했지만…… 우리는 부인하고 있었어. 우린…… 좋게 말하면 낙관적이었단다. 다음에 나올 에이미 책은 성공할 거라고만 생각했지. 하지만 그런 일은 일어나지 않았고, 우린 계속 잘못된 선택을 했다. 어리석게 투자하고 어리석게 돈을 썼어. 그리고 이제……."

"우린 한마디로 파산했다." 아빠가 말한다. "우리 집, 그리고 이 집, 모두 차압됐어."

나는 엄마와 아빠가 우리를 위해 이 집을 완전히 산 거라고 생각—추측했다. 주택 비용을 상환하고 있을 줄은 몰랐다. 갑자기 창피했다. 나는 닉의 말대로 세상 물정을 모르는 것이다.

"말했듯이, 우리는 몇 차례에 걸쳐 아주 잘못된 판단을 내렸단다." 엄마가 말한다. "《어메이징 에이미와 변동이자 모기지》라는 책이라도 써야 할 판이야. 거기 실린 모든 퀴즈에서 우린 낙제점을 받을 거다. 우린 사람들에게 경종을 울리는 이야기가 될 거야.《에이미의 친구, 현재만 생각하는 웬디》."

"《모래에 머리를 처박은 해리》." 아빠가 말을 받는다.

"전적으로 네가 결정할 일이란다." 아빠가 말을 잇는다. 엄마는 집에서 만들어온 팸플릿을 꺼내 탁자 위에 펼쳐놓는다. 집 컴퓨터로 작성한 막대 그래프, 원그래프와 도표들. 눈을 가늘게 뜨고 사용설명서를 봐가며 당신들의 제안이 내게 그럴듯해 보이도록 만들려 애쓰는 엄마, 아빠의 모습을 상상하니 죽을 것 같다.

엄마가 발표를 시작한다. "우리가 앞으로 무엇을 해야 할지 고민하는 동안 네 신탁기금을 좀 빌려 쓸 수 있을지 묻고 싶구나."

우리 부모가 첫 인턴직을 구하려 하는 두 명의 열띤 대학생처럼 우리 앞에 앉아 있다. 아빠는, 엄마가 자신의 다리 위에 부드럽게 손끝을 얹고 나서야 다리 떨기를 멈춘다.

"뭐, 제 신탁기금은 엄마, 아빠 돈이니까 당연히 빌리셔도 돼요." 내가 말한다. 어서 이 상황을 끝내고 싶다. 희망에 찬 부모님의 표정을 견딜 수가 없다. "빚을 다 갚고 당분간 마음 편히 지내시려면 돈이 얼마나 필요하세요?"

아빠가 발끝을 내려다본다. 엄마가 숨을 깊게 들이마신다. "65만 달러." 엄마가 대답한다.

"아." 내가 할 수 있는 말은 이것뿐이다. 그것은 우리가 가진 돈의 거의 전부다.

"에이미, 아무래도 당신과 내가 의논을……." 닉이 입을 연다.

"아냐, 아냐. 지금 드려도 돼." 내가 말한다. "수표책을 가져올게요."

"사실은," 엄마가 말한다. "내일 우리 계좌로 부쳐주면 제일 좋을 것 같

아. 안 그러면 열흘의 지급 대기 기간이 생기거든."

그때서야 나는 엄마, 아빠의 상황이 정말로 심각하다는 사실을 깨닫는다.

닉 던

실종 2일째

나는 장인과 장모의 스위트룸에 있는 접이식 침대에서 기진맥진한 채로 잠을 깼다. 두 사람이 자고 가라고 고집을 부렸다—경찰은 아직도 우리 집을 돌려주지 않았다. 그들은 예전에 저녁식사 계산서를 낚아챌 때와 마찬가지로, 막무가내로 고집을 부렸다. 마치 자연의 거대한 힘과 같은 환대. 우리가 자네를 위해 이렇게 하도록 해줘야만 하네. 그래서 그렇게 했다. 나는 밤새도록 침실 밖으로 새어나오는 두 사람의 코 고는 소리를 들었다. 하나는 규칙적이고 깊었고—통나무를 톱질하는 것 같은 건장한 코골이—다른 하나는 익사하는 꿈이라도 꾸는 듯 헐떡거리고 불규칙했다.

나는 언제나 전구를 끄듯 나를 끌 수 있었다. '이제 자야지' 하고 기도하는 자세로 두 손을 뺨에 갖다 대면 쿨쿨. 감기약을 먹은 아이의 잠처럼 깊은 잠. 그동안 불면증에 시달리는 아내는 옆에서 이리저리 몸을 뒤척였다. 하지만 어젯밤 나는 에이미 같았다. 생각은 꼬리에 꼬리를 물고, 몸은 안절부절못했다. 나는 거의 항상, 내 몸을 편안하게 느끼는 사람이었다. 에이미와 소파에 앉아 텔레비전을 볼 때면 나는 몸이 왁스처럼 녹아내리는 반면, 아내는 쉴 새 없이 몸을 꿈틀거리거나 이리저리 움직였다. 한번은 그녀에게 하지불안증후군이 있는 게 아니냐고 물었다. 그와 관련된 광고가 나오고 있었는데, 배우들은 장딴지를 떨고 허벅지를 문지르며 고통스럽게 얼굴을 찡그리고 있었다. 에이미는 대답했다. 나는 전부 다 불안증후군이야.

나는 호텔방 천장이 회색에서 분홍색으로, 이어 노란색으로 변하는 것을 지켜보다가 마침내 몸을 일으켰다. 태양이 다시 한 번 강을 건너와 내 면전에서 으르렁거렸다. 순간 머릿속에 튀어 오르는 이름들—핑! 힐러리 핸드. 그렇게 예쁜 이름을 하고 그렇게 충격적인 행동을 했다니. 데시 콜링스, 한 시간 거리에 살고 있는 과거의 편집광. 나는 두 사람 모두가 내 손안에 있다고 주장했다. 의료도, 부동산도, 경찰 조사도 지금은 DIY 시대다. 온라인에 접속해서 스스로 알아내야만 한다. 다들 격무에 시달리고 어디든 인원이 부족하니까. 나는 기자였다. 10년 넘게 사람들을 인터뷰하고 세상에 알리면서 먹고살았다. 나는 그 일에 적임자였고 장인과 장모도 그렇게 믿었다. 나는 당신들이 여전히 나를 신뢰한다는 사실을 알게 해준 그들이 고마웠다. 머리 위에 의심의 구름이 옅게 드리워진 남편을. 아니, '옅게'라는 말을 끼워 넣는 건 스스로를 속이는 건가?

데이스 인은 찾는 사람이 별로 없는 무도회장을 '에이미 던 찾기' 본부로 제공했다. 그곳은 누추했지만—갈색 얼룩에 케케묵은 냄새까지—장모는 해가 뜨자마자 그곳에 피그말리온 효과를 주기 시작했다. 그녀는 청소기를 돌리고, 살균제로 닦고, 게시판과 전화 여러 대를 배치하고, 한쪽 벽에 커다란 에이미 사진을 걸어놓았다. 에이미의 서늘하고 당당한 시선,

그 시선은 마치 사람들을 따라다니는 듯해서, 대통령 선거 캠프에서나 쓸 법한 분위기를 풍겼다. 실제로 장모가 일을 끝내자 방 전체가 효율성으로, 이길 가망이라고는 없는 정치인의 절박한 희망으로 가득 차, 포기를 모르는 많은 추종자로 술렁였다.

오전 열 시가 막 지났을 때, 보니가 휴대전화로 통화를 하면서 들어왔다. 그녀는 내 어깨를 두드린 다음 프린터를 만지작거리기 시작했다. 자원봉사자들도 떼를 지어 도착했다. 고와 돌아가신 어머니의 친구들 대여섯 명. 댄스 쇼 리허설이라도 하는 듯 카프리 팬츠를 맞춰 입은 40대 여자 다섯 명—그중 금발에 선탠을 한 늘씬한 두 여자가 우두머리가 되기 위해 경쟁하고 있었고, 나머지는 기꺼이 2군으로 물러나 있었다. 서로 말할 기회를 차지하려고 애쓰고 있는, 백발의 시끄러운 노부인 한 무리. 그들 중 몇몇은 문자를 보내고 있다. 불가해할 정도로 에너지가 넘치고 기운이 팔팔해서, 얘기를 듣다 보면 호통을 치는 건 아닌지 헷갈리는 노인들이다. 남자는 딱 한 명 나타났는데, 나와 비슷한 연배에 잘생기고 말쑥한 옷차림을 하고 있었다. 그는 자신이 누구인지 약간의 설명이 필요하다는 사실을 깨닫지 못하고 있었다. 나는 그 '고독한 남자'가 페이스트리 빵 주위를 맴돌며 에이미의 포스터를 흘끔흘끔 쳐다보는 모습을 지켜보았다.

보니가 프린터 설치를 끝내고 겨가 묻은 것처럼 생긴 머핀을 하나 집어 들더니 내 옆으로 와서 섰다.

"자원봉사자로 등록한 사람들은 모두 지켜보고 있습니까?" 내가 물었다. "내 말은, 만에 하나 누군가……."

"의심스러울 만큼 흥미를 보이는 사람들 말이죠? 물론이죠." 보니는 머핀 가장자리를 떼어 입속에 집어넣고 목소리를 낮추며 말했다. "하지만 사실을 말하자면, 연쇄살인범들도 우리와 똑같은 TV 프로그램을 보는지라 우리가 안다는 걸 알고 있어요. 놈들이……."

"수사과정에 끼고 싶어 한다는 걸요."

"바로 그거예요." 그녀가 고개를 끄덕였다. "그래서 놈들은 더 신중하게 움직이죠. 하지만, 네, 우린 조금이라도 이상한 사람들은 전부 다 철저하게 조사하고 있어요. 그들이 그저 이상한 사람에 지나지 않는다는 걸 확실히 해두기 위해서요."

나는 한쪽 눈썹을 치켜올렸다.

"길핀과 내가 몇 년 전 케일라 홀먼 사건을 지휘할 때처럼요. 케일라 홀먼 알죠?"

나는 고개를 저었다. 금시초문이었다.

"어쨌거나, 당신도 일부 엽기적인 사람들이 이런 일에 모여든다는 걸 알게 될 거예요. 그리고 저 둘을 조심해요." 보니가 예쁘장한 40대 여자 두 명을 가리켰다. "저들이 그런 부류 같거든요. 근심에 빠진 남편을 위로하는 일에 지나치게 관심이 많죠."

"아이고, 무슨."

"놀라게 될 거예요. 남편이 당신처럼 잘생겼을 경우에 종종 있는 일이거든요."

바로 그때 그 여자들 중 한 명, 금발에 더 가깝고 더 짙게 선탠을 한 여자가 우리 쪽을 보더니 나와 눈을 맞추고 아주 부드럽고 수줍은 표정으로 미소를 지은 다음, 쓰다듬어주기를 기다리는 고양이처럼 고개를 숙였다.

"그렇지만 저 여자는 아주 열심히 일할 거예요. '미스 공로상'을 거머쥘걸요." 보니가 말했다. "그건 좋은 일이죠."

"케일라 홀먼 사건은 어떻게 결론이 났습니까?" 내가 물었다.

보니는 고개를 저었다. 좋지 않았죠.

여자 네 명이 또 줄지어 들어오더니 선크림 한 통을 돌려가며 팔과 어깨와 코에 듬뿍 발랐다. 방에서 코코넛 냄새가 났다.

"그런데, 닉" 보니가 말했다. "동네에 부인의 친구들이 있느냐고 물었던 거 기억나요? 노엘 호손은 어때요? 그 여자 얘기를 안 했잖아요."

나는 멍한 눈으로 보니를 쳐다보았다.

"같은 주택단지에 사는 노엘요. 세쌍둥이 엄마."

"그 여자는 아내의 친구가 아닙니다."

"재미있군요. 그 여자는 자기가 에이미 씨와 친구였다고 확신하는 것 같던데요."

"아내한테는 흔한 일이에요." 내가 말했다. "아내와 얘기를 한 번 한 사람들은 아내에게 들러붙어요. 소름끼치죠."

"에이미의 부모님도 그렇게 말하더군요."

나는 보니에게 힐러리 핸디와 데시 콜링스에 대해 직접 물어볼까 하다가 그러지 않기로 했다. 나 혼자서 그 일을 처리하는 것이 모양새가 나을 것이다. 나는 장인과 장모에게 슈퍼히어로 같은 모습을 보여주고 싶었다. 장모의 얼굴에 떠오르던 표정을 떨쳐버릴 수가 없었다. 경찰은 실마리가 분명…… 집 가까이에 있다고 보는 것 같아.

"사람들은 어렸을 때 그 책을 읽었다는 이유로 에이미를 안다고 생각하죠." 내가 말했다.

"그럴 수도 있겠네요." 보니가 고개를 끄덕이며 말했다. "사람들은 서로를 안다고 믿고 싶어 해요. 부모는 자식을 안다고 믿고 싶어 하고 아내는 남편을 안다고 믿고 싶어 하죠."

한 시간이 더 지나자 자원봉사자 센터는 가족 소풍 장소처럼 변하기 시작했다. 나의 예전 여자 친구들이 들러서 안부를 전하고, 아이들을 보여 주었다. 어머니의 단짝 친구 중 한 명이었던 비키는 하나같이 핑크색 옷을 입은 10대 초반의 숫기 없는 손녀들을 셋이나 데리고 왔다.

손주들. 어머니는 손주들을 자주 언급했다. 마치 손주가 곧 생기기라도 할 것처럼. 새 가구를 살 때마다 어머니는 그 가구가 좋은 이유는 "손주들이 생기면 어울릴 것" 같기 때문이라고 했다. 어머니는 죽기 전에 손주를 보고 싶어 했다. 어머니의 친구들은 모두 손주가 남아돌 정도였다. 에이미와 나, 어머니와 고가 더 바가 문을 연 지 반년이 된 것을 기념하기 위해 함께 저녁식사를 하던 날, 내가 축하할 일이 있다고 말하자 어머니는 자리에서 벌떡 일어나 눈물을 왈칵 쏟으며 에이미를 끌어안았다. 에이미도 눈물을 흘리며 어머니의 숨 막히는 품 안에서 중얼거렸다. "그이는 그냥 바 얘기를 하는 거예요." 그러자 어머니는 바 때문에 흥분했던 척하려고 무진장 애를 썼다. "애는 천천히 낳으면 돼." 어머니는 한껏 위로하는 목소리로 말했고 에이미는 다시 눈물을 터뜨렸다. 이상한 일이었다. 에이미는 아이를 원하지 않았고, 내게 그 사실을 여러 번 강조했기 때문이다. 하지만 아내의 눈물은 나로 하여금 아내의 마음이 바뀌고 있을지도 모른다는 헛된 희망을 품게 했다. 아이를 천천히 낳을 상황이 아니었기 때문이다. 내가 바를 살 때 에이미는 서른일곱이었다. 오는 10월이면 서른아홉이 된다.

나는 생각했다. 상황이 계속 이대로라면 가짜 생일파티 같은 거라도 열어줘야겠군. 어떻게든 기념을 하고, 이벤트 같은 걸 해야겠지. 자원봉사자들과 언론을 위해—다시 관심을 불러일으킬 만한 뭔가를. 나는 여전히 포기하지 않은 척을 해야 하겠지.

"탕아는 돌아온다." 비음이 섞인 목소리가 들려 돌아보니 딱 붙는 티셔츠를 입은 깡마른 남자가 자전거 핸들 같은 콧수염을 긁으며 내 옆에 서 있었다. 어릴 때 친구였던 스틱스 버클리였다. 그는 탕아라는 단어를 정확하게 발음하는 법도 모르면서 나를 탕아라고 불렀다. 어쩌면 정확한 뜻도 모를 것이다. 아마 '멍청이'의 색다른 동의어쯤 된다고 생각할 것이다. 스틱스 버클리. 야구선수 이름 같지만, 그리고 그것이 스틱스가 바라는 바였지만, 그에게는 간절한 바람만 있었지 그럴 만한 재능이 없었다. 어렸을 때는 그가 이곳에서 최고였지만, 그것만으로는 부족했다. 대학 팀에서 잘렸을 때 그는 인생 최대의 충격을 받았고, 그 후로 모든 것이 엉망이 되었다. 지금 그는 불안정한 심리 상태를 가진 뜨내기 연마사다. 그는 더 바에 몇 번 찾아와 일자리를 구하려고 했지만 내가 제안하는 모든 형편없는 일용직 일자리에 볼 안을 씹으며 화가 난 듯 고개를 저었다. 이거 왜 이래, 다른 거 없어? 분명 다른 일이 있을 텐데.

"스틱스." 나는 그가 얌전하게 굴 기분인지 아닌지를 살피며 인사 대신 그의 이름을 불렀다.

"경찰이 이 사건을 멋지게 망치고 있다고 들었어." 그가 팔짱을 긴 채 말했다.

"그렇게 말하기는 아직 이르지."

"이거 왜 이래, 그 바보 같은 수색 작업? 시장(市長)의 개가 없어져도 지금보다 더 신경 쓸걸." 스틱스의 얼굴이 햇빛에 그을려 있었다. 그가 내 쪽으로 몸을 숙이자 리스테린 구강청결제 냄새와 씹는담배 냄새가 섞인 독한 냄새와 열기가 뿜어져 나왔다. "왜 아무도 잡아들이지 않는 거지? 동네에 잡아들일 놈들이 넘쳐나는데 단 한 놈도 잡아오지 못했단 말이야? 단 한 놈도? '블루 북 보이스'는? 그 여자 형사한테 내가 물었어. 블루 북 보이스는요? 대답도 안 하더군."

"블루 북 보이스가 뭔데? 갱단이야?"

"작년 겨울에 블루 북 공장에서 해고된 놈들 말이야. 퇴직금이고 뭐고 아무것도 못 받았지. 완전 열 받은 것 같은 노숙자 놈들이 떼 지어 동네를 돌아다니는 거 봤지? 그놈들 아마 블루 북 보이스일 거야."

"무슨 소린지 모르겠어. 블루 북 공장이라니?"

"알잖아. 외곽에 있는 리버 밸리 인쇄소. 대학생들이 에세이인지 거시기인지 쓸 때 쓰는 블루 북을 거기서 만들었어."

"아, 몰랐어."

"요즘은 대학에서 컴퓨턴가 뭔가를 쓴다네, 그래서—피유!—잘 가, 블루 북 보이스, 그렇게 된 거지."

"맙소사, 이 도시 전체가 문을 닫고 있군." 내가 중얼거렸다.

"블루 북 보이스, 그놈들은 술 마시고 약 하고 사람들을 괴롭혀. 내 말은, 그놈들은 옛날에도 그랬지만 그때는 그러다 멈추고 월요일에는 출근을 했어. 하지만 이젠 제멋대로야."

스턱스가 깨진 이를 드러내며 싱긋 웃었다. 그의 머리카락에는 페인트가 군데군데 묻어 있었다. 그는 고등학교 시절부터 여름마다 하우스페인팅 일을 했다. 손질하기(trim work. 'trim'은 여성의 음부라는 뜻도 있다-옮긴이)가 내 특기잖아. 그는 이렇게 말하고 나서 상대가 자신의 농담을 이해하기를 기다리곤 했다. 상대가 웃지 않으면 설명이 이어졌다.

"그래, 경찰이 쇼핑몰에는 가봤대?" 스턱스가 물었다. 나는 잘 모르겠다는 듯 어깨를 으쓱했다.

"젠장, 너 한때 기자였잖아?" 스턱스는 늘 나의 옛 직업에 대해 화가 난 것처럼 보였다. 마치 내가 기자였다는 것이 오래도록 들통나지 않은 거짓말인 것처럼. "블루 북 보이스, 그놈들은 쇼핑몰 안에서 자기들끼리 그룹을 만들었어. 쭈그리고 앉아 있고, 마약 밀매를 하고. 한 번씩 경찰이 몰아내지만 다음 날이면 늘 돌아와. 어쨌거나 난 그 여자 형사한테 말했어. 그 망할 쇼핑몰을 수색해보라고. 그들 중 몇 놈이 불과 한 달 전에 어떤 여자를 윤간했어. 내 말은, 알잖아, 성난 남자들이 떼 지어 있으면 눈에 띄는 여자한테 별로 좋지 않은 일이 생기지."

나는 차를 타고 오후 수색 장소로 가면서 보니에게 전화를 걸었고, 그녀가 받자마자 말했다.
"어째서 쇼핑몰을 수색하지 않는 겁니까?"
"할 거예요, 닉. 지금 경찰들을 그곳으로 보냈어요."
"아. 그렇군요. 친구 녀석 하나가……."
"스턱스, 네, 알아요."
"그 녀석이 말하길 거기 있는……."
"블루 북 보이스 말이죠. 닉, 우릴 믿어요. 우리도 알고 있어요. 우리도 당신만큼 에이미를 찾고 싶어요."
"알겠습니다, 어, 고마워요."
바람 빠진 나의 정의감. 나는 커다란 스티로폼 컵에 담긴 커피를 벌컥 들이켜고 내가 담당한 구역으로 차를 몰았다. 오늘 오후에 수색할 곳은 세 군데였다. 굴리 보트 선착장(현재는 '닉이 그날 아침 그곳에 있었지만 아무도 그를 보지 못한 장소'로 알려져 있다), 밀러 크리크 우즈(이름과는 거의 어울리지 않는다—나무들 사이로 패스트푸드 레스토랑이 보인다), 그리고 하이킹 코스와 말이 다니는 길이 있는 자연의 공간인 울키 파크. 내가 맡은 곳은 울키 파크였다.
내가 도착했을 때, 지역 경찰관 한 명이 열두 명쯤 되는 사람들에게 이야기를 하고 있었다. 사람들은 모두 꽉 끼는 반바지 차림에 다리가 두꺼웠고 코에는 징크옥사이드를 발랐으며 선글라스와 모자를 쓰고 있었다. 캠프 첫날 같은 분위기였다.

지역방송용 자료 화면을 얻기 위해 두 개의 각기 다른 TV 프로그램에서 사람들이 나와 있었다. 7월의 넷째 주 주말이었다. 에이미의 이야기는 주의 훈훈한 소식들과 요리 경연 대회 사이의 틈새를 비집고 들어갈 것이다. 풋내기 기자 하나가 어깨에 카메라를 메고 내 옆에서 계속 알짱거리며 요점 없는 질문을 퍼부었다. 나는 주목을 받자 순간 몸이 뻣뻣하고 차가워지며 꾸며낸 것 같은 '걱정스런' 표정을 지었다. 공기 중에 말의 배설물 냄새가 희미하게 떠다녔다.

기자들은 곧 자원봉사자들을 따라 오솔길로 가버렸다. (무슨 기자들이 의심 받는 남편을 지척에 두고 가버린단 말인가? 제대로 된 기자들은 모두 해고되고 형편없는 저임금 기자들만 남았군.) 제복을 입은 젊은 경찰 한 명이 내게 여러 갈래의 오솔길이 시작되는 지점—바로 여기—에 서 있으라고 말했다. 에이미를 찾는 실종자 전단이 각종 오래된 전단지들과 함께 붙어 있는 게시판 근처였다. 사진 속 아내가 사진 밖을 노려보고 있었다. 오늘 그녀는 내가 가는 곳마다 나를 따라다니고 있었다.

"제가 뭘 하면 되죠?" 나는 경관에게 물었다. "여기 있으면 얼간이 같은 기분이 들어요. 나도 뭔가 해야 한다고요." 숲 속 어딘가에서 말 한 마리가 음산하게 울었다.

"선생님은 바로 여기 있어야 합니다. 그냥 친절하게, 다른 사람들을 격려해주세요." 그가 내 옆에 있는 밝은 오렌지색 보온병을 가리키며 말했다. "물도 주시고, 누구든 오면 제가 가는 방향으로 안내해주시고요." 그러더니 그는 몸을 돌려 사람들이 있는 쪽으로 걸어갔다. 경찰이 의도적으로 모든 잠재적 범행 현장에서 나를 따돌리고 있다는 생각이 들었다. 이것이 무엇을 뜻하는 것인지 확신할 수가 없었다.

내가 하릴없이 보온병 옆에서 바쁜 척을 하고 있을 때 번쩍이는 빨간색 SUV 차량 한 대가 뒤늦게, 천천히 도착했다. 매니큐어 색 같았다. 차에서는 본부에서 봤던 40대로 보이는 여자들이 쏟아져 내렸다. 보니가 우두머리라고 했던 제일 예쁜 여자가, 친구들이 자신의 목에 방충 스프레이를 뿌릴 수 있도록 머리카락을 한데 모아 들어 올렸다. 여자는 분사된 스프레이에 대고 분주하게 손사랫짓을 했다. 그러고 나서 자기 시야의 구석에 있는 나를 응시하더니 친구들을 뒤로한 채 다가왔다. 그녀의 머리카락이 어깨 위로 떨어졌다. 그녀는 나를 향해 천천히 걸어오며 괴로운 듯한 동정 어린 미소를, '정말 유감이에요' 미소를 지었다. 조랑말 같은 커다란 갈색 눈동자. 빳빳한 흰색 반바지 바로 위까지 내려오는 핑크색 셔츠. 하이힐 샌들, 컬링한 머리카락, 고리형 금 귀걸이. 이게 수색하는 옷차림인가 하는 생각이 들었다.

부탁이니 나한테 말 걸지 마요. 나는 생각했다.

"안녕하세요 닉, 저는 쇼나 켈리라고 해요. 정말 유감이에요." 그녀의 목소리가 지나치게 컸다. 조금은 거슬리는, 기분 좋은 요염한 당나귀 같은 목소리였다. 그녀가 손을 내미는 순간 나는 위험을 감지했다. 쇼나의 친구들이 우리를, 한 쌍의 남녀를 향해 여자들 특유의 눈짓을 보내며 오솔길을 따라 천천히 걷기 시작했다.

나는 내가 가진 것들을 제공했다. 감사와 물과 입술을 앙다문 어색함. 쇼나는 내가 허공을 노려보고 있는데도 나를 그냥 두고 친구들이 사라진 오솔길로 갈 기미를 보이지 않았다.

"지금 같은 시기에 당신을 돌봐줄 친구나 친척이 있으면 좋을 텐데요,

닉." 그녀가 말파리를 찰싹 치며 말했다. "남자들은 스스로를 돌보는 법을 잊어버리죠. 이럴 땐 집 밥을 먹어야 하는데."

"우린 대부분 차가운 햄을 먹고 있습니다. 빠르고 간편하니까요."

내 혀 뒤쪽에서 아직도 살라미의 맛이 느껴졌다. 배 속에서부터 올라오는 냄새였다. 오늘 아침에 마지막으로 양치질을 했다는 사실이 기억났다.

"어머, 정말 안됐어요. 차가운 햄이라니, 그걸로는 안 되죠." 그녀가 고개를 저었다. 금 귀걸이가 햇빛을 받아 반짝거렸다. "기운이 떨어지면 안 되는데. 하지만 당신은 행운아예요. 서툴지만 제가 치킨 프리토 파이를 만들 줄 알거든요. 오늘 만들어서 내일 자원봉사자 센터에 갖다놓을게요. 제대로 된 따뜻한 음식을 먹고 싶을 때마다 전자레인지에 돌리기만 하면 돼요."

"이런, 그건 너무 성가신 일 같은데요. 우린 괜찮습니다. 정말로."

"좋은 음식을 먹고 나면 더 괜찮아질 거예요." 그녀가 내 팔을 두드리며 말했다.

침묵. 그녀는 다른 방법을 시도하기 시작했다.

"전 정말이지 이 사건이…… 우리 동네 노숙자 문제와 아무 관련이 없었으면 좋겠어요." 그녀가 말했다. "제가 몇 번이나 신고를 했는지 몰라요. 지난달에는 우리 집 정원에 침입한 노숙자도 있었다니까요. 동작 센서가 울려서 밖을 보니 토마토를 마구 따먹고 있더라고요. 얼굴하고 셔츠가 즙과 씨로 범벅이 되어 있었죠. 소리를 질러서 내쫓으려 했지만 스무 개는 더 챙긴 뒤에야 도망을 가더라니까요. 어쨌거나 벼랑 끝에 몰린 사람들이잖아요. 블루 북 보이스 말이에요. 다른 기술도 없고."

나는 갑자기 그 블루 북 남자들에게 친밀감을 느꼈다. 백기를 흔들며 그들의 남루한 야영지로 걸어가는 나를 상상했다. 난 여러분의 형제예요.

나도 인쇄업에 종사했죠. 내 일자리도 컴퓨터가 빼앗아갔어요.

"블루 북을 모를 정도로 어리다는 말은 마요, 닉." 쇼나가 말하고 있었다. 그녀가 내 가슴 부위를 콕 찔렀고 나는 놀라서 아주 크게 움찔했다.

"전 나이가 아주 많습니다. 제게 상기시켜주실 때까지 블루 북을 잊고 있었죠."

그녀가 웃었다. "몇 살인데요? 서른하나? 서른둘?"

"서른넷이요."

"어리네요."

바로 그때 기운 찬 노부인 삼총사가 도착해 우리 쪽으로 쿵쿵거리며 걸어왔다. 한 명은 휴대전화 통화를 하고 있었다. 모두 튼튼한 캔버스 천으로 된 가든 스커트와 케즈 운동화, 그리고 출렁이는 팔을 드러내는 민소매 골프 셔츠 차림이었다. 그들은 내 쪽으로 예의 바르게 고개를 끄덕이더니 쇼나를 못마땅하게 쳐다보았다. 우리는 뒷마당에서 바비큐 파티를 열고 있는 부부처럼 보였다. 부적절한 광경이었다.

제발 저리 가요, 쇼나. 나는 생각했다.

"하여튼, 그 노숙자들은 아주 공격적일 거예요. 예를 들면, 여자들을 위협하죠." 쇼나가 말했다. "제가 보니 형사한테도 말했지만…… 그 여잔 나를 별로 좋아하지 않는 것 같다는 느낌만 받았어요."

"왜 그런 말을 하십니까?" 하지만 나는 그녀가 하려는 말을 이미 알고 있었다. 모든 매력적인 여자들의 만트라.

"여자들은 다들 나를 별로 좋아하지 않더라고요." 그녀가 어깨를 으쓱했다. "어쩔 수 없는 일이죠. 에이미 씨는 동네 친구들이 많았나요, 아니, 많나요?"

많은 여자들—내 어머니의 친구들, 고의 친구들—이 에이미를 독서 모임과 암웨이 파티와 칠리스에서 열리는 여자들 모임에 초대했지만 당연히 그녀는 대부분 거절했다. 가끔 초대에 응한 뒤에는 투덜거렸다. "친구 세트 같은 걸 잔뜩 시키고 아이스크림으로 만든 칵테일을 마셨어."

쇼나가 나를 쳐다보고 있었다. 그녀는 에이미를 궁금해했다. 자신이 내 아내와 같은 부류라고 생각하고 싶어 했다.

"아내도 똑같은 고민을 하는 것 같더군요." 나는 무뚝뚝하게 말했다.

그녀가 웃음을 지었다.

저리 가, 쇼나.

"낯선 곳에 와서 사는 건 어려운 일이에요." 그녀가 말했다. "나이가 들수록 친구 만들기가 어렵죠. 아내분 나이가 당신과 비슷한가요?"

"서른여덟입니다."

그 말도 그녀를 기쁘게 한 것 같았다.

저리 꺼져.

"똑똑한 남자는 연상의 여자를 좋아하죠."

이어 그녀는 웃으며 커다란 연노란색 핸드백에서 휴대전화를 꺼냈다. "이리 와요." 그녀가 한 팔을 내 몸에 감으며 말했다. "치킨 프리토 캐서롤 같은 함박웃음을 지어주세요."

순간 그녀를 후려치고 싶었다. 무신경하고 여자애 같은 여자. 실종된 여자의 남편에게 인정받으려고 애쓰는 여자. 나는 분노를 삼켰다. 나는 솟구치는 분노를 지나치게 억누른 나머지 그녀의 행동을 과잉보상하고 친절하게 대하려고 애썼다. 그래서 나는 그녀가 내 뺨에 자기 뺨을 대고 휴대전화로 사진을 찍을 때 로봇처럼 웃었고, 찰칵 하는 가짜 셔터 소리에 마침내 정신을 차렸다.

그녀가 휴대전화를 뒤집자 야구장에 데이트라도 하러 나온 것처럼 웃고 있는, 햇볕에 탄 뺨을 맞대고 있는 얼굴 두 개가 보였다. 나의 아첨하는 듯한 함박웃음과 반쯤 내리깐 눈을 보며 나는 생각했다. 이 자식이 싫어질 거야.

에이미 엘리엇 던

2010년 9월 15일 일기

    펜실베이니아의 모처에서 이 글을 쓰고 있다. 남서쪽 귀퉁이. 고속도로변의 어느 모텔. 창밖으로는 주차장이 보인다. 뻣뻣한 베이지색 커튼 너머로 밖을 내다보면 형광 조명 아래로 어슬렁거리고 있는 사람들이 보인다. 이곳은 사람들이 어슬렁거리는 곳이다. 나는 또 한 번 감정적 잠수병(潛水病)을 앓는다. 너무나 많은 일이 너무나 빨리 일어났고, 나는 지금 펜실베이니아의 남서쪽에 있으며, 남편은 아래층 로비의 자동판매기에서 가져온 작은 감자칩과 사탕봉지 사이에서―이게 저녁이었다―도전하듯 잠을 자고 있다. 그는 내가 편안한 여자처럼 굴지 않는다고 화가 나 있다. 나는 그럴듯한 표정을 짓고 있다고 생각했는데―새로운 모험 만세!―아니었나 보다.

    지금 돌아보면, 우리는 무슨 일이 벌어지기를 기다리고 있었던 것 같다. 닉과 나는 마치 빛도 바람도 들지 않는 거대한 유리병 속에 앉아 있다가, 어느 날 유리병이 쓰러지면서 할 일이 생긴 것 같다.

    2주 전, 우리는 여느 때와 다름없는 실업자의 하루를 보내고 있었다.

옷을 대충 꿰입고 권태감에 가득 차 지겹도록 신문을 읽으며, 말없이 아침 식사 준비를 하는. 이제 우리는 자동차 관련 부록까지 읽는다.

오전 열 시, 닉의 휴대전화가 울린다. 그의 목소리로 보아 고의 전화다. 그는 고와 말할 때면 늘 통통 튀는 듯한, 소년 같은 말투가 된다. 한때는 내게도 그런 말투로 말했다.

그는 욕실로 가서 문을 닫는다. 나는 갓 만든 흔들거리는 에그 베네딕트 두 접시와 함께 남겨진다. 나는 그의 자리에 접시 하나를 놓고 반대편에 앉아, 그가 나올 때까지 기다려야 하는지 고민한다. 나라면 욕실에서 나와서 먼저 먹으라고 말하거나 손가락 하나를 들어 잠시만 기다리라고 할 텐데. 나라면 다른 사람, 내 배우자가 지금 달걀 접시를 앞에 두고 혼자 식탁에 앉아 있다는 사실을 알아차릴 텐데. 이런 생각을 하자니 기분이 좋지 않다. 곧 욕실 문 너머로 걱정스런 웅얼거림과 흥분한 외침과 부드러운 위로의 말이 들려올 것이고, 나는 고향에 있는 고에게 남자 문제가 있는 것인지 생각하기 시작할 것이다. 고는 남자와 자주 헤어진다. 심지어 고가 상대를 찬 경우에도 닉은 그녀의 손을 한참 동안 잡고 다정하게 다독거려야 한다.

그래서 닉이 나오면 나는 언제나처럼 '불쌍한 고' 하는 표정을 짓는다. 달걀은 접시 위에서 딱딱하게 굳었다. 나는 그의 표정을 보고 이번에는 고만의 문제가 아님을 깨닫는다.

"우리 엄마가," 닉이 말을 꺼내며 앉는다. "젠장. 엄마가 암에 걸렸어. 4기래, 간이랑 뼈까지 퍼졌어. 상태가 심각해, 상태가……."

그는 두 손으로 얼굴을 감싸 쥔다. 나는 그에게 가서 그를 안아준다. 그가 고개를 들었을 때 눈에는 물기가 없었다. 차분하다. 나는 남편이 우는 모습을 한 번도 본 적이 없다.

"고 혼자 감당하기에는 벅차. 아버지도 알츠하이머인데."

"알츠하이머? 알츠하이머라고? 언제부터?"

"좀 됐어. 처음에는 초기 치매라고 했는데, 알고 보니 더 심각하다더군."

순간 나는 우리 사이에 뭔가 문제가 있다고, 고칠 수 없는 문제가 있는 것 같다고 생각한다. 내 남편이 내게 그런 이야기를 할 생각을 하지 않았다니. 때때로 나는 그가 혼자만의 게임을 하고 있다는 기분이 든다. 속마음 들키지 않기 대회 같은 것. "왜 나한테 아무 말도 안 했어?"

"아버지 얘기는 별로 하고 싶지 않아."

"그래도."

"에이미. 제발." 그는 그 표정, 내가 지나친 요구를 하고 있다는 듯한 표정을 짓는다. 내가 지나친 요구를 하고 있다는 그의 확신이 너무 강해서 나조차도 내가 그런가 싶다.

"어쨌거나. 고가 엄마 곁에 있어. 엄마는 화학요법을 받아야 해. 많이, 아주 많이 고통스러우실 거야. 엄마는 도움이 필요해."

"간병인을 구해야 할까? 간호사나?"

"엄마한테는 그런 보험이 없어."

그가 팔짱을 끼고 나를 노려본다. 그의 뻔뻔한 생각이 들린다. 당신이 돈을 내줘야 하는데, 당신 부모한테 돈을 줬기 때문에 그럴 수가 없어.

"그렇구나. 그럼 자기야," 내가 말한다. "당신은 어떻게 하고 싶은데?"

우리는 서로 마주 보며 서 있다. 막판 대결. 싸움이라도 하고 있는 것 같다. 나로서는 선전포고도 받지 못한 싸움. 나는 그를 향해 손을 뻗지만 그는 내 손을 쳐다보기만 할 뿐이다.

"우린 이사를 해야 해." 그가 눈을 크게 치뜨고 나를 쏘아본다. 그가 끈적거리는 뭔가를 몸에서 떼어낼 때처럼 손가락을 튕긴다. "1년 동안 가 있는 거야. 가서 우리가 해야 하는 일을 하는 거야. 어차피 직업도 없고 돈도 없는 우리가 여기 붙어 있어야 할 이유는 없어. 당신도 이건 인정해야 해."

"나도 그래야 한다고?" 내가 벌써 거부하고 있다는 듯한 그의 말. 나는 터질 것 같은 분노를 삼킨다.

"이게 우리가 하게 될 일이야. 마땅히 해야 할 일을 하는 거라고. 이번엔 우리 부모님을 돕는 거야."

물론 그렇게 해야지. 그가 나를 적대시하며 문제를 제시하지만 않았어도 나는 이렇게 말했을 것이다. 하지만 그는 욕실에서 나오던 때부터 이미 나를 처리해야 하는 문제처럼 취급했다. 그에게 나는 제거해야 할 듣기 싫은 목소리였다.

나의 남편은 세상에서 가장 충실한 사람이다. 그러기를 그만두기 전까지는. 나는 그가 친구에게 배신당했다고 느꼈을 때 그의 눈빛이 말 그대로 한 톤 어두워지는 것을 본 적이 있다. 오랫동안 아주 가깝게 지낸 친구였지만 닉은 다시는 그의 이름을 입에 올리지 않았다. 그는 나를 필요하다면 버려야 할 물건인 것처럼 쳐다보았다. 정말이지 등골을 오싹하게 만드는 표정이었다.

그렇게, 그토록 빨리, 그토록 별다른 논의 없이 결정이 내려진다. 우리는 뉴욕을 떠나 미주리로 간다. 미주리의 강가에 있는 집에서 살게 될 것이다. 초현실적이다. 지금 나는 '초현실'이라는 단어를 오용하는 것이 아니다.

괜찮을 거라는 건 알고 있다. 그저 내가 그리던 인생과 너무나 동떨어졌을 뿐. 나쁘다는 건 아니다, 그저…… 내가 살면서 가게 될 곳을 백만 군데쯤 상상하더라도 결코 떠올리지 않았을 곳이라는 거다. 이런 생각을 하면 조금 충격적이다.

유홀 트럭에 짐을 싣는 일은 한 편의 짧은 비극이다. 닉은 단호하지만 죄책감에 젖은 기분으로, 입을 굳게 다문 채 작업을 진척시키며 나를 쳐다보지 않으려 한다. 유홀이 몇 시간 동안 비상표시등을 깜빡이며—위험, 위험, 위험—우리 집 앞의 좁은 도로를 막고 있는 동안, 닉은 층계를 오르내리며 1인 생산 라인처럼 책 상자와 주방 도구 상자, 의자와 협탁을 운반한다. 우리는 빈티지 소파를 가져가기로 했다. 우리가 하도 애지중지해서 아빠가 우리의 애완동물이라고 부르는, 폭이 넓고 커다랗고 오래된 소파다. 그것은 우리가 마지막으로 트럭에 실을 물건이다. 땀을 흘리는 어설픈 두 사람의 작업. 그 거대한 물건을 층계 밑까지 운반하는 일은 (잠깐만, 나 좀 쉴게. 오른쪽으로 들어. 잠깐, 당신 너무 빨리 가잖아. 조심해, 내 손가락, 내 손가락!) 그 자체로 우리에게 절실히 필요한 팀워크 운동이 될 것이다. 소파를 옮기고 난 뒤 우리는 길모퉁이 델리에서 사 온 점심을 먹을 것이다. 길 위에서 먹는 베이글과 샌드위치. 차가운 소다수.

닉은 소파를 가져가도록 허락했지만, 다른 큰 가구들은 두고 가야 한다. 침대는 닉의 친구가 가져갈 것이다. 그는 나중에 우리의—먼지와 케이블 선밖에 남지 않은—빈집에 들러 우리 침대를 가져가, 계속해서 뉴욕 라이프를 즐기겠지. 새벽 두 시에 우리 침대 위에서 중국 음식을 먹고, 거나하게 취한, 입이 건 PR 담당 여자들과 콘돔 없이 섹스를 하면서. (집은 어느 시끄러운 부부가 차지하게 될 것이다. 구매자에게 유리한 거래에 부끄러운 줄도 모르고 기뻐하는 뻔뻔한 변호사 부부. 난 그들이 싫다.)

내가 짐 하나를 옮기는 동안 닉은 끙 소리를 내며 네 개를 옮긴다. 나는 뼈가 아픈 것처럼 천천히, 발을 끌며 움직인다. 예민한 탓인지 미열이 내 위로 내려앉는다. 모든 것이 나를 아프게 한다. 닉은 내 옆을 지나치며 분주하게 움직인다. 그는 오르락내리락하면서 찡그린 표정으로 쏘는 듯이 말한다. "당신 괜찮아?" 그러고는 내가 대답하기도 전에 가버려서, 나는 입 구멍이 검게 칠해진 만화 속 인물처럼 입을 벌리고 그를 쳐다본다. 난 괜찮지 않아. 괜찮아지겠지, 하지만 지금은 괜찮지 않아. 나는 남편이 두 팔로 나를 감싸고 위로해주기를, 아주 잠깐만이라도 나를 아기처럼 대해주기를 원한다. 아주 잠시 동안만.

닉은 트럭 짐칸에서 상자들과 씨름하고 있다. 그는 자신의 짐 싸기 기술을 자랑스러워한다. 그는 설거지 기계를 싣는 사람, 휴가 가방을 싸는 사람이(었)다. 하지만 세 시간이 지나자 우리가 지나치게 많은 살림을 팔거나 선물했다는 사실이 분명해진다. 유홀의 거대한 동굴이 반밖에 차지 않은 것이다. 오늘 처음이자 마지막으로 나는 만족감을 느낀다. 끝없이 올라가는 수은극의 수은 기둥처럼 배 속 저 아래서부터 올라오는 뜨겁고 야비한 만족감. 좋아, 나는 생각한다. 좋아.

"당신이 정 원하면 침대를 가져갈 수 있어." 내 뒤쪽으로 난 거리를 쳐다보며 닉이 말한다. "공간이 충분해."

"아냐, 당신이 월리에게 준다고 약속했잖아. 월리가 가져가야지." 내가 새침하게 말한다.

그냥 말해, 잘못했다고. 내가 잘못했어. 미안해, 침대를 가져가자. 새집에서 당신은 오래되고 편안한 당신 침대가 필요할 거야.

내게 웃어줘, 상냥하게 대해줘. 오늘만은, 내게 상냥하게 대해줘.

닉이 한숨을 뱉어낸다.

"알았어. 그게 당신이 원하는 거라면. 그런 거야, 에이미?"

그는 숨을 약간 헐떡이며 상자더미에 기대어 서 있다. 제일 위쪽 상자에는 매직으로 휘갈겨 쓴 글씨가 적혀 있다. 에이미 겨울 옷. "침대에 대해서는 더 이상 얘기하지 않는 거지, 에이미? 지금 내가 묻고 있잖아. 난 당신을 위해 기꺼이 침대를 옮길 수 있어."

"친절도 하셔라." 나는 가볍게 숨을 내뿜듯 말한다. 나는 대부분의 말대꾸를 이렇게 한다. 스프레이로 향수를 한 번 뿜듯이. 나는 겁쟁이다. 나는 싸우는 걸 좋아하지 않는다. 나는 상자 하나를 들어 트럭을 향해 걷기 시작한다.

"방금 뭐라고 했어?"

나는 고개를 젓는다. 그에게 우는 모습을 보여주기 싫다. 그것이 그를 더욱 화나게 할 것이므로.

10분 뒤, 계단에서 요란한 소리가 난다—쿵! 쿵! 쿵! 닉이 혼자서 소파를 끌어내리고 있다.

뉴욕을 떠날 때, 나는 뒤를 돌아보지도 못한다. 트럭 뒤쪽에 창문이 없기 때문이다. 사이드 미러 속에서 나는 눈으로 스카이라인을 좇는다. (멀어져가는 스카이라인—빅토리아 시대 소설 속에서 불운한 여주인공이 가족과 강제로 떨어질 때 언제나 등장하는 장면이 아니던가?) 하지만 멋진 빌딩들, 크라이슬러나 엠파이어스테이트나 플랫아이언 같은 빌딩들은 그 작고 빛나는 직사각형 안에 결코 나타나지 않는다.

어젯밤에는 엄마와 아빠가 와서 내가 어렸을 때 아주 좋아했던, 우리 가족의 뻐꾸기시계를 선물로 주었다. 우리 세 사람이 울면서 포옹을 하는 동안 닉은 호주머니에 넣은 두 손을 이리저리 움직이면서 나를 잘 돌보겠다고 약속했다.

그는 나를 잘 돌보겠다고 약속했지만 나는 두렵다. 뭔가가 잘못될 것 같은, 크게 잘못될 것 같은 두려움. 훨씬 더 나쁜 일이 벌어질까 봐 두렵다. 나는 닉의 아내가 아닌 것 같다. 사람인 것 같지도 않다. 나는 소파나 뻐꾸기시계처럼 싣고 내려지는 존재다. 물건, 그것도 쓸모없는 물건. 나는 필요하다면 쓰레기장에 던져질, 강 속으로 집어던져질 어떤 것이다. 나는 더 이상 진짜가 아닌 것 같은 기분이다. 나는 사라져버릴 것만 같다.

닉 던

실종 3일째

누군가가 에이미가 발견되기를 바라지 않는 한, 경찰은 그녀를 찾을 수 없을 것이다. 그것만큼은 이제 분명해졌다. 녹색이고 파랗고 갈색인 모든 것을 수색했다. 몇 킬로미터에 달하는 진흙투성이 미시시피 강, 모든 오솔길과 하이킹 코스, 슬프도록 드문드문한 우리 동네의 숲들. 아내가 살아 있다면 누군가가 그녀를 돌려보내야 할 것이고, 죽은 거라면 자연은 그녀를 포기해야만 할 것이다. 혀끝의 쓴맛처럼 자명한 사실이다. 나는 자원봉사자 센터에 도착해 남들도 이 사실을 깨달았음을 알아차렸다. 어딘가 굼뜨고 패배감에 젖은 분위기였기 때문이다. 나는 하릴없이 페이스트리가 있는 곳으로 걸어가, 뭘 좀 먹어야 한다고 스스로를 설득하려 애썼다. 데니시 페이스트리. 이제 나는 데니시 페이스트리보다 우울한 음식은 없다고 믿게 되었다. 도착하자마자 딱딱해지는 것 같은 페이스트리.

"난 지금도 강에 있다고 봐." 한 봉사자가 친구에게 말하고 있었다. 두 사람은 더러운 손가락으로 페이스트리를 뒤적거리고 있었다. "남자 집 바로 뒤편에 말이야. 그보다 쉬운 방법이 어디 있겠어?"

"지금쯤이면 그 여자가 소용돌이 속이나 수문 같은 데서 발견될 때가 됐는데."

"토막 내서 버렸다면 아니지. 팔이랑 다리를 잘라내서…… 시체가 저 멀리 만까지 휩쓸렸을 거야. 적어도 투니카까지는."

나는 그들이 나를 알아보기 전에 발길을 돌렸다.

나의 옛 스승인 콜먼 씨가 카드 테이블 앞에 앉아 제보 전화를 받으며 뭔가를 받아 적고 있었다. 그는 나와 눈이 마주치자 귀 옆에서 손가락을 뱅뱅 돌린 다음 전화기를 가리켰다. 어제 나와 인사할 때 그가 말했다. "손녀가 음주운전자 때문에 죽었어. 그래서……." 그 후 우리는 무슨 말인가를 중얼거리며 어색하게 서로의 몸을 토닥거렸다.

내 일회용 휴대전화가 울렸다. 나는 그것을 어디에 보관해야 할지 몰라 계속 가지고 다닌다. 내가 먼저 전화를 했기 때문에 다시 걸려온 거였지만, 받을 수 없었다. 나는 휴대전화의 전원을 끄고 방 안을 둘러보며, 장인과 장모가 내가 전화기를 끄는 모습을 보지 못했음을 확인했다. 장모 메리베스는 블랙베리 자판을 두드리다가, 글자를 읽기 위해 그것을 든 손을 팔 길이만큼 앞으로 뻗었다. 그녀는 나를 보더니 블랙베리를 마치 부적처럼 앞으로 내밀고 특유의 종종걸음으로 내게 다가왔다.

"여기서 멤피스까지 몇 시간이나 걸리나?" 그녀가 물었다.

"차로 다섯 시간 좀 안 걸립니다. 멤피스엔 왜요?"

"힐러리 핸디가 멤피스에 살아. 고교 시절 에이미의 스토커 말이네. 이번 일과 관련이 있을 확률이 얼마나 될까?"

나는 뭐라고 대답해야 할지 알 수 없었다. 제로요?

"그래, 길펀도 내 말을 무시하더군. '우린 20년도 더 지난 일에 쓸 비용을 허가받을 수 없습니다.' 멍청이 같으니. 늘 내가 히스테리 직전인 것처럼 대한다니까. 바로 앞에 있는 나를 완전히 무시하면서 랜드한테 얘기를 해. 내가 멍청해서 뭔가를 설명하려면 남편이 필요하다는 듯이 말이야. 나쁜 놈."

"시(市)가 파산했어요." 내가 말했다. "정말로 예산이 없을 거예요, 장모님."

"뭐, 우리도 그래. 난 진지하네, 닉. 그 여자는 제정신이 아니야. 그 여자가 지난 몇 년간 에이미와 연락하려고 했던 것도 알아. 에이미가 그렇게 말했어."

"저한텐 그런 말을 한 적이 없어요."

"멤피스까지 차로 가는 데 얼마나 들까? 50달러? 그래, 자네가 가주겠나? 저번에 가겠다고 했잖나, 응? 누군가 그 여자와 얘기해보기 전까진 그 생각이 머릿속을 떠나지 않을 것 같아."

나는 적어도 그것만은 사실임을 알았다. 장모의 딸 역시 끈질기게 걱정하는 병이 있기 때문이다. 에이미는 스토브를 끄지 않은 것 같다며 저녁 내내 전전긍긍할 수 있는 사람이다. 그날 요리를 한 적도 없으면서 말이다. 아니면, '문을 잠갔나? 확실해?' 하면서. 그녀는 최악의 대참사를 상상하는 시나리오 작가였다. 언제나 '문이 열려 있다'가 아니라 '문이 열려 있고 남자들이 집 안에 들어와 그녀를 강간하고 죽이려고 숨어 있다' 였기 때문이다.

온몸에서 땀이 솟는 것 같았다. 아내의 두려움이 마침내 결실을 맺은 것이다. 수년간의 걱정이 헛수고가 아니었음을 깨달았을 때 느꼈을 법한 그 끔찍한 만족감을 상상해보라.

"물론 제가 가야죠. 거기 갔다가 세인트루이스에 들러서 데시도 만나겠습니다. 걱정 마세요." 나는 돌아서서 극적인 퇴장을 했다. 6미터가량 걸었을 때 갑자기 스틱스가 또 나타났다. 졸려서 나른한 얼굴을 하고 있었다.

"경찰이 어제 쇼핑몰을 수색했다고 들었어." 그가 턱을 긁으며 말했다. 그의 다른 쪽 손에는 아직 먹지 않은, 설탕을 입힌 도넛이 들려 있었다. 그의 카고 바지 주머니가 베이글만 하게 불룩 튀어나와 있었다. 나는 농담을 할 뻔했다. 네 주머니에 든 거 빵이야, 아니면…….

"그래. 아무것도 없었어."

"낮에 가니까 그렇지, 멍청이들." 스틱스는 경찰이 들을까 걱정하는 것처럼 고개를 휙 돌려 주위를 둘러보았다. 그가 내 쪽으로 몸을 기울였다. "밤에 가봐. 놈들은 밤에 나타나. 낮 동안엔 강가에 있거나 깃발을 흔들고 있지."

"깃발을 흔든다고?"

"고속도로 출구 근처에 앉아 있는 사람들 알잖아. '해고됐어요, 도와주세요, 맥주 살 돈이 필요해요' 같은 말이 적힌 걸 흔들면서." 그는 말하면서 주위를 둘러보았다. "그게 깃발 흔들기야, 친구."

"그렇군."

"밤이 되면 놈들은 쇼핑몰로 가." 그가 말했다.

"그럼 오늘 밤에 가자. 너랑 나랑 그리고 아무나."

"조 힐샘이랑 마이키 힐샘," 스틱스가 말했다. "두 사람도 갈 거야." 힐샘 형제는 나보다 각각 세 살, 네 살 많은 동네 양아치들이다. 공포 유전자가 없는 것 같은, 고통을 느끼지 못하는 부류. 여름 내내 반바지를 입고 근육질 다리를 드러낸 채 야구를 하고 맥주를 마시고 이상한 일 ―배수로에서 스케이트보드 타기, 벌거벗고 급수탑 오르기― 에 도전하는 운동 잘하는 바보들. 지루한 토요일 밤에 이글거리는 눈을 하고 마리화나 담배를 마는 부류. 그럴 때면 무슨 일이 벌어질 거라는 것을 알게 된다. 아마도 절대 좋은 일은 아닐 테지만, 여하튼 무슨 일인가. 당연히 힐샘 형제는 가려고 할 것이다.

"좋아." 내가 말했다. "오늘 밤에 가는 거야."

주머니 속에서 휴대전화가 울렸다. 그 물건은 제대로 꺼지지 않았다. 전화가 다시 울렸다.

"받을 거야?" 스틱스가 물었다.

"아니."

"모든 전화를 받아야 해, 친구. 꼭 받아야 해."

그날 남은 시간 동안에는 할 일이 없었다. 수색 계획도 없었고 전단지도 더는 필요하지 않았으며 모든 전화 앞에는 사람이 있었다. 장모 메리베스는 이제 사실상 봉사자들을 돌려보내고 있었다. 그들은 그저 여기저기 서서 음식을 먹으며 지루해할 뿐이었다. 나는 스틱스가 탁자 위에 놓인 아침식사 음식 중 절반을 호주머니에 넣고 갔을 거란 의심이 들었다.

"형사들한테서 들은 얘기 있나?" 장인 랜드가 물었다.

"없어요." 메리베스와 내가 대답했다.

"그건 희소식일지도 몰라, 그렇지?" 랜드가 희망에 찬 눈으로 물었고, 메리베스와 나는 그의 말에 장단을 맞춰주었다. 네, 그럼요.

"멤피스에는 언제 갈 건가?" 장모가 물었다.

"내일이요. 오늘 밤엔 제 친구들과 쇼핑몰을 한 번 더 수색할 겁니다. 어제 수색이 제대로 되지 못했다고 생각해서요."

"훌륭해." 메리베스가 말했다. "우리에게 필요한 건 그런 거네. 첫 번째 일이 제대로 되지 않았다는 의심이 들면 직접 해야 해. 나도 그래. 난 지금까지의 진행 상황이 별로 성에 차지 않아."

랜드가 아내의 어깨 위에 한 손을 얹었다. 이러한 불평이 여러 번 표출되었고 받아들여졌다는 뜻이다.

"나도 같이 가겠네, 닉." 랜드가 말했다. "나도 오늘 밤에 같이 가고 싶어." 그는 아주 옅은 파란색 골프셔츠와 올리브색 바지를 입고 있었고 머리카락은 빛나는 거무스름한 헬멧 같았다. 나는 장인이 힐샘 형제들과 친해지려고 애쓰며 언제나처럼 약간은 절박하게 '같은 편' 행세를 하는 모습을 상상해보았고—어이, 나도 맛있는 맥주를 좋아한다네. 자네들 스포츠 팀은 어떤가?—순간 임박한 어색함이 느껴졌다.

"물론 그러면 좋죠, 장인어른."

내게는 느긋하게 작업할 수 있는 열 시간이 있었다. 나는 차를 돌려받게 되어—아마 처리되고 빨아들여지고 찍혔을 것이다—한 노인 자원봉사자의 차를 얻어 타고 경찰서로 갔다. 그녀는 정열적인 할머니 무리의 일원이었는데, 나와 단둘이 남게 되자 조금 긴장하는 것 같았다.

"난 지금 던 씨를 경찰서에 데려다주고 있어. 하지만 30분 안에 돌아갈 거야." 그녀가 한 친구에게 말했다. "30분도 안 걸릴 거야."

길핀은 에이미의 두 번째 편지를 증거물로 가져가지 않았다. 속옷을 발견한 것에 너무 흥분해서 편지에는 신경을 쓰지 못한 것이다. 나는 차에 올라타 문을 활짝 열고, 차 안의 열기가 죽죽 빠져나가는 동안 아내의 두 번째 단서를 다시 읽었다.

나를 그려봐. 난 당신에게 미쳐 있어.

당신과 함께하는 내 미래는 결코 흐릿하지 않아.

당신은 나를 이곳에 데려왔어, 내가 당신의 이야기를 들을 수 있도록.

소년 시절 당신의 모험, 형편없는 청바지와 챙 달린 모자에 대한 이야기를.

다른 모두를 속여, 우리에게 그들은 모두 버려진 사람이니까.

그리고 몰래 키스하자…… 우리가 방금 결혼한 척해.

미주리의 해니벌이다. 마크 트웨인이 소년 시절을 보낸 곳. 내가 어렸을 적 여름마다 일을 했던 곳, 허클베리 핀처럼 분장하고 돌아다녔던 곳, 낡은 밀짚모자와 가짜 누더기 바지를 입고 불량스럽게 웃으며 사람들에게 아이스크림 전문점을 방문하라고 설득하던 곳. 그것은 관심을 끌기 위해 하는 이야기들 중 하나였다. 적어도 뉴욕에서는 그랬다. 다른 누구도 거기에 편승할 수는 없었으니까. 누구도 이렇게 말할 수 없었다―어 그래, 나도 그랬어.

'챙 달린 모자' 이야기는 조금 내밀한 농담이었다. 내가 허클베리 핀 분장을 했다고 에이미에게 처음 말했을 때, 우리는 밖에서 저녁을 먹으며 두 병째 와인을 마시고 있었고, 그녀는 사랑스럽게 취해 있었다. 취했을 때만 볼 수 있었던 그녀의 함박웃음과 발그레한 뺨. 마치 내게 자석이라도 붙어 있는 것처럼 탁자 맞은편으로 몸을 기울이던 에이미. 그녀는 내게 아직도 그 챙 달린 모자를 갖고 있느냐고, 자기를 위해 챙 달린 모자를 써줄 수 있느냐고 계속 물었다. 대체 왜 허클베리 핀이 챙 달린 모자를 썼다고 생각하는지 묻자 그녀는 침을 한 번 삼키고는 "아, 밀짚모자를 말한 거였어!"라고 말했다. 마치 그것들이 서로 마음껏 바꿔 쓸 수 있는 단어인 것처럼. 그 후 우리는 테니스 경기를 볼 때마다 선수들의 경쾌한 밀짚모자를 칭찬했다.

그러나 에이미가 해니벌을 선택한 것은 이상했다. 내 기억에 우리는 그곳에서 특별히 좋지도 나쁘지도 않은, 그저 그런 시간을 보냈기 때문이다. 거의 1년 전에 우리는 그곳을 천천히 걸어 다니며 손으로 이것저것 가리키고 플래카드를 읽었다. 누군가 "저거 흥미로운데." 하고 말하면 상대방은 "그러게." 하고 동의했다. 나는 그 후로 에이미 없이 그곳에 가서 (끝도 없이 밀려드는 나의 그리움) 눈부시게 아름다운 하루를 보냈다. 커다란 웃음, 세상이 다 내 것 같은 하루. 하지만 에이미와 함께 갔던 날은 정적이고 천편일률적이었다. 조금은 당황스럽기까지 했다. 내가 어린 시절 그곳으로 간 수학여행에 대해 얼빠진 이야기를 시작했을 때, 그녀의 두 눈이 멍해졌던 것을 기억한다. 나는 남몰래 분노했고, 10분 동안 분노를 키우는 데 집중했다. 결혼 생활의 그 시기쯤엔 아내 때문에 화를 내는 것에 너무나 익숙했던 나머지, 분노할 때면 거의 쾌감을 느끼고 있었다. 마치 손톱 밑의 살을 물어뜯는 것처럼, 멈춰야 한다는 것을, 생각만큼 별로 즐거운 일이 아니라는 것을 알면서도 맹렬히 하게 되는 그런 일. 물론 겉으로는 전혀 내색하지 않았다. 우린 그저 계속 걸었고, 플래카드를 읽었고, 손으로 무언가를 가리켰다.

아내가 보물찾기를 위해 해니벌을 택했다는 사실은 우리가 이사한 이후 좋은 추억이 없었다는 것을 꽤 고약하게 상기시켜주었다.

나는 20분 만에 해니벌에 도착해, 이제는 지하에 닭날개 요리 식당 하나가 있을 뿐인 빛나는 길드 시대의 법원 청사를 지나쳐, 줄줄이 늘어선 문 닫은 사업장들—망한 지역 은행들과 죽은 영화관들—을 지나 강 쪽으로 향했다. 미시시피 강 바로 옆, 마크 트웨인 리버보트 앞에 있는 주차장에 차를 댔다. 주차는 무료였다. (나는 이 참신함에, 무료 주차의 관대함에 흥분하지 않은 적이 없다.) 가로등 기둥에는 흰 머리 남자가 그려진 배너들이 생기 없게 걸려 있었고 포스터들은 열기 때문에 말려 올라가 있었다. 헤어드라이어 바람처럼 뜨거운 평일 낮인데도 해니벌은 카르타고보다 형편이 훨씬 나은 것 같았다. 기념품—퀼트류와 골동품과 태피—가게들을 따라 몇 블록을 걷는 동안, 더 많은 '매매' 표시를 보았다. 베키 대처 하우스는 수리를 하기 위해 닫혀 있었는데, 아직 거둬들이지 못한 돈으로 비용을 지불해야 했다. 10달러를 내면 톰 소여의 집 흰색 담장에 이름을 쓸 수 있었지만, 그렇게 하는 사람은 거의 없었다.

나는 어느 빈 가게 앞 계단에 앉았다. 내가 에이미를 모든 상황의 끝으로 몰아갔다는 생각이 들었다. 우리는 말 그대로 하나의 생활 양식의 끝을 경험하고 있었다. 뉴기니 부족들이나 애팔래치아 유리 직공들에게나 쓸 법한 문구다. 쇼핑몰이 불황으로 끝났다. 컴퓨터 때문에 블루 북 공장이 끝났다. 카르타고는 파산했고, 자매도시인 해니벌은 더 밝고 더 시끄럽고 더 만화 같은 여행지들 때문에 설 자리를 잃고 있었다. 미시시피 강은 미시간 호수를 향해 퍼덕거리며 올라가는 아시아 잉어들에게 역으로 먹히고 있었다. '어메이징 에이미'도 끝났다. 내 일자리가 끝났고, 아내의 일자리도 끝났으며, 내 아버지도 끝났고, 내 어머니도 끝났다. 우리의 결혼도 끝났다. 에이미도 끝났다.

강에 있던 증기선의 경적이 가쁜 숨을 몰아쉬었다. 등에 난 땀이 셔츠를 적셨다. 나는 몸을 일으켜 세우고, 에이미와 걸었던 길을 걸었다. 마음 속에서 아내는 아직 내 옆에 있었다. 그날도 더웠다. 당신은 '똑똑해'. 상상 속에서, 아내는 내 옆에서 천천히 거닐고 있다. 이번에는 그녀가 웃고 있다. 배 속이 미끌거렸다.

나는 상상 속의 아내와 함께 여행객들이 주로 다니는 번화가를 걸었다. 머리카락이 회색인 부부가 걸음을 멈추고 대처 판사의 재판소를 들여다 보았지만 들어가보지는 않았다. 그 블록 끝에서 트웨인으로 분한—흰 머리카락, 흰 양복―남자가 포드 포커스에서 내리더니 기지개를 켜고 외로운 거리를 내려다보며 급히 피자 가게로 들어갔다. 우리는 새뮤얼 클레멘스의 아버지의 재판소였던, 물막이 판자를 댄 건물에 도착했다. 앞쪽 간판에는 '치안 판사 J. M. 클레멘스'라고 적혀 있었다.

몰래 키스하자…… 우리가 방금 결혼한 척해.

당신은 이것들을 아주 멋지고 쉬운 것들로 만들고 있어, 에이미. 마치 내가 정말로 그것들을 발견하기를, 스스로를 대견해하기를 바라는 것처럼. 계속 이렇게 해줘, 내가 신기록을 세울 수 있도록.

안에는 아무도 없었다. 나는 먼지투성이 마룻바닥에 무릎을 꿇고 앉아 첫 번째 벤치 밑을 들여다보았다. 에이미는 공공장소에 단서를 숨길 때 언제나 물건의 밑면에, 뭉쳐놓은 껌과 먼지 사이에 그것을 테이프로 붙여놓았고, 이것은 언제나 옳은 선택이었다. 물건의 밑면을 보는 것을 좋아하는 사람은 아무도 없기 때문이다. 첫 번째 벤치 밑에는 아무것도 없었지만 뒤쪽 벤치에 종이 한 장이 펄럭이며 붙어 있었다. 나는 몸을 일으켜 에이미의 파란색 봉투를 아래로 잡아당겼다. 테이프 조각이 봉투에서 뜯겨 나갔다.

안녕, 사랑하는 남편,

찾아냈구나! 똑똑한 사람. 내가 올해의 보물찾기는 나의 불가사의하고 개인적인 추억 속을 억지로 걷게 하는 고난의 행진으로 만들지 않기로 결정한 것이 도움이 되었을 거야.

당신이 사랑하는 마크 트웨인이 쓴 대사를 골랐어.

"기념일을 축하하는 것을 처음으로 생각해낸 사람을 어떻게 해야 할까? 그냥 죽이는 것은 너무 가벼운 벌일 것이다."

마침내 나는 깨달았어. 당신이 매년 말했듯이, 이 보물찾기는 우리를 축하하는 시간이 되어야 한다는 걸 말이야. 1년 동안 내가 생각하거나 말한 모든 것을 당신이 기억하는지 시험하는 것이 아니라. 당신은 성인 여자라면 그 사실을 스스로 깨달아야 한다고 생각했을 거야. 하지만…… 나는 그래서 남편이 있는 거라고 생각해. 스스로 깨닫지 못하는 것을 지적해주기 위해서 말이야. 설사 그 일이 5년이 걸리더라도.

그래서 나는 잠시 짬을 내어 마크 트웨인이 어렸을 적 자주 가던 곳에 오고 싶었어. 그리고 당신의 '재치'에 감사하고 싶었어. 당신은 정말로 내가 아는 가장 똑똑하고 재미있는 사람이야. 나는 감각을 잘 기억해. 여러 해 동안 당신은 여러 번 내 귀에 대고 — 이 글을 쓰고 있는 지금도 당신의 숨결이 내 귓불을 간질이는 느낌이 들어 — 오직 나만을 위해, 오직 나를 웃게 하기 위해 무언가를 말해주었지. 남편이 아내를 웃게 하기 위해 애쓴다는 것이 얼마나 고마운 일인지 깨달았어. 그리고 당신은 언제나 가장 좋은 때를 골랐어. 인슬리와 그녀의 춤추는 원숭이 남편이 아기를 보러 오라고 해서 갔던 때, 기억나? 이상하리만치 완벽하고 지나치게 꽃이 많던, 브런치와 아기를 소개하기 위해 만든 머핀이 지나치게 많던 그 집 말이야. 그들은 우리에게 아이가 없다는 사실을 놓고 너무나 독선적이고 거만하게 굴었어. 그동안 두 사람의 끔찍한 아들은 침과 졸인 당근과 (아마도) 대소변을 뒤집어쓰고 있었고 — 그 애가 몸에 걸친 거라곤 주름 장식이 달린 턱받이와 손뜨개 양말뿐이었지 — 당신은 오렌지주스를 홀짝이고 있던 내 쪽으로 몸을 기울여 속삭였어. "나중에 나도 저렇게 입고 있을 거야." 난 말 그대로 입에서 주스를 뿜어냈지. 그건 당신이 나를 구해주는, 딱 적당한 때에 나를 웃게 만드는 순간 중 하나였어. 올리브는 한 알뿐이지만. 그러니 다시 말할게. 당신은 '재치 있어'. 이제 키스해줘!

영혼이 쭈그러지는 듯한 기분이었다. 에이미는 이번 보물찾기로 우리 사이가 다시 가까워지게 하려고 애쓰고 있었다. 하지만 너무 늦었다. 그녀는 이 단서들을 쓰는 동안 내가 어떤 생각을 하고 있었는지 전혀 모르고 있었던 것이다. 에이미, 왜 좀 더 일찍 이렇게 하지 않은 거야?

우리는 한 번도 타이밍이 좋았던 적이 없다.

나는 다음 단서를 꺼내서 읽은 다음 호주머니에 넣고 집으로 돌아갔다. 어디로 가야 할지 알았지만 아직 준비가 되지 않았다. 또 한 번의 칭찬, 아내의 또 다른 말, 또 하나의 올리브 가지를 견딜 수가 없었다. 아내에 대한 감정이 씁쓸함에서 달콤함으로 지나치게 빨리 변해가고 있었다.

나는 고의 집으로 돌아가 몇 시간 정도를 혼자서 보냈다. 불안하고 지긋지긋한 기분으로 커피를 마시고 텔레비전 채널을 돌리며, 밤 열한 시에 수색을 위해 쇼핑몰로 가는 카풀을 기다렸다.

고는 일곱 시가 조금 지났을 때 돌아왔다. 바에서 혼자 일하느라 지친 모습이었다. 텔레비전을 흘긋 보는 고의 눈짓은, 내가 그것을 꺼야 한다고 말하고 있었다.

"오늘 뭐 했어?" 고가 물었다. 그녀는 담뱃불을 붙이고 어머니의 오래된 카드 탁자 앞에 털썩 주저앉았다.

"자원봉사자 센터에 있다가…… 열한 시에는 쇼핑몰을 수색하러 갈 거야." 내가 말했다. 에이미의 단서에 대해서는 말하고 싶지 않았다. 이미 충분히 죄책감을 느끼고 있었으니까.

고는 솔리테어를 하기 위해 카드를 늘어놓았다. 카드가 탁자 위에 규칙적으로 부딪치는 소리가 힐책처럼 들렸다. 나는 서성거리기 시작했다. 고는 그런 나를 무시했다.

"머리 좀 식히려고 텔레비전 보고 있었어."

"알아, 나도 그래."

고는 잭을 뒤집었다.

"내가 할 수 있는 일이 뭔가 있을 거야." 나는 고의 거실을 돌아다니며 말했다.

"뭐, 몇 시간 후에 쇼핑몰을 수색한다며." 고가 말했고, 그 이상의 격려는 없었다. 그녀는 카드 세 장을 뒤집었다.

"수색이 시간 낭비라는 것처럼 들리네."

"아, 아냐. 모든 것은 확인해볼 가치가 있지. '샘의 아들'도 주차딱지 때문에 잡혔잖아?"

고는 내게 그 이야기를 한 세 번째 사람이다. 그 말은 오리무중에 빠진 사건을 위한 만트라임이 틀림없다. 나는 고의 맞은편에 앉았다.

"난 그동안 에이미 때문에 충분히 심란해하지 않았어." 내가 말했다.

"그럴지도." 고가 마침내 고개를 들어 나를 보았다. "넌 그동안 이상했어."

"공황에 빠지는 대신 아내에게 화를 내는 데 집중했던 것 같아. 일이 벌어졌을 때 우린 상황이 아주 나빴거든. 내가 지나치게 걱정하는 게 잘못된 일처럼 느껴졌던 것 같아. 내겐 그럴 권리가 없으니까."

"솔직히 말하면 넌 그동안 이상했어." 고가 말했다. "하지만 어쨌든 이상한 상황이잖아." 그녀는 담배를 비벼 껐다. "내 앞에서는 어떻게 하든 상관없지만 조심해…… 다른 사람들 앞에서는. 사람들은 금방 심판을 내리니까."

고는 다시 카드놀이에 집중했지만 나는 그녀의 관심이 필요했다. 나는 계속 말했다.

"언젠가는 아버지를 보러 가야겠지. 에이미 일에 대해 말해줘야 할지 모르겠어."

"아니." 고가 말했다. "그러지 마. 아버지는 너보다 에이미한테 더 이상하게 굴었잖아."

"나는 늘 아버지가 에이미를 보면서 옛 여자 친구나 누군가를 떠올리는 것 같다는 느낌이 들었어. 달아난 사람이라든가. 아버지가……." 나는 한 손을 아래로 휙 하고 내렸다. 아버지의 알츠하이머를 뜻하는 손짓이었다. "약간 무례하고 나쁘게 변한 후에 말이야. 하지만……."

"그래, 하지만 그러면서도 아버지는 에이미한테 강한 인상을 남기고 싶어 했어." 고가 말했다. "예순여덟 살 얼간이의 몸에 갇힌 바보 같은 열두 살짜리 소년처럼."

"글쎄, 여자들은 모든 남자들의 내면에 바보 같은 열두 살짜리 애가 있다고 생각하지 않나?"

"하, 그나마 건강한 내면은 그렇지."

밤 11시 8분, 장인 랜드는 호텔의 자동문 안에서 우리를 기다리고 있었다. 그는 우리가 오는지 보기 위해 눈을 가늘게 뜨고 어두운 바깥을 바라보고 있었다. 힐샘 형제가 그들의 픽업 트럭을 운전했고 나와 스틱스는 트럭 짐칸에 탔다. 카키색 골프 반바지와 빳빳한 미들베리 티셔츠 차림을 한 장인은 빠른 걸음으로 다가와 놀랄 만큼 쉽게 휠 캡 위에 올라타더니, 트럭이 쓸데없이 빠른 속도로 주차장을 빠져나가는 동안 이동식 단독 토크쇼를 진행하듯 자기소개 하는 시간을 진행했다.

"에이미 일은 정말 유감입니다, 랜드 씨." 우리가 탄 트럭이 지나치게 빠른 속도로 주차장을 빠져나와 고속도로에 들어갈 때 스틱스가 큰 소리로 말했다. "그녀는 정말 다정한 사람이었어요. 한번은 내가 엉덩이에 땀이 나도록 어느 집에 페인트칠을 하고 있는 걸 보더니 세븐일레븐까지 차를 타고 가서는 소다수 큰 걸 사서 사다리 위에 있는 내게 갖다줬어요."

거짓말이었다. 에이미는 스틱스나 그의 음료수에 아무런 관심이 없었다. 그에게는 오줌 눈 컵조차 갖다주지 않았을 것이다.

"그 애답군요." 장인이 말했다. 나는 반갑지 않은, 신사답지 않은 노여움으로 얼굴이 붉어졌다. 아마도 기자였던 나의 습성 때문이겠지만, 사실은 사실이었다. 사람들이 단지 감정적으로 편리하다는 이유로 그녀를 모두가 사랑하는 최고의 친구로 바꿔놓은 것은 아니었다.

"미들베리, 맞죠?" 스틱스가 랜드의 티셔츠를 가리키며 말을 이었다. "대단한 럭비 팀이 있었죠."

"맞아요, 그래요." 다시 한 번 함박웃음을 지으며 장인이 말했고, 그와 스틱스는 차와 공기와 밤의 소음을 배경으로 럭비 교양과목에 대한 가당찮은 토론을 시작했다. 토론은 쇼핑몰에 도착할 때까지 이어졌다.

조 힐샘은 머빈스 매장의 커다란 주춧돌 바깥에 트럭을 댔다. 우리는 다들 뛰어내려 다리를 스트레칭하고 고개를 흔들며 졸음을 쫓았다. 가느다란 달이 뜬 눅눅한 밤이었다. 나는 스틱스가—아마도 아니겠지만 어쩌면 풍자적인 의미로—'유리병에 방귀를 담자'라고 적힌 티셔츠를 입고 있다는 것을 알게 되었다.

"지금부터 우리가 할 일은 아주 위험합니다. 여러분을 속이고 싶진 않아요." 마이키 힐샘이 말을 시작했다. 그는 수년 동안 자신의 동생과 함께 체격을 키웠다. 그들은 가슴은 물론 모든 신체 부위가 두툼했다. 나란히 선 형제는 둘이 합쳐 2백 킬로그램은 거뜬히 넘어 보였다.

"저와 마이크는 이곳에 한 번 온 적이 있어요. 그냥, 모르겠어요, 아마 이곳이 어떻게 변했는지 보고 싶었던 것 같아요. 그때 정말 죽을 뻔했죠."
조가 말했다. "그래서 오늘 밤 우린 아주 조심해야 합니다." 조는 등에 멘
캔버스 가방으로 손을 뻗더니 지퍼를 열고 야구방망이 대여섯 개를 보
여준 다음, 엄숙하게 나눠주기 시작했다. 조는 랜드 앞에서 머뭇거렸다.
"어, 하나 드릴까요?"

"그럼, 당연하지." 장인이 말하자 그들 모두 고개를 끄덕이며 인정하는
듯한 미소를 지었다. 친근하게 등을 툭 치는 것 같은, '대단해요, 어르신'
이라고 하는 듯한 분위기였다.

"갑시다." 마이키가 말한 뒤 앞장서서 건물 외벽을 따라 걸었다. "이리
로 가다 보면 스펜서 매장 근처에 자물쇠가 부서진 문이 나와요."

바로 그때 우리는 내 어머니가 내 인생의 절반이 넘는 세월 동안 일했
던 슈비두비의 어두운 창문 옆을 지나가고 있었다. 나는 지금도 새로 생
긴 쇼핑몰에 들뜬 마음으로 일자리를 구하러 가던 어머니를 기억한다. 어
느 토요일 아침, 복숭앗빛 바지 정장을 입고 생애 첫 직장을 구하러 채용
박람회장으로 가던 마흔 살의 여자. 어머니는 얼굴에 홍조를 띤 채 웃으
며 돌아왔다. 우리는 쇼핑몰이 얼마나 북적거리는지, 얼마나 많은 가게가
있는지 상상도 할 수 없었다! 어머니가 어떤 가게에서 일하게 될지도 짐
작할 수 없었다! 어머니는 아홉 군데나 지원했으니까! 옷 가게와 오디오
가게, 팝콘 전문점까지. 일주일 후 어머니가 구두 판매원이 되었다고 발
표했을 때, 자식들은 전혀 감동하지 않았다.

"온갖 냄새 나는 발을 만져야 하잖아요." 고가 불평했다.

"온갖 재미있는 사람들을 만나게 되는 거야." 엄마가 정정했다.

나는 슈비두비의 어둑어둑한 창문 안을 들여다보았다. 구두 치수를 재
는 기구 하나가 힘없이 벽에 기대어 있을 뿐, 매장에는 아무것도 없었다.

"어머니가 여기서 일하셨습니다." 장인에게 말을 거느라 우리 둘은 대열에서 뒤처졌다.

"어떤 곳이었나?"

"좋은 직장이었습니다. 대우가 좋았어요."

"내 말은, 무슨 가게였나?"

"아, 구두요. 구두 가게였습니다."

"구두라! 맘에 드는걸. 사람들이 정말로 필요로 하는 거니까. 하루 일과가 끝났을 때 자신이 한 일을 알 수 있잖나. 오늘은 다섯 명에게 구두를 팔았군 하고 말야. 글쓰기랑은 달라, 그렇지?"

"던, 어서 와!" 스틱스가 저 앞의 열린 문에 기대서서 소리쳤다. 다른 사람들은 모두 안으로 들어간 뒤였다.

나는 쇼핑몰에 들어가면 냄새가 날 거라고 예상했다. 온도가 조절된 빈 공간의 냄새. 하지만 들어가보니 오래된 풀과 먼지 냄새가 났다. 아무것도 없는 실내에서 나는 실외의 냄새. 건물 안은 찌는 듯이 더웠다. 매트리스 속에 있는 것처럼 숨이 막힐 지경이었다. 우리 셋이 들고 있던 커다란 캠핑용 손전등의 불빛이 기분 나쁜 형상들을 비추었다. 혜성이 충돌하고, 좀비가 나타나고, 인류가 멸망한 뒤의 교외 도시 같았다. 흰 바닥에는 쇼핑 카트의 진흙색 바퀴 자국들이 어지럽게 찍혀 있었고 너구리 한 마리가 10센트짜리 동전 같은 눈을 번쩍이며 여자 화장실 입구에서 애완견용 간식을 씹고 있었다.

쇼핑몰 전체가 고요했다. 마이키의 목소리가 메아리쳤고, 우리의 발자국 소리도 메아리쳤다. 술 취한 스틱스의 낄낄거림도 메아리쳤다. 우리가 생각하고 있는 것이 공격이라면, 그것은 기습 공격은 아닐 것이다.

쇼핑몰의 중앙 통로까지 오자 공간이 갑자기 넓어졌다. 4층 건물과 어둠 속에서 교차하고 있는 에스컬레이터들, 엘리베이터들. 물 없는 분수대 근처에 모인 우리는 누군가 앞장서주기를 기다렸다.

"그래, 친구들," 장인이 미심쩍다는 듯이 말했다. "이제 어떻게 할 계획입니까? 여러분은 이곳을 알지만 나는 몰라요. 우리에게 필요한 건 어떻게 하면 체계적으로……."

그때 뒤쪽에서 쇠붙이가 덜거덕거리는 시끄러운 소리가 났다. 보안문이 올라가는 소리였다.

"봐, 저기 사람이 있어!" 스틱스가 소리쳤다. 그가 손전등으로 클레어 매장 입구를 비추자 한 남자가 레인코트 자락을 펄럭이며 튀어나와 우리의 맞은편을 향해 전속력으로 달아났다.

"저놈 잡아!" 조가 외치며 남자를 쫓기 시작했다. 두꺼운 테니스화가 대리석 바닥에 철썩철썩 부딪쳤다. 마이키가 조의 뒤를 따랐다. 형제는 걸걸한 목소리로 남자를 불렀다. 거기 서, 이봐, 물어볼 게 있어서 그래. 남자는 뒤도 한 번 돌아보지 않았다. 거기 서라고, 후레자식아! 남자는 고함 소리에 대답하지 않았지만, 더 빠른 속도로 쇼핑몰 통로를 따라 질주했다. 남자의 레인코트가 그의 뒤에서 망토처럼 휘날렸다. 남자는 곡예를 하기 시작했다. 그는 엎어진 쓰레기통을 훌쩍 뛰어넘더니 분수대의 가장자리 위로 엉덩이와 어깨를 흔들며 춤을 추듯 걸은 뒤, 갭 매장의 철제 보안문 밑으로 미끄러져 들어가 사라져버렸다.

"개새끼!" 힐샘 형제는 심장마비에 걸린 것처럼 얼굴과 목, 손가락이 벌겋게 변해 있었다. 형제는 차례로 으르렁거리면서 몸에 힘을 잔뜩 주어 보안문을 들어 올리려고 했다.

나도 합세했지만 문은 15센티미터 이상 움직이지 않았다. 나는 바닥에 드러누워 문 밑으로 빠져나가려고 했다. 발가락과 종아리는 들어갔지만 허리가 걸렸다.

"안 돼요, 못 가요." 내가 으르렁거렸다. "젠장!" 나는 일어서서 가게 안으로 손전등을 비췄다. 가게는 누군가가 모닥불을 피우려고 한가운데에 모아놓은 것 같은 옷 무더기 외에는 텅 비어 있었다. "모든 가게는 뒤쪽 쓰레기와 배관이 지나는 통로로 연결돼요." 내가 말했다. "그 남자는 지금쯤 쇼핑몰 반대쪽으로 갔을 겁니다."

"그럼 그쪽으로 가세." 랜드가 말했다.

"나와, 이 개새끼들아!" 조가 머리를 뒤로 젖히고 눈을 가늘게 뜨며 고함을 질렀다. 그의 목소리가 건물 전체에 메아리쳤다. 우리는 야구방망이를 질질 끌며 오합지졸처럼 걷기 시작했다. 힐샘 형제는 방망이로 보안문과 출입문을 후려쳤다. 극도로 위험한 전쟁 구역에서 군사 정찰이라도 돌고 있는 것처럼.

"잡히기 전에 나타나는 게 좋을 거야!" 마이키가 소리쳤다. "여, 안녕하쇼!" 애견샵 입구에서 머리카락이 땀으로 젖은 남녀 한 쌍이 군용 담요 몇 장 위에 웅크리고 앉아 있었다. 마이키는 숨을 거칠게 몰아쉬고 눈썹의 땀을 훔치며 그들을 내려다보았다. 좌절한 군인들이 아무것도 모르는 주민들과 우연히 마주치면서 나쁜 일이 벌어지는 전쟁영화 속 한 장면 같았다.

"씨발, 원하는 게 뭐야?" 바닥 위의 남자가 물었다. 그는 여위었다. 얼굴이 어찌나 헬쑥한지 마치 녹아내리고 있는 것처럼 보였다. 엉킨 머리카락이 어깨까지 내려와 있었고 위로 치뜬 두 눈은 슬픔에 잠겨 있었다. 엉망진창이 된 예수 같았다. 여자는 행색이 나았다. 팔다리는 깨끗하고 통통했고 곧은 머리카락은 기름때가 꼈지만 빗질이 되어 있었다.

"당신, 블루 북 보이요?" 스틱스가 물었다.

"소년은 아니지, 어쨌거나." 남자가 팔짱을 끼며 웅얼거렸다.

"무례하게 굴지 마." 여자가 쏘아붙이더니 울 것 같은 표정을 지었다. 그녀는 우리에게서 시선을 거두고 멀리 있는 무언가를 보는 척했다. "무례하게 구는 것들은 진저리가 나."

"우리는 질문을 했어, 친구." 마이키가 말했다. 그는 발을 쿵쿵거리며 남자에게 다가갔다.

"난 블루 북 아니야." 남자가 말했다. "주머니 사정이 좋지 않을 뿐이지."

"헛소리."

"여긴 다양한 사람들이 있어. 블루 북만 있는 게 아니라고. 하지만 당신들이 찾는 게 블루 북 놈들이라면……."

"가던 길 가, 가서 그들을 찾아." 여자가 말했다. 여자의 입꼬리가 내려갔다. "가서 그 사람들을 괴롭혀."

"그놈들은 '구멍' 안에서 마약 거래를 해." 남자가 말했다. 우리가 멍한 표정을 짓자 한곳을 가리켰다. "저 끝에 머빈스, 회전목마가 있던 곳에."

"그리고 엿이나 먹어." 여자가 웅얼거렸다.

회전목마가 있던 자리에는 크롭 서클 같은 얼룩이 남아 있었다. 에이미와 나는 쇼핑몰이 문을 닫기 직전에 그 회전목마를 탔다. 다 큰 어른 두 명이 공중에 뜬 토끼 위에 나란히 앉아 있었다. 내가 어린 시절에 많은 시간을 보냈던 쇼핑몰을 아내가 보고 싶어 했고, 내 이야기를 듣고 싶어 했기 때문이다. 우리도 늘 사이가 나빴던 건 아니었다.

머빈스 앞의 차단문은 완전히 부서져 있어서, 대통령의 날 세일이 시작되는 아침처럼 문을 활짝 열고 환영하는 듯했다. 안쪽에는 예전에는 금전등록기가 있었지만 지금은 '귀금속'과 '화장품'과 '침구'라고 적힌 간판만 있었고, 간판 밑 교통섬에는 각기 다른 강도의 환각에 빠진 사람들이 열 명 정도 있었다. 캠핑용 가스등 여러 개가 티키 횃불처럼 사람들을 비추고 있었다. 몇몇은 우리가 지나갈 때 간신히 한쪽 눈을 떴지만 나머지는 의식이 없었다. 저쪽 모퉁이에서는 이제 갓 스무 살을 넘긴 듯한 남자 두 명이 게티즈버그 연설문을 미친 사람처럼 암송하고 있었다. 지금 우리는 위대한 내전을 치르고 있습니다……. 양탄자 위에 널브러져 있는 어떤 남자는 자녀의 티볼 경기에라도 가려는 듯이 하얀 진 반바지와 흰색 테니스화를 신고 있었다.

카르타고는 지금껏 내가 몰랐던 심각한 마약의 병폐에 시달리고 있었다. 불과 어제 경찰들이 이곳에 왔는데도 약쟁이들은 끈질긴 파리떼처럼 벌써 돌아와 있었다. 우리가 한 무리의 사람들을 지나치며 걷고 있을 때, 뚱뚱한 여자 하나가 전기 스쿠터에 앉아 손가락을 입에 대고 우리를 향해 쉿, 하는 소리를 냈다. 그녀의 여드름투성이 얼굴은 땀에 젖어 있었고, 치아는 고양이 같았다.

"사든지 나가든지 하세요. 여긴 상품 설명회장이 아니니까." 그녀가 말했다.

스틱스가 그녀의 얼굴에 손전등을 비추었다.

"그 망할 물건 나한테서 치워요." 그는 들은 대로 했다.

"제 아내를 찾고 있어요." 내가 말했다. "이름은 에이미 던입니다. 목요일에 실종됐어요."

"나타날 거예요. 깨어나면 집으로 기어들어갈 거니까."

"우린 마약 때문에 걱정하는 게 아닙니다." 내가 말했다. "여기 있는 일부 남자들 때문에 걱정하는 겁니다. 소문을 들었거든요."

"괜찮아, 멜라니." 어떤 목소리가 외쳤다. 주니어 섹션 끝에서 팔다리가 긴 남자가 벌거벗은 마네킹 몸통에 기대어 한쪽 입꼬리를 올린 채 우리를 보고 있었다.

멜라니는 어깨를 으쓱하며 지루해하다가 성을 낸 다음 스쿠터를 타고 사라졌다.

남자는 우리에게 시선을 고정한 채 주니어 섹션 뒤쪽을 향해 소리를 질렀다. 그곳에 있던 몇몇 탈의실에서 네 쌍의 발이 삐져나와 있었다. 각 칸에서 야영 중인 남자들이었다.

"이봐, 로니! 다들 이리 와봐! 얼간이들이 돌아왔어. 다섯 명이야." 남자가 말했다. 그는 빈 맥주 캔을 우리 쪽으로 던졌다. 그의 뒤에서 세 쌍의 발이 움직이기 시작하더니 남자들이 몸을 일으켰다. 발 한 쌍은 움직이지 않았다. 발 주인이 잠들었거나 기절한 것 같았다.

"그래, 멍청이들아, 우리가 돌아왔다." 마이키 힐샘이 말했다. 그는 야구방망이를 당구 채처럼 쥐고 마네킹 몸통의 젖가슴 사이를 쳤다. 마네킹이 기우뚱거리자 블루 북 남자는 우아하게 팔을 뗐고 마네킹은 쓰러졌다. 모든 것이 미리 짠 동작처럼 보였다. "우린 실종된 여자에 대한 정보를 좀 얻고 싶어."

탈의실에서 나온 남자 세 명이 그들의 친구 옆에 섰다. 그들은 모두 그리스 파티 티셔츠를 입고 있었다. '파이 파이 타이 다이'와 '피지 아일랜드'. 그것들은 여름마다 지역의 굿윌스토어에 넘쳐났다. 과거 기념품들을 털어내려는 대학 졸업생들 덕분이다.

남자들은 여위었지만 강단 있는 몸집을 하고 있었다. 근육질의 팔에 푸르스름한 정맥이 강처럼 흐르고 있었다. 그들의 뒤쪽에서 기다란 콧수염을 축 늘어뜨리고 머리카락은 하나로 올려 묶은 남자─로니─가 구석에 있던 제일 큰 탈의실에서 나와 긴 파이프를 질질 끌며 걸어왔다. 그의 티셔츠는 '감마 파이'였다. 우리는 쇼핑몰 보안 담당자들을 대면하게 된 것이다.

"뭐야?" 로니가 외쳤다.

애들은 계속 암송을 하고 있었다. 우리는 이 땅을 헌정할 수도, 봉헌할 수도, 신성하게 할 수도 없습니다……. 목소리가 비명을 지르듯 확 올라가 있었다.

"우린 에이미 던을 찾고 있어. 아마 뉴스에서 본 적이 있을 거야. 실종된 지 사흘째지." 조 힐샘이 말했다. "착하고 예쁘고 상냥한 주부야. 자기 집에서 납치됐어."

"들었어. 그래서?" 로니가 말했다.

"제 아내입니다." 내가 말했다.

"우린 당신들이 여기서 무슨 짓을 하고 있는지 알아." 조가 로니를 쳐다보며 말을 이었다. 로니는 턱에 힘을 주면서 묶은 머리를 등 뒤로 넘기고 있었다. 그의 손가락에는 빛바랜 녹색 문신이 새겨져 있었다. "우린 윤간에 대해 알고 있어."

"윤간이라," 로니가 고개를 뒤로 홱 젖히며 말했다. "윤간이라니, 좆까."

"너희들," 조가 말했다. "너희 블루 북 보이스가……."

"블루 북 보이스라, 우리가 무슨 패거리라도 되는 것 같군." 로니가 콧방귀를 뀌며 말했다. "우린 짐승이 아니야, 얼간이. 여자를 납치하지 않는다고. 사람들은 우리를 돕지도 않으면서 죄책감을 느끼지 않기를 원하지. '그것 봐, 그놈들은 도와줄 필요가 없어. 강간범 무리니까.' 헛소리야. 난 공장에서 밀린 봉급만 받았어도 이 좆같은 도시를 떴을 거야. 하지만 한 푼도 못 받았어. 우리 모두 한 푼도 못 받았지. 그래서 여기 있는 거라고."

"돈 줄게요, 그것도 많이요. 실종된 아내에 대해 뭐든 알려준다면요."
내가 말했다. "여러분은 아는 사람이 많으니까 무슨 얘기라도 들은 게 있을 겁니다."

나는 에이미의 사진을 꺼냈다. 힐샘 형제와 스틱스는 놀라는 눈치였고 나는—물론—이 일이 그들에게 마초용 오락거리에 지나지 않는다는 것을 알아차렸다. 나는 로니가 눈길이라도 한 번 주기를 바라며 그의 얼굴에 사진을 들이밀었다. 의외로 그는 사진 쪽으로 얼굴을 더 내밀었다.

"이런 제장," 그가 말했다. "이 여자?"

"알아보겠습니까?"

그는 충격을 받은 표정이었다. "총을 사려고 했던 여자요."

에이미 엘리엇 던

2010년 10월 16일 일기

나의 행복한 1개월 기념일! 이곳 주민이 된 지 만 한 달째, 나는 착한 중서부 사람이 되어가고 있는 중이다. 그렇다, 단박에 약을 끊고 30일짜리 칩을 받은 것과 같다(여기서는 감자칩을 주겠지만). 메모를 하고, 전통을 존중한다. 나는 빌어먹을 미시시피의 마거릿 미드다.

보자, 새로운 일은? 요즘 닉과 나는 내가 (속으로) '뻐꾸기시계 난제'라고 즐겨 부르는 상황에 처해 있다. 우리 부모님이 물려준 가보가 새집에서는 우스꽝스러워 보인다. 사실 뉴욕에서 온 것들은 전부 다 그렇다. 아기 오토만이 딸린 거대하고 당당한 코끼리 소파는 벙벙한 표정으로 거실에 앉아 있다. 마치 야생에서 잠을 자다가 창에 맞은 뒤, 화려함을 가장한 카펫과 인조 목재와 결 없는 벽에 둘러싸인 이 낯설고 새로운 감금지에서 깨어난 것 같다. 정말이지 예전 집이 그립다. 수십 년의 세월이 남긴 그 모든 요철과 골과 미세한 균열. (잠시 멈춰서 몸가짐을 단정히 한다.) 하지만 새로운 것도 멋지다! 그저 다를 뿐. 뻐꾸기시계는 동의하지 않겠지만. 뻐꾸기 역시 새로운 공간에 적응하느라 힘든 시간을 보내고 있다. 이 작은 새는 매시 10분 후, 17분 전, 그리고 41분이면 튀어나와 비틀거린다. 그것이 죽어가듯 울부짖을 때마다—쿠크루루루우—어딘가에 숨어 있던 블리커가 사나운 눈을 하고 재빨리 나타나, 자신의 임무를 완수하듯 꼬리를 병 씻는 솔처럼 곧추세운 채 그 깃털뭉치를 향해 고개를 들고 야옹거린다.

"와, 당신 부모님은 날 정말 싫어하나 봐." 닉은 뻐꾸기가 울 때마다 이렇게 말하지만, 벌써 그것을 치워버리자고 제안하지 않을 정도로는 똑똑하다. 사실은 나도 그 시계를 버리고 싶다. 나는 하루 종일 집에 들어앉아 그 물건이 거슬리는 소리를 내기만을 기다리는 사람(무직자)이다. 뒷자리에 앉은 정신 나간 인간이 감정을 폭발시킬 때를 대비해, 긴장한 채 마음을 다잡고 있는 영화 관객. 소리가 날 때마다 안도하면서도(또 시작이군!) 화가 나는(또 시작이야!) 상황.

시어머니 모린 던이 우겨서 한 집들이에서, 그 시계는 호들갑의 대상이었다(어머, 저것 좀 봐, 골동품 시계야!). 사실 우긴 것은 아니다. 그녀는 우기는 사람이 아니다. 그저 어떤 일을 사실로 간주함으로써 그것을 진짜 사실로 만들어버릴 뿐. 이사한 다음 날 아침 에그 스크램블과 (에그 스크램블에 대한 기대를 접게 만든) 거대한 화장지 세트를 들고 집 앞 계단에 나타났을 때부터, 시어머니는 집들이가 기정사실인 것처럼 말했다. 그래, 집들이는 언제 할 생각이니? 내가 집들이에 누굴 초대해야 하는지 생각해봤니? 집들이를 하고 싶니, 아니면 스톡-바 파티처럼 특별한 방식으로 할래? 전통적인 집들이가 괜찮긴 하지만.

그러다가 순식간에 날짜가 잡혔고, 그날은 오늘이었다. 던 가족과 친구들은 우산에 묻은 10월의 가랑비를 털어내며 그날 아침 모린이 사온 발매트에 신중하고 양심적으로 발을 문질렀다. 깔개엔 '여기 들어오는 사람은 모두 친구'라고 적혀 있다. 코스트코에서 파는 것이다. 나는 미시시피 강의 주민으로 두 달을 살면서 대용량 쇼핑에 대해 배웠다. 공화당 지지자들은 샘스 클럽으로, 민주당 지지자들은 코스트코로 간다. 하지만 물건을 대량으로 사는 것은 양쪽 다 똑같다. 왜냐하면 맨해튼 사람들과는 달리 이곳 사람들에겐 다들 스위트 피클 스물네 병을 저장할 공간이 있기 때문이다. 그리고 맨해튼 사람들과는 달리 이들은 다들 스위트 피클 스물네 병을 실제로 사용하기 때문이다. (이곳에서 열리는 모든 모임은 병에서 갓 꺼낸 피클과 스페인산 올리브가 풍성하게 올라간 회전판―그리고 소금 덩어리―이 있어야 완벽해진다.)

상황 설명을 하겠다. 함박웃음의 나날 중 하루, 사람들이 바깥 풍경과 함께 들어오는 날, 소매와 머리카락에 비 냄새를 묻히고 들어오는 날. 나이 든 여자들―모린의 친구들―이 알루미늄 호일로 싼, 식기세척기 안에서도 안전한―그들이 나중에 돌려달라고 부탁하고, 부탁하고, 또 부탁할―플라스틱 용기에 담긴 음식을 선물한다. 이제 나는 용기를 씻어서 집집마다 들러 돌려줘야 한다는 것―지퍼락 카풀―을 알고 있다. 하지만 처음 이곳에 왔을 때 그런 관례를 몰랐던 나는 플라스틱 용기를 재활용 쓰레기로 성실하게 처리했고, 결국 용기를 새로 사서 그네들의 집을 방문해야 했다. 모린과 가장 친한 비키는 자신의 용기가 가게에서 새로 산 것, 가짜임을 즉시 알아차렸다. 내가 사정을 설명하자 그녀는 놀라서 눈이 휘둥그레졌다. 뉴욕 사람들은 그렇게 사나 보군요.

집들이 날에는 나이 든 여자들이 더 많이 왔다. 시어머니 모린이 오래전 참석했던 사친회, 북클럽, 그리고 당신이 특정 연령대 여자들의 발에 어울리는 통굽 하이힐을 신기며 일주일에 40시간을 보낸 쇼핑몰의 슈비두비에서 사귄 친구들이다. (시어머니는 한 번 보고 발 사이즈를 알아맞힌다. 여자 8호. 발볼은 좁아! 모린의 개인기다.) 그들은 모두 닉을 사랑하며, 하나같이 예전에 닉이 자신들에게 친절을 베푼 일화를 갖고 있다.

젊은 여자들, 에이미와 친구가 될 가능성이 있는 집단을 대표하는 여자들은 하나같이 금발로 염색한 웨지 커트 머리를 뽐내며 슬립온 물을 신고 있다. 그들은 모린 친구들의 딸이고, 모두 닉을 사랑했으며, 예전에 닉이 자신들에게 친절을 베푼 일화를 갖고 있다. 그들 대부분은 쇼핑몰 폐업으로 실직했거나, 쇼핑몰 폐업으로 실직한 남편이 있으며, 내게 '싸고 만들기 쉬운 음식' 조리법을 알려준다. 대개는 통조림 수프와 버터, 스낵 칩으로 만든 캐서롤 요리다.

남자들은 친절하고 조용하다. 그들은 구부정한 자세로 둘러앉아 스포츠에 대해 이야기하거나 나를 향해 자비로운 미소를 보낸다.

모두들 친절하다. 말 그대로 이보다 더 친절할 수는 없는 사람들이다. 인접한 세 개 주에서 가장 튼튼한 암 환자인 시어머니는 당신의 모든 친구에게 약간은 위험하고 진기한 애완동물을 자랑하듯 나를 소개한다. "이쪽은 닉의 아내 에이미야. 뉴욕에서 나고 자랐어." 그 즉시 모린의 포동포동하고 우호적인 친구들은 투렛증후군인 것처럼 기묘한 장면을 연출한다. 그들은 두 손을 맞잡고 그 단어—뉴욕!—를 연발하며 내가 어떻게 반응해야 할지 알 수 없을 만큼 '분명 굉장하겠군요'라고 말하거나, 두 팔을 들고 조그만 손을 펼쳐서 양 옆으로 흔들며 새된 목소리로 〈뉴욕, 뉴욕〉을 부른다. 시어머니가 구두 가게에서 만난 친구인 바브는 "뉴우욕 씨이티! 밧줄을 구해라." 하고 질질 끌며 말한 뒤, 내가 혼란스러운 표정으로 눈을 가늘게 뜨고 쳐다보자 "아, 옛날 살사 광고에서 나온 말이에요!"라고 한다. 내가 여전히 알아듣지 못하자 그녀는 얼굴을 붉히더니 한 손을 내 팔에 얹고 "당신 목을 매달겠다는 뜻은 아니에요"라고 말한다.

종국에는 다들 킥킥거리며 뉴욕에 가본 적이 없다고 고백한다. 혹은 가본 적은 있지만 별로였다고. 그러면 나는 이런 식의 대답을 한다. "좋아하게 될 거예요"라거나 "물론 모든 사람이 좋아할 순 없죠"라거나 "음". 더이상 할 말이 없기 때문이다.

"싹싹하게 굴어, 에이미." 부엌에서 함께 컵에 음료를 다시 따를 때, 닉이 내 귀에 대고 뱉듯이 말한다. (중서부 사람들은 2리터짜리 탄산음료를 사랑한다. 항상 2리터짜리 음료를 커다란 빨간색 플라스틱 솔로 컵에 부어 마신다. 항상.)

"그렇게 하고 있어." 나는 볼멘소리를 한다. 정말이지 상처 주는 말이다. 방에 있는 아무나 붙잡고 내가 친절했냐고 물어보면 분명 그렇다고 대답할 것이다.

가끔씩 닉은 존재하지도 않는 버전의 내가 있다고 생각하고 있는 것 같다. 이곳으로 이사 온 뒤부터 나는 여자들끼리 밤에 외출도 하고 자선기금 마련을 위한 걷기 대회에도 참가하고 있다. 시아버지에게 캐서롤을 만들어주고 자선기금 마련을 위한 복권 판매를 돕기도 한다. 내게 마지막 남은 돈을 닉과 고가 그들이 언제나 꿈꿨던 바를 사는 데 쓴 뒤, 맥주잔 모양의 카드—당신을 위하여!—속에 수표를 끼워 닉에게 주기까지 했다. 하지만 닉은 마지못해 하는 듯한 김빠진 감사 인사만 했다. 도대체 어떻게 해야 할지 모르겠다. 난 노력하고 있는데.

닉과 나는 손님들에게 탄산음료를 가져다준다. 나는 기품과 명랑함의 화신이 되어 더 열심히 웃으며 모두에게 더 필요한 것이 없는지 묻고, 여자들이 가져온 암브로시아 샐러드와 게살 소스, 살라미와 크림치즈에 싸인 얇게 썬 피클을 칭찬한다.

시아버지가 고와 함께 도착한다. 아무 말 없이 문간에 서 있는 두 사람의 모습은 딱 중서부 고딕풍이다. 강단 있고 여전히 잘생긴 시아버지 빌 던은 턱에 작은 반창고를 붙이고 있다. 여기저기 머리핀을 꽂고 험상궂은 표정을 짓고 있는 고는 자신의 아버지를 외면하고 있다.

"닉." 시아버지가 손을 흔들며 집 안으로 들어오더니 나를 보고 눈살을 찌푸린다. 고가 따라 들어와 닉의 팔을 붙잡고 문 뒤로 데려가 속삭인다. "아버지가 지금 어떤 상태인지 모르겠어. 오늘 기분이 안 좋은 건지 그냥 멍청한 상태인 건지. 전혀 모르겠어."

"그래, 알았어. 걱정 마. 내가 아버지를 계속 지켜볼게."

고는 화가 난 것처럼 어깨를 으쓱한다.

"정말이야, 고. 맥주 한 잔 하면서 쉬어. 앞으로 한 시간 동안 아버지 걱정은 말고."

나는 생각한다. 내가 저 말을 했다면 그는 내가 너무 예민하게 군다고 불평했을 거야.

나이 많은 여자들이 내 주위를 빙빙 돌며 닉과 내가 너무나 멋진 한 쌍이고 천생연분이 분명하다고 한 시어머니의 말이 맞았다고 말한다.

나는 이런 선의에 찬 상투적인 인사말이 닉과 내가 결혼하기 전에 들었던 말보다 마음에 든다. 결혼은 타협이고 열심히 노력해야 하며, 그다음엔 더욱 노력해야 하는 소통과 타협이다. 그런 다음 또 노력해야 한다. 모든 희망을 버려라, 결혼한 자들아.

최악의 말은 뉴욕에서 한 약혼 파티에서 들었다. 하객들은 모두 와인과 분노로 달아올라 있었다. 부부들은 모두 오는 길에 싸움이라도 한 것 같았다. 혹은 지나간 싸움을 떠올렸거나. 예를 들어, 빙크스 부부. 엄마의 단짝인 어머니인 여든여덟 살의 빙크스 모리아티는 바에서 내 앞을 가로막고 그곳이 응급실인 것처럼 고함을 질렀다. "에이미! 너한테 꼭 해야 할 말이 있어!" 그녀는 손마디가 지나치게 굵은 손가락에 긴 소중한 반지들을 이리저리 돌리고, 뒤집고, 뻑뻑 소리를 내더니 내 팔을 만지작거렸다(노인 특유의 더듬기―멋지고 부드럽고 따뜻하고 싱싱한 피부를 탐내는 차가운 손가락). 그러더니 예순세 살에 죽은 자기 남편이 '물건을 바지 속에 얌전히 두는 것'을 아주 힘들어했다고 말해주었다. '난 죽을 때가 다 됐으니 이런 말을 할 수 있어'라고 하는 듯한 웃음을 지으며 백내장으로 탁해진 눈을 하고서. "그인 도무지 그걸 바지 속에 얌전히 두질 못했어." 노부인은 다급하게 말했다. 그녀의 손, 죽음의 손아귀에 잡힌 내 팔에 소름이 돋았다. "하지만 그인 다른 어떤 여자보다도 나를 사랑했어. 나도 알고 너도 알지." 이 이야기의 교훈―빙크스 씨는 바람피우는 발정 난 족제비였다. 하지만 알다시피, 결혼은 타협이다.

나는 재빨리 달아나 하객 사이를 누비며 수많은 주름진 얼굴을 향해 웃었다. 장년기 사람들의 늘어지고 지치고 실망한 표정. 모든 얼굴이 예외 없이 그랬다. 그들 대부분은 술까지 취해서 젊은 시절에 추던 춤의 스텝을 밟느라―컨트리 클럽 펑크에 맞춰 흔들기―한층 더 꼴사나웠다. 프랑스식 창문가에서 바람을 쐬고 있는데 손 하나가 내 팔을 움켜잡았다. 닉의 어머니, 레이저를 쏘는 듯한 커다란 검은 눈과 뭔가에 열중한 퍼그 같은 얼굴을 한 모린이었다. 그녀는 염소젖 치즈 덩어리와 크래커를 입속에 쑤셔 넣으며 겨우 말했다. "누군가와 영원히 함께 산다는 건 쉬운 일이 아니란다. 물론 훌륭한 일이고, 너희 둘이 짝을 맺어 기쁘지만, 남자든 여자든 자신의 선택을 후회하는 때가 올 거야. 그때는 아직 좋을 때란다. 아직은 몇 달이 아닌 며칠만 후회하는 때거든." 내가 충격 받은 표정을 지었음이 틀림없다. (물론 나는 충격을 받았다.) 그녀가 재빨리 이렇게 덧붙였기 때문이다. "하지만 행복한 때도 있어. 분명 그럴 거야. 너희 둘은. 행복한 때가 많아. 그러니 용서해다오, 애야, 방금 내가 한 말 말이다. 난 바보 같은 늙은 이혼녀일 뿐이야. 이런, 주책이지. 내가 와인을 너무 많이 마셨나 봐." 그녀는 당황한 목소리로 내게 작별 인사를 하고는 실망감에 젖은 다른 부부들 사이를 허둥지둥 헤치고 나아갔다.

"넌 여기 있으면 안 돼." 별안간 빌 던이 말했다. 나한테 한 말이다. "네가 왜 여기 있어? 넌 여기 있으면 안 돼."

"저 에이미예요." 그의 팔을 건드리며 내가 말한다. 마치 그렇게 하면 그의 정신이 돌아올 것처럼. 시아버지는 언제나 나를 좋아했다. 나에게 할 말을 전혀 떠올리지 못할 때조차. 나는 나를 진기한 새처럼 쳐다보는 그를 보며 그가 나를 좋아한다는 사실을 깨달았다. 그런데 지금은 한바탕 싸움을 벌일 준비가 된 만화 속 젊은 선원처럼 가슴을 내밀고 나를 노려보고 있다. 불과 몇 발짝 떨어진 곳에 있던 고는 먹으려던 음식을 내려놓고 우리 쪽으로 올 태세다. 조용하게, 파리를 잡으려고 하는 것처럼.

"왜 네가 우리 집에 있어?" 빌 던이 입술을 일그러뜨리며 말한다. "용기가 가상하군, 이 여자."

"닉?" 고가 뒤쪽을 향해 말한다. 크지는 않지만 긴박한 목소리로.

"알았어." 닉이 나서며 말한다. "아버지, 이 사람은 제 아내 에이미예요. 에이미 기억나시죠? 아버지를 더 자주 보려고 우리가 고향으로 내려왔잖아요. 여긴 우리의 새집이고요."

닉이 나를 쏘아본다. 그의 아버지를 초대해야 한다고 고집을 부린 것은 나였기 때문이다.

"내가 하려는 말은, 닉," 시아버지가 말한다. 그는 이제 집게손가락으로 내 얼굴을 가리키고 있다. 파티장이 조용해지고 다른 방에 있던 남자들 몇 명이 조용히, 조심스럽게 들어온다. 그들의 손이 금방이라도 움직일 듯 움찔거린다. "이 여자는 여기 있을 이유가 없다는 것뿐이야. 어린년이 지가 원하는 건 뭐든 할 수 있다고 생각하잖아."

그때 시어머니가 급히 들어와 한 팔로 전남편을 감싼다. 언제나, 언제나 임기응변에 능한 그녀. "당연히 이 앤 여기 있어야 해요, 빌. 여긴 에이미의 집인걸요. 당신 며느리잖아요. 기억 안 나요?"

"난 이 여자가 여기서 나갔으면 좋겠어. 무슨 말인지 알아들어, 모린?" 그는 시어머니를 떨쳐내고 다시 내게 다가오기 시작한다. "멍청한 년, 멍청한 년."

내게 하는 말인지 모린에게 하는 말인지 분명하지 않다. 하지만 곧 그는 나를 보며 입을 앙다문다. "이 여자는 여기 있을 이유가 없어."

"나갈게요." 나는 말하고 돌아서서 곧장 문 밖으로, 빗속으로 걸어 나간다. '알츠하이머 환자가 하는 말이야.' 하고 생각하며 가볍게 넘기려 애쓴다. 나는 동네를 이리저리 돌아다니며 닉이 나타나기를, 우리 집으로 나를 데려가주기를 기다린다. 비가 부드럽고 축축하게 나를 적신다. 나는 진심으로 닉이 나를 따라올 거라고 믿는다. 하지만 집을 향해 돌아선 내 눈에 들어온 건 닫혀 있는 문뿐이다.

닉 던

실종 4일째

새벽 다섯 시, 장인과 나는 아무도 없는 '에이미 던 찾기' 본부에 앉아 커피를 마셨다. 에이미는 벽에 걸린 포스터 횟대에 앉아 우리를 응시하고 있다. 순간 사진 속의 아내가 슬퍼하는 것처럼 보였다.

"그 애가 뭔가를 두려워하고 있었다면 어째서 자네한테 아무 말도 하지 않았는지 도무지 이해가 되지 않네." 장인이 말했다. "어째서 자네에게 말하지 않았을까?"

우리의 친구 로니에 따르면, 에이미는 하필이면 발렌타인데이에 쇼핑몰에 가서 총을 사려고 했다. 그녀는 조금 부끄러워했으며 약간 긴장하고 있는 것 같았다. 바보처럼 구는 것일 수도 있지만…… 제게 총이 꼭 필요할 것 같아서요. 하지만 무엇보다도 그녀는 겁에 질려 있었다. 에이미는 누군가가 자기를 불안하게 만든다고 로니에게 말했다. 그녀는 더 자세한 설명은 하지 않았지만 로니가 어떤 총을 원하느냐고 묻자 이렇게 대답했다. 누군가를 재빨리 저지할 수 있는 걸로요. 로니는 그녀에게 총을 구해 줄 수 없었지만("그건 내 분야가 아니거든, 친구.") 이제는 자신이 그럴 수 있었기를 바라고 있었다. 그는 에이미를 잘 기억하고 있었다. 그후 몇 달 동안 그는 때때로 에이미의 안부가 궁금했다고 한다. 발렌타인데이에 총을 사려고 한, 겁에 질린 표정의 상냥한 금발머리 여자.

"그 애가 두려워하는 게 뭐였을까?" 장인이 물었다.

"데시에 대해 다시 한 번 말씀해주십시오, 장인어른. 실제로 만나보신 적이 있습니까?"

"우리 집에 몇 번 왔었네." 장인이 얼굴을 찌푸리며 기억을 떠올렸다. "괜찮게 생긴 아이였네. 에이미를 아주 세심하게 챙겼지. 그 애를 공주처럼 대했어. 하지만 난 한 번도 그가 좋았던 적이 없어. 그 애들 사이가 좋았을 때조차—풋사랑, 에이미의 첫사랑이지— 그 녀석이 싫었다네. 그는 내게 아주 무례하게 굴었어. 도대체 왜 그랬는지 모르겠지만, 에이미에 대한 소유욕이 강했고, 에이미를 항상 껴안고 다녔지. 이상했네. 우리 부부에게 잘하려고 애쓰지 않는다는 게 참 이상했어. 대부분 젊은이들은 애인의 부모에게 잘 보이려고 하는데 말이야."

"저도 그랬죠."

"그랬지!" 장인이 웃었다. "자네는 딱 적당하게 긴장하고 있었어. 보기 좋았지. 하지만 데시는 고약하게만 굴었네."

"데시는 여기서 한 시간도 안 걸리는 거리에 살고 있어요."

"그래. 거기다 힐러리 핸디?" 장인이 눈을 비비며 말했다. "성차별주의자처럼 말하고 싶진 않네만, 그 여잔 데시보다 더 섬뜩했어. 쇼핑몰의 로니라는 남자도 에이미가 두려워한 것이 남자라고 하지는 않았잖나."

"네, 두려워하고 있었다고만 했죠. 노엘 호손이라는 여자도 있습니다. 집 근처에 사는데, 경찰한테 자기가 에이미의 가장 친한 친구라고 했답니다. 제가 알기로는 그렇지 않은데 말이지요. 두 사람은 그냥 친구라고도 할 수 없었어요. 남편 말로는 그 여자가 히스테리를 부리고 있답니다. 에이미의 사진들을 보면서 운다고요. 그때는 인터넷 사진이라고 생각했는데…… 혹시 그 여자가 갖고 있는 게 에이미를 직접 찍은 사진이라면요? 그 여자가 에이미를 스토킹하고 있었다면?"

"어제 내가 좀 바쁠 때 그 여자가 나와 얘기를 하고 싶어 했네.《어메이징 에이미》에 나오는 말을 하더군. 정확하게는《어메이징 에이미와 베스트 프렌드 전쟁》에 나오는 말일세. '가장 친한 친구란 가장 필요할 때 도와주는 사람이다.'"

"힐러리랑 비슷하군요." 내가 말했다. "다 큰 사람들이 참."

우리는 오전 일곱 시가 조금 지났을 때 최후통첩을 하기 위해 고속도로변에 있는 IHOP 레스토랑에서 보니와 길핀을 만났다. 그들이 할 일을 우리가 하고 있다는 건 터무니없는 일이었다. 실마리를 발견하는 것이 우리라는 사실도 말이 되지 않았다. 그들이 이 일을 감당할 수 없다면 이제 FBI에 연락을 해야 했다.

호박색 눈동자를 한 통통한 여종업원이 주문을 받고 커피를 따르더니—내 얼굴을 알아본 것이 분명했다—엿들을 수 있는 거리에서 꾸물거리다가 길핀한테 쫓겨났다. 하지만 그녀는 끈질긴 파리 같았다. 리필을 하고 식기를 나눠주고 마법처럼 빠르게 음식을 갖다주는 사이사이 우리의 열띤 대화는 군데군데 끊어졌다. 이건 용납할 수 없습니다…… 커피는 됐어요, 고마워요…… 믿을 수가 없군요…… 어, 네, 호밀빵으로 주세요…….

우리가 말을 끝내기 전에 보니가 끼어들었다. "이해합니다. 개입하고 싶은 건 당연한 거예요. 하지만 그렇게 하신 건 위험했습니다. 그런 일은 경찰이 하게 해주셔야 해요."

"내 말이 그겁니다. 하지만 당신들이 제대로 하고 있질 않잖아요." 내가 말했다. "당신들은 총에 대한 정보도 얻지 못했어요. 어젯밤에 우리가 그곳에 가지 않았다면 말입니다. 당신들이 갔을 때 로니가 뭐라고 하던가요?"

"여러분이 들은 말과 똑같습니다." 길편이 말했다. "에이미 씨가 총을 사고 싶어 했다. 그녀는 두려워하고 있었다."

"경찰은 그 말을 듣고도 별로 느끼는 게 없는 것 같군요." 내가 퉁명스럽게 말했다. "그가 거짓말을 하고 있다고 보십니까?"

"거짓말이라고 생각하지 않습니다." 보니가 말했다. "그 남자로서는 경찰의 주목을 받아 좋을 게 없으니까요. 사실 그는 에이미 씨에게 매우 호감을 갖고 있는 것 같았습니다. 뭐라고 할까요…… 그녀에게 이런 일이 일어났다는 사실에 매우 당황하는 것 같았어요. 그는 세세한 것까지 기억하고 있었습니다. 닉, 로니는 아내분이 그날 녹색 스카프를 매고 있었다고 말했습니다. 아시죠, 겨울용 스카프 말고 패셔너블한 스카프 말이에요." 보니는 손가락으로 펄럭거리는 움직임을 표현했다. 패션은 유치한 것이고, 자신의 관심을 받을 자격이 없다는 것을 보여주려는 것 같았다. "에메랄드빛 녹색. 떠오르는 게 있나요?"

나는 고개를 끄덕였다. "아내가 청바지를 입을 때 자주 매는 것이 있습니다."

보니가 어깨를 으쓱했다. 그럼 사실이군요.

"그 남자가 아내에게 빠져서…… 납치를 했을 수도 있다는 생각은 하지 않습니까?"

"그에게는 알리바이가 있어요. 확실한 걸로요." 보니가 날카로운 눈빛으로 말했다. "사실 우리는…… 다른 종류의 동기를 생각하기 시작했습니다."

"좀 더 개인적인 동기." 길핀이 덧붙였다. 그는 의심스러운 눈길로 딸기와 생크림으로 장식된 팬케이크를 바라보더니 접시 한쪽으로 밀어냈다.

"더 개인적인 거라고요." 내가 말했다. "그럼 데시 콜링스나 힐러리 핸디와 얘기하기로 한 겁니까? 아님 제가 해야 하나요?" 사실 나는 오늘 그들을 만나러 가기로 장모에게 약속한 상황이었다.

"물론 우리가 할 겁니다." 보니가 말했다. 성가신 엄마를 진정시키며 더 많이 먹겠다고 약속하는 소녀 같은 어조였다. "거기에 실마리가 있을 거라고는 생각하지 않지만, 그들과 얘기는 해볼 겁니다."

"훌륭하군요. 할 일을 해주셔서 감사하다고 해야 하는 건지." 내가 말했다. "노엘 호손은 어떻습니까? 우리 집과 가까운 곳에 있는 사람을 생각하는 거라면, 이 여자는 우리와 같은 단지에 살면서 아내에게 집착하는 사람 같습니다만."

"알고 있습니다. 노엘 씨는 경찰에 전화를 했고, 우리는 그녀를 목록에 올려두었습니다." 길핀이 고개를 끄덕였다. "오늘요."

"좋습니다. 그 외에 어떤 일을 하고 계시죠?"

"사실은 닉 씨가 우리가 시간을 절약할 수 있게 도와주셨으면 합니다. 정보를 좀 주세요." 보니가 말했다. "배우자들은 종종 자신이 생각하는 것보다 많은 것을 알고 있거든요. 그날의 싸움에 대해 좀 더 생각해보세요. 이웃인 테버러 부인이 에이미 씨가 실종되기 전날 밤 시끄럽게 싸우는 소리를 들었다고 하더군요."

장인이 고개를 홱 돌려 나를 보았다.

얀 테버러, 더는 나와 눈을 마주치지 않는 기독교인 캐서롤 레이디.

"그러니까, 그날 싸운 이유가, 닉 씨로서는 듣기 불편하시겠지만, 아내분이 뭔가에 중독되어 있었기 때문인가요?" 보니가 물었다. 순진한 시선. "그러니까, 어쩌면 아내분이 이곳에서 질이 좋지 않은 것들을 접했을 수도 있어서요. 마약 거래상들은 아주 많으니까요. 어쩌면 에이미 씨는 감당하기 힘든 일이 생겨서 총을 사려고 했던 걸지도 모릅니다. 신변 보호를 위해 총이 필요했지만 남편에게 말하지 않았다면 거기에는 이유가 있어야 합니다. 그리고 닉, 우리는 당신이 그 시간, 싸움이 있었던 시간인 밤 열한 시쯤부터 다른 누군가가 에이미 씨의 목소리를 마지막으로 들었던 시간 사이에 어디에 있었는지를 좀 더 생각해보기를……."

"나 아닌 다른 누군가 말이죠."

"네, 그러니까 닉 씨가 바에 도착한 정오 전에요. 닉 씨가 바깥에 있었다면, 차를 타고 강가에 가서 선창 주변을 걸어 다녔다면 누군가 분명 본 사람이 있을 거예요. 개를 산책시키던 사람이라든가, 누군가는요. 우리를 도와준다면 정말로 큰……."

"도움이 될 겁니다." 길핀이 말을 받았다. 그는 포크로 딸기를 찔렀다.

그들은 하나가 된 듯 동시에 나를 주시하고 있었다. "정말 도움이 많이 될 겁니다, 닉." 길핀이 더 유쾌한 말투로 다시 한 번 말했다. 그들은 싸움에 대해, 자신들이 그것에 대해 알고 있다는 것을 그것도 장인 앞에서 말해놓고는, 자신들은 덫을 놓지 않은 척하고 있다.

"물론 그렇겠죠." 내가 말했다.

"무엇 때문이었는지 물어봐도 될까요?" 보니가 말했다. "싸움 말입니다."

"테버러 부인은 무엇 때문이라고 하던가요?"

"당신이 바로 앞에 있는데 테버러 씨의 말을 들먹이긴 싫군요." 보니가 커피에 크림을 더 부었다.

"아주 사소한 싸움이었어요. 그래서 말하지 않은 겁니다. 그냥 말다툼을 했어요, 모든 부부가 가끔 그러듯이."

장인이 도대체 무슨 말인지 모르겠다는 표정으로 나를 보았다. 말다툼? 네가 말하는 '말다툼'이라는 게 뭐지?

"그냥, 저녁식사 때문이었어요." 나는 거짓말을 했다. "결혼기념일 날의 저녁 메뉴요. 알다시피, 아내는 그런 것에 대해 전통주의자라."

"바닷가재!" 랜드가 끼어들었다. 그는 형사들을 향해 몸을 돌렸다. "에이미는 매년 닉을 위해 바닷가재 요리를 한답니다."

"맞아요. 하지만 이 도시에서는 바닷가재를 구할 곳이 없었어요. 수조에서 꺼내는 살아 있는 것 말입니다. 그래서 아내는 실망스러워했어요. 나는 휴스턴에 예약을 했고……."

"자네는 휴스턴에 예약을 하지 않았다고 말한 걸로 아는데." 장인이 얼굴을 찡그렸다.

"아, 그렇죠, 죄송합니다. 헷갈렸군요. 휴스턴에 예약을 할까 하고 생각만 했어요. 지금 생각하니 그냥 살아 있는 바닷가재를 항공편으로 주문했으면 끝났을 문제인데 말이죠."

두 경찰은 모두 불시에 한쪽 눈썹을 들어 올렸다. 대단한 사치군.

"생각보다 그렇게 돈이 많이 들지 않아요. 어쨌거나…… 우리는 그 어처구니없는 문제로 대립했죠. 사소한 일이 필요 이상으로 크게 번지는 그런 싸움 있잖아요." 나는 팬케이크를 한 입 베어 물었다. 옷깃 아래에서 열기가 뿜어져 나오는 것이 느껴졌다. "한 시간도 지나기 전에 둘 다 웃어넘겼어요."

"하." 그것이 보니가 말한 전부였다.

"보물찾기는 어떻게 돼가고 있습니까?" 길핀이 물었다.

나는 일어서서 돈을 얼마쯤 내려놓고 떠날 준비를 했다. 여기서 방어를 해야 할 쪽은 내가 아니었다. "그때 그대롭니다, 아직은요. 일이 너무 많아서 맑은 정신으로 생각하기가 어렵군요."

"알겠습니다." 길핀이 말했다. "보물찾기에 중요한 게 있을 것 같지는 않군요. 아내분이 이미 한 달 전부터 위협을 느끼고 있었다고 하니까요. 하지만 제게 진행 상황을 계속 알려주셔야 합니다, 아셨죠?"

우리는 모두 바깥의 열기 속으로 느릿느릿 걸어 나갔다. 장인과 내가 우리 차에 탔을 때 보니가 소리쳤다. "닉, 에이미가 지금도 2호예요?"

나는 그녀를 보며 얼굴을 찡그렸다.

"옷 사이즈가 2호냐고요." 그녀가 다시 말했다.

"네, 맞아요, 그런 것 같아요." 내가 말했다. "네. 맞아요."

보니는 흐으으음 하는 표정을 짓더니 자신의 차에 올라탔다.

"저걸 왜 물어보는지 아나?" 장인이 물었다.

"저 두 사람 속을 누가 알겠습니까?"

장인과 나는 호텔로 돌아오는 동안 거의 침묵을 지켰다. 장인은 차창 밖에서 불빛을 깜박이며 연이어 나타나는 패스트푸드점을 응시했고 나는 나의 거짓말, 거짓말들에 대해 생각했다. 데이스 인에 도착한 뒤에는 주차할 곳을 찾아 헤매야 했다. 임금 판매상 협회의 컨벤션은 호황인 듯했다.

"우스운 일이야, 평생 뉴욕에서 산 나는 얼마나 편협한지." 문손잡이에 손을 얹은 채 장인이 말했다. "에이미가 이곳으로, 자네가 자란 미시시피 강으로 이사 간다고 했을 때 내가 상상한 건…… 푸르름, 농경지, 사과나무, 멋지고 오래된 붉은 헛간이었네. 하지만 어쩔 수 없이 이 말을 해야겠

200

네. 이곳은 정말이지 흉측해." 그는 웃었다. "이 소도시에서 아름다운 거라곤 아무것도 없는 것 같아. 내 딸 말고는."

그는 차에서 내려 빠른 걸음으로 호텔로 갔고 나는 굳이 따라가려고 하지 않았다. 나는 몇 분 정도 기다렸다가 본부로 들어가 뒤쪽 후미진 곳에 있는 탁자 앞에 앉았다. 보물찾기를 얼른 끝내야 했다. 에이미가 나를 데려가려고 했던 곳을 알아내야 했다. 몇 시간 동안 여기서 할 일을 한 다음 세 번째 단서를 처리할 것이다. 그 전에 일단…… 나는 전화를 걸었다.

"네." 초조한 목소리가 대답했다. 뒤에서 아기가 울고 있었다. 여자가 얼굴에 붙은 머리카락을 떼어내기 위해 입김을 부는 소리가 들렸다.

"안녕하세요, 거기, 거기 힐러리 핸디 씨 댁입니까?"

그녀가 전화를 끊었다. 나는 다시 걸었다.

"여보세요?"

"안녕하세요, 전화가 끊긴 것 같군요."

"이 번호를 목록에서 빼주시겠어요."

"힐러리 씨, 저는 뭘 팔려는 게 아닙니다. 에이미 던. 에이미 엘리엇 때문에 전화한 겁니다."

침묵. 아기가 다시 깍깍 울었다. 웃음과 짜증 사이에서 흔들리는 가냘픈 울음.

"그 여자가 왜요?"

"방송에서 보셨는지 모르겠지만, 에이미가 실종됐습니다. 7월 4일에요. 폭력적인 상황에 처했었다고 추측하고 있어요."

"아. 안됐군요."

"저는 에이미의 남편인 닉 던이라고 합니다. 아내의 옛날 친구들에게 전화를 걸고 있는 중이에요."

"그러세요?"

"혹시 최근에 아내와 연락한 적이 있으신가 해서요."

그녀는 수화기에 대고 숨을 쉬었다. 심호흡 세 번. "지금 고등학교 때의 그, 그 엿 같은 일 때문에 이러는 거예요?" 멀리서 아이가 조르는 소리가 들렸다. 어, 엄마, 나 좀 봐요.

"금방 갈게, 잭." 그녀는 뒤쪽 허공에 대고 말했다. 이어 선명한 붉은색 목소리로 내게 말했다. "그런 거예요? 그래서 나한테 전화한 거예요? 그건 젠장, 20년도 넘은 얘기라고요."

"압니다. 알아요. 저로서는 꼭 여쭤봐야 해서요. 그러지 않으면 나쁜 놈이 되거든요."

"이런 제기랄, 전 지금 애가 둘이에요. 고등학교 때 이후로 에이미랑 얘기한 적도 없고요. 깨달은 게 있거든요. 혹시라도 그 앨 길에서 마주치면 난 다른 길로 갈 거예요." 아기가 악을 쓰며 울었다. "그만 끊죠."

"금방 끝낼게요, 힐러리."

그녀는 전화를 끊었다. 그러자 곧바로 나의 일회용 휴대전화가 진동했고 나는 무시했다. 이 망할 것을 보관할 곳을 찾아야만 한다.

순간 가까이에 누군가가, 여자가 있다는 느낌이 들었지만 그냥 가버리기를 바라며 고개를 들지 않았다.

"저런, 아직 정오도 안 됐는데 하루를 다 보낸 것 같은 얼굴을 하고 있군요. 불쌍해라."

쇼나 켈리. 그녀는 여자애처럼 머리를 높이 올려 하나로 묶고 립글로스를 바른 입술을 동정하듯 비죽 내밀고 있었다. "내 프리토 파이를 드실 준비가 되셨나요?" 그녀는 땀으로 얼룩덜룩해진 랩으로 덮은 캐서롤 접시를 가슴 바로 앞에 들고 있었다. 1980년대 헤어록 비디오—내 '파이' 좀 먹을래?— 스타 같은 말투였다.

"아침을 많이 먹어서요. 어쨌든 고맙습니다. 정말 친절하시군요."

그녀는 가기는커녕 자리를 잡고 앉았다. 청록색 테니스 스커트 아래 로션을 듬뿍 바른 다리에서 광이 났다. 그녀는 티끌 한 점 없는 트레통 운동화 끝으로 나를 툭 쳤다.

"졸려요, 자기?"

"참고 있는 중입니다."

"잠을 자야 해요, 닉. 당신이 지치면 모두에게 안 좋아요."

"좀 있다 가서 몇 시간 눈 좀 붙이려고요."

"그러는 게 좋겠네요, 정말로요."

순간 나는 그녀에게 강렬한 고마움을 느꼈다. 엄마의 아들이 나오려고 했다. 위험하다. 억눌러, 닉.

나는 그녀가 가기를 기다렸다. 그녀는 가야 했다. 사람들이 우리를 쳐다보기 시작했다.

"원한다면, 지금 당장 집까지 태워줄게요." 그녀가 말했다. "당신은 낮잠을 좀 자야 해요."

그녀는 손을 내밀어 내 무릎을 만지려 했고 나는 가야 할 때를 모르는 그녀에게 화가 치밀었다. 캐서롤 내려놓고 얼른 꺼져, 지분거리는 매춘부. 아버지의 아들이 나오려고 했다. 이것 역시 좋지 않다.

"우리 장모님 좀 도와주실래요?" 나는 제록스 복사기 옆에 있는 메리베스를 가리키며 무뚝뚝하게 말했다. 장모는 에이미의 사진을 끝도 없이 복사하고 있었다.

"알았어요." 그녀는 꾸물거렸고 나는 그녀를 완전히 무시하기 시작했다. "그럼 이건 놓고 갈게요. 파이를 좋아했으면 좋겠군요."

나의 거부가 그녀를 자극한 것 같았다. 그녀는 눈도 맞추지 않고 돌아서서 가버렸다. 기분이 좋지 않았다. 사과하며 비위를 맞춰줄까 고민했다. 저 여자를 쫓아가면 안 돼. 나는 스스로에게 명령했다.

"새 소식 있어요?" 쇼나가 방금 떠난 곳에 노엘 호손이 나타났다. 그녀는 쇼나보다 어렸지만 더 늙어 보였다. 시무룩하고 펑퍼짐한 흙더미 같은 젖가슴. 찡그린 표정.

"아직요."

"아주 잘 대처하고 계신 것 같네요."

나는 고개를 돌려 그녀를 바라보았다. 뭐라고 해야 할지 확신이 서지 않았다.

"제가 누군지는 아세요?" 그녀가 물었다.

"물론이죠. 노엘 호손 씨요."

"전 이곳에서 에이미와 가장 친한 친구예요."

나는 경찰에게 상기시켜야만 했다. 노엘은 분명 둘 중 하나다. 유명세를 쫓는 매춘부거나―실종된 여자와 친구라는 걸 즐기는 것이다―미쳤거나. 에이미와 친구가 되기로 마음먹은 스토커는 에이미가 자신을 피하자…….

"에이미에 대해 뭐 아는 게 있나요, 노엘?" 내가 물었다.

"당연히 있죠, 닉. 그녀는 제 가장 친한 친구였으니까요."

우리는 몇 초 동안 서로를 노려보았다.

"그걸 알려주실 건가요?"

"경찰은 나를 어디서 찾아야 할지 알아요. 그럴 생각이 있다면 말이지만."

"정말 많은 도움이 될 겁니다, 노엘. 경찰더러 당신과 꼭 얘기해보라고 할게요."

그녀의 두 뺨이 타는 듯 붉었다. 표현주의 그림처럼 물감을 튀긴 두 개의 캔버스 같았다.

그녀는 가버렸고, 나는 약간 잔인한 생각을 했다. 통제할 수 없이 부글부글 끓어오르는 생각 중 하나. 여자들은 완전히 미쳤어. '어떤' 여자들도 아니고 '대부분의' 여자들도 아니다. 여자들은 미쳤다.

밤이 되어 완전히 어두워진 후 나는 차를 타고 아버지의 빈집으로 갔다. 에이미의 단서가 옆자리에 놓여 있었다.

> 아마도 당신은 나를 이곳에 데려온 것에 죄책감을 느낄 거야.
> 조금 기묘한 기분이 든다는 걸 인정해야겠네.
> 하지만 우리가 선택할 수 있는 공간은 많지 않았어.
> 우리는 결정했고, 이곳을 우리의 공간으로 삼았어.
> 우리의 사랑을 이 작은 갈색 집으로 가져가자.
> 내게 온정을 베풀어줘. 화끈한 사랑의 배우자, 당신!

다른 것들보다 수수께끼 같은 단서였지만 나는 내가 제대로 알고 있다고 확신했다. 에이미는 내게 카르타고라는 답을 주었다. 이곳으로 이사온 일에 대해, 마침내 나를 용서한 것이다. 아마도 당신은 나를 이곳에 데려온 것에 죄책감을 느낄 거야. (…) 하지만 우리는 이곳을 우리의 공간으로 삼았어. '작은 갈색 집'은 아버지의 집이었다. 아버지 집은 사실 파란색이지만 에이미는 또 한 번 내밀한 농담을 한 것이다. 나는 언제나 둘만의 내밀한 농담을 가장 좋아했다. 그런 농담은 그 어떤 진실 고백이나 열정적인 섹스나 밤을 새워 하는 대화보다 에이미와 가까워지는 느낌이 들게 했다. 작은 갈색 집 이야기는 내 아버지에 관한 것이고, 내가 그 이야기를 해준 사람은 에이미뿐이었다. 부모님이 이혼한 후 아버지를 볼 일이 거의 없었기 때문에 나는 아버지를 소설 속 등장인물이라 생각하기로 결심했다. 그는 나를 사랑하고 함께 시간을 보낼 진짜 내 아버지가 아니라, 자애롭지만 별로 중요하지 않은 브라운 씨라는 인물이라고. 그는 조국을 위해 아주 중요한 일을 하느라 몹시 바쁜 사람이자, 가끔씩 나를 위장 수단으로 이용해 마을을 좀 더 자유롭게 돌아다니는 인물이다. 내가 이 얘기를 했을 때 에이미는 눈물을 글썽였다. 그것은 내가 의도한 바가 아니었다. 그저 '애들은 재미있어'라는 뜻으로 한 얘기였다. 그녀는 자신이 이제 나의 가족이라고 말했다. 자신이 형편없는 아버지 열 명을 대신할 만큼 나를 사랑한다고. 이제 우리가, 우리 두 사람이 던 가족이라고. 그런 다음 그녀는 내 귓가에 속삭였다. "나, 당신이 잘할 것 같은 일을 시키려고 해……."

온정을 다시 베푸는 것 역시 화해의 제스처였다. 아버지가 알츠하이머에 완전히 굴복한 뒤 우리는 아버지의 집을 팔기로 결정했다. 에이미와 나는 아버지의 집을 정리하면서 굿윌스토어에 보낼 물건들을 상자에 담았다. 에이미가—당연히—빙빙 도는 데르비시(이슬람교 집단의 일원으로, 예배 때 빠른 춤을 춘다-옮긴이)처럼 일하는—싸고, 넣고, 던지는—동안 나는 늑장을 부리며 아버지의 물건들을 하나하나 살펴보았다. 내게는 모든 것이 단서였다. 다른 것들보다 더 진한 커피 얼룩이 묻은 머그잔. 선물이었을까? 누구한테 받은 걸까? 아버지가 산 걸까? 나는 쇼핑이라는 행위 자체를 불알 떨어지는 일이라고 생각했던 아버지를 떠올렸다. 하지만 아버지의 옷장을 살펴보니 아직 상자 속에 있는, 새것처럼 광이 나는 구두 다섯 켤레가 있었다. 아버지는 이것들을 직접 샀을까? 천천히, 혼자서 정신이 풀려가는 사람이 아닌, 달라진, 좀 더 사교적인 빌 던을 상상하면서? 아버지는 슈비두비에 갔던 것일까? 어머니로 하여금 길고 격의 없고 친절한 대사를 읊으며 당신을 돕게 만들었을까? 나는 물론 에이미와 이런 생각을 전혀 나누지 않았고, 따라서 그녀의 눈에 나는—매우 자주 그렇듯—게으름을 피우는 것처럼 보였을 것이다.

"여기. 상자. 굿윌에 보낼 거야." 에이미는 바닥에 앉아 벽에 등을 기댄 채 구두를 노려보는 나를 보고 말했다. "구두를 모두 상자에 담아. 알았지?" 나는 당황해서 으르렁거렸고 그녀는 딱딱거렸고…… 늘 그랬듯이.

에이미의 입장을 대변해 덧붙여야겠다. 아내는 내게 얘기하고 싶냐고, 정말로 그 일을 하고 싶냐고 두 번이나 물었다. 나는 가끔씩 이런 식으로 세부 사항을 빠뜨린다. 나로서는 그 편이 더 편리하기 때문이다. 사실 나는 아내가 내 마음을 읽어서 내가 여자처럼 이래저래 구차하게 설명하지 않아도 되게 해주기를 바랐다. 가끔 나는 에이미처럼 '나를 알아줘' 게임을 하며 죄책감을 느꼈다. 이 역시 내가 생략한 부분이다.

나는 생략이라는 거짓말을 무척 좋아한다.

밤 열 시를 조금 넘긴 시각, 나는 아버지의 집 앞에 차를 댔다. 처음(또는 마지막으로) 구입하기에 좋은 작고 깔끔한 집이다. 침실 두 개와 욕실 두 개, 식당, 구석이지만 제대로 만든 부엌. 앞마당에는 '매물'이라고 적힌 표지판이 녹슬어 있었다. 1년이 지나도록 단 한 번도 입질이 없었다.

환기가 되지 않은 집에 들어서자 열기가 온몸을 덮쳤다. 세 번째 침입이 있은 후 우리 부부가 설치한 값싼 경보 시스템이 시한폭탄이 카운트다운 하듯 삑삑거리기 시작했다. 나는 암호를 입력했다. 에이미를 분노케 했던 암호였다. 암호에 관한 모든 법칙에 반했기 때문이다. 그것은 내 생일, 81577이었다.

잘못된 암호입니다. 나는 다시 시도했다. 잘못된 암호입니다. 등에서 한줄기 땀이 흘렀다. 에이미는 암호를 바꾸겠다고 자주 으름장을 놨다. 그녀는 누구나 추측할 수 있는 암호는 무의미하다고 했지만 나는 진짜 이유를 알았다. 그녀는 그것이 우리의 기념일이 아니라 나의 생일이기 때문에 화가 난 것이다. 또 한 번 나는 우리가 아닌 나를 택한 것이다. 에이미를 향한 반쯤 달콤한 그리움이 사라졌다. 나는 다시 한 번 암호를 꾹꾹 누르며 갈수록 당황했다. 경고음이 울리고, 울리고, 또 울리더니 카운트다운이 끝나자 침입자 경보가 요란하게 울려 퍼졌다.

우우우웅―우우우웅―우우우웅!

경보 해제를 할 수 있도록 내 휴대전화로 전화가 와야 했다. 오직 나. 멍청이. 하지만 오지 않았다. 나는 1분 정도 기다렸다. 경보는 어뢰에 격침당한 잠수함이 나오는 영화를 떠올리게 했다. 닫힌 집 안의 케케묵은 7월의 열기가 나를 덮쳤다. 등에서 난 땀 때문에 셔츠는 이미 흠뻑 젖어 있었다. 빌어먹을 에이미. 나는 회사 전화번호를 찾기 위해 경보기를 샅샅이 살펴보았지만 아무것도 없었다. 벽에서 떼어낸 경보기가 전선에 매달려 달랑거렸다. 마침내 휴대전화가 울렸다. 수화기 저편에서 건방진 목소리가 에이미가 키운 첫 번째 애완동물의 이름을 요구했다.

우우우웅―우우우웅―우우우웅!

정말이지 잘못된―잘난 체하고, 주제넘고, 엄청나게 태연한―어조에 잘못된 질문이었다. 내가 모르는 질문이었기 때문이다. 나는 분노에 휩싸였다. 내가 아무리 많은 단서를 푼다 해도 나는 결국 나를 낙담시킬 에이미에 관한 시시한 문제와 마주하게 될 것이다.

"이봐요, 난 닉 던이고 여긴 내 아버지 집이에요. 이 경보기를 산 사람이 나라고요." 내가 딱딱거렸다. "그러니 내 마누라의 첫 번째 애완동물 이름이 뭐였는지는 좆도 중요하지 않단 말이오."

우우우웅―우우우웅―우우우웅!

"제게 그런 식으로 말하지 마세요."

"이봐요, 지금 난 아버지 집에 뭣 좀 가지러 왔을 뿐이요. 이제 갈 거라고요, 알아들어요?"

"저로서는 즉시 경찰에 연락해야 합니다."

"저 망할 경보 좀 꺼주시겠소? 생각 좀 하게!"

우우우웅―우우우웅―우우우웅!

"경보를 껐습니다."

"안 꺼졌소."

"제가 경고했죠, 그런 식으로 말하지 말라고요."

이 씨발년.

"그거 알아? 좆까, 좆까, 좆까."

나는 전화를 끊었고, 순간 에이미의 고양이 이름, 첫 번째 고양이의 이름이 생각났다. 스튜어트.

나는 다시 전화를 걸었고 다른 이성적인 안내원이 받았다. 그녀는 경보를 *끄고*―신이여, 그녀를 축복하시길!―경찰에 취소 전화를 걸어주었다. 나는 내 상황을 설명할 기분이 아니었다.

나는 얇은 싸구려 카펫 위에 앉아 숨을 돌렸다. 아직도 심장이 덜커덕거리고 있었다. 잠시 후, 어깨에서 힘이 풀리고, 앙다문 턱이 벌어지고, 두 주먹이 풀리고, 심장이 정상으로 돌아간 뒤, 나는 일어서서 그냥 갈까 하고 잠시 생각했다. 마치 그렇게 하면 에이미에게 본때를 보여줄 수 있는 것처럼. 하지만 일어섰을 때, 나는 주방 탁자 위에 이혼 요구서처럼 놓여 있는 파란색 봉투를 보았다.

나는 숨을 깊이 들이마시고 다시 내쉰 다음, 봉투를 열고 집 안에 가득 찬 열기 속에서 편지를 읽었다.

안녕 자기야,

우린 둘 다 고치고 싶은 점들이 있어. 나의 경우, 그것은 완벽주의, 가끔의 (희망사항인가?) 독선이야. 당신은? 난 당신이 가끔 지나치게 냉담하고 지나 치게 무관심해서, 다정하고 세심하게 행동할 수 없는 걸 걱정한다는 걸 알아. 난 당신에게 이렇게 말하고 싶어. 이곳, 당신 아버지의 집에서. 그건 사실이 아니야. 당신은 당신 아버지가 아니야. 당신은 당신이 좋은 남자라는 걸, 상냥 하고 친절한 남자라는 걸 알아야 해. 나는 당신이 가끔 내 마음을 읽지 못한다 고, 그 자리에서 내가 원하는 방식으로 당장 행동하지 못한다는 이유로 당신 을 벌했어. 당신이 현실 속의, 숨 쉬는 남자라는 이유로 당신을 벌했어. 당신 이 자신만의 방식을 찾을 수 있도록 믿어주지 못하고 처음부터 끝까지 명령을 내렸어. 속는 셈치고 당신을 한 번 믿어준 적이 없었어. 당신과 내가 아무리 서툴러도, 당신은 언제나 나를 사랑하고 내가 행복하기를 바란다는 것을. 사 실 어떤 여자든 그거면 충분할 텐데 말이야, 그렇지? 난 내가 당신에게 했던 사실이 아닌 말들 때문에, 당신이 그 말들이 사실이라고 믿을까 봐 걱정하고 있어. 그래서 나는 지금 여기서 말하려고 해. 당신은 따뜻해. 당신은 나의 태 양이야.

에이미가 원래 계획했던 대로 지금 나와 함께 있다면, 언제나처럼 내 목의 오목한 부분에 얼굴을 대고 코를 비빈 다음 내게 키스하고 웃으 며 말했을 것이다. 정말이야, 알잖아. 나의 태양. 목이 콱 메었다. 나는 마지막으로 아버지의 집을 둘러본 뒤 문을 닫고 열기 속을 빠져나왔다. 차 안에서 나는 '단서 4'라고 적힌 봉투를 열었다. 이제 거의 끝까지 왔을 것이다.

나를 그려봐. 나는 아주 나쁜 여자야.

나를 벌해야 해. '벌해야' 한다는 건 '가져야' 한다는 뜻이야.

이곳은 당신이 결혼 5주년을 위해 좋은 것들을 보관하고 있는 곳이야.

억지스럽다면 용서해줘!

한낮에 이곳에서 재미를 봤지.

그리곤 칵테일을 마시러 나갔고, 너무나 즐거웠어.

그러니 지금 당장 달콤한 한숨으로 가득 찬 그곳으로 달려가.

그리고 문을 열어, 아주 많이 놀랄 거야.

배 속이 쥐어짜이는 듯했다. 이번에는 무슨 뜻인지 알 수가 없었다. 다시 읽었다. 짐작도 할 수 없었다. 에이미는 내게 쉬운 문제를 내기를 멈췄다. 나는 결국 이번 보물찾기를 풀지 못할 것이다.

온몸을 휘감는 불안감. 보니는 나를 잡으려고 혈안이고, 노엘은 미쳤으며, 쇼나는 화가 났고, 힐러리는 분개했다. 보안 회사의 여자는 건방지고 아내는 마침내 나를 어찌할 바 모르게 만들었다. 이 빌어먹을 하루를 마칠 시간이었다. 지금 이 순간 내가 함께 있을 수 있는 여자는 한 명밖에 없었다.

고는 화가 나서 입을 꽉 다문, 아버지 집의 열기 때문에 지쳐버린 나를 보더니 곧바로 소파에 앉힌 다음, 자정이 다 된 시간에 저녁식사를 준비하겠다고 나섰다. 5분 뒤 그녀는 오래된 TV 시청용 쟁반 위에 음식을 담고, 떨어지지 않게 조심하며 걸어오고 있었다. 던 집안의 오랜 비상식량—구운 치즈 샌드위치와 바비큐 칩, 플라스틱 컵에 담긴…….

"쿨에이드 아니야." 고가 말했다. "맥주야. 쿨에이드는 너무 퇴보적인 것 같아서."

"너답지 않게 아주 세심하고 이상한데, 고."

"내일은 네가 요리해."

"통조림 수프를 좋아하길 바라."

고는 내 옆에 앉아 접시 위에 놓인 바비큐 칩을 하나 뺏더니 지나치게 스스럼없이 물었다. "경찰이 나한테 에이미가 아직 2호 사이즈냐고 묻는 이유에 대해 아는 거 있어?"

"맙소사, 그들은 끝까지 물고 늘어질 작정이군." 내가 말했다.

"섬뜩하지 않아? 에이미의 옷이라든가 뭔가를 발견한 거면?"

"그런 게 있었다면 나한테 확인해달라고 했을 거야. 그렇잖아?"

고가 초췌한 표정으로 내 말을 잠시 곱씹었다. "말 되네." 고가 말했다. 그녀는 계속 초췌한 표정을 짓고 있다가 내가 쳐다보고 있다는 걸 알고는 미소를 지었다. "야구 하는지 보자, 응? 좋지?"

"좋아." 나는 기분이 엉망이었고 배 속은 느글거렸으며 머릿속은 치직거렸다. 내가 알아내지 못한 단서 때문일 수도 있었다. 하지만 갑자기 내가 놓친 것이 있다는 느낌이 들었다. 내가 뭔가 엄청난 실수를 했고, 그 잘못으로 인해 재앙이 벌어질 거라는 느낌. 아니면 비밀 지하 감옥에서 땅굴을 파서 다시 지상으로 나오고 있는 나의 양심 때문일지도 몰랐다.

채널을 돌리다 야구 경기를 발견한 고는 그때부터 10분 동안 경기에 대한 이야기만, 그것도 맥주를 홀짝거리지 않을 때만 했다. 구운 치즈 샌드위치를 좋아하지 않는 고는 소금을 뿌린 크래커 위에 땅콩버터를 올려 먹었다. 중간 광고가 시작되자 고는 "나한테 거시기가 있으면 난 이 땅콩버터랑 씹할 거야"라고 말하며 크래커 부스러기를 의도적으로 내 쪽으로 뿌렸다.

"내 생각엔 너한테 거시기가 있다면 온갖 나쁜 일이 벌어질 것 같은데."

경기가 다시 시작되었다. 카디널스가 5점 뒤지고 있었다. 다시 광고가 시작되었을 때 고가 말했다. "오늘 휴대전화 요금제를 바꾸려고 전화를 했는데, 통화 대기 음악이 라이오넬 리치 거였어. 라이오넬 리치 들어본 적 있어? 난 〈페니 러버〉가 좋은데 〈페니 러버〉가 아니었어. 하지만 어쨌거나 어떤 여자가 전화를 받았는데, 그 여자는 고객 서비스 직원들이 모두 배턴루지에 있다는 거야. 근데 이상하게도 그 여자는 사투리를 쓰지 않았어. 그런데 그 여자는 자기가 뉴올리언스에서 자랐다는데, 잘 알려지지 않은 사실이지만, 뉴올리언스 출신 사람을 뭐라고 불러, 뉴올리언시언? 여하튼 그들은 사투리를 거의 쓰지 않는대. 그녀는 내 요금제인 A 요금제가⋯⋯."

고와 내가 엄마에게서 영감을 얻어 만든 놀이가 있었다. 엄마는 터무니없이 평범한 이야기를 끝없이 늘어놓는 습관이 있었다. 그 정도가 너무 심해서 고는 엄마가 몰래 우리를 갖고 노는 게 틀림없다고 생각했다. 약 10년 전부터 고와 나는 대화가 끊길 때마다 둘 중 한 사람이 느닷없이 전자제품 수리나 쿠폰 할인에 대한 이야기를 꺼내곤 했다. 고가 나보다 지구력이 좋았다. 고가 단조로운 목소리로 하는 이야기는 쉬지 않고 영원히 계속되는 것 같았다. 그녀의 이야기는 너무 길어서 진짜 짜증스러웠다가 결국에는 역전되어 아주 웃겼다.

고는 냉장고 조명 이야기로 넘어가고도 그만둘 기미를 보이지 않았다.

나는 갑자기 너무 고마운 마음이 들어서 몸을 기울여 고의 뺨에 입을 맞췄다.

"무슨 뜻이야?"

"그냥, 고맙다고." 내 눈에 눈물이 고였다. 나는 잠시 고개를 돌리고 눈을 깜빡이며 눈물을 말렸다. 고가 말했다. "그래서 AAA 배터리가 필요한데, 그건 트랜지스터 배터리하고는 다르다는 거야. 그래서 난 영수증을 찾아 트랜지스터 배터리를 환불해야 해⋯⋯."

야구 경기가 끝났다. 카디널스가 졌다. 경기가 끝나자 고가 TV 소리를 죽였다. "얘기할래, 아니면 기분 전환이 더 필요해? 뭐든 말해봐."

"넌 가서 자, 고. 난 그냥 채널 좀 돌려볼래. 잘 수도 있고. 요즘 잠이 부족해서."

"수면제 줄까?" 나의 쌍둥이 동생은 가장 쉬운 방법의 신봉자였다. 휴식 음악 테이프나 고래 소리는 그녀의 취향이 아니었다. 알약을 꿀꺽 삼키고 정신을 잃는 쪽이었다.

"아니."

"약장에 있으니까 마음이 바뀌면 먹어. 수면제를 먹고 잘 시간이라도 있을지 모르겠지만⋯⋯." 고는 아주 잠깐 내 주위를 맴돈 다음, 그녀답게 종종걸음으로 복도를 걸어가서 방으로 들어가 문을 닫았다. 그녀는 졸리지 않는 것이 분명했지만 나를 혼자 내버려두는 것이 가장 좋다는 걸 알았던 것이다.

이런 능력이 없는 사람들이 많다. 꺼져야 할 때를 아는 것. 사람들은 말하는 것을 좋아하지만 나는 결코 말을 많이 하는 법이 없었다. 내 속에서는 독백이 계속되고 있지만 좀처럼 내 입까지 올라오지 않는다. '오늘따라 예뻐 보이네'라고 생각해도 웬일인지 입 밖으로 낼 수가 없었다. 어머니도, 여동생도 말하는 사람이었다. 나는 듣는 사람으로 자랐다. 말없이, 힘이 빠지는 기분으로, 혼자 소파에 앉아 있었다. 나는 고의 잡지 한 권을 훑어보고 텔레비전 채널을 돌리다가 결국 옛날 흑백 영화에 안착했다. 페도라를 쓴 남자들이 메모를 하며 남편이 프레즈노에 가 있다는 예쁘장한 주부의 말을 듣고 있었다. 주부의 말을 들은 두 경찰은 서로 의미심장한 시선을 교환하며 고개를 끄덕였다. 나는 길핀과 보니를 떠올렸다. 배 속이 요동쳤다.

주머니 속에 넣어둔 일회용 휴대전화에서 미니 잭팟 소리가 났다. 문자가 왔다는 뜻이었다.

나 밖에 있어 문 열어줘

에이미 엘리엇 던

2011년 4월 28일 일기

계속하기를 계속하라. 시어머니 모의 말이다. 시어머니가, 그것이 정말로 실행 가능한 인생 전략이라는 듯 확신에 차서 한 단어 한 단어 힘을 주고 말할 때, 이 클리셰는 단순한 단어의 나열이 아닌 실제적인 무언가로 변한다. 값진 무언가로. 나는 생각한다. 계속하기를 계속하라, 바로 이거야!

나는 중서부의 이런 점이 정말 좋다. 이곳 사람들은 어떤 일에도 유난을 떨지 않는다. 죽음에 대해서도. 시어머니는 암이 당신을 정지시킬 때까지 계속하기를 계속할 것이다. 그리고 죽을 것이다.

그리하여 나는 끊임없이 자중하고 있다. 그리고 좋지 않은 상황에서 최선을 다하고 있다. 진심으로, 문자 그대로, 모의 어법으로 하는 말이다. 나는 끊임없이 자중하면서 맡은 일을 한다. 시어머니를 차에 태우고 병원으로 가 화학요법을 받게 한다. 시아버지 방의 꽃병 속에 담겨 있는 썩은 물을 갈고 그를 잘 보살펴달라는 뜻으로 직원들에게 쿠키를 선물한다.

나는 정말이지 좋지 않은 상황에서 최선을 다하고 있다. 상황이 좋지 않은 가장 큰 이유는 나를 뿌리째 뽑아 자신의 아픈 부모 옆에 데려다놓은 내 남편이, 나와 그의 아픈 부모 모두에게 완전히 무관심해진 것 같기 때문이다.

닉은 자신의 아버지를 완전히 지워버렸다. 그는 아버지의 이름조차 입에 올리기 싫어한다. 나는 닉이 컴포트 힐에서 전화가 올 때마다 아버지의 부고이기를 바란다는 것을 안다. 그는 딱 한 번 어머니의 화학요법을 지켜보더니 더는 못하겠다고 선언했다. 그는 병원도, 아픈 사람도 싫다고, 천천히 흐르는 시간과 지독하게 천천히 떨어지는 링거가 싫다고 말했다. 그냥 자기는 못하겠다고 했다. 내가 그에게 다시 해보라고 말을 꺼내려 했을 때, 그래도 할 일은 해야지 하고 그를 일으켜 세우려고 했을 때, 그는 나더러 그 일을 하라고 했다. 그래서 나는 그렇게 했다. 지금까지 쭉 하고 있다. 시어머니는 물론 닉의 잘못을 떠안으려고 한다. 어느 날 시어머니와 나는 내 컴퓨터로 로맨틱 코미디를 보며 수다를 떨고 있었다. 그 사이 링거는…… 너무나…… 천천히 떨어지고 있었다. 당돌한 여주인공이 소파에 걸려 넘어졌을 때 시어머니가 나를 보며 말했다. "닉을 너무 몰아세우지 마라. 이런 일을 하기 싫어하는 것에 대해 말이다. 난 언제나 그앨 애지중지했고 아기처럼 대했어. 어떻게 그러지 않을 수가 있겠니? 그 얼굴을 보고서 말이다. 그래서 그 앤 힘든 일을 잘 못해. 하지만 난 정말 괜찮단다, 에이미."

"괜찮지 않으실 것 같아요." 내가 말했다.

"닉은 나를 사랑한다는 사실을 증명할 필요가 없어." 모가 내 손을 두드리며 말했다. "이미 알고 있거든."

나는 시어머니의 조건 없는 사랑에 감탄한다. 진심이다. 그래서 나는 닉의 컴퓨터에서 발견한 것을 그녀에게 말하지 않는다. 병든 부모를 돌보기 위해 고향인 미주리로 돌아온 맨해튼 잡지 기자의 회고록 출판기획서.
닉의 컴퓨터에는 온갖 괴상한 것이 있기 때문에 나는 어쩔 수 없이 가끔
그것을 살짝 들여다본다. 내 남편이 무슨 생각을 하고 있는지에 대한 단
서를 얻을 수 있기 때문이다. 그가 최근에 열어본 페이지들이 최근의 단
서가 됐다. 범죄영화들, 그리고 예전에 다니던 잡지사의 웹사이트와 미시
시피 강에 대한 연구, 여기서 멕시코 만까지 떠내려가는 것이 가능한가.
나는 그가 무슨 생각을 하고 있는지 안다. 허클베리 핀처럼 미시시피 강
을 따라 내려가서 그것에 관한 글을 쓰려는 것이다. 닉은 늘 돈을 벌 건수
를 찾고 있다.

　나는 이런 것들을 뒤적이다가 그 출판기획서를 발견했다.

　〈이중생활: 끝과 시작에 관한 회고록〉은 늙은 부모님을 돌보는 데서 오
는 스트레스와 압박감을 경험하기 시작한 X세대들의 공감을 불러일으킬
것이다. 〈이중생활〉에서 내가 하고자 하는 이야기는

- 한때 소원했던, 고통받고 있는 아버지를 점차 이해하게 되는 과정
- 근심, 걱정 없는 젊은이에서 사랑하는 어머니의 임박한 죽음을 준비
　해야 하는 한 가족의 가장으로, 고통스럽게, 어쩔 수 없이 변해가는
　과정
- 맨해튼 토박이 아내가 예전의 운 좋은 인생에서 벗어나게 되면서 느
　끼는 분노. 참고로, 내 아내는 베스트셀러 《어메이징 에이미》 시리즈
　의 실제 모델임

기획서는 결코 완성되지 못했다. 아마도 닉이 한때 소원했던 아버지를
영원히 이해할 수 없을 거라는 사실을 깨달았기 때문일 것이다. 또 하나,

닉은 '한 집안의 가장'이 해야 할 의무를 모두 피하고 있었기 때문이다. 마지막으로, 나는 나의 새로운 인생에 대해 어떤 분노도 표출한 적이 없다. 물론 약간 좌절하기는 했지만 책으로 쓸 만큼 분노한 적은 없다. 남편은 오래전부터 중서부인들의 견고한 감정을 칭찬해왔다. 절제하고, 겸손하며, 젠체하지 않는다! 하지만 이런 사람들은 좋은 회고록을 쓸 만한 소재를 제공하지 않는다. 책 표지에 이런 말이 쓰여 있다고 상상해보라. '대체로 예의 바르게 처신하다가 죽은 사람들의 이야기'.

하지만 나는 '맨해튼 토박이 아내가 느끼는 분노'라는 대목에서 상처를 받는다. 어쩌면 나는 정말…… 비뚤어진 것 같다. 나는 시어머니가 얼마나 한결같이 다정한지를 생각한다. 닉과 내가 어울리지 않는 짝은 아닐까 걱정한다. 닉이 남편 뒷바라지와 살림에 열광하는 여자를 만났더라면 더 행복했을지도 모른다고. 그런 여자들을 깔보는 것이 아니다. 내가 그런 여자였으면 좋겠다. 내가 더 세심해서 닉이 언제나 제일 좋아하는 치약을 쓸 수 있었으면, 한 번 쓱 보고 그의 깃 사이즈를 알 수 있었으면, 무조건적인 사랑을 베풀며 내 남자를 행복하게 만드는 게 가장 큰 기쁨인 여자였으면 좋겠다.

한동안은 나도 닉에게 그런 여자였다. 하지만 그것은 지속되지 못했다. 나는 이타심이 부족하다. 외동이라서. 잊을 만하면 닉이 상기시켜주듯이.

하지만 난 노력한다. 나는 계속하기를 계속하고 닉은 어린 시절로 돌아간 것처럼 소도시를 쏘다닌다. 그는 자신이 자타공인 무도회의 킹카였던 이곳으로 돌아와서 행복하다. 그는 5킬로그램 정도 살이 쪘고, 유행하는 스타일로 머리를 잘랐으며, 새 청바지를 샀다. 신수가 훤하다. 하지만 나는 그 사실을 그가 집에 들어오거나 다시 나갈 때 언뜻언뜻 보아 알 수 있을 뿐이다. 그는 언제나 서두르는 척한다. 당신은 싫어할 거야. 그는 집을 나설 때 같이 가자는 내게 늘 그렇게 대답한다. 그는 자신에게 쓸모가 없어지자 부모를 떨쳐냈듯, 자신의 새로운 인생에 어울리지 않는다는 이유로 나를 따돌리고 있다. 그는 내가 이곳에 적응할 수 있도록 신경을 써야 하지만 그러고 싶어 하지 않는다. 그는 혼자서 즐기고 싶어 한다.

그만, 그만. 밝은 면을 봐야 한다. 문자 그대로. 나는 어둡게 그늘 진 생각에서 내 남편을 꺼내 유쾌한 금색 빛을 비춰줘야 한다. 나는 예전만큼 그를 좋아할 수 있도록 더 노력해야만 한다. 단지 좀 더 공평한 기분이 들었으면 좋겠다. 나의 뇌는 닉을 생각하느라 너무나 바쁘다. 머릿속이 들끓는다. 닉닉닉닉닉닉! 하지만 내가 그의 머릿속을 상상해보면, 내 이름은 하루에 한 번, 어쩌면 두 번 희미하게 들렸다가 이내 사라지는 소리다. 난 단지 내가 그를 생각하는 만큼 그도 나를 생각했으면 좋겠다.

이게 잘못된 걸까? 이제 더는 모르겠다.

닉 던

실종 4일째

그녀는 주황색 가로등 불빛 아래 서 있었다. 얇은 여름 원피스를 입고 있었고, 머리카락은 습기 때문에 곱슬거렸다. 앤디. 그녀는 나를 안기 위해 두 팔을 벌리고 집 안으로 뛰어 들어왔다. "잠깐, 잠깐!" 나는 쉿쉿거리다가 이내 입을 다물었고 그녀는 나를 껴안았다. 앤디는 내 가슴에 얼굴을 파묻고 나는 그녀의 벗은 등에 손을 얹고 눈을 감았다. 안도와 공포가 뒤섞인 메스꺼운 느낌이었다. 마침내 가렵지 않아서 보니 너무 긁어서 피가 나 있을 때의 느낌.

나는 내연녀가 있다. 이제 나는 내연녀가 있다고 말해야만 하고, 더 이상 사람들의 호감을 얻지 못할 것이다. 애초에 호감이란 걸 얻었을 때의 이야기지만. 내게는 예쁘고 젊은, 아주 젊은 내연녀가 있다. 그녀의 이름은 앤디다.

안다. 나쁘다는 것.

"자기야, 도대체 왜 전화를 안 한 거야?" 내 가슴에 얼굴을 파묻은 그녀가 말했다.

"알아, 자기야, 알아. 자기는 상상도 못할 거야. 그야말로 악몽 같아. 내가 여기 있는 건 어떻게 알았어?"

그녀는 아직까지 내게 들러붙어 있었다. "자기 집에 불이 꺼져 있어서 고네 집에 가봐야겠다고 생각했어."

앤디는 나의 습성을 알았다. 나의 서식지를 알았다. 우리는 사귄 지 좀 되었다. 나는 예쁘고 아주 젊은 내연녀가 있고 우리는 사귄 지 좀 되었다.

"걱정했어, 닉. 미칠 것 같았어. 매디네 집에서 텔레비전을 보고 있는데, 그러니까 갑자기, 응, 자기랑 비슷하게 생긴 남자가 나오더니 실종된 아내 이야기를 하는 거야. 그때서야 그게 자기라는 걸 알았어. 내가 얼마나 놀랐는지 알아? 그런데 자긴 나한테 연락하려고 하지도 않았지?"

"전화했잖아."

"'아무 말도 하지 마, 꼼짝도 하지 마, 나랑 얘기하기 전까지는 아무 말도 하지 마.' 그건 명령이야, 나랑 연락하려고 한 게 아니라."

"혼자 있는 때가 거의 없었어. 주위에 늘 사람들이 있었거든. 에이미의 부모님, 고, 경찰." 나는 그녀의 머리카락에 코를 대고 숨을 쉬었다.

"에이미가 갑자기 사라진 거야?" 그녀가 물었다.

"응, 갑자기 사라졌어." 나는 앤디에게서 몸을 떼고 소파에 앉았다. 그녀는 내 옆에 앉아 내 다리에 자기 다리를 대고 문질렀다. "누군가 에이미를 데려갔어."

"닉? 자기 괜찮아?"

그녀의 초콜릿빛 머리카락이 그녀의 턱을, 쇄골을, 젖가슴을 따라 흘러내렸다. 나는 그녀의 머리카락 한 가닥이 그녀가 내쉬는 숨에 떨리는 것을 쳐다보았다.

"아니, 별로 괜찮지 않아." 나는 그녀에게 손가락으로 조용히 하라는 신호를 한 다음, 복도 쪽을 가리켰다. "동생이 있어."

우리는 말없이 나란히 앉아 있었다. 텔레비전 불빛은 여전히 깜박거렸고 페도라를 쓴 남자들은 누군가를 체포하고 있었다. 나는 그녀가 꿈틀거리며 내 쪽으로 다가오는 것을 느꼈다. 그녀는 마치 우리가 자리를 잡고 앉아 심야 영화를 보는 것처럼, 근심걱정 없는 게으른 커플인 것처럼 내게 몸을 기대더니 별안간 내 얼굴을 자기 쪽으로 돌려 키스했다.

"앤디, 안 돼." 내가 속삭였다.

"돼, 난 자기가 필요해." 그녀는 다시 키스했고 내 무릎 위로 올라와 다리를 벌리고 앉았다. 그녀의 면 원피스가 무릎께로 올라가 있었다. 그녀가 신고 있던 플립플롭 한 짝이 방바닥에 떨어졌다. "닉, 난 자기가 너무 걱정됐어. 자기의 두 손이 내 몸에 닿아 있는 걸 느끼고 싶다는 생각만 계속 했어. 난 무서워."

앤디는 육체적인 여자였다. 섹스밖에 모른다는 뜻이 아니다. 그녀는 포옹하는 것, 만지는 것을 좋아했다. 손가락으로 내 머리카락을 쓸어 넘기거나 등을 다정하게 긁어내리기를 좋아했다. 그녀는 만지는 행위에서 안도감과 위안을 얻었다. 그리고 물론, 그렇다, 섹스도 좋아했다.

그녀는 갑자기 원피스를 잡아 내리더니 젖가슴 위에 나의 두 손을 올려놓았다. 나는 개처럼 충직하게 성욕이 솟구쳤다.

너랑 씹고 싶어. 나는 이렇게 말할 뻔했다. 당신은 '따뜻해'. 귓가에 아내의 목소리가 들렸다. 순간 나는 움찔하며 앤디에게서 몸을 뗐다. 나는 너무나 피곤했고, 집 안이 빙빙 도는 것처럼 보였다.

"닉?" 앤디의 아랫입술이 내 침으로 젖어 있었다. "뭐야? 우리 괜찮은 거 아니야? 에이미 때문이야?"

앤디는 언제나 어리게 느껴졌지만—스물세 살이니 어리게 느껴지는 게 당연했다—순간 나는 그녀가 아주 괴상할 만큼 어리다는 걸, 아주 무책임하게, 재앙처럼 어리다는 사실을 깨달았다. 감당할 수 없게 어렸다. 앤디가 아내의 이름을 입에 올릴 때면 가슴이 덜컥했다. 앤디는 자주 그렇게 했다. 그녀는 에이미가 심야 드라마의 여주인공이라도 되는 것처럼 에이미에 대해 얘기하는 것을 좋아했다. 앤디는 에이미를 적대시하기는 커녕 하나의 캐릭터로 취급했다. 그녀는 언제나 우리의 결혼 생활에 대해, 에이미에 대해 물었다. 뉴욕에서 살 때는 둘이서 뭘 했어? 마치 '주말엔 뭐 해?'라고 묻듯이. 내가 아내와 오페라를 보러 갔다고 말하자 앤디의 입은 'O'자가 되었다. 오페라를 보러 갔다고? 에이미는 무슨 옷을 입었어? 발끝까지 오는 옷? 숄, 아님 모피? 보석이랑 헤어스타일은? 에이미의 친구들은 어땠어? 자기는 부인이랑 무슨 얘기를 해? 에이미는 어떤 사람이야? 그러니까 진짜 어떤 사람이야? 책에서처럼 완벽해? 앤디가 가장 좋아하는 베드타임 스토리는 에이미였다.

"여동생이 다른 방에 있어, 자기야. 자긴 여기 있으면 안 돼. 맙소사, 정말 당신을 안고 싶어. 하지만 자기는 여기 와서는 안 되는 거였어. 우리한테 무슨 일이 벌어지고 있는 건지 알기 전까지는."

당신은 똑똑해, 당신은 재치 있어, 당신은 따뜻해. 이제 내게 키스해!

앤디는 젖가슴을 드러낸 채 계속 내 위에 있었다. 에어컨 바람 때문에 그녀의 젖꼭지가 단단해졌다.

"자기야, 지금 우리한테 벌어지고 있는 일은, 우리가 정말 괜찮다고 내가 확신할 필요가 있다는 거야. 내가 원하는 건 그것뿐이야." 그녀가 다시 내게 따뜻하고 싱싱한 몸을 밀착시켰다. "내가 원하는 건 그게 다야. 제발, 닉, 난 겁에 질렸단 말이야. 난 자기를 알아. 지금 당장 말하고 싶지 않다는 것도 알고. 그건 괜찮아. 하지만 난 자기가…… 나와 함께 있어주길 원해."

나는 그녀에게 키스하고 싶었다. 우리가 맨 처음 했던 대로 우리의 이가 부딪치고, 그녀의 얼굴이 내 쪽으로 기울어지고, 그녀의 머리카락이 나의 팔을 간질이는, 축축한 혀의 키스. 그 느낌이 얼마나 좋은지에만 집중하지 않는 것은 위험하기에, 키스 외엔 아무것도 생각하지 않는 나. 내가 그녀를 끌고 당장 침실로 가지 못하는 유일한 이유는 그것이 아주 잘못된 일이라서가 아니라—애초부터 여러 면에서 잘못된 일이었으니—이제 그것이 실제로 위험한 일이기 때문이었다.

거기다 에이미가 있었다. 마침내 에이미가 있었다. 5년 동안 내 귀에 둥지를 튼 그 목소리가, 내 아내의 목소리가 들렸다. 하지만 이제 그 목소리는 나를 책망하지 않고 예전처럼 상냥했다. 나는 나를 이런 기분에 빠뜨린, 갑자기 나를 맥 빠지고 감상적으로 만든 아내의 편지 세 통을 증오했다.

내게는 절대로 감상적인 기분에 빠질 권리가 없었다.

앤디는 내 몸을 파고들고 있었고 나는 경찰이 고의 집을 감시하고 있는 것은 아닌지, 누가 현관문을 두드릴 때를 대비해야 하는지 생각하고 있었다. 내게는 아주 젊고 아주 예쁜 내연녀가 있다.

내 어머니는 언제나 말했다. 무슨 일을 하려고 하는데 그것이 나쁜 것인지 알고 싶다면 그 일이 세상 모든 사람들이 보는 신문에 난다고 상상해보라고.

2010년의 해고로 상처받은 자존심이 아직도 회복되지 않은 전직 잡지 기자 닉 던은, 노스 카르타고 주니어 칼리지의 언론학 강사직을 수락했다. 이 연상의 유부남은 즉시 자신의 지위를 악용해 감수성이 예민한 어린 학생들 중 한 명과 뜨거운 정사로 점철된 불륜에 빠졌다.

나는 모든 작가들이 가장 두려워하는 것, 클리셰 그 자체였다.

당신의 즐거움을 위해 더 많은 클리셰를 늘어놓겠다. 그 일은 천천히 진행되었다. 나는 누구도 아프게 할 생각이 없었다. 처음 생각했던 것보다 깊은 관계가 되었지만 단순한 불장난이 아니었다. 거기엔 자존심을 만회하는 것 이상의 뭔가가 있었다. 나는 앤디를 진심으로 사랑한다. 정말이다.

내가 객원 교수로 '잡지 기고를 시작하는 법'을 가르치는 반은 각자 실력이 다른 열네 명의 학생으로 구성되어 있다. 모두 여자애들이다. '여자들'이라고 말해야겠지만 '여자애들'이 사실상 정확한 표현이라고 생각한다. 그들은 모두 잡지사에서 일하고 싶어 했다. 신문사의 추레한 여자들이 아니라 반짝반짝 빛나는 여자들. 그들은 영화를 본 것이다. 그들은 한 손에는 라떼를, 다른 손에는 휴대전화를 들고 맨해튼을 활보하는 자신들의 모습을 상상했다. 디자이너 힐을 또각대며 택시를 잡는다. 그리고 축 늘어진 머리카락이 애교 있게 흔들리는 다정하고 매력적인 애인의 품에 안긴다. 그들은 자신들이 선택한 전공이 얼마나 어리석고 무지한지 전혀 알지 못했다. 나는 그들에게 실컷 얘기해줄 생각이었다. 나의 실직을 경고의 메시지로 들려줄 생각이었다. 하지만 스스로를 비극의 주인공으로 만드는 데는 흥미가 없었다. 나는 무심하게, 농담하듯 나의 이야기를 들려주려고 했다. 별일 아니라는 듯이. 그리고 내 소설에 더 많은 시간을 쓸 계획이었다.

하지만 경외감에 찬 수많은 질문에 대답하느라 첫 강의 시간을 써버린 나는 우쭐대는 허풍선이, 그야말로 한심한 얼간이가 되어버렸고, 도저히 사실대로 얘기할 수가 없었다. 두 번째 해고 바람이 불던 날 편집장의 사무실로 불려가던 때, 칸막이 자리가 늘어선 그 길고 저주받은 길을 걸어

가던 순간. 모두의 시선을 받으며 사형장으로 가는 사형수 같던 나는 그때까지도 내가 다른 이야기를—잡지사에는 그 어느 때보다 내가 절실하게 필요하다고—듣게 되기를 바라고 있었다. 그래! 사기를 북돋우는 말일 거야. 모두 함께 힘을 내자는 말! 하지만 아니었다. 내 상사는 이렇게만 말했다. 유감스럽지만, 자네도 내가 왜 불렀는지 알 거라고 생각하네. 그는 자신이 얼마나 지치고 기운이 없는지 보여주기 위해 안경 밑으로 두 눈을 문질렀다.

빛나고 멋진 승리자 같은 기분을 느끼고 싶었던 나는 학생들에게 나의 종말을 말해주지 않았다. 가족 중에 돌봐야 할 환자가 있어서 이곳에 왔다고 말했다. 그래, 그건 사실이야, 나는 스스로에게 말했다. 전적으로 사실이고 아주 영웅적이다. 주근깨가 난 예쁜 앤디는 내게서 불과 몇 발짝 떨어진 곳에 앉아 있었다. 초콜릿색 웨이브 머리카락 아래 미간이 넓고 파란 눈, 아주 약간 벌어진 폭신한 입술, 터무니없이 큰 진짜 젖가슴과 길고 가느다란 팔다리. 우아하고 귀족적인 아내와는 너무나 다른, 이국적인 섹스돌 같은 여자애. 앤디는 체열과 라벤더 향을 발산하며 노트북 컴퓨터에 메모를 하고 허스키한 목소리로 "정보원의 신뢰를 얻고 사실을 말하게 하려면 어떻게 해야 하나요?" 같은 질문을 했다. 나는 속으로 생각했다. 빌어먹을, 어디서 이런 여자애가 온 거야? 이거 농담인가?

왜냐고? 스스로에게 질문해보라. 나는 에이미에게 충실했다. 나는 여자가 지나치게 끈적거리면, 너무 스스럼없이 내 몸에 손을 대면 일찍 바를 나가는 남자였다. 나는 바람피우는 사람이 아니었다. 나는 바람피우는 사람들을 싫어한다('싫어했다'고 해야 할까?). 정직하지 못하고, 무례하고, 비열하고, 버릇없는 사람들. 나는 결코 굴복하지 않았다. 하지만 그건 내가 행복했던 예전의 이야기다. 그 답이 이토록 쉽다고 생각하기는 싫지만, 나는 살면서 늘 행복했다. 하지만 더는 그렇지 않았고, 앤디가 나타났다. 그녀는 수업이 끝난 뒤 꾸물거렸고, 에이미는 결코 한 적이 없는 질문들을 내게 했다. 내가 가치 있는 남자라는 기분이 들게 해주었다. 해고당한 얼간이, 변기 커버를 내려놓는 것을 잊어버리는 멍청이, 뭐든 제대로 할 줄 아는 게 없는 얼치기, 기타 등등이 아니라.

앤디는 매일 내게 사과를 하나씩 주었다. '레드 딜리셔스'(내가 우리 관계에 대해 회고록을 쓰게 된다면 제목으로 쓸 것이다) 사과였다. 그녀는 자기가 쓴 이야기를 내게 봐달라고 부탁했다. 세인트루이스에 있는 클럽의 어느 스트리퍼에 관한 글이었는데, 〈펜트하우스〉의 대담 기사 같았다. 내가 읽는 동안 앤디는 내 사과를 먹기 시작했고, 내 어깨에 기댔다. 사과즙이 그녀의 입술에 우스꽝스럽게 묻어 있었다. 그때 나는 생각했다. '맙소사, 이 여자애가 날 유혹하려는 건가.' 나는 바보같이 충격을 받았다. 늙어가는 벤저민 브래독처럼.

그리고 그것은 효과가 있었다. 나는 앤디를 생각하기 시작했다. 하나의 일탈, 기회, 옵션처럼. 집에 돌아가면 소파 위에서 공처럼 몸을 말고 있는 에이미가 있었다. 말없이 벽을 노려보고 있던 에이미. 그녀는 절대로 내게 먼저 말을 걸지 않고 언제나 기다렸다. 끝나지 않는 먼저 말 걸기 게임, 계속되는 정신적 도전 과제. 오늘은 무엇이 에이미를 행복하게 만들까? 그때 나는 생각했다. 앤디라면 저러지 않을 텐데. 마치 내가 앤디를 알기라도 하는 듯이. 앤디라면 이 농담에 웃을 텐데, 앤디라면 이 이야기를 좋아했을 텐데. 앤디는 착하고 예쁘고 풍만한, 나와 고향이 같은 아일랜드계 여자였다. 젠체하지 않고 쾌활했다. 수업 때마다 앞줄에 앉아 있던 앤디는 상냥해 보였고 열중하는 것 같았다.

앤디를 생각할 때는 아내를 생각할 때처럼 배 속이 아프지 않았다. 환영받지 못하는 집으로 돌아가는 일에 대한 끊임없는 공포.

나는 벌어질지도 모를 일을 상상하기 시작했다. 앤디의 손길을 갈망하기 시작했다. 그랬다. 1980년대의 엉터리 가사와 똑같았다. 나는 그녀의 손길을 갈망했다. 나는 대체로 손길에 목말라 있었다. 아내가 내 손길을 거부했기 때문이다. 집에서 아내는 물고기처럼 내 옆을 잽싸게 지나갔다. 부엌이나 계단에서 몸이 닿지 않게 미끄러지듯 나를 지나쳤다. 우리는 두 개의 소파 쿠션이 마치 구명보트라도 되는 듯 거리를 유지하며 그 위에 앉아 말없이 텔레비전을 보았다. 침대에서 아내는 등을 돌리고 있었다. 우리 사이에는 담요와 시트를 밀어놓았다. 어느 날 밤, 잠에서 깬 나는 잠든 아내의 홀터넥 상의의 끈이 조금 내려가 있는 것을 보고 뺨과 손바닥을 그녀의 맨 어깨에 대고 눌렀다. 그날 밤 나는 다시 잠들 수 없었다. 나 자신이 너무 역겨웠다. 나는 침대를 빠져나가 샤워기 물줄기 속에서 에이미를 생각하며 자위를 했다. 예전에 그녀가 나를 보던 그 생생한 시선. 나를 빨아들이던, 꿰뚫어보는 듯한, 무거운 눈꺼풀 아래 떠오르는 달 같은 두 눈. 일을 마친 뒤 나는 욕조 속에 앉아 떨어지는 물줄기 사이로 배수관을 노려보았다. 내 페니스는 왼쪽 허벅지 위에 비참하게, 물가로 떠밀려온 한 마리 작은 짐승처럼 늘어져 있었다. 나는 욕조 바닥에 앉아 모욕감을 느끼며 울지 않으려고 애썼다.

그렇게 일은 벌어졌다. 이상하게도 갑자기 눈보라가 몰아친 4월 초였다. 올해 4월이 아니라 작년 4월이다. 고가 엄마를 돌보러 간 밤이라, 나는 혼자 바에서 일하고 있었다. 고와 나는 교대로 일을 쉬고 집에서 엄마와 재미없는 텔레비전을 보았다. 엄마는 빠르게 쇠약해지고 있었다. 엄마는 작년 말은 고사하고 절반도 못 버텼다.

사실 그때 나는 기분이 꽤 괜찮았다. 엄마와 고는 집에서 나란히 앉아 아네트 푸니셀로가 나오는, 해변을 배경으로 한 영화를 보고 있었고, 더 바의 밤은 분주하고 활기에 넘쳤다. 모두가 즐거운 하루를 보내고 온 것 같은, 그런 밤이었다. 예쁜 여자들은 못생긴 남자들에게 상냥했다. 사람들은 아무 이유 없이 낯선 이들에게 술을 돌렸다. 축제 분위기였다. 이윽고 문을 닫을 시간이 되어 다들 자리를 떴다. 내가 문을 잠그고 나가려고 하는데 앤디가 문을 활짝 열며 안으로 들어섰고, 나는 그녀와 몸을 부딪칠 뻔했다. 그녀의 입김에서는 희미하고 달콤한 맥주 냄새가, 머리카락에서는 장작 타는 냄새가 났다. 나는 그 순간의 어색함 때문에 멈칫했다. 한 가지 배경에서만 보던 누군가를 새로운 맥락에서 인식하려고 애쓰는 순간. 앤디가 바에 있다. 오케이. 그녀는 여자 해적처럼 웃으며 나를 뒤쪽으로 밀었다.

"제가 오늘 환상적으로 끔찍한 데이트를 했거든요. 그러니까 저랑 술 한 잔 해주세요." 앤디의 거무스름한 웨이브 머리에는 눈송이가 내려앉아 있었고, 사랑스럽게 흩어진 주근깨에서는 빛이 났으며, 두 뺨은 따귀라도 맞은 것처럼 진한 분홍색이었다. 그녀의 매력적인 목소리, 솜털이 보송보송한 새끼오리 같은 목소리는 터무니없이 귀엽게 시작해서 완벽하게 섹시하게 끝났다. "부탁이에요, 선생님, 제 입에서 그 몹쓸 데이트의 맛을 씻어내야 한단 말이에요."

그녀는 농담을 했고 어떤 농담이었는지는 기억나지 않지만 우리는 함께 웃었다. 나는 여자와 함께 있고 그 여자의 웃음소리를 들어서 참 다행이라고 생각했다는 기억이 난다. 앤디는 청바지와 브이넥 캐시미어 셔츠를 입고 있었다. 그녀는 드레스보다 청바지 차림이 더 예쁜 여자들 중 하나였다. 그녀의 얼굴과 몸은 최고로 캐주얼했다. 나는 바 뒤에 자리를 잡았고 앤디는 바 의자에 앉았다. 그녀의 시선이 내 뒤에 있는 술병을 모조리 훑었다.

"무엇을 원하십니까, 아가씨?"

"절 놀라게 해주세요." 그녀가 말했다.

"우우!" 나는 말했고, 뽀뽀하는 것처럼 쭉 내민 입술 모양이 되었다.

"이젠 술로 놀라게 해주세요." 앤디가 몸을 앞으로 기울였다. 가슴골이 바에 닿으면서 젖가슴이 밀려 올라갔다. 가느다란 금목걸이에 달린 펜던트가 스웨터 안의 젖가슴 사이로 미끄러져 내려갔다. 그런 남자가 되어서는 안 돼. 나는 생각했다. 저 펜던트가 도착한 곳 때문에 숨을 헐떡이는 남자.

"무슨 맛으로 할래?" 내가 물었다.

"선생님이 주는 거라면 뭐든 좋아요."

나를 사로잡은 것은 바로 그 말, 그 단순함이었다. 내가 뭔가를 할 수 있고, 그로 인해 여자가 행복할 수 있으며, 그것이 어렵지도 않다는 생각. 선생님이 주는 거라면 뭐든 좋아요. 안도감이 파도처럼 밀려오는 듯했다. 그 순간 나는 더 이상 에이미를 사랑하지 않는다는 것을 깨달았다.

난 더 이상 아내를 사랑하지 않아. 돌아서서 유리잔 두 개를 집으며 나는 생각했다. 아주 조금도 사랑하지 않아, 사랑은 내게서 말끔하게 닦여 나갔어, 내겐 티끌 한 점 없어. 나는 내가 가장 좋아하는 술, 뜨거운 커피와 차가운 페퍼민트 스냅스를 섞은 '크리스마스 아침'을 만들었다. 나는 앤디와 함께 한 잔씩 마신 다음 그녀가 몸을 떨며 웃을 때—그 커다란 함성 같은 웃음—우리의 잔에 한 잔씩 더 따랐다. 우리는 폐점 시간을 한 시간 넘길 때까지 함께 술을 마셨다. 그동안 나는 '아내'라는 말을 세 차례 입에 올렸다. 앤디를 보며 그 애의 옷을 벗기는 상상을 하고 있었기 때문이다. 내가 최소한으로 할 수 있는, 그 애에게 보내는 경고였다—내게는 아내가 있어. 그러니 네가 판단해라.

앤디는 내 앞에 앉아 두 손으로 턱을 괸 채 미소 짓고 있었다.

"저희 집까지 데려다주실래요?" 앤디가 말했다. 그녀는 전에 시내에서 아주 가까운 곳에 살고 있다고, 언제 한번 더 바에 들러 인사를 해야겠다고 말한 적이 있었다. 더 바에서 아주 가까운 곳에 산다고도 했던가? 내 마음은 준비가 되어 있었다. 나는 여러 번 마음속으로 그녀가 사는 몇 블록 건너의 특징 없는 벽돌 건물까지 어슬렁거리며 걸어갔다. 그래서 어느새 앤디를 데려다주기 위해 바 밖으로 나왔을 때, 그 상황은 전혀 특별한 일이 아닌 것처럼 느껴졌다. 경고음이—이건 특별한 상황이다. 우리는 이런 사이가 아니다—울리지 않았다.

나는 앤디를 데려다주기 위해 눈보라를 맞으며 걷다가 그녀가 빨간색 목도리를 다시 감는 것을 도와주었다. 한 번, 두 번, 그리고 세 번 감을 때 그녀를 껴안은 자세가 되면서 서로의 얼굴이 가까워졌다. 그녀의 뺨은 크리스마스 썰매를 탈 때처럼 분홍색으로 물들어 있었다. 백일 밤을 보낸다 해도 벌어지지 않을 일이었지만 그날 밤이었기에 가능한 일이었다. 그날 밤의 대화, 술, 눈보라, 목도리.

우리는 누가 먼저랄 것도 없이 서로를 끌어안았다. 나는 균형을 더 잘 잡기 위해 그녀를 나무에 밀어붙였고, 우리는 가냘픈 나뭇가지에서 떨어진 눈을 맞았다. 그 놀랍고 우스운 순간은 나로 하여금 더 집요하게, 한 번에 모든 곳을 애무하게 만들었다. 나의 한 손은 그녀의 스웨터 속에, 다른 손은 그녀의 다리 사이에 있었다. 그녀는 저항하지 않았다.

앤디가 내게서 몸을 떼고 추워서 이를 딱딱 맞부딪치며 말했다. "같이 올라가요."

나는 멈칫했다.

"같이 올라가요." 그녀가 다시 말했다. "함께 있고 싶어요."

섹스는 그렇게 좋지 않았다. 첫 번째에는. 서로 다른 리듬에 익숙했던 우리는 서로의 사용법을 잘 몰랐고, 나는 너무 오랫동안 여자의 몸속에 들어가보지 못했다. 나는 먼저, 빨리 절정에 이르렀고, 앤디의 안에서 시들기 시작했으며, 결정적인 30초 동안 쉬지 않고 움직이는 것으로 겨우 그녀를 배려한 뒤 완전히 축 늘어졌다.

결국 나쁘지는 않지만 실망스러운 용두사미가 되었다. 여자들이 마침내 처녀성을 잃었을 때 느끼는 식으로—겨우 이것 때문에 그 난리들이란 말이야? 하지만 나는 앤디가 내 몸을 감싸는 방식이 좋았고, 내가 상상했던 만큼 그녀가 부드럽다는 사실이 좋았다. 싱싱한 피부. 젊다. 침대에 앉아 끝도 없이 화가 난 듯 로션을 덕지덕지 바르던 에이미를 떠올리며, 꼴사납게도 나는 그렇게 생각했다.

나는 앤디의 욕실로 들어가 오줌을 누고 거울을 보며 혼잣말을 했다. 넌 바람피우는 놈이야. 넌 남자의 가장 기본적인 자격 중 하나를 잃었어. 넌 좋은 남자가 아니야. 그것이 괴롭지 않자 나는 생각했다. 넌 진짜 나쁜 놈이야.

무서운 사실은, 만약 첫 섹스가 끝내주게 화끈했다면 그것이 마지막이었을지도 모른다는 것이었다. 하지만 첫 섹스가 겨우 괜찮은 정도로 끝났고 이미 나는 바람피우는 남자가 되었으므로, 평균에 불과한 정도로 나의 외도 기록을 망칠 수가 없었다. 그래서 나는 다음이 있을 것임을 알았다. 나는 자신에게 다시는 그래서는 안 된다고 다짐하지 않았다. 두 번째 섹스는 아주 아주 좋았고, 세 번째는 끝내줬다. 곧 앤디는 내게 모든 면에서 에이미와 반대인 존재가 되었다. 앤디는 나와 함께 웃었고 나를 웃게 했으며 내 말을 곧바로 반박하거나 넘겨짚지도 않았다. 나를 노려보는 법도 없었다. 그녀는 쉬웠다. 모든 것이 정말이지 너무나 쉬웠다. 나는 생각했다. 사랑은 더 나은 남자가 되고 싶게 만든다―그래, 맞는 말이다. 하지만 어쩌면 사랑은, 진짜 사랑은 남자가 자신의 원래 모습으로 살도록 허락하는 것이기도 할 것이다.

나는 에이미에게 말하려고 했다. 한 번은 거쳐야 할 일임을 알고 있었다. 하지만 나는 몇 달이 지나고 또 지나도록 에이미에게 말하지 못했다. 그리고 또 몇 달이 지나갔다. 비겁함이 가장 큰 이유였다. 나는 그런 대화를 해야 한다는 것을, 나 자신을 설명해야 한다는 것을 견딜 수가 없었다. 장인, 장모와 이혼 이야기를 하는 것을 상상할 수가 없었다. 그들은 분명 그 싸움에 개입하려 들 것이다. 하지만 나의 강한 실용주의적 성향도 한 가지 이유가 되었다. 내가 얼마나 실용적인지, 거의 그로테스크한 수준이었다. 내가 에이미에게 이혼을 요구하지 않은 이유 중 일부는 나와 고의 바가 에이미의 돈으로 산 것이라는 사실 때문이었다. 바의 실질적인 소유주인 그녀는 바를 정리해버릴 것이 분명했다. 나는 쌍둥이 동생이 다시 한 번 몇 년의 인생을 잃어버린 뒤 용감한 척하는 모습을 볼 수가 없었다. 그래서 나는 그 비참한 상황에서 계속 표류하면서 언젠가는 에이미가 폭발해 이혼을 요구할 거라고, 그러면 나는 좋은 사람으로 남을 수 있을 거라고 생각했다.

이렇듯 비난받지 않고 상황을 도피하려는 욕망은 비열했다. 그리고 나는 비열해질수록 앤디를 더 갈망했다. 그녀는 내 이야기가 낯선 사람들이 읽는 지면에 실린다 해도 내가 겉보기만큼 나쁜 사람이 아니라는 사실을 알아줄 사람이었다. 에이미가 이혼하자고 할 거야. 나는 계속 생각했다.

아내는 오래 버티지 못할걸. 하지만 봄이 가고 여름이 오고, 이어 가을과 겨울이 지나며 내가 사계절 내내 사랑스럽게 조르는 정부와 바람을 피운 남자가 되면서, 뭔가를 해야 한다는 사실이 분명해졌다.

"내 말은, 사랑해, 닉." 앤디가 이곳, 내 누이의 소파 위에서 초현실적으로 말했다. "무슨 일이 있어도. 다른 무슨 말을 해야 할지 잘 모르겠어, 난 내가……." 그녀가 갑자기 두 손을 쳐들었다. "바보 같다는 기분이 들어."

"그러지 마." 내가 말했다. "나 역시 뭐라고 해야 할지 모르겠어. 할 말이 없어."

"무슨 일이 있어도 나를 사랑한다고 말해줘."

나는 생각했다—나는 이제 그 말을 소리 내어 말할 수 없어. 두어 번 그렇게 말한 적은 있었다. 무언가에 대한 향수를 느끼며 앤디의 목에 대고 뱉듯이 웅얼거리면서. 하지만 그 말들은 바깥 저 멀리에 있었다. 그보다 더한 말들도. 그때 나는 우리가, 내가 충분히 걱정하지 않았던 우리의 분주하고 반쯤 숨겨진 연애가 만든 길을 생각했다. 나는 그 길 위에 있었다. 나는 앤디하고만 통화하기 위해 일회용 휴대전화를 샀지만 그것으로 보낸 음성과 문자의 도착지는 그녀의 일반 휴대전화였다. 나는 앤디에게 지저분한 밸런타인데이 메시지를 보낸 적이 있었다. 벌써부터 그 메시지가 뉴스에 대문짝만 하게 실리는 장면이 떠올랐다. '얼빠지게 하다(besot)'와 '보지(twat)'로 운을 맞춘 메시지. 더군다나 앤디는 스물세 살이었다. 나는 내 글과 음성, 심지어 사진까지 다양한 전자기기에 저장되어 있을 거라고 짐작했다. 어느 날 밤, 나는 질투심과 소유욕과 호기심 때문에 앤디의 휴대전화에 저장된 사진들을 본 적이 있다. 한두 명의 옛 남자가 그녀의 침대에서 자랑스럽게 웃고 있었다. 나는 언젠가는 나도 그들과 합류하게 될 거라고 생각했고, 어느 정도는 합류하고 싶었다. 어떤 이유에선지 걱정은 하지 않았다. 복수심에 불타는 순간, 단 1초 만에 내 사진이 다운로드되고 수백만 명의 사람들에게 전송될 수도 있었음에도.

"우린 지금 극도로 이상한 상황에 처해 있어, 앤디. 네가 인내심을 좀 가져줬으면 좋겠어."

그녀가 내게서 몸을 뗐다. "무슨 일이 있어도 나를 사랑한다고 말할 수 없다는 거야?"

"사랑해, 앤디. 진심이야." 나는 그녀의 시선을 맞받았다. 지금 사랑한다고 말하는 것은 위험했다. 하지만 말하지 않는 것도 위험했다.

"그럼 해줘." 그녀가 속삭이며 내 허리띠를 잡아당겼다.

"지금 우리는 정말 조심해야 돼. 난…… 상황이 불리해. 경찰이 우리 일을 알게 되면 불리한 정도를 넘어설 거야."

"그게 당신이 걱정하는 거야?"

"난 아내가 실종됐고 몰래 만나는…… 여자 친구가 있는 남자야. 범인처럼 보이는 게 사실이지."

"추잡하게 들려." 그녀는 여전히 가슴을 드러내고 있었다.

"사람들은 우릴 모르잖아, 앤디. 그들은 추잡하다고 생각할 거야."

"맙소사, 엉터리 범죄 영화 같아."

나는 웃었다. 나는 앤디를 범죄 영화의 세계에 입문시켰다. 험프리 보가트와 〈빅 슬립〉, 〈이중 배상〉 같은 고전들. 내가 우리 관계에서 가장 좋아하는 것들 중 하나였다. 내가 뭔가를 보여줄 수 있다는 것.

"그냥 경찰에 말하면 안 돼?" 앤디가 말했다. "그게 더 낫지 않을까."

"안 돼. 앤디. 그건 꿈도 꾸지 마. 안 돼."

"경찰은 알게 될 거야."

"왜? 어째서? 남들한테 우리 이야기를 한 거야, 자기?"

앤디가 흠칫 놀라는 표정을 지었다. 기분이 좋지 않았다. 앤디는 오늘 밤이 이렇게 풀릴 거라고 생각하지 않았을 것이다. 그녀는 나를 볼 생각에 들떠서 황홀한 재회와 육체적인 안도감을 상상했을 것이다. 그런데 나는 변명으로 발뺌하느라 바빴다.

"자기야, 미안해, 그냥 궁금해서 그래." 내가 말했다.

"이름은 몰라."

"이름은 모르다니 무슨 뜻이야?"

"내 말은." 그녀가 원피스를 완전히 다 입으며 말했다. "친구들이랑 엄마가 내가 누군가를 만난다는 건 알지만 누군지는 모른다는 뜻이야."

"그 외에 다른 것도 모르는 거지, 응?" 나는 내가 원하는 정도보다 더 긴박하게, 무너지는 천장을 받치고 있는 것처럼 말했다. "이 일을 아는 사람은 두 사람, 너랑 나뿐이어야 해. 네가 날 도와준다면, 네가 날 사랑한다면 이건 우리 둘만 아는 일이어야 하고, 그러면 경찰은 절대 모를 거야."

그녀는 손가락으로 내 팬티의 밑단을 쓸었다.

"경찰이 에이미를 못 찾으면 어떻게 되는 거야?"

"앤디, 너랑 나는 무슨 일이 있어도 함께일 거야. 하지만 우리가 신중해야만 그렇게 돼. 그러지 못하면 아마 내가 감옥에 가게 될 수도 있어."

"어쩌면 에이미는 누군가와 도망친 것일 수도 있어." 내 어깨에 뺨을 대고 그녀가 말했다. "어쩌면."

나는 그녀의 소녀 같은 뇌가 분주하게 움직이는 것을 느낄 수 있었다. 그 뇌는 에이미를, 그녀의 실종을 시시하고 천박한 로맨스로 바꿔놓고 있었다. 현실을 완전히 무시하고 서사에 맞지 않게.

"그녀는 도망간 게 아니야. 그것보다 훨씬 더 심각한 상황이라고." 나는 앤디가 나를 보도록 손가락으로 그녀의 턱을 받쳤다. "앤디? 난 네가 이 일을 정말 심각하게 받아들였으면 좋겠어, 알았지?"

"물론 심각하게 받아들이고 있어. 하지만 난 자기랑 더 자주 대화할 수 있으면 좋겠어. 만나기도 하고. 난 무서워, 닉."

"당분간 우린 꼼짝 말고 있어야 해." 나는 그녀의 양 어깨를 쥐고 그녀가 나를 똑바로 쳐다보게 만들었다. "내 아내가 실종됐다고, 앤디."

"하지만 자긴 그 여자를……."

나는 그녀가 무슨 말을 하려던 것인지 알고 있었다. 자긴 그 여자를 사랑하지도 않잖아. 하지만 앤디는 더 이상 말하지 않을 만큼은 똑똑했다.

앤디는 두 팔로 나를 안고 말했다. "난 자기랑 싸우고 싶지 않아. 자기가 에이미에게 마음 쓴다는 거 알고 있어. 그녀를 정말로 걱정하고 있을 거라는 것도. 나도 그래. 난 자기가 받고 있는…… 압박감을 상상할 수도 없어. 그러니까 난 여태껏 그랬던 것보다도 더 잠자코 있을게. 그게 가능한 일인지 모르겠지만. 하지만 잊지 마, 이 일은 내게도 영향을 끼치고 있어. 난 하루에 한 번은 자기 목소리를 들어야 해. 언제든 가능할 때 전화를 해줘. 몇 초라도 좋으니 자기 목소리를 듣게 해줘. 하루 한 번이야, 닉. 하루도 빠짐없이. 그렇지 않으면 난 미쳐버릴 거야."

그녀는 일어서서 나를 문가로 이끌었다.

"차까지 데려다달라고도 안 할게." 그녀가 말했다. "키스만 해줘."

"바로 앞에 차 댔어?" 나는 또 한 번 움찔했다.

"좀 떨어진 데다 댔어."

나는 아주 부드럽게 그녀에게 키스했다.

"사랑해." 그녀가 말했다. 나는 그녀의 목에 키스하며 대답을 웅얼거린 다음, 그녀가 나갈 수 있게 문을 열면서 급하게 문 뒤로 몸을 숨겼다.

몸을 돌렸을 때, 고가 거실에 서 있었다. 그녀는 충격을 받아 입을 크게 벌리고 있었지만 입을 제외한 다른 모든 신체 부위는 분노에 휩싸여 있었다. 엉덩이 위에 올린 두 손과 'V'자가 된 눈썹.

"닉. 이 멍청한 자식."

에이미 엘리엇 던

2011년 7월 21일 일기

난 정말 멍청하다. 때때로 나는 나 자신을 보면서 생각한다. 닉이 그의 어머니와 비교해 나를 우습고 하찮고 버릇없다고 생각하는 것도 무리가 아니다. 시어머니 모린은 죽어가고 있다. 그녀는 함박웃음과 수를 놓은 스웨트 셔츠 아래에 자신의 병을 감추고 당신의 건강에 대한 모든 질문에 이렇게 대답한다. "아, 전 괜찮아요. 당신은 어때요?" 모린은 죽어가고 있지만 그 사실을 인정하려고 하지 않는다. 아직까지는. 어제 아침 시어머니는 내게 전화를 해 당신과 당신 친구들과 함께 견학을 가지 않겠느냐고 물었고—시어머니는 하루하루를 즐겁게 보내고 있다. 가능한 한 집 밖으로 나가고 싶어 한다—나는 즉시 좋다고 말한다. 그들이 하는 일—피노클, 브리지, 그리고 대개 뭔가를 정리정돈 하는 교회 활동—중 나의 흥미를 끄는 것은 별로 없다는 걸 알면서도.

"우리가 15분 뒤에 데리러 갈게." 시어머니가 말한다. "반소매를 입으렴."

청소. 청소를 하러 가는 게 분명했다. 뭔지는 모르지만 고된 일. 나는 허둥지둥 반소매 셔츠를 입고 정확히 15분 뒤 민머리에 니트 모자를 쓰고 친구 세 명과 킥킥거리고 있는 시어머니에게 문을 열어준다. 그들은 모두 종과 리본이 아플리케(천 조각을 덧대거나 꿰맨 장식-옮긴이)로 붙어 있는 티셔츠를 입고 있다. 가슴에는 '더 플라스마마스'라는 말이 에어브러시로 처리되어 있다.

나는 그들이 두왑 그룹을 결성한 거라고 생각한다. 하지만 곧 우리는 로즈의 오래된 크라이슬러—앞좌석이 반대편으로 완전히 넘어가는 엄청 오래된 차, 여성용 담배 냄새가 나는 할머니 같은 차—에 올라타 신나게 달려서 혈장(플라스마) 기증 센터에 도착한다.

"우린 월요일과 목요일마다 와." 로즈가 백미러로 나를 보며 설명한다.

"아." 나는 말한다. 다른 어떤 대답을 할 수 있을까? 아, 끝내주는 플라스마 데이네요!

"일주일에 두 번만 기증할 수 있거든." 모린이 말한다. 그녀의 셔츠 위 종들이 딸랑딸랑 울린다. "처음에는 20달러를 받고 그다음엔 30달러를 받아. 그래서 오늘 다들 기분이 무척 좋은 거란다."

"너도 좋아하게 될 거야." 비키가 말한다. "다들 그냥 앉아서 수다 떨고 그래. 미용실에 간 것처럼."

모린이 내 팔을 잡고 조용히 말한다. "난 이제 기증을 할 수 없지만 네가 나 대신 할 수 있을 거라 생각했어. 네가 용돈을 좀 벌 수 있는 좋은 방법일 것 같아서. 여자는 수중에 현금을 좀 갖고 있는 게 좋단다."

나는 솟구치는 분노를 꿀꺽 삼켰다. 난 수중에 현금이 많이 있었지만 그걸 당신 아들한테 줬다고요.

작은 청재킷을 입은 말라빠진 남자가 떠돌이 개처럼 주차장 근처를 배회하고 있었지만 센터 내부는 청결했다. 밝고 소나무 향이 났으며 벽에는 기독교 포스터들이 붙어 있었다. 모두 비둘기와 안개가 등장하는 포스터였다. 하지만 나는 이 일을 할 수 없다는 걸 안다. 바늘. 피. 내게는 둘 다 불가능하다. 다른 건 무서워하지 않지만 이 두 가지는 정말 무섭다. 나는 종이에만 베여도 까무러치는 여자다. 피부가 벌어지는 것. 벗겨지고, 잘리고, 뚫리는 것. 시어머니가 화학요법을 받을 때도 나는 주삿바늘이 들어가는 것은 절대 보지 않는다.

"안녕하세요, 케일리스!" 시어머니가 안으로 들어서며 소리치자 애매한 의료용 유니폼을 입은 뚱뚱한 흑인 여자가 대답한다. "안녕하세요, 모린! 몸은 어떠세요?"

"아, 난 괜찮아요. 당신은 어때요?"

"여기 다니신 지 얼마나 되셨어요?" 내가 묻는다.

"좀 됐어." 모린이 말한다. "다들 케일리스를 제일 좋아해. 주사를 정말 잘 놓거든. 특히 나한텐 잘된 일이야. 롤러가 있거든." 모린은 기분 나쁜 푸른 정맥이 보이는 팔뚝을 내밀었다. 나와 처음 만났을 때 시어머니는 그저 뚱뚱하기만 했다. 이상하게도 그녀는 사실 뚱뚱한 게 더 보기가 좋다. "자, 손가락을 얹어보렴."

나는 케일리스가 우리를 안으로 안내해주기를 바라면서 주위를 둘러본다.

"자, 어서."

한 손가락 끝으로 정맥을 만지자 그것이 위로 올라오는 느낌이 든다. 갑자기 몸에서 열이 나는 것 같다.

"그래, 이분이 우리의 신참인가요?" 갑자기 내 옆에 나타난 케일리스가 묻는다. "모린이 그쪽 자랑을 얼마나 하는지 몰라요. 일단 서류를 좀 작성하시고."

"죄송하지만 전 못해요. 전 주사를 못 맞아요. 피도 못 보고요. 심각한 공포증이 있거든요. 전 진짜 못해요."

나는 오늘 그때까지 아무것도 먹지 못했다는 사실을 깨닫는다. 토할 것만 같다. 목에서 힘이 빠진다.

"여기 있는 모든 것은 아주 위생적이에요. 잘 관리되고 있어요." 케일리스가 말한다.

"그런 문제가 아니에요, 정말로. 난 헌혈도 한번 못해봤어요. 제 주치의는 제게 화를 내죠. 제가 1년에 한 번 하는 혈액검사도 못하니까요. 콜레스테롤 검사 같은 거요."

그리하여 우리는 그냥 기다렸다. 그 일은 두 시간이 걸린다. 비키와 로즈는 피 젓는 기계에 묶여 있다. 마치 사육되고 있는 것 같다. 두 사람은 손가락에 낙인까지 찍힌다. 다른 센터에서라도 일주일에 두 번 이상 기증할 수 없게 하기 위해서다. 그 표시는 자색광으로 비추면 나타난다.

"이게 〈007〉 같은 부분이지." 비키가 말하자 그들은 다 같이 킥킥거린다. 시어머니는 콧소리로 〈007〉 주제곡(인 것 같다)을 부르고 로즈는 손으로 총 모양을 만든다.

"이 늙은 할망구들, 좀 조용히 할 수 없어?" 의자 네 개 건너에 있는 백발의 여자가 외친다. 그녀는 기름기로 번들거리는 남자 세 명의—팔에 청록색 문신이 있고 턱에는 수염이 까칠하게 난, 내 생각에 딱 혈장 기증자처럼 생긴 남자들—누운 몸 위로 몸을 기울이더니 바늘이 꽂혀 있지 않은 팔을 들어 손가락 하나를 흔든다.

"메리! 넌 내일 오는 거 아니었어?"

"그랬지. 하지만 실업수당이 일주일째 안 나와서 말이야. 집에 시리얼 한 상자랑 크림옥수수 통조림밖에 없거든!"

그들은 기아에 가까운 상황이 즐겁다는 듯 다 같이 웃는다. 이 동네는 가끔 자포자기와 자기부정이 너무 심하다. 나는 속이 울렁거리기 시작한다. 피를 젓는 소리, 몸에서 기계로 흘러가는 긴 플라스틱 대롱 속의 피, 사육되고 있는 것 같은 사람들. 사방이 피다. 있을 법하지 않는 곳에, 노골적으로 드러나 있는 피. 짙고 거무스름한, 거의 보라색에 가까운 피.

나는 일어나서 화장실로 가 얼굴에 찬물을 끼얹는다. 두 발자국 걸었을 때 아무 소리도 나지 않더니, 시야가 작은 구멍으로 변한다. 내 몸속에서 뛰는 심장과 흐르는 피를 느끼며 쓰러질 때 나는 말한다. "아. 미안해요."

집까지 어떻게 왔는지 거의 기억이 없다. 시어머니는 나를 침대에 눕히고 사과주스 한 잔과 수프 한 그릇을 옆에 놓아둔다. 우리는 닉에게 연락하려고 애쓴다. 고는 그가 더 바에 없다고 하고, 닉은 휴대전화를 받지 않는다.

이 남자는 사라지곤 한다.

"닉은 어렸을 때도 이랬어. 돌아다니는 걸 너무 좋아해." 시어머니가 말한다. "닉에게 줄 수 있는 가장 큰 벌은 자기 방에서 못 나오게 하는 거였단다." 그녀는 내 이마 위에 차가운 수건을 올려놓는다. 그녀가 숨 쉴 때마다 강한 아스피린 냄새가 난다. "넌 그냥 쉬어, 알았지? 닉이 집에 올 때까지 내가 계속 전화를 해볼게."

닉이 집에 왔을 때 나는 잠들어 있었다. 그가 샤워하는 소리를 듣고 잠에서 깨어 시계를 본다. 밤 11시 4분. 그는 결국 더 바에 들른 것이 분명하다. 그는 (그의 말에 따르면) 근무 뒤에 맥주와 짠 팝콘 냄새를 지우기 위해 샤워하는 것을 좋아한다.

그가 침대로 들어왔을 때 나는 몸을 돌려 그를 쳐다본다. 내가 깨어 있어서 실망한 표정이다.

"어머님이랑 나랑 당신한테 몇 시간 동안 전화했어."

"휴대전화 배터리가 나가 있었어. 기절했었어?"

"배터리가 나갔다면서 기절한 건 어떻게 알았어?"

그는 멈칫한다. 이제 그는 거짓말을 시작할 것이다. 가장 기분이 나쁠 때는 거짓말이 시작되기를 그저 기다려야만 하는 때다. 닉은 구식이고 자유를 원한다. 그는 자신의 생각을 설명하는 것을 좋아하지 않는다. 그는 일주일 전에 남자들과 놀 약속을 잡아놓고도 포커 게임이 시작되기 한 시간 전이 되어서야, 아무렇지도 않게 말한다. "오늘 밤에 남자들끼리 포커 치러 갈까 해, 당신만 괜찮다면 말이야." 내가 다른 계획을 세워놓았다면 나를 나쁜 사람으로 만들어버린다. 남편이 포커도 못 치게 하는 아내가 되고 싶은 여자가 어디 있겠는가. 머리에 헤어롤을 만 채 바가지를 긁는 여자가 되고 싶은 사람은 없을 것이다. 결국 실망감을 감추고 괜찮다고 해야 한다. 닉이 나빠서라고는 생각하지 않는다. 그는 그저 그렇게 자란 것이다. 그의 아버지는 언제나 자기 일을 하느라 바빴고, 그의 어머니는 참고 견뎠다. 결국 남편에게 이혼을 요구할 때까지.

닉이 거짓말을 시작한다. 나는 듣지도 않는다.

닉 던

나는 문에 등을 기댄 채 내 누이를 노려보았다. 아직도 앤디의 냄새가 났다. 그 순간 혼자 있고 싶었다. 앤디가 떠난 지금부터는 그녀를 생각하며 즐길 수 있으니까. 앤디의 라벤더 샴푸와 라벤더 로션. 라벤더는 행운을 불러와요. 그녀는 말한 적이 있었다. 내게는 행운이 필요하다.

"여자가 몇 살이야?" 고가 엉덩이 위에 두 손을 얹고 물었다.

"거기서부터 시작하고 싶어?"

"몇 살이냐고, 닉?"

"스물셋."

"스물셋. 잘났어."

"고, 그러지 마."

"닉. 넌 네가 얼마나 좆같은지 모르겠어?" 엉덩이 위에 두 손을 얹은 고가 말했다. "좆같고 멍청해." 고는 어린애한테나 쓰는 '멍청해'라는 말을 내가 다시 열 살짜리가 된 듯한 기분이 들 정도로 신랄하게 내뱉었다.

"바람직한 상황은 아니지." 내가 조용한 목소리로 인정했다.

"바람직한 상황! 넌…… 넌 이제 바람피우는 남자야, 닉. 내 말은, 너 어쩌다 이렇게 됐어? 넌 언제나 착한 남자들 중 하나였어. 아님 그동안 내가 바보같이 속았던 거야?"

"아니야." 나는 바닥을 노려보았다. 어렸을 때 엄마가 나를 소파에 앉혀 놓고는, 너는 방금 네가 한 짓보다 나은 사람이라고 말할 때 내가 노려보던 바로 그 지점이었다.

"이제 너는 아내를 속이고 바람피우는 남자야. 넌 그 사실을 절대 바꿀 수 없어." 고가 말했다. "맙소사, 아빠도 바람은 안 피웠어. 넌 정말, 지금 네 아내가 실종됐어. 에이미가 어디 있는지도 모르는데 넌 어린애랑 놀아나고."

"고, 네가 에이미를 옹호하는 이 수정주의 역사를 듣고 있자니 재미있네. 그러니까, 넌 한 번도 에이미를 좋아한 적이 없잖아, 아예 처음부터. 그리고 이 일이 벌어질 때까지 죽. 이건 마치……."

"내가 실종된 네 와이프에게 동정심을 느끼는 것 같다고? 그래, 닉. 난 걱정하고 있어. 물론이야. 내가 너한테 이상하게 행동하고 있다고 말한 거 기억나? 넌 말도 안 되게 행동하고 있어."

고는 엄지손톱을 물어뜯으며 거실을 돌아다녔다. "경찰이 이 일을 알면…… 난 상상도 못하겠어. 무서워 죽겠어, 닉. 처음으로 네가 정말 무서워. 경찰이 아직 모른다는 건 말이 안 돼. 분명 네 통화기록을 조사했을 텐데."

"일회용 휴대전화를 썼어."

그 말에 고가 멈칫했다. "그건 더 나빠. 그건…… 계획적인 짓 같잖아."

"계획적인 외도야, 고. 그래, 그 부분에 대해선 난 유죄야."

고는 순간 수긍하더니 소파에 털썩 주저앉았다. 새로운 현실이 그녀 위에 내려앉고 있었다. 솔직히 말해, 나는 고가 안다는 사실에 안도감이 들었다.

"얼마나 됐어?"

"1년 좀 넘었어." 나는 바닥에서 시선을 거두고 고를 똑바로 쳐다보았다.

"1년이 넘었다고? 그런데도 나한테 한마디도 안 했어."

"네가 그만두라고 할까 봐 두려웠어. 네가 나를 나쁘게 생각하면 난 그만둘 수밖에 없는데, 난 그만두고 싶지 않았거든. 에이미와 난……"

"1년이 넘도록 난 짐작도 못했어. 술 마시면서 8천 번은 대화를 했을 텐데 넌 내게 말해줄 만큼 날 신뢰하지 않았어. 네가 이럴 줄 몰랐어. 나한테 완전히 숨기는 게 있다니."

"이거 딱 하나야."

고가 어깨를 으쓱했다. 이제 네 말을 어떻게 믿어? "그 앨 사랑해?" 고는 그것이 얼마나 비현실적인지를 보여주기 위해 농담하는 투로 말했다.

"응. 정말 그런 것 같아. 그랬어. 그래."

"네가 정말로 그 애랑 데이트를 한다면, 그 앨 정기적으로 보고, 그 애랑 살게 되면 그 애가 너에 대해 마음에 안 드는 뭔가를 발견하게 될 거라는 거 알아? 너의 뭔가가 자기를 미치게 만든다는 걸 알게 될 거야. 그 앤 네가 좋아하지 않을 요구들을 하겠지. 그 애가 너한테 화가 나면?"

"난 열 살짜리가 아니야, 고. 관계가 어떻게 작동하는지는 나도 알아."

고가 다시 어깨를 으쓱했다. 그래? "우린 변호사가 필요해." 고가 말했다. "PR 능력이 뛰어난 변호사. 왜냐하면 방송국, 몇몇 케이블 쇼에서 냄새를 맡으며 돌아다니고 있어. 언론이 널 못된 바람둥이 남편으로 만들지 못하게 해야만 해. 만약 그렇게 되면…… 다 끝장나는 거야."

"고, 좀 극단적으로 들려." 사실 나도 고와 같은 생각이었지만 고의 입에서 실제로 그 말을 듣는 건 견딜 수가 없었다. 나는 그 말을 불신해야만 했다.

"닉, 지금 상황이 좀 극단적이거든? 몇 군데 전화를 좀 해야겠어."

"맘대로 해, 그래서 네 기분이 나아진다면."

고는 손가락 두 개로 나의 가슴뼈 사이를 찔렀다. "나한테 그런 좆같은 소리 하지 마, 랜스. '아, 여자들은 정말이지 지나치게 흥분한다니까.' 그런 건 헛소리야. 넌 지금 정말 나쁜 상황에 처해 있다고. 정신 똑바로 차리고 내가 이 상황을 처리하는 걸 도우란 말이야."

셔츠 밑 찔린 곳이 얼얼했다. 고는 돌아서서―하느님, 감사합니다―제 방으로 들어갔다. 나는 소파에 멍청하게 앉아 있다가 곧 일어날 거라고 스스로에게 다짐하며 누웠다.

에이미 꿈을 꿨다. 그녀는 부엌 바닥에 두 손과 무릎을 대고 기어가고 있었다. 뒷문까지 가려고 노력했지만 피 때문에 앞이 보이지 않아서 천천히, 너무 천천히 움직이고 있었다. 아내의 예쁜 머리는 오른쪽이 움푹 파여 이상하게 비뚤어져 있었다. 한 다발의 머리카락에서 피가 똑똑 떨어졌다. 아내는 신음하듯 내 이름을 부르고 있었다.

나는 잠에서 깨어 집으로 갈 시간임을 깨달았다. 나는 그 장소, 범죄 현장을 보아야 했다. 그것과 대면해야 했다.

더워서 밖에는 아무도 없었다. 우리 동네는 에이미가 사라졌던 날처럼 텅 비고 쓸쓸했다. 나는 우리 집 현관문으로 들어가서 숨을 돌렸다. 지은 지 얼마 안 된 집이 그토록 귀신 들린 것처럼 느껴지다니 이상한 일이었다. 낭만적인 빅토리아 시대의 소설에서처럼 그런 것이 아니라 그저 섬뜩하고 엉망으로 폐허가 된 느낌. 사연이 있는 집. 이제 겨우 3년 된 집인데. 감식반 기술자들은 온 집안에 흔적을 남겨놓았다. 표면은 얼룩이 묻고 찐득거리고 더러웠다. 소파에 앉으니 누군가, 실제 사람의 냄새가, 낯선 사람의 알싸한 애프터셰이브 로션 향이 섞인 냄새가 났다. 나는 집 밖의 열기에도 불구하고 창문을 열어 환기를 시켰다. 블리커가 계단을 내려왔고 나는 녀석을 안아 올려 쓰다듬어주었다. 녀석이 가르릉거렸다. 누군가, 경찰이 나를 위해 블리커의 밥그릇을 가득 채워놓았다. 내 집을 해체시켜놓은 뒤의 상냥한 행동. 나는 고양이를 맨 아래 계단에 조심스럽게 내려놓은 다음, 셔츠 단추를 풀며 침실로 올라갔다. 침대에 누워 베개에 얼굴을 파묻었다. 결혼기념일 아침, '그날 아침'에 내가 노려보고 있던 바로 그 남색 베개 커버였다.

휴대전화가 울렸다. 고였다. 전화를 받았다.

"정오에 〈엘런 애벗〉에서 특집 방송을 한대. 에이미랑 너에 관한 내용이야. 난, 어, 별로 좋은 내용 같지는 않아. 가서 같이 봐줄까?"

"아니, 혼자 볼 수 있어. 고마워."

우리는 둘 다 전화기를 붙들고 뜸을 들였다. 상대방이 사과하기를 기다리면서.

"알았어, 나중에 얘기하자." 고가 말했다.

〈엘런 애벗 라이브〉는 실종되거나 살해당한 여자들을 전문적으로 다루는 케이블 TV 쇼다. 진행자는 언제나 분개하는 엘런 애벗. 전직 검사이자 피해자 권리 옹호자였다. 쇼가 시작되자 머리를 드라이어로 매만지고 립글로스를 바른 엘런이 나와 카메라를 노려보며 에이미를 묘사했다. "오늘밤의 주인공은 《어메이징 에이미》의 실제 모델이었던 아름답고 젊은 여인입니다. 그녀는 실종되었습니다. 집은 엉망진창이었고요. 남편의 이름은 랜스 니컬러스 던, 실직한 작가로 현재 아내의 돈으로 산 바를 운영하고 있습니다. 남편이 얼마나 걱정하고 있는지 알고 싶으십니까? 이 사진들은 그의 아내가 실종된 7월 5일, 두 사람의 다섯 번째 결혼기념일 이후에 찍힌 것들입니다."

내가 기자회견장에서 얼간이처럼 웃고 있는 사진. 그리고 차에서 내리며 미인대회 수상자처럼 손을 흔들며 웃고 있는 사진(손을 흔들며 인사하는 장모에게 답례로 손을 흔들고 있었다. 웃었던 이유는 나는 손을 흔들 때 원래 웃기 때문이다).

그런 다음 휴대전화로 찍은 나와 쇼나 켈리(프리토 파이를 만든 여자)의 사진이 등장했다. 우리 둘은 뺨을 맞대고 진주 같은 이를 빛내고 있었다. 이어 선탠한 피부에 조각 같고 근심 어린 표정을 짓고 있는 쇼나가 실제로 화면에 나왔다. 엘런이 그녀를 미국 국민에게 소개했다. 내 온몸의 땀구멍에서 땀이 솟아나고 있었다.

엘런: 그러니까, 랜스 니컬러스 던, 그의 처신에 대해 우리에게 말해주시겠어요, 쇼나? 당신은 모든 사람이 그의 실종된 아내를 찾으러 갔을 때 그를 만났다고 했는데 랜스 니컬러스 던은…… 어땠죠?

쇼나: 그는 아주 침착하고, 매우 다정했어요.

엘런: 잠시만요, 잠시만요. 그가 다정하고 침착했다고요? 그의 아내가 실종됐어요, 쇼나. 세상에 어떤 남자가 다정하고 침착하겠어요?

그 기괴한 사진이 다시 한 번 화면에 떠올랐다. 어찌 된 일인지 우리는 한층 더 명랑해 보였다.

쇼나: 솔직히 말하면 그는 조금 추파를 던졌어요……

넌 저 여자에게 좀 더 잘 대해줬어야 해, 닉. 그 좆같은 파이를 먹었어야 했다고.

엘런: 추파를 던져요? 아내가 어디 있는지 아무도 모르는 상황에서 랜스 던은…… 미안해요, 쇼나. 하지만 이 사진은 정말이지…… 혐오스럽다는 말밖에는 할 수가 없군요. 이건 결백한 사람의 모습이 아니에요…….

나머지 방송 분량은 직업적으로 분노를 유발하는 엘런 애벗이 내게 알리바이가 없다는 사실에 집착하는 것으로 채워졌다. "왜 랜스 니컬러스 던에게는 그날 정오까지 알리바이가 없을까요? 그날 아침 그는 어디에 있었을까요?" 그녀는 텍사스 주 보안관처럼 강세를 주며 느릿느릿 말했다. 초대된 패널들은 그 점이 미심쩍다는 데 동의했다.

나는 고에게 전화를 걸었다. 고가 말했다. "뭐, 넌 일주일 정도는 사람들이 널 공격하지 않도록 하는 데 성공했어." 그런 다음 우리는 잠시 욕설을 퍼부었다. 씨발 쇼나, 미친 암캐 같은 창녀.

"오늘은 정말, 정말 쓸모 있는 일을 해, 움직이라고." 고가 충고했다. "이제 사람들이 지켜볼 거야."

"가만히 있고 싶어도 못 그래."

나는 세인트루이스로 차를 몰며 분노에 가까운 감정을 느꼈다. 머릿속에서 그 TV 프로그램을 재방송했다. 그리고 엘런의 질문에 하나하나 대답하며 그녀의 말문이 막히게 했다. 엘런 애벗, 이 좆같은 계집, 오늘 나는 에이미의 스토커 중 한 명을 추적했어. 데시 콜링스. 나는 진실을 알아내기 위해 그를 추적했다고. 나는 영웅 같은 남편이야. 내게 강렬한 주제곡이 있었다면 틀어놓았을 것이다. 버릇없는 부잣집 녀석의 외모를 가진 착한 노동 계급 남자인 나. 언론은 그 정보를 물려고 달려들 것이다. 집착하는 스토커는 아내를 죽인 남편이라는 뻔한 설정보다 흥미를 끄니까.

그의 동네로 들어섰을 때 나는 내 상상 속의 데시를 그냥 부자에서 말도 못하게 엄청난 부자로 바꿔야만 했다. 그 남자는 최소 5백만 달러는할 것 같은 라듀의 맨션에 살고 있었다. 백색 도료를 바른 벽돌, 검게 옻칠한 셔터, 가스등과 담쟁이덩굴. 나는 오늘의 만남을 위해 괜찮은 양복과 넥타이 차림으로 왔지만 이런 동네에서는 4백 달러짜리 양복보다는 차라리 청바지를 입고 나타나는 편이 덜 씁쓸할 거라는 사실을 깨달았다. 집 뒤쪽에서 앞쪽으로 드레스 슈즈가 또각거리는 소리가 나더니, 공기를 뿜어내는 소리와 함께 냉장고처럼 문이 열렸다. 차가운 공기가 나를 맞이했다.

데시는 내가 늘 남의 눈에 그렇게 보였으면 하는 모습이었다. 아주 잘생기고 품위 있는 남자. 눈 속에, 혹은 턱에 뭔가가 있는 사람. 그는 오목하게 들어간 아몬드색의 테디 베어 같은 눈에, 양쪽 뺨에는 보조개가 있었다. 누군가 우리 둘을 본다면 데시가 착한 편이라고 생각할 것이다.

"아," 데시가 내 얼굴을 살피며 말했다. "닉이군요. 닉 던. 맙소사, 에이미 일은 정말 안됐습니다. 어서 들어오시죠."

데시는 나를 간소한 거실로, 장식 전문가가 고안한 남자다운 공간으로 안내했다. 거무스름하고 불편한 가죽이 많이 쓰였다. 그는 내게 아주 딱딱한 등받이가 달린 팔걸이의자를 권했다. 나는 데시가 말한 대로 편안하게 있으려고 애썼지만, 그 의자가 내게 허락하는 자세는 혼나고 있는 학생의 자세뿐이었다. 집중해, 똑바로 앉고.

데시는 내가 그의 거실까지 온 이유를 묻지 않았다. 나를 어떻게 한눈에 알아보았는지도 설명하지 않았다. 하지만 나는 사람들이 다시 한 번 쳐다보고 속삭이는 일에 익숙해지고 있었다.

"뭐 마실 것 좀 드릴까요?" 데시가 두 손바닥을 맞대고 물었다. 일부터 하죠.

"괜찮습니다."

데시는 내 맞은편에 앉았다. 그는 흠잡을 데 없는, 남색과 크림색이 섞인 옷을 입고 있었다. 구두끈까지 다림질을 한 것 같았다. 그는 자신의 복장을 완벽하게 소화하고 있었다. 그는 내가 바랐던 대로 겉멋 든 멍청이가 아니었다. 데시는 신사의 정의 그 자체 같았다. 위대한 시인을 인용하고, 희귀한 스카치를 주문하고, 여자에게 제대로 된 빈티지 보석을 사줄 수 있는 남자. 실제로 그는 태어날 때부터 여자들이 원하는 것을 아는 남자처럼 보였다. 그의 건너편에 앉은 나는 내 양복이 누추해지고 행동거지가 어색해지는 기분이 들었다. 미식축구와 방귀 이야기를 하고 싶은 욕구가 점점 커졌다. 이런 남자들은 언제나 나를 괴롭혔다.

"에이미. 무슨 소식이라도?" 데시가 물었다.

그는 내가 아는 누군가를 닮았다. 아마 배우겠지.

"좋은 소식은 없습니다."

"에이미는…… 집에서 납치됐다고요. 맞습니까?"

"네, 우리 집에서요."

그 순간 나는 그가 누구인지 깨달았다. 그는 수색 첫날 혼자 나타났던 남자, 에이미의 사진을 계속해서 훔쳐보고 있던 그 남자였다.

"당신, 자원봉사자 센터에 왔었죠, 그렇죠? 첫날에."

"그랬죠." 데시가 선선하게 말했다. "막 그 말을 하려던 참이었어요. 그날 당신을 만나서 위로의 말을 건넸으면 좋았을 텐데요."

"만나기까지 참 오래 걸렸군요."

"저도 당신한테 같은 말을 할 수 있겠네요." 그가 웃었다. "전 정말로 에이미를 좋아합니다. 사건 얘기를 듣고, 난 뭔가를 해야만 했어요. 난 그저, 끔찍한 얘기지만, 닉, 그 일을 뉴스에서 봤을 때 난 당연하다고 생각했습니다."

"당연하다?"

"당연히 누군가…… 그녀를 원할 거라고." 데시의 목소리는 노변담을 하는 정치인의 그것처럼 굵직했다. "아시겠지만, 에이미는 늘 그랬죠. 사람들이 자신을 원하게 만들죠. 언제나. 흔한 말 있잖아요. 남자들은 그녀를 원하고 여자들은 그녀가 되기를 원한다. 에이미의 경우, 그건 사실이었죠."

데시는 그의 커다란 두 손을 포개어 고급스러운 바지 위에 놓았다. 그냥 바지가 아닌, 고급스러운 바지. 그가 나를 엿 먹이고 있는 것인지 확신이 들지 않았다. 나는 스스로에게 가볍게 넘기라고 명령했다. 잠재적으로 껄끄러운 모든 인터뷰에 적용되는 규칙, 꼭 필요하지 않은 한 선제공격에 나서지 말 것. 상대가 제 발로 늪에 빠질 것인지를 먼저 확인할 것.

"당신은 에이미와 아주 가까운 사이였습니다, 그렇죠?" 내가 물었다.

"단지 그녀의 외모 때문은 아니었어요." 데시가 말했다. 그는 한쪽 무릎에 팔꿈치를 대고 턱을 괸 채 아련한 표정을 짓고 있었다. "물론 나는 이 생각을 많이 했어요. 첫사랑. 분명 그것에 대해 생각해왔죠. 제 안에 몽상가가 있거든요. 지나치게 철학적이죠." 그는 눈에 띄지 않게 살며시 미소 지었다. 보조개가 생겼다. "에이미가 당신을 좋아할 때, 당신에게 흥미를 느낄 때…… 그녀의 관심은 너무나 따뜻하고 안도감을 주며 당신을 완전히 감싸죠. 따뜻한 목욕물처럼."

나는 눈썹을 치켜올렸다.

"조금만 더 들어주시죠." 그가 말했다. "당신은 스스로에게 기분이 좋아져요. 완벽하게 좋은 기분. 아마 살면서 처음으로요. 그러다가 그녀는 당신의 결점을 알게 되고, 당신도 그녀가 다른 평범한 사람과 똑같다는 것을 깨달아요. 당신은 사실 '유능한 앤디'이고, 현실 속에서 유능한 앤디는 결코 '어메이징 에이미'와 사랑할 수 없어요. 그래서 그녀의 흥미는 사그라지고, 당신의 좋은 기분도 사라지죠. 당신은 과거의 차가움을 다시 느끼게 돼요. 벌거벗은 채 욕실 바닥에 누워 있는 것처럼. 이제 당신이 원하는 건 그 목욕물에 다시 들어가는 것밖에 없죠."

나는 그런 기분을 알고 있었다. 3년 정도 욕실 바닥에 있었으니까. 그런 감정을 다른 남자와 공유한다니, 갑자기 혐오감이 밀려왔다.

"내 말이 무슨 뜻인지 당신도 알 거라 확신합니다." 데시가 말한 뒤 나를 보며 윙크하듯 웃었다.

정말 이상한 사람이라는 생각이 들었다. 다른 남자의 아내를 몸을 담그고 싶은 목욕물에 비유하는 사람이 세상 어디에 있는가? 다른 남자의 실종된 아내를?

데시의 뒤쪽에는 길고 광택이 나는 작은 테이블이 있었고, 그 위에는 은으로 만든 액자가 있었다. 액자 속에 사진 몇 장이 들어 있었다. 가운데 있는 것은 고교 시절의 데시와 에이미가 찍힌 커다란 사진이었다. 두 사람은 새하얀 테니스복 차림이었다. 그들은 터무니없이 맵시가 좋고 너무나 부유해 보여서, 히치콕 영화의 한 장면처럼 보일 정도였다. 나는 데시가, 10대인 데시가 에이미의 기숙사 방으로 몰래 들어가 옷을 벗어 바닥에 떨어뜨린 다음 차가운 이불 속으로 기어들어가 플라스틱 코팅이 된 알약을 삼키는 장면을 상상했다. 발견되기를 기다리면서. 그것은 일종의 처벌, 분노였다. 하지만 닷새 전 내 집에서 일어난 일과 같은 종류는 아니었다. 경찰이 그다지 흥미를 느끼지 못하는 이유를 알 것 같았다. 데시가 내 시선을 쫓았다.

"아, 저것 때문에 저를 비난하지는 말아주십시오." 그가 웃었다. "내 말은, 당신이라면 저렇게 완벽한 사진을 버릴 수 있겠습니까?"

"20년간 소식도 모르고 지내온 여자 사진을요?" 나도 모르게 이렇게 말하고 나서, 현명하지 못하게 공격적인 말투로 말했다는 것을 깨달았다.

"전 에이미를 압니다." 데시가 쏘아붙였다. 그는 심호흡을 했다. "난 그녀를 알았습니다. 아주 잘 알았죠. 정말 아무런 단서도 못 찾았습니까? 이런 말은 좀 그렇지만…… 에이미의 아버지, 그가…… 왔습니까?"

"물론 오셨습니다."

"제 생각엔…… 그 사건이 있었을 때 그 사람은 확실히 뉴욕에 있었나요?"

"뉴욕에 계셨죠. 왜 그러시죠?"

데시가 어깨를 으쓱했다. 그냥 궁금해서요, 이유는 없어요. 우리는 30초가량 말없이 앉아 눈싸움을 했다. 아무도 눈을 깜빡이지 않았다.

"데시 씨, 사실 제가 여기 온 이유는 당신이 제게 해줄 이야기가 없는지 알아보기 위해섭니다."

나는 이번에는 에이미를 납치해서 달아나는 데시를 상상해보려고 애썼다. 그는 근처에 호숫가 별장이 있을까? 이런 사람들은 다들 갖고 있다. 이 세련되고 고상한 남자가 사립학교의 지하 레크리에이션실 같은 곳에 에이미를 가뒀고, 에이미는 카펫 위를 왔다 갔다 하다가 먼지투성이인 1960년대 클럽풍의 밝은 레몬색이나 산호색 소파에서 자고 있다는 것이 믿을 법한 이야기일까? 나는 보니와 길핀이 이곳에 함께 와서 데시 특유의 말투—전 에이미를 압니다—를 들었기를 바랐다.

"제가요?" 데시가 웃었다. 그는 부유하게 웃었다. 그 소리를 묘사하는 완벽한 표현이다. "저는 당신에게 말해줄 것이 아무것도 없습니다. 말씀하셨듯이, 전 에이미를 모르니까요."

"하지만 방금 안다고 하셨잖습니까."

"분명 당신이 에이미를 아는 것처럼 알지는 못하지요."

"당신은 고등학교 때 아내의 스토커였어요."

"제가 에이미의 스토커였다고요? 닉. 그녀는 제 여자 친구였습니다."

"헤어지기 전까지만요." 내가 말했다. "당신은 떠나지 않으려고 했고요."

"아, 제가 에이미를 몹시 그리워했다는 건 사실일 겁니다. 하지만 도를 넘는 일은 없었어요."

"에이미의 기숙사 방에서 자살 시도를 한 게 보통 일이라고요?"

그는 고개를 홱 돌리고 두 눈을 찡그렸다. 그는 입을 열고 무언가를 말하려다 시선을 떨구고 두 손을 노려보았다. "무슨 말씀을 하시는 건지 모르겠군요, 닉." 마침내 그가 말했다.

"당신이 제 아내를 스토킹했다는 얘기를 하는 겁니다. 고등학교 때부터 현재까지."

"정말 그것 때문에 여기까지 오신 겁니까?" 데시가 다시 웃었다. "하느님 맙소사, 난 당신이 보상금 같은 데 쓰려고 모금을 하는 거라고 생각했습니다. 참고로, 그랬다면 전 기쁜 마음으로 도움을 드렸을 겁니다. 말씀드렸듯이, 전 언제나 에이미가 행복하기를 바랐으니까요. 에이미를 사랑하느냐고요? 아닙니다. 전 더 이상 그녀를 잘 알지 못합니다. 우린 가끔씩 편지를 주고받았지요. 하지만 당신이 여기까지 오다니 정말 흥미롭군요. 당신은 문제를 혼동하고 있어요. 이런 말씀 드리기 뭣하지만, 닉, 텔레비전에서, 그리고 지금도 당신은 그다지 슬퍼하거나 걱정하는 것 같지가 않습니다. 당신은…… 의기양양한 것처럼 보여요. 그건 그렇고 경찰은 이미 나와 얘기를 했어요. 아마도 당신 혹은 에이미의 부모님 덕분이겠죠. 당신이 몰랐다는 게 이상하군요. 남편이 결백하다면 경찰은 남편에게 모든 걸 얘기하지 않을까요?"

누군가가 배 속을 움켜쥐는 듯했다. "제가 여기 온 건 에이미 이야기를 하는 당신의 얼굴을 직접 보기 위해서예요. 죄송하지만, 와서 보니 걱정스럽군요. 당신은 조금…… 넋을 잃었어요."

"뭐, 우리 중 한 사람은 그래야만 하겠죠." 데시가 다시 한 번 선선하게 말했다.

"얘야?" 집 뒤쪽에서 목소리가 들리더니 다시 한 번 또각거리는 값비싼 구두 소리가 거실 쪽으로 다가왔다. "그 책 제목이 뭐였더라……."

여자는 흐릿해진 에이미, 김 서린 거울 속의 에이미 같았다. 꼭 맞는 색조와 정확하게 일치하는 이목구비. 하지만 25년은 더 늙었고, 살과 이목구비 모두 질 좋은 천처럼 약간 빛이 바래 있었다. 그녀는 여전히 아름다운, 우아하게 나이 들기를 선택한 여자였다. 무슨 종이접기 작품처럼 생겼다. 뾰족한 팔꿈치와 옷걸이 같은 쇄골. 여자는 연회청색 시스 드레스를 입었고 에이미와 같은 매력을 지니고 있었다. 그녀가 방 안에 있으면, 계속해서 그 쪽으로 고개를 돌리게 된다. 여자는 나를 향해 포식자 같은 미소를 지었다.

"안녕하세요. 전 재클린 콜링스예요."

"어머니, 이쪽은 에이미의 남편인 닉 씨예요." 데시가 말했다.

"에이미," 여자가 다시 미소를 지었다. 그녀의 목소리는 우물 바닥처럼 깊고 기이한 울림이 있었다. "여기 사람들은 그 이야기에 관심이 많답니다. 그래요, 관심이 있죠." 여자는 아들을 향해 차갑게 돌아섰다. "우리 이제 그 대단한 에이미 엘리엇 이야기는 좀 그만하면 안 되겠니?"

"이제는 에이미 던입니다." 내가 말했다.

"물론 그렇겠죠," 재클린이 동의했다. "정말 유감이에요, 닉. 지금 겪고 계신 일 말이에요." 여자는 잠시 나를 뚫어지게 쳐다보았다. "미안해요, 이런 말…… 에이미가 이토록…… 미국적인 남자와 함께할 거라고는 상상도 못했어요." 그녀는 나와 데시 누구에게도 말하고 있지 않았다. "맙소사, 턱도 갈라진 턱이야."

"전 그저 아드님께 어떤 정보라도 있는지 알아보러 왔을 뿐입니다." 내가 말했다. "제가 알기론 아드님께서 수년간 여러 번 제 아내에게 편지를 보냈거든요."

"아, 그 편지들!" 재클린이 성을 내듯 웃었다. "참 재미있게 시간을 보낼 수 있는 방법이죠, 그렇지 않나요?"

"에이미가 당신에게 그 편지들을 보여줬습니까?" 데시가 물었다. "놀랍군요."

"아뇨," 그에게 몸을 돌리며 내가 말했다. "아내는 늘 그것들을 뜯어보지도 않고 버렸습니다."

"전부 다요? 늘? 그렇게 아신다고요?" 여전히 미소를 머금고 데시가 말했다.

"한번은 쓰레기통을 뒤져서 하나 읽어봤습니다." 나는 다시 재클린을 보았다. "정확하게 무슨 일이 벌어지고 있는 건지는 알아야 하니까요."

"잘했군요." 재클린이 가르릉거리듯 말했다. "나라도 내 남편이 그래주길 바랐을 거예요."

"에이미와 난 항상 서로에게 편지를 썼어요." 데시가 말했다. 그의 억양은 어머니의 그것과 닮아 있었다. 자신이 하는 모든 말을 상대방이 듣고 싶어 한다는 듯한 말투. "그건 우리 둘만의 일이었죠. 이메일은 정말…… 싸구려예요. 이메일을 간직하는 사람은 없죠. 이메일은 본질적으로 인간미가 없으니까요. 난 정말 후대가 걱정이에요. 모든 위대한 연애편지들. 사르트르가 시몬 드 보부아르에게 보낸 편지, 새뮤얼 클레멘스가 아내 올리비아에게 보낸 편지. 모르겠어요, 난 늘 앞으로 사라질 것에 대해 생각……."

"내가 보낸 편지는 다 보관하고 있니?" 재클린이 물었다. 그녀는 벽난로 옆에 서서 길고 건장한 팔로 벽난로 선반을 문지르며 우리를 내려다보고 있었다.

"물론이죠."

그녀는 우아하게 어깨를 으쓱하며 내 쪽을 보았다. "그냥 궁금해서."

나는 몸을 부르르 떨었다. 온기를 찾아 벽난로 쪽으로 팔을 뻗으려다가 지금이 7월이라는 사실을 기억해냈다. "그 오랜 세월 동안 변치 않는 애정이라니 좀 이상해 보이는군요." 내가 말했다. "그러니까, 아내는 당신에게 답장을 하지도 않았잖아요."

그 말에 데시의 두 눈에서 빛이 났다. "아." 그가 한 말은 그것이 다였다. 뜻밖의 불꽃놀이를 보게 된 사람이 내는 소리.

"제가 보기에는, 닉, 당신이 여기까지 와서 데시에게 당신 아내와 어떤 관계인지, 혹은 관계가 없는지에 대해 묻고 있다는 게 훨씬 이상해 보여요." 재클린 콜링스가 말했다. "당신과 에이미는 잘 지내지 않았나요? 제가 보증하죠. 데시는 수십 년간 에이미와 직접 만난 적이 없어요. 수십 년 동안."

"전 그저 확인하러 온 겁니다, 재클린 부인. 때로는 직접 확인해야만 하는 일도 있으니까요."

재클린은 문 쪽으로 걸어가더니 돌아서서 나를 향해 고개를 한 번 꼬았다. 가야 할 시간이라는 뜻이었다.

"정말이지 용감하군요, 닉. DIY의 신봉자이신가 봐요. '데크'도 직접 만드세요?" 그녀는 '데크'라는 말이 우스운지 웃더니 내게 문을 열어주었다. 나는 그녀 목덜미의 오목한 부분을 노려보며 어째서 그녀가 올가미 같은 진주를 두르고 있지 않은지 생각했다. 이런 여자들은 언제나 달그락거리는 굵은 진주목걸이를 하기 마련인데. 하지만 그녀의 냄새는 맡을 수 있었다. 여자의 냄새. 질 같은, 기이하게 음란한 냄새.

"만나서 즐거웠어요, 닉." 그녀가 말했다. "다 같이 에이미가 안전하게 집으로 돌아오길 바라자고요. 그때까지는, 다시 데시와 연락하고 싶으시면?"

그녀는 내 손에 두꺼운 크림색 명함을 쥐여주었다. "우리 변호사한테 연락하세요."

에이미 엘리엇

2011년 8월 17일 일기

공상에 빠진 10대 소녀 같은 소리인 줄은 알지만, 나는 닉의 기분을 추적해왔다. 나를 대할 때의 기분을. 내가 미치지 않았다는 것을 분명히 하기 위해. 나는 달력 하나에 닉이 다시 나를 사랑하는 것처럼 보이는 날에는 하트를, 그렇지 않은 날에는 검은색 정사각형을 그려 넣었다. 지난해 달력은 온통 검은색 정사각형이었다.

그런데 지금은? 9일 연속 하트다. 그가 알고 싶어 하는 것은 오직 내가 그를 얼마나 사랑하는지, 내가 얼마나 불행한지인 것 같았다. 그에게 심경의 변화가 일어난 것 같다. 나는 이보다 더 좋은 말을 알지 못한다.

퀴즈: 1년 넘게 냉담하던 남편이 갑자기 당신을 다시 사랑하는 것처럼 보인다. 당신은

1) 당신이 얼마나 상처를 받았는지 얘기하고 또 얘기해서 남편이 좀 더 사과하게 만든다.

2) 그에게 조금 더 오랫동안 쌀쌀맞게 굴어 그가 깨달음을 얻게 한다!

3) 태도가 달라진 남편에게 부담을 주지 않는다. 때가 되면 그가 당신에게 속마음을 털어놓을 것임을 믿고, 그때까지 남편에게 무한한 애정을 베풀어 그에게 안정감과 사랑받고 있다는 느낌을 준다. 이것이 결혼 생활의 요령이기 때문이다.

4) 문제가 뭐였는지 알아야겠다며 남편이 반복해서 대답하게 해, 당신의 신경증을 잠재운다.

답: 3번

지금은 8월, 너무나 화려해서 더 이상의 검은 정사각형은 견딜 수 없을 것 같은 계절. 하지만 이제 온통 하트다. 닉은 다정하고 사랑스럽고 별스럽게, 남편답게 굴고 있다. 그는 나를 위해 내가 제일 좋아하는 뉴욕의 한 가게에서 초콜릿을 주문해 바보 같은 시 한 편과 함께 선물한다. 5행 희가였다.

맨해튼에서 태어난 여자가 살았어요.

그녀는 새틴으로 만든 이불에서만 잠을 잤죠.

그녀의 남편은 발을 헛디뎌 미끄러졌어요.

그래서 그들의 몸이 부딪쳤고

그들은 라틴어로 지저분한 짓을 했어요.

이 시가 의미하는 바대로 우리의 성생활이 원만했다면 더 재미있었을 것이다. 하지만 지난주에 우리가 한 건…… 썹? 그거? 섹스보다는 낭만적이지만 사랑을 나누는 것보다는 덜 간지러운 일. 일터에서 돌아온 닉은 내 입술을 완전히 덮으며 키스했고 내가 정말로 그곳에 존재하는 사람인 것처럼 내 몸을 쓰다듬었다. 그동안 너무 외로웠던 나는 울음을 터뜨릴 뻔했다. 입술에 남편의 키스를 받는 것은 최고로 퇴폐적인 일이다.

그 외에? 닉은 그가 어렸을 때 자주 가던 연못으로 나를 데려가 헤엄을 친다. 나는 미친 듯이 첨벙거리며 돌아다니는 어린 닉을 상상할 수 있다. (지금과 마찬가지로) 자외선 차단제를 거부하는 소년 닉의 얼굴과 어깨는 햇볕에 빨갛게 익었다. 시어머니 모는 로션을 들고 그를 쫓아다니며 기회가 생길 때마다 닉의 몸에 발라야 한다.

사실 닉은 소년 시절 자주 다니던 모든 곳에 나를 데려갔다. 아주 오랫동안 내가 부탁했던 일이다. 그는 나와 함께 강가를 산책하다가 내게 키스한다. 바람이 내 머리카락을 세차게 때린다("세상에서 가장 보기 좋은 두 가지." 그가 내 귀에 대고 속삭인다). 그는 한때 자신의 클럽 아지트라고 생각했던 우스꽝스러운 놀이터 요새에서도 내게 키스한다("난 언제나 이곳에 내 여자, 완벽한 여자를 데려오고 싶었어. 지금 난 꿈을 이뤘어." 그가 귓가에 속삭인다). 쇼핑몰이 영원히 문을 닫기 이틀 전에 우리는 나란히 회전목마를 탄다. 우리의 웃음소리가 허공 속으로 울려 퍼진다.

그는 가장 좋아하는 아이스크림 가게로 나를 데려간다. 우리는 아침 내내 가게를 독차지한다. 공기는 달콤한 냄새를 풍기며 끈적거린다. 그는 내게 키스하며 그곳이 과거 그가 말을 더듬으며 여러 차례 진땀나는 데이트를 하던 곳이라고 말한다. 그는 고등학생인 닉에게 자신이 언젠가 꿈에 그리던 여자와 다시 이곳에 올 거라고 말해주고 싶단다. 우리는 아이스크림을 먹고 집으로 돌아와 이불 속으로 들어간다. 그는 한 손을 내 배 위에 올려놓고 낮잠에 빠진다.

물론 내 안의 신경증 환자는 묻고 있다. 무슨 속셈일까? 닉의 변화는 너무나 갑작스럽고 거창해서 마치…… 마치 그에게 분명 뭔가 원하는 것이 있을 거라는 기분이 든다. 혹은 그가 벌써 무슨 짓인가를 저질렀으며, 내가 발견할 때를 대비해 미리 다정하게 구는 거라고. 걱정이 된다. 지난 주에 나는 (행복했던 시절에 내 최고의 필기체로 쓴) '던 가족!'이라고 표시한 나의 두꺼운 파일 상자를 뒤지고 있는 그를 발견했다. 하나의 결혼, 함께 하는 인생을 구성하는 모든 이상한 서류로 가득 찬 상자. 나는 닉이 더 바를 담보로 또 대출을 받자고 하거나 우리의 생명보험을 담보로 돈을 빌리거나 '30년 동안 손대면 안 되는' 주식을 팔자고 할까 봐 걱정이 된다. 그는 그저 모든 것이 제대로 되어 있는지 알고 싶었을 뿐이라고 했지만 당황한 표정이 역력했다. 내 가슴은 무너질 것이다. 정말 그럴 것이다. 행여나 그가 풍선껌 아이스크림을 먹다가 나를 보며 있잖아, 담보대출을 두 번째로 받으면 혜택이…… 라고 말한다면.

나는 써야만 했다. 밖으로 드러내야만 했다. 쓰고 보니 미친 소리처럼 들린다는 건 인정한다. 신경질적이고 불안하고 의심스럽다.

나는 내 최악의 자아가 내 결혼을 망치게 두고 보지 않을 것이다. 남편은 나를 사랑한다. 그는 나를 사랑해서 내게 돌아왔으며 이것이 그가 요즘 내게 그토록 다정한 이유다. 그것이 유일한 이유다.

꼭 이런 말처럼. 이게 내 인생이야. 마침내 돌아왔어.

닉 던

실종 5일째

나는 데시의 집 밖, 열기가 이글거리는 내 차 안에 앉아 있었다. 손잡이를 돌려 창문을 내리고 휴대전화를 확인했다. 길펀이 음성메시지를 남겼다. "안녕하세요, 닉. 오늘 좀 만나야겠습니다. 몇 가지 알려드릴 것도 있고, 물어볼 것도 좀 있거든요. 네 시에 당신 집에서 만납시다, 괜찮죠? 어…… 고마워요."

명령을 받은 것은 처음이었다. '만날 수 있을까요', '만났으면 좋겠어요', '괜찮으시면'이 아닌, '만나야겠습니다'…….

손목시계를 봤다. 3:00. 늦지 않으면 다행이었다.

여름 에어쇼―미시시피 강 위에서 공중회전을 하며 오르락내리락하고, 관광용 증기선들 주변을 쏜살같이 지나가며, 관광객들의 이를 달달 떨게 만드는 제트기들과 프로펠러기들의 퍼레이드―가 이틀 앞으로 다가왔다. 길펀과 보니가 도착했을 때는 리허설이 한창이었다. 우리가 우리 집 거실에 모두 모인 것은 '그날' 이후 처음이었다.

우리 집은 비행 경로 바로 아래였다. 잭해머 소리와 눈사태 사이의 어디쯤에 해당하는 소음이 들렸다. 나와 경찰 친구들은 엄청난 소음이 멈출 때를 틈타 대화를 이어가려고 애썼다. 보니는 평소보다 더 새 같은 모습이었다. 양쪽 다리를 번갈아 다듬고 고개를 이리저리 움직이며, 각기 다른 각도에서 각기 다른 것에 시선을 던지고 있었다. 둥지 안쪽을 다듬으려는 한 마리 까치 같았다. 길핀은 입술을 깨물고 호주머니에 두 손을 넣은 채 보니 옆에서 어슬렁거렸다. 거실까지 초조한 느낌이었다. 오후의 햇빛이 회오리치는 원자 같은 먼지를 비췄다. 지붕 위로 제트기 한 대가 하늘을 찢는 듯한 끔찍한 소리를 내며 쏜살같이 날아갔다.

"자, 두세 가지 이야기할 것이 있습니다." 다시 조용해졌을 때 보니가 말했다. 그녀와 길핀 모두 갑자기 느긋하게 머물다 가기로 결정한 것처럼 자리를 잡고 앉았다. "확실히 해야 할 것도 있고 알려드릴 것도 있습니다. 모두 지극히 통상적인 것들입니다. 늘 말씀드리지만, 혹시 변호사가 필요하시면……."

하지만 나는 텔레비전과 영화를 통해 유죄인 남자들만 변호사를 쓴다고 배웠다. 슬픔에 잠긴, 걱정하는, 무죄인 남편들은 그렇게 하지 않는다.

"고맙지만 필요 없습니다." 내가 말했다. "사실은 저도 여러분께 알려드릴 정보가 좀 있어요. 에이미의 옛 스토커, 아내가 고등학교 때 사귄 남자에 관해서요."

"데시, 어, 콜린스." 길핀이 말했다.

"콜링스요. 당신들이 그와 얘기를 했다는 건 알고 있습니다. 어떤 이유에서인지 경찰은 그에게 그다지 관심이 없다는 것도요. 그래서 오늘 저는 직접 그를 만나러 갔습니다. 그가…… 정상인지 확인하려고요. 제 생각에 그는 정상이 아닙니다. 저는 경찰이 그를 조사해야 한다고, 진지하게 조사해야 한다고 생각합니다. 내 말은, 그는 세인트루이스로 이사를……."

"그는 당신 부부가 이곳으로 이사 오기 3년 전부터 그곳에 살고 있었습니다." 길핀이 말했다.

"그렇군요. 어쨌거나 그는 세인트루이스에 살아요. 차로 금방이죠. 에이미가 총을 산 건 그녀가 두려워했기……."

"데시는 문제없습니다, 닉. 좋은 사람이에요." 보니가 말했다. "그렇지 않나요? 사실 그를 보면 당신이 생각나요. 진정한 총아, 집안의 막둥이."

"전 막둥이가 아니라 쌍둥이예요. 그것도 3분 먼저 태어났죠."

보니는 분명 내가 말려드는지 보기 위해 일부러 나를 자극하고 있었다. 그러나 이 사실을 알고 있으면서도, 그녀가 나를 어린애 취급할 때마다 화가 나서 배 속에 피가 몰리는 것은 어쩔 수가 없었다.

"어쨌거나," 길핀이 끼어들었다. "데시와 그의 모친 모두 그가 에이미의 스토커가 아니라고 말했습니다. 편지 몇 통 말고는 지난 몇 년간 데시와 에이미가 연락한 적도 별로 없다고 했고요."

"제 아내라면 다르게 말했을 겁니다. 그는 아내에게 몇 년, 몇 년 동안이나 편지를 썼고, 조사를 위해 이곳에 나타나기까지 했어요, 보니. 알고 있었습니까? 그는 첫날에 여기 왔습니다. 조사에 개입하려 하는 사람들을 주시하라고 말한 건 당신이었잖아요."

"데시 콜링스는 용의자가 아닙니다." 그녀가 한 손을 들어 올리며 끼어들었다.

"하지만."

"데시 콜링스는 용의자가 아닙니다." 그녀가 다시 말했다.

쓰라린 소식이었다. 나는 보니가 〈엘런 애벗〉 때문에 흔들리고 있다고 비난하고 싶었다. 하지만 〈엘런 애벗〉 얘기는 꺼내지 않는 게 최선일 것이다.

"좋습니다. 그럼 우리의 제보 라인을 방해했던 그 사람들은 어떻습니까?" 나는 부엌으로 걸어가서 일전에 식탁에 아무렇게나 던져놓았던, 이름들이 적힌 종이를 낚아채 읽기 시작했다. "조사에 개입하려 하는 사람들: 데이비드 샘슨, 머피 클라크. 이 사람들은 아내의 옛 남자 친구들입니다. 토미 오하라, 토미 오하라, 토미 오하라, 이 사람은 세 번이나 전화했어요. 티토 푸엔테, 이건 누가 봐도 지어낸 이름이군요."

"그들 중 누군가에게 다시 전화해보셨습니까?" 보니가 물었다.

"아뇨. 그건 당신이 할 일 아닙니까? 난 누가 그럴 만한 가치가 있고 누가 미친놈인지 모르겠어요. 난 티토 푸엔테인 척하는 얼간이 같은 놈들한테 전화할 시간이 없단 말입니다."

"제보 전화에는 별로 신경 쓰지 않아도 될 것 같아요, 닉." 보니가 말했다. "흔히 있는 상황이거든요. 그러니까, 당신의 옛 여자 친구들한테도 전화가 많이 걸려왔어요. 그저 안부를 전하기 위해서요. 당신이 잘 지내는지도 묻고. 사람들은 참 이상하죠."

"우리가 준비한 질문부터 처리하는 게 좋겠군요." 길펀이 슬쩍 말했다.

"좋아요. 자, 아내분이 실종되던 날 아침에 어디 계셨는지부터 시작하는 게 좋겠군요." 보니가 갑자기 미안해하는 듯한 정중한 말투로 말했다. 그녀는 착한 경찰인 척하고 있었다. 우리 모두가 그 사실을 알고 있었다. 그녀가 정말로 내 편이지 않은 한, 가끔은 경찰이 내 편을 드는 것이 가능해 보이기도 한다. 그렇지 않은가?

"제가 강가에 있었을 때 말이죠."

"아직도 거기서 누군가를 본 기억이 나지 않습니까?" 보니가 물었다.

"이 사소한 문제를 우리의 목록에서 지워버릴 수 있다면 정말 큰 도움이 될 텐데요." 그녀는 잠시 동정 어린 침묵을 지켰다. 보니는 단순히 침묵을 지키는 걸로 그치지 않고 자신이 선택한 분위기로 실내를 가득 채울 수도 있었다. 먹물을 품은 문어처럼.

"믿어주세요, 저도 형사님만큼이나 그러기를 바랍니다. 하지만 아뇨, 아무도 기억나지 않아요."

보니가 걱정스러운 표정으로 웃었다. "이상하군요. 우리가 몇몇 사람들에게 당신이 강가에 있었다는 얘기를 그저 지나가는 듯이 했을 때 그들은 모두…… 뭐랄까, 놀라워했거든요. 당신답지 않은 일이라고요. 당신은 강가에서 시간을 보내는 사람이 아니라고."

나는 어깨를 으쓱했다. "제 말은, 강가에서 하루 종일 누워 있었느냐 하면, 그건 아닙니다. 하지만 아침에 가서 커피 한 잔 하는 건요? 확실합니다."

"아, 이러면 되겠군요." 보니가 쾌활하게 말했다. "그날 아침 어디서 커피를 샀나요?" 그녀는 동의를 구하듯 길핀을 쳐다보았다. "그러면 적어도 시간대를 좁힐 수는 있을 거예요, 그렇죠?"

"집에서 만들었어요." 내가 말했다.

"아." 보니가 얼굴을 찌푸렸다. "이상하네요. 이곳에는 커피가 하나도 없으니까요. 집 안 어디에도 없더군요. 조사하면서 이상하다고 생각했죠. 카페인 중독자는 이런 일들을 알아차리거든요."

물론 우연히 알아차렸겠지. 나는 생각했다. 나는 보니 마로니라는 경찰을 알아…… 그녀가 놓는 덫은 너무나 빤해, 완전 사기지…….

"냉장고에 한 컵 남아 있어서 데웠어요." 나는 또 어깨를 으쓱했다. 별일 아니라는 듯이.

"허. 냉장고에 아주 오래 있었겠군요. 쓰레기통에는 커피 통이 없었으니까요."

"며칠 됐어요. 그래도 먹을 만하죠."

우리는 서로를 보며 웃었다. 나도 알고 당신도 알지. 막상막하. 나는 실제로 이 바보 같은 말을 생각했다. 막상막하. 하지만 한편으로는 기뻤다. 다음 부분이 시작되고 있었다.

보니가 두 손을 허리춤에 얹고 길핀을 보며 고개를 끄덕였다. 길핀은 잠시 입술을 깨물더니 마침내 손가락으로 이제는 정리가 된 거실에 있는 오토만과 협탁을 가리켰다. "보세요, 여기서 문제가 발생합니다, 닉." 길핀이 말을 시작했다. "그동안 저는 주택 침입 현장을 아주 많이 보았습니다."

"아주 아주 많이 봤죠." 보니가 끼어들었다.

"수없이 봤죠. 여기, 거실 전체, 기억나십니까? 오토만은 뒤집어져 있었고, 탁자는 쓰러져 있었죠. 꽃병은 바닥에 있었고요." 그는 내 앞에 현장 사진을 던지듯이 내려놓았다. "모든 것이 이곳에서 몸싸움이 났다고 주장했죠, 그렇지요?"

나의 머리가 확장되었다가 재빨리 제자리로 돌아왔다. 진정해. "주장했다고요?"

"뭔가 잘못된 모습이었어요." 길핀이 말을 이었다. "처음 본 순간부터 우리는 알았죠. 솔직히 말하자면, 모든 것은 꾸며진 것 같았습니다. 첫째, 모든 것이 한 장소에 집중되어 있었어요. 어째서 거실 외에는 다른 어떤 곳도 어질러져 있지 않았을까요? 이상한 일이죠." 그는 가까이서 찍은 사진 한 장을 더 내밀었다. "그리고 여기 보세요, 여기 쌓여 있는 책들이요. 이것들은 협탁 앞에 있어야 합니다. 책들은 원래 이 협탁 위에 있었죠, 그렇죠?"

나는 고개를 끄덕였다.

"그러므로 협탁이 쓰러졌을 때, 책 대부분은 협탁이 쓰러지는 방향을 따라 앞으로 쏟아져야 합니다. 하지만 책은 뒤쪽에 있었어요. 마치 누군가가 협탁을 쓰러뜨리기 전에 책을 밀어 떨어뜨린 것처럼요."

나는 멍하게 그 사진을 쳐다보았다.

"그리고 이걸 보세요, 아주 흥미로워요." 길편이 계속 말했다. 그는 벽난로 선반 위에 있는 가느다란 앤티크 액자 세 개를 가리켰다. 그가 쿵쿵거리며 걷자 액자들은 곧바로 앞쪽으로 엎어졌다. "그런데 웬일인지 이 액자들이 그대로 세워져 있었단 말이죠."

그는 액자들이 똑바로 서 있는 사진을 보여주었다. 나는 그때까지, 그들이 휴스턴에서의 나의 저녁 식사 실수를 잡아낸 뒤에도, 그들이 멍청한 경찰이기를, 영화에서 재미를 위해 등장하는, 자기 고장 사람을 신뢰하는—좋으실 대로 하쇼, 친구—멍청한 시골뜨기들이기를 바랐다. 하지만 그들은 멍청하지 않았다.

"나한테 무슨 말을 듣고 싶은 건지 모르겠군요." 나는 웅얼거렸다. "그건 순전히, 뭘 어떻게 생각해야 할지 정말 모르겠습니다. 전 그저 아내를 찾고 싶을 뿐이에요."

"저희도 그래요, 닉, 정말입니다." 보니가 말했다. "하지만 문제는 또 있어요. 오토만이 뒤집어져 있었던 것 기억나세요?" 그녀는 땅딸막한 오토만을 손으로 두드리더니 그 밑에 달린, 길이가 1.5센티미터 정도밖에 되지 않는 네 개의 나무다리를 가리켰다. "보세요, 이 오토만은 다리가 짧아서 무게중심이 밑에 있어요. 쿠션 부분이 거의 바닥과 닿아 있는 거나 마찬가지죠. 이걸 밀어서 뒤집어보세요." 나는 망설였다. "어서요, 해보세요." 보니가 슬쩍 찔렀다.

내가 오토만을 한 번 밀자 그것은 뒤집어지지 않고 카펫 위에서 미끄러졌다. 나는 고개를 끄덕여 동의했다. 그것은 무게중심이 밑에 있다.

"앉아서 제대로 한 번 뒤집어보세요." 보니가 명령했다.

나는 무릎을 꿇고 앉아 점점 더 아래쪽을 잡으며 힘을 주다가 결국 오토만 밑에 한 손을 집어넣고 밀어 올렸다. 그런데도 오토만은 한쪽만 공중으로 떴다가 다시 원래대로 돌아갔다. 결국에는 완전히 들어 올려서 억지로 뒤집어야 했다.

"허, 참 이상하죠?" 보니가 말했다. 그다지 당황한 것 같지 않은 목소리였다.

"닉, 아내분이 실종된 날 조금이라도 청소를 했나요?" 길펀이 물었다.

"아니요."

"그렇군요. 기술팀이 루미놀 검사를 했거든요. 말씀드리기 죄송하지만 부엌 바닥에서 형광 반응이 일어났어요. 상당한 양의 피가 그곳에 쏟아져 있었습니다. 조금 베여서 흘린 정도가 아니라 다량의 피였어요."

"맙소사." 가슴 한복판에서 불덩어리가 치솟았다. "하지만."

"네, 아내분은 거실을 빠져나갔던 겁니다." 그가 말했다. "어떻게든, 아내분은 부엌까지 간 것처럼 보입니다. 부엌 바로 밖에 있는 저 탁자 위의 물건들을 전혀 건드리지 않고요. 그런 다음 부엌에서 쓰러져 피를 많이 흘렸습니다."

"그 후 누군가가 꼼꼼하게 부엌을 닦았습니다." 보니가 나를 바라보며 말했다.

"잠깐, 잠깐만요. 피를 숨기고 싶어 하는 사람이 거실은 왜 그렇게 어지른다는,"

"그건 우리가 알아낼 겁니다. 걱정하지 마세요, 닉." 보니가 조용하게 말했다.

"이해가 안 됩니다, 이해가."

"앉읍시다." 보니가 식탁 의자를 가리키며 말했다. "식사는 하셨어요? 샌드위치나 다른 거라도 드실래요?"

나는 고개를 저었다. 보니는 각기 다른 여자 캐릭터—강한 여자, 상냥하게 돌봐주는 사람—를 차례차례 연기하며 어느 것이 최상의 결과를 내는지 알아내는 중이었다.

"결혼 생활은 어땠나요, 닉?" 보니가 물었다. "내 말은, 5년차였잖아요. 권태기가 온다는 7년차가 얼마 남지 않았는데."

"결혼 생활은 괜찮았어요." 내가 되풀이했다. "괜찮았습니다. 완벽하진 않았지만 좋았어요, 좋았습니다."

그녀가 코를 찡그렸다. 거짓말.

"아내가 가출한 것일 수도 있을까요?" 지나치게 희망에 찬 목소리로 내가 물었다. "범죄 현장처럼 보이게 해놓고 떠난 걸까요?"

보니는 조목조목 반박하기 시작했다. "아내분은 휴대전화를 사용하지 않았고, 신용카드나 ATM 카드를 쓰지도 않았습니다. 실종되기 전 몇 주 동안 현금 인출도 하지 않았고요."

"더군다나 피까지 발견되었죠." 길핀이 말을 받았다. "그러니까, 냉정하게 말하고 싶진 않지만, 흘린 피의 양으로 볼 때 상처가 심각했을 겁니다……. 제 말은, 저라면 스스로에게 그런 짓은 안 할 겁니다. 아주 깊은 상처를 말씀드리는 거예요. 아내분이 담력이 셌나요?"

"네, 그렇습니다." 아내는 심각한 피 공포증이 있었지만 나는 그 사실을 이 똑똑한 형사들이 알아내게 내버려둘 것이다.

"가능성이 너무 희박한 이야기 같군요." 길핀이 말했다. "아내분이 자기 몸에 그렇게 심한 상처를 냈다면, 피는 왜 닦아내겠습니까?"

"그러니 제발, 솔직해집시다, 닉." 보니가 말했다. 그녀는 땅을 노려보고 있는 나와 눈을 맞추기 위해 무릎 위로 상체를 숙였다. "최근 결혼 생활이 어땠습니까? 우리는 당신 편이지만, 진실을 원합니다. 당신을 나쁜 사람으로 보이게 만드는 건 당신이 우리에게 뭔가를 숨기고 있다는 점뿐이에요."

"몇 차례 싸우기는 했습니다." 나는 그날 밤 침실에서의 에이미를 떠올렸다. 늘 그렇듯이, 화가 날 때면 얼굴이 붉은 벌집처럼 얼룩덜룩해지는 아내. 그녀는 야비하고 거친 말들을 퍼부었고 나는 수긍하려 애쓰며 듣고 있었다. 따지고 보면 다 맞는 말이었기 때문이었다.

"자세히 설명해주세요." 보니가 말했다.

"특별한 건 아니고, 그냥 의견 충돌입니다. 그러니까, 에이미는 폭발하는 타입이에요. 사소한 일들을 참으면서 쌓아놨다가 어느 날 펑, 하는 거죠. 하지만 그러고 나면 끝입니다. 우리는 화가 난 채로 침대에 눕지 않거든요."

"수요일 밤에도요?" 보니가 물었다.

"그럼요." 나는 거짓말을 했다.

"대부분의 다툼이 돈 때문인가요?"

"우리가 왜 싸우는지도 모르겠어요. 늘 사소한 일 때문이죠."

"아내분이 실종되던 날 밤에는 어떤 사소한 일 때문이었죠?" 길핀이 생각지도 못할 덫이라도 놓았다는 듯이 한쪽 입꼬리를 올리며 웃었다.

"그게, 말씀드렸듯이, 바닷가재 때문이었어요."

"그게 답니까? 바닷가재 때문에 당신이 한 시간 동안 고함을 쳤다고는 생각하지 않아요."

그때 블리커가 계단을 어기적어기적 내려오더니 난간 사이로 고개를 내밀었다.

"그게, 다른 사소한 집안일도 있었어요. 부부 사이의 사소한 일요. 고양이 화장실, 누가 고양이 화장실을 치우느냐 하는 거였죠."

"고양이 화장실 때문에 고성을 지르며 싸웠다고요." 보니가 말했다.

"아시겠지만, 원칙이란 게 있잖아요. 전 여러 시간 일을 하는 반면 에이미는 그렇지 않으니까, 기본적인 집안일은 아내가 하는 게 좋겠다고 생각합니다. 아주 기본적인 일이요."

길핀은 오후의 낮잠에서 깨어난 환자처럼 갑자기 생기를 띠었다. "당신은 보수적인 남자군요, 그렇죠? 저도 그래요. 항상 아내에게 말하죠. '난 다림질도 할 줄 모르고, 설거지도 할 줄 모르고, 요리도 할 줄 몰라. 그러니 여보, 난 내가 할 수 있는, 나쁜 놈들 잡는 일을 할 테니 가끔씩 세탁기에 빨랫감 좀 넣어줘.' 보니, 너도 결혼 생활 했었잖아. 집안일 했었어?"

보니가 짜증스러운 표정을 지었다. "나쁜 놈들은 나도 잡거든, 이 멍청아."

길핀은 나를 향해 눈을 굴렸다. 그는 누가 생리 중이라거나 하는 농담이라도 할 것 같았다. 지나치게 솔직한 남자였다.

길핀이 여우처럼 교활한 턱을 문질렀다. "그러니까 당신은 그냥 주부를 원했던 거군요." 그가 자신의 말이 합리적으로 들리도록 애쓰면서 말했다.

"전, 전 그게 뭐든 에이미가 원하는 걸 원했어요. 별로 신경 쓰지 않았다고요." 이제 나는 보니에게, 적어도 어느 정도는 진심으로 동정하는 것 같은 론다 보니 경위에게 호소하고 있었다. (동정하지 않아. 나는 스스로에게 상기시켰다.) "에이미는 이곳에서 무엇을 할지 결정하지 못했습니다. 직업도 찾지 못했고 바에도 관심이 없었어요. 괜찮다고, 집에 있고 싶으면 그래도 된다고 전 말했죠. 하지만 집에 있어도 아내는 불행해했습니다. 그리고 내가 그걸 고쳐주기를 기다렸어요. 마치, 내가 아내의 행복을 책임져야 한다는 것처럼요."

보니는 물처럼 무표정한 얼굴로 아무 말 없이 나를 쳐다보았다.

"한동안은 영웅 노릇, 백기사 노릇을 하는 게 재미있었습니다. 하지만 오래가지 못했어요. 난 아내를 행복하게 '만들' 수 없었습니다. 아내는 행복해지기를 원하지 않았죠. 그래서 난 아내가 실용적인 일을 좀 맡아서 하기 시작하면 어떨까 하고 생각……."

"고양이 화장실 치우는 거 말이죠." 보니가 말했다.

"네, 고양이 화장실을 청소하고, 장을 보고, 배관공을 불러서 그녀를 늘 화나게 했던 수도꼭지를 고치라고."

"참 대단한 행복 찾기 계획처럼 들리네요. 참 재미있어요."

"제 말의 요점은, 뭔가를 하라는 거죠. 그게 뭐가 됐든, 뭔가를 하라고요. 주어진 상황을 최대한 활용해라. 가만히 앉아서 당신을 위해 내가 모든 걸 고쳐주기를 바라지 마라." 나는 큰 소리로 말하고 있었다. 거의 성난 목소리였고 독선적인 말투였지만 나는 엄청난 안도감을 느끼고 있었다. 나는 거짓말—고양이 화장실—로 시작했지만 놀랍게도 순수한 진실을 말하고 있었다. 범죄자들이 왜 그렇게 말이 많은지 알 것 같았다. 낯선 사람에게, 헛소리라고 하지 않을 누군가에게, 자신의 입장을 들어야만 하는 누군가에게 자기 이야기를 하는 기분은 정말이지 굉장했다. ('자신의 입장을 듣는 척하는 누군가에게'로 정정한다.)

"그럼 미주리로 돌아온 건요?" 보니가 말했다. "아내의 반대를 묵살하고 그녀를 여기 데려온 건가요?"

"아내의 반대를 묵살했다고요? 아닙니다. 우린 해야 할 일을 한 거예요. 나도 아내도 실직 상태였고, 어머니가 아팠습니다. 반대의 경우였어도 나는 에이미한테 똑같이 해줬을 겁니다."

"참 듣기 좋은 말이네요." 보니가 중얼거렸다. 순간 그녀는 에이미와 똑같았다. 작은 목소리로 하는 빌어먹을 말대꾸. 들었다는 생각은 들지만 확신할 수는 없을 정도의 목소리 크기. 그래서 내가 "뭐라고 했어?"라고 하면 아내의 대답은 늘 똑같았다. "아무 말도 안 했어." 나는 입을 꾹 다문 채 보니를 노려보다가 생각했다. 어쩌면 이건 화가 나거나 불만스러워하는 여자들에게 내가 어떻게 행동하는지 보여주기 위한 계획의 일부일지도 몰라. 나는 미소를 지으려고 애썼지만 그것은 보니에게 더 큰 혐오감만 느끼게 한 것 같았다.

"그러니까 이 상황을 통제할 수 있다는 뜻인가요, 에이미가 일을 하든 하지 않든 재정적인 문제를 감당할 수 있다는?" 길핀이 물었다.

"그게, 우린 돈 문제가 좀 있었습니다, 최근에요." 내가 말했다. "결혼했을 당시에 에이미는 부자였습니다. 엄청나게 부자였죠."

"그렇겠네요." 보니가 말했다. "《어메이징 에이미》 시리즈 덕분이겠죠."

"네, 그 책들은 1970~80년대에 엄청난 돈을 벌게 해줬어요. 하지만 몇 년 전에 출판사에서 그만 내기로 결정했죠. '에이미'의 수명이 다했다고 하면서요. 그 후 모든 것이 악화되었어요. 에이미의 부모님은 빚을 지지 않기 위해 우리의 돈을 빌려야만 했습니다."

"아내분의 돈 말이죠?"

"네, 그래요. 그리고 나서 우리는 에이미의 남은 신탁기금을 거의 다 털어서 바를 샀습니다. 그때부터 제가 우리의 생계를 책임지고 있죠."

"그러니까 당신이 에이미와 결혼했을 때 그녀는 아주 부유했군요." 길핀이 말했다. 나는 고개를 끄덕였다. 나는 영웅담을 생각하고 있었다. 아내의 집안이 몰락하는 내내 그녀를 곁에서 지켜준 남편의 이야기.

"그럼 그때 당신은 아주 근사한 생활을 했겠군요."

"네, 훌륭했죠. 정말 굉장했어요."

"그런데 아내가 거의 파산 상태가 되면서 당신은 애초에 결혼한, 합류한 것과는 아주 다른 생활 방식으로 살게 되었습니다."

나는 그야말로 내가 엉뚱한 이야기를 생각하고 있었음을 깨달았다.

"닉, 사실 우린 당신의 재정 상태를 조사했는데, 그다지 좋지가 않더군요." 길핀이 갑자기 비난 투에서 걱정하는 듯한 말투로 바꾸며 말했다.

"바는 잘되고 있어요." 내가 말했다. "보통 새로운 사업이 적자를 벗어나려면 3, 4년은 걸리잖아요."

"제가 주목한 것은 신용카드입니다." 보니가 말했다. "21만 2천 달러가 연체된 상태더군요. 정말 깜짝 놀랐습니다." 보니가 나를 향해 빨간색 글씨가 적힌 명세서 뭉치를 펄럭거렸다.

나의 부모는 신용카드 사용에 철저했다. 특별한 경우에만 쓰고 매달 갚았다. '값을 치를 수 없는 것은 사지 않는다'가 던 집안의 모토였다.

"우린, 적어도 나는, 아니, 아내도 그럴 리가 없는데. 제가 좀 봐도 될까요?" 내가 더듬거리며 말하던 바로 그때, 폭격기 한 대가 저공비행을 했고 유리창들이 덜컹거렸다. 뇌가 흔들리며 10초 동안 강요된 침묵이 이어지는 동안, 우리는 팔랑거리며 바닥으로 떨어지는 잎들을 쳐다보았다.

"우리가 아주 대단한 소동이라고 믿고 있는 그 일이 이곳에서 일어났을 때는, 바닥에 꽃잎 한 장 떨어지지 않았죠." 길핀이 혐오스럽다는 듯이 중얼거렸다.

내가 보니에게 건네받은 서류에는 내 이름, 다양한 버전의 내 이름만 적혀 있었다. 닉 던, 랜스 던, 랜스 N. 던, 랜스 니컬러스 던. 10여 장의 각기 다른 신용카드에서 적게는 62.78달러부터 많게는 4만 5,602.33달러의 대금이 각기 다른 기간 동안 연체되어 있었다. 위쪽에는 간결한 경고문이 불길한 글씨체로 적혀 있었다. '즉시 결제 바람'.

"이런 염병할! 누군가 신원을 도용한 걸 겁니다!" 내가 말했다. "제가 쓴 게 아니에요. 제 말은, 아니, 이것 좀 보세요. 전 골프도 안 친다고요." 누군가가 클럽 세트를 사고 7천 달러가 넘는 금액을 썼다. "아무나 붙잡고 물어보세요. 전 정말로 골프를 안 친다고요." 나는 겸손한 말투로 말하려고 애썼지만—내가 잘 못하는 또 하나의 일이다—형사들은 반응이 없었다.

"노엘 호손 씨 아시죠?" 보니가 물었다. "당신이 조사해보라고 했던 에이미 씨의 친구 말입니다."

"잠시만요, 청구서 이야기를 하죠. 제가 쓴 게 아니거든요. 제 말은, 제발, 정말로, 이건 추적해봐야 해요."

"우리가 그렇게 할 겁니다, 걱정 마세요." 보니가 무표정한 얼굴로 말했다. "노엘 호손 씨 기억나요?"

"네. 제가 조사해달라고 했었죠. 그 여자는 온 동네를 돌며 에이미 얘기를 하면서 눈물바람을 하고 있어요."

보니가 한쪽 눈썹을 치켜올렸다. "그래서 화가 나신 것 같군요."

"아뇨, 말했듯이, 그 여자는 지나치게 슬퍼하는 것 같아요. 마치 꾸민 것처럼요. 허세예요. 관심을 끌려고요. 약간 집착하는 것 같기도 하고."

"노엘 씨와 얘기를 했습니다." 보니가 말했다. "아내분이 결혼 생활 때문에 극도로 괴로워하고 있었고 돈 문제로 화가 나 있었으며 당신이 돈을 보고 결혼한 게 아닐까 걱정했다고 하더군요. 남편의 성격에 대해서도 걱정했다고요."

"노엘 씨가 왜 그런 말을 하는지 모르겠군요. 저는 아내와 그 여자가 서로 다섯 마디도 나누지 않았다고 생각합니다."

"재미있군요. 호손 씨네 집 거실은 노엘 씨와 아내분이 함께 찍은 사진으로 도배가 되어 있던데요." 보니가 얼굴을 찌푸렸다. 나도 얼굴을 찌푸렸다. 그 여자와 에이미의 진짜, 실제 사진을 말하는 건가?

보니가 말을 이었다. "지난 10월에는 세인트루이스 동물원에 세쌍둥이를 데리고 소풍을 갔더군요. 지난 6월에는 주말에 카누도 타러 갔고요. 그러니까, 지난달이죠."

"에이미는 우리가 이곳에서 사는 내내 단 한 번도 노엘이라는 이름을 입에 올린 적이 없습니다. 정말입니다." 나는 지난 6월에 관해 머릿속을 샅샅이 뒤져 내가 앤디와 함께 여행을 갔던 주말을 생각해냈다. 에이미에게는 세인트루이스로 남자들끼리 여행을 간다고 말했다. 집에 돌아왔을 때 아내는 화가 나 뺨이 붉어져서는 주말 동안 케이블이 고장 나서 선창에서 지루하게 책만 읽었다고 말했다. 그런데 카누를 타러 갔다고? 아니다. 나는 말 그대로 중서부 취향의 카누 타기보다 에이미가 지루해할 일을 떠올릴 수 없었다. 카누에 매달린 쿨러 속에 둥둥 떠 있는 맥주, 시끄러운 음악, 술 취한 동호회 남학생들, 곳곳에 토사물이 있는 캠핑장. "그 사진 속의 사람이 제 아내인 게 확실합니까?"

두 사람은 '이 사람, 진심인가?' 하는 표정을 교환했다.

"닉." 보니가 말했다. "우리로서는 아내분과 똑같이 생긴 그 사진 속의 여자와, 세 아이의 어머니이자 이곳에서 아내분과 가장 친한 친구인 노엘 호손 씨가 당신의 아내라고 말한 그 여자가 에이미 씨가 아니라고 믿을 이유가 없습니다."

"노엘 씨에 따르면 당신이 돈 때문에 결혼한 여자분 말입니다." 길핀이 덧붙였다.

"농담이 아닙니다." 내가 말했다. "요즘은 누구나 컴퓨터로 사진을 변조할 수 있잖아요."

"좋습니다. 당신은 몇 분 전에는 데시 콜링스가 연루된 게 틀림없다고 하더니 이제는 노엘 호손 씨로 옮겨갔군요." 길핀이 말했다. "당신은 비난할 누군가를 열심히 찾고 있는 것처럼 보입니다."

"저를 제외하고요? 네. 그렇습니다. 이것 보세요, 전 에이미의 돈을 보고 결혼하지 않았습니다. 에이미의 부모님과 이야기를 더 해보세요. 그분들은 저를 알아요, 제 성격도 알고요." 그 사람들이 모든 것을 알고 있지는 않지만. 나는 생각했다. 배 속이 뒤틀렸다. 보니가 나를 쳐다보고 있었다. 그녀는 나를 조금 불쌍하게 여기는 것 같았다. 길핀은 내 말을 듣고 있는 것 같지도 않았다.

"당신은 아내의 생명보험 보상금을 120만 달러로 늘렸습니다." 길핀이 피곤한 척하며 말했다. 심지어 그는 한 손을 턱이 뾰족한 긴 얼굴 위에 올려놓고 있었다.

"그건 에이미가 한 일입니다!" 내가 재빨리 말했다. 두 형사가 나를 쳐다보며 기다렸다. "내 말은, 서류는 제가 제출했지만 에이미가 생각해낸 일이었어요. 아내가 고집을 부렸죠. 맹세합니다. 전 아무런 관심도 없었는데 아내가 말했어요. 자기 수입에 변화가 생겼으니 그렇게 하면 자기가 더 안정감을 느낄 거라나, 뭐라나. 또는 그것이 현명한 사업적 결정이라고요. 빌어먹을, 모르겠습니다. 아내가 왜 그걸 원했는지 전 모르겠어요. 물어보지 않았거든요."

"두 달 전, 누군가 당신의 노트북으로 조사를 했어요." 보니가 말했다. "'미시시피 강을 떠내려가는 시체'. 설명하실 수 있겠습니까?"

나는 심호흡을 두 번 하며 9초 동안 마음을 가라앉혔다.

"맙소사, 그건 그냥 책과 관련한 멍청한 아이디어였습니다." 내가 말했다. "책을 한 권 쓰려고 했거든요."

"허." 보니의 대꾸였다.

"지금 벌어지고 있는 일에 대한 제 생각을 말씀드리죠." 내가 말했다. "많은 사람들이 아내를 죽인 끔찍한 범인이 늘 남편으로 밝혀지는 뉴스 프로그램을 봐요. 그래서 그런 시선으로 나를 보죠. 정말로 결백하고 정상적인 것들이 왜곡되고 있어요. 이번 일이 마녀사냥으로 변하고 있다고요."

"신용카드 청구서에 대해서 그렇게 설명하시는 건가요?" 길편이 물었다.

"말씀드렸잖아요, 전 그 빌어먹을 신용카드 청구서에 대해서는 설명할 수가 없어요. 저랑은 아무 상관 없는 일이니까요. 그것들이 어디서 나온 건지 알아내는 건 빌어먹을 당신들의 일이잖아요!"

나란히 앉은 그들은 아무 말 없이 기다렸다.

"내 아내를 찾기 위해 현재 하고 있는 일이 뭡니까?" 내가 물었다. "나 외에 다른 어떤 단서들을 조사하고 있죠?"

집이 흔들리기 시작하면서 하늘이 찢어졌다. 우리는 뒤쪽 창문을 통해 제트기 한 대가 우리의 귓전을 울리며 강물에 바짝 붙어 날아가는 것을 바라보았다.

"F10." 보니가 말했다.

"아냐, 너무 작아." 길핀이 말했다. "저건……."

"F10 맞아."

보니는 내 쪽으로 몸을 기울이고 깍지를 꼈다. "당신이 백 퍼센트 결백하다고 확인하는 것이 우리의 일입니다, 닉. 당신도 그러기를 바란다고 생각해요. 우리가 몇 군데 엉킨 것들을 풀도록 도와주세요. 그것들이 계속 우리의 발목을 잡고 있거든요."

"이쯤에서 저도 변호사를 불러야겠군요."

두 형사는 다시 한 번 시선을 교환했다. 내기의 결과가 나왔다는 듯한 표정이었다.

에이미 엘리엇 던

2011년 10월 21일 일기

닉의 어머니가 돌아가셨다. 한동안 일기를 쓰지 못한 건 닉의 어머니가 돌아가시고, 이 일로 닉은 나사가 풀려버렸기 때문이다. 다정한 모린. 다정하고 강인한 모린. 시어머니는 죽기 며칠 전까지도 일어나 돌아다니며 그 어떤 쇠락에 대해서도 이야기하기를 거부했다. "난 그저 더 이상 살 수 없을 때까지는 살고 싶을 뿐이야." 시어머니가 말했다. 그녀는 다른 화학요법 환자들을 위해 모자를 뜨기 시작했다(당신 자신은 한 번을 끝으로 화학요법을 그만두었다. 생명 연장이 '더 많은 튜브'를 뜻하는 거라면 흥미가 없다고 하면서). 나는 그녀를 언제나 밝은 색 털실 뭉치에 둘러싸인 모습으로 기억하게 될 것이다. 빨간색과 노란색과 초록색 털실 뭉치, 움직이는 시어머니의 손가락, 아주 낮고 졸린 듯 가르릉거리는, 기분 좋은 고양이 같은 목소리로 당신이 말하는 동안 짤깍거리는 바늘들.

그리고 9월의 어느 아침, 시어머니는 잠에서 깨어났지만 정말로 깨어나지는 못했다. 모린이 되지 못했다. 그녀는 갑자기, 하룻밤 만에, 그토록 빨리 새처럼 조그만, 깡마른 주름투성이 여자가 되어버렸다. 그녀의 두 눈은 빠르게 방 안을 두리번거렸지만 당신 자신을 포함해 어떤 것도 알아보지 못했다. 결국 시어머니는 호스피스로 보내졌다. 보닛을 쓴 여자들과 굽이치는 언덕이 그려진 그림과 스낵 자판기와 작은 잔에 담긴 커피가 있는, 은은한 조명의 활기찬 장소. 호스피스는 그녀의 완치나 호전이 아닌 편안한 죽음을 위한 장소일 뿐이었다. 사흘 뒤 시어머니는 편안하게, 정말 솔직하게 말해 당신이 원했을 것 같은 방식으로 세상을 떠났다(물론 그녀는 '당신이 원했을 것 같은 방식으로'라는 표현에 눈을 부라릴 거라고 확신하지만).

시어머니의 마지막 밤은 수수했지만 괜찮았다. 오마하에서 온, 시어머니와 닮은 그녀의 여동생이 시어머니를 대신해 수백 명의 사람들에게 커피와 음료수를 따라주고 쿠키를 나눠주었으며 시어머니에 관한 재미있는 이야기를 들려주었다. 우리는 바람이 심하게 불던 따뜻한 아침에 그녀를 묻었다. 고와 닉이 서로에게 몸을 기대고 서 있는 동안 나는 침입자가 된 것 같은 기분으로 옆에 서 있었다. 그날 밤 침대에서 내게 등을 보이며 돌아누운 닉은 그를 안는 나를 내버려두었지만 몇 초 만에 일어나 "바람 좀 쐬어야겠어"라고 속삭인 다음 집을 나갔다.

그의 어머니는 그에게 늘 '엄마 노릇을 했다.' 일주일에 한 번씩은 꼭 우리 집에 와서 다림질을 해주겠다고 고집을 부렸고, 다림질이 끝나면 "청소만 좀 도와줄게"라고 말했다. 시어머니가 가고 난 뒤 냉장고 안을 보면 닉을 위해 껍질을 까고 잘라서 밀폐용기에 넣어놓은 자몽이 있었고, 빵은 껍질이 모두 잘려나가 절반 크기로 줄어 있었다. 나의 서른네 살짜리 남편은 아직까지도 빵 껍질을 보면 투덜거린다.

시어머니가 세상을 떠난 뒤 처음 몇 주 동안 나는 시어머니와 똑같이 하려고 노력했다. 빵 껍질을 잘라내고 그의 티셔츠를 다렸으며 시어머니의 조리법대로 블루베리 파이를 구웠다. "날 애 취급할 필요 없어, 에이미." 껍질이 잘려나간 빵을 보고 닉이 말했다. "엄마가 그렇게 하게 둔 건 좋아서 하시는 일이었기 때문이야. 하지만 당신은 챙겨주고 하는 거 싫어하잖아."

그렇게 우리는 다시 검은색 정사각형의 나날로 돌아왔다. 다정하고 날 아껴주고 사랑스러운 닉은 가고 퉁명스럽고 짜증내고 성난 닉이 돌아왔다. 힘든 시기에는 배우자에게 기댄다고 하지만 닉은 전보다 더 멀어진 것 같다. 그는 엄마가 죽은 마마보이다. 그는 나와 관련된 것은 아무것도 원하지 않는다.

닉은 섹스가 필요할 때 나를 이용한다. 그는 나를 탁자나 침대 뒤쪽에 밀어붙인 다음 찍어 누른다. 마지막 순간까지 아무 소리도 내지 않다가 재빨리 몇 번 끙끙거린 다음 나를 놓아주면서 한 손을 내 등에 올리는 것이 친밀함의 표시다. 그는 그것이 마치 게임이었다는 것처럼 말한다. "당신은 너무 섹시해서 가끔 통제가 안 돼." 하지만 그 말을 하는 그의 목소리는 죽어 있다.

퀴즈: 한때 당신과 환상적인 섹스를 즐겼던 남편이 무뚝뚝하고 차갑게 변했다. 이제 그는 자기가 원하는 때에, 자기가 원하는 방식대로만 섹스를 하려고 한다. 당신은

　1) 섹스를 더 피한다. 그는 이 게임에서 이기지 못할 것이다!

　2) 울고 불며 남편이 아직 할 준비가 되지 않은 대답을 요구하여 그를 더욱 소외시킨다.

　3) 지금이 긴 결혼 생활 중의 한차례 고비이며, 남편은 지금 어둠 속에 있다고 믿고, 그를 이해하려고 노력하며 끝까지 기다린다.

　답: 3번. 그렇겠지?

내 결혼 생활이 무너지고 있는데 어떻게 해야 할지 모르겠다는 사실이 나를 괴롭힌다. 부부 심리학자인 나의 부모와 얘기해보면 되지 않느냐고? 그러기엔 나는 자존심이 너무 강하다. 엄마와 아빠는 결혼 생활 상담에 적합하지도 않을 것이다. 그들은 서로의 소울메이트니까. 기억하는가? 엄마 아빠에겐 좋은 날만 있고 궂은 날이 없다. 일률적이고 영속적으로 폭발하는 결혼의 황홀경. 나는 부모에게 내게 마지막 남은 하나, 내 결혼 생활이 망가지고 있다고 말할 수가 없다. 그들은 결국 또 한 권의 책을 쓸 것이다. 어메이징 에이미가 더할 나위 없이 환상적이고 충만하며 충돌 없는 결혼 생활을 찬양하는 허구적 훈계…… 왜냐하면 그녀는 결혼 생활에 전념하니까.

하지만 나는 걱정한다. 난 내 취향이 이미 남편의 취향에 비해 너무 늙었다는 걸 안다. 6년 전 내가 그의 이상형이었던 시절, 마흔이 다 된 여자들에 대한 그의 가차 없는 말을 들었기 때문이다. 그의 눈에 그들은 너무나 한심하고, 지나치게 치장하며, 자신들이 매력이 없다는 사실도 모른 채 바에 앉아 있는 존재였다. 닉이 밤에 술을 마시러 나갔다가 돌아오면 나는 바가 어땠냐고 묻곤 했고, 그는 종종 이렇게 말했다. "'가망 없는 것들'로 넘쳐났어." 지금 내 나이의 여자들을 가리키는 암호. 그때 서른도 되지 않았던 나는 그와 함께 히죽거리며 웃었다. 나는 그런 나이가 되지 않을 것처럼. 이제 나는 '가망 없는 것'이고, 그는 내게 발목이 잡혀 있다. 어쩌면 그가 이토록 화가 나 있는 건 그 때문일지도 모른다.

요즘 나는 갓난아기 요법에 빠져 있다. 나는 매일 노엘의 집으로 가서 세쌍둥이들이 내게 달려들도록 내버려둔다. 내 머리카락을 만지는 그 작고 통통한 손들, 내 목에 닿는 그 끈적끈적한 숨. 왜 여자들이 늘 아이들을 잡아먹겠다고 야단을 떠는지 이해할 수 있다. 먹어버리고 싶네! 스푼으로 떠먹고 싶어! 그렇지만 노엘의 세 아이가 낮잠이 덜 깨 눈을 비비며 노엘에게 아장아장 걸어갈 때, 마치 그녀가 그들의 본거지라는 듯이, 그 곳에서는 안전하다는 것을 안다는 듯이 엄마에게 가서 조그만 손으로 노엘의 무릎이나 팔을 만질 때…… 가끔은 그 광경을 보고 있는 것이 마음 아프다.

어제는 특별히 갓난아기 요법이 필요해서 오후에 노엘네 집에 다녀왔다. 아마 그래서 바보 같은 짓을 했나 보다.

집에 돌아온 닉은 샤워를 하고 나와 침실에 있는 나를 보더니 곧장 나를 벽에 밀어붙이고 내 속으로 밀고 들어온다. 볼일이 끝난 그가 나를 놓아주었을 때, 파란색 페인트를 칠한 벽에 찍힌 나의 축축한 키스 마크가 보인다. 그가 숨을 헐떡이며 침대 가장자리에 앉아 말한다. "미안. 당신이 필요했거든."

그는 나를 보고 있지도 않다.

나는 그에게 가서 두 팔로 그를 안는다. 마치 방금 우리가 한 일이 정상적이고 기분 좋은 부부간의 의식이었던 것처럼. 그리고 말한다. "생각해 봤는데."

"어, 뭘?"

"그게, 지금이 적당한 때인 것 같아. 새 식구를 맞이하기에, 임신을 시도하기에 말이야." 말을 하면서도 이것이 정신 나간 소리라는 걸 알지만 어쩔 수가 없다. 나는 자신의 결혼 생활을 구제하기 위해 임신을 하고 싶어 하는 정신 나간 여자가 된 것이다.

한때 자신이 조롱하던 존재가 되는 기분은 비참하다.

그가 내게서 확 떨어진다. "지금? 지금은 새 식구를 맞이하기에 최악의 시기야, 에이미. 당신은 직업도 없고."

"알아, 하지만 난 아기를 키우면서 집에 있는 것도 좋아, 처음……."

"얼마 전에 우리 엄마가 죽었어, 에이미."

"그러니까 이렇게 하면 새로운 인생이 시작될 거야. 새 출발."

그는 내 두 팔을 움켜쥐고 일주일 만에 처음으로 내 눈을 똑바로 쳐다본다. "에이미, 이제 우리 엄마도 죽었으니까 발걸음도 가볍게 뉴욕으로 돌아가 애도 몇 낳고 하면 과거의 당신 인생이 돌아올 거라고 생각하나 본데, 우리한텐 그럴 만한 돈이 없어. 여기서 우리 둘이 먹고살기에도 빠듯하다고. 당신은 내가 매일매일, 우리가 빠진 이 진흙탕에서 빠져나가려고 얼마나 큰 압박을 받고 있는지 상상도 못해. 가족을 먹여 살리기 위해 말이야. 난 당신이랑 나도 감당이 안 돼. 그런데 애들이라니. 당신은 애들한테 당신이 자랄 때처럼 모든 걸 다 해주고 싶을 거고, 난 그럴 수 없어. 던 집안 아이들은 사립학교도 못 다니고 여름 별장도 없다고. 우리가 얼마나 가난해질지 알면 당신도 싫을걸."

"나 그렇게 속물 아니야, 닉."

"우리가 정말 지금 당장 애를 낳을 상황이 된다고 생각하는 거야?"

우리 결혼에 대해 이야기하기 직전이지만, 그가 이미 뭔가를 말했다는 사실 자체를 후회하고 있는 모습이 보인다.

"우리가 여러 가지로 압박을 받고 있는 건 사실이야, 자기야." 내가 말한다. "몇 차례 싸운 적도 있고, 대부분이 내 잘못이라는 것도 알아. 난 그저 여기서 뭘 해야 할지를 모르겠어……."

"그러니까 우리도 고장 난 결혼을 고치려고 애 낳는 부부들 사이에 합류하자고? 그건 언제나 아주 잘 먹히니까 말이지."

"우리가 아기를 낳아야 하는 이유는……."

그의 눈이 어둡게, 개의 그것처럼 변한다. 그가 내 두 팔을 움켜잡는다.

"그냥…… 안 돼, 에이미. 지금 당장은. 난 지금보다 스트레스가 조금이라도 더 많아진다면 견딜 수 없을 거야. 걱정해야 할 것이 하나 더 생기는 걸 견딜 수가 없다고. 난 압박을 받아서 금이 가고 있단 말이야. 곧 부러지고 말 거야."

나는 이번만은 그가 진실을 말하고 있다는 걸 안다.

닉 던

실종 6일째

어떤 수사든 첫 48시간이 가장 중요하다. 에이미가 사라진 지 거의 일주일이 되었다. 오늘 밤, 언론에 따르면 '에이미 엘리엇 던이 가장 좋아하는 장소'인 톰 소여 공원에서 촛불집회가 열릴 예정이다. (난 에이미가 그 공원에 발을 들여놓은 적이 있는지도 몰랐다. 이름과 달리 공원은 조금도 예스럽지 않다. 진부하고, 나무 한 그루 없으며, 모래놀이 통은 늘 동물의 배설물로 가득하다. 조금도 트웨인스럽지 않다.) 지난 24시간 동안 이야기는 전국으로 퍼졌고 — 갑자기 사방에서 이 이야기를 해댔다.

신뢰 깊은 엘리엇 부부에게 축복이 있기를! 어젯밤 내가 경찰 심문의 충격에서 벗어나려고 애쓰고 있을 때 장모에게서 전화가 왔다. 그녀는 〈엘런 애벗〉 쇼를 봤다며 그 여자가 '시청률에 미친 기회주의자'라고 선언했다. 그럼에도 불구하고 우리는 하루의 대부분을 언론 대처 전략을 세우며 보냈다.

언론(과거 나의 일족, 나의 사람들!)은 이야기의 틀을 짜고 있었다. 언론은 '어메이징 에이미'라는 측면과 오랫동안 결혼 생활을 유지한 엘리엇 부부를 사랑했다. 에이미 시리즈의 몰락이나 저자들의 파산에 가까운 형편에 대한 부정적인 언급은 없었다. 지금 현재는 하나같이 엘리엇 집안을 위한 눈물을 자아내는 이야기 일색이었다. 언론은 그들을 사랑했다.

나에 대해서는 좀 달랐다. 언론은 이미 '걱정스러운 사항들'을 폭로하고 있었다. 내게 알리바이가 없다거나 범죄 현장이 '꾸며진' 것일 가능성이 있다는 등의 새어나간 이야기뿐 아니라 실제 내 성격들까지. 그들은 내가 한 여자와 몇 달 이상을 사귄 적이 없으며, 따라서 바람둥이인 게 틀림없다고 보도했다. 내 아버지가 컴포트 힐에 있고, 내가 그곳을 거의 방문하지 않는다는 것을 알아내고는 배은망덕한 부친 유기자라고도 했다. "문제야. 언론은 널 싫어해." 고는 뉴스 보도가 나올 때마다 말했다. "정말 심각한 문제야, 랜스." 언론은 내가 초등학교 시절부터 싫어했던 나의 이름까지 부활시켰다. 매년 학기가 시작되면 선생님이 출석을 부를 때마다 숨이 막혔다. "닉이에요, 다들 닉이라고 불러요!" 9월마다 거행되는 학기 첫날 의식. "닉, 다들 닉이라고 불러요!" 그리고 꼭 건방진 녀석 하나가 쉬는 시간에 호남처럼 으스대며 미끈하게 처진 셔츠를 입은 듯한 목소리로 말했다. "안녕, 난 래애애앤스야." 그런 다음 그 이름은 다음 해까지 잊혀졌다.

하지만 이제는 아니다. 이제 그 이름은 모든 뉴스에 나왔다. 연쇄 살인범과 암살자들을 위한, 세 단어로 된 이름에 대한 무서운 심판. 랜스 니컬러스 던. 이제는 내가 끼어들어 닉이라고 불러달라고 말할 상대도 없다.

장인 랜드와 장모 메리베스, 고와 나는 함께 차를 타고 집회장으로 갔다. 엘리엇 부부가 사위에 대해 얼마만큼의 새로운 정보를 얻고 있는지는 확실치 않았다. 나는 그들이 '꾸며진' 현장에 대해 안다는 건 알고 있었다. "그곳에 내 사람들을 좀 보내려고 해. 그들은 내게 정반대의 얘기를 해줄 거야. 그곳에서 분명 몸싸움이 있었다고 말이야." 장인은 자신만만하게 말했다. "진실은 변하기 쉬운 거야. 제대로 된 전문가를 고르는 게 중요해."

장인은 다른 것들, 신용카드와 생명보험, 그리고 학대, 탐욕, 공포라는 빌어먹을 주장을 하는 내 아내의 쓸쓸한 단짝인 노엘에 대해서는 몰랐다. 노엘은 오늘 밤, 집회가 끝난 뒤 〈엘런 애벗〉에 출연할 예정이었다. 노엘과 엘런은 시청자들을 대신해 합심해서 나를 혐오스러워할 것이다.

모두가 나를 싫어하는 것은 아니었다. 지난주 더 바는 문전성시였다. 수백 명의 손님들이 살인범일지 모를 랜스 니컬러스 던이 소유한 술집에서 맥주를 홀짝이고 팝콘을 먹었다. 고는 일하는 애들을 넷이나 더 고용해야 했다. 한번은 고가 내 집에 와서, 돌아가기 싫다고, 엄청나게 붐비는 바를, 멍청하게 쳐다보는 인간들과 잔인한 것들을 탐닉하는 변태들이 우리 술을 먹고 내 얘기를 하는 꼴을 볼 수가 없다고 말했다. 역겨워. 하지만―고는 판단했다―그 돈이 도움이 될 거야, 만약…….

만약. 에이미가 실종된 지 엿새째, 우리는 모두 만약을 생각하고 있었다. 메리베스가 끊임없이 손톱으로 창문을 두드리는 소리 말고는 조용한 우리의 차가 공원에 가까워지고 있었다.

"더블데이트라도 하는 것 같군." 장인이 웃었다. 그의 웃음은 새되고 끽끽거리는 히스테리성으로 변했다. 천재 심리학자이자 베스트셀러 저자, 만인의 벗인 랜드 엘리엇이 흐트러지기 시작하고 있었다. 메리베스는 자기치료에 착수하여 맑은 술을 연거푸 마셨다. 그녀는 그 양을 아주 정확하게, 엄격히 관리했는데 긴장은 풀되 맑은 정신을 유지하는 정도였다. 반면 랜드는 어쩔 줄 몰라 하고 있었다. 이대로 가다가는 그의 머리가 장난감 상자의 용수철에 매달려 어깨에서 발사되는 모습—뻐꾸우우욱!—을 보게 될 것만 같았다. 장인의 타고난 친화력은 조증처럼 변해 경찰, 기자, 봉사자 할 것 없이 만나는 사람마다 포옹을 하며 필사적으로 친한 척을 했다. 그는 특히 데이스 인의 '연락 담당자', 도니라는 이름을 가진 열등하고 수줍은 청년과 가깝게 지냈는데, 그 청년을 놀리면서 지금 놀리고 있다는 사실을 알려주기를 좋아했다. "아, 난 지금 자넬 놀리는 거라네, 도니." 하고 장인이 말하면 도니는 즐거운 듯 싱긋 웃곤 했다.

"걔는 좀 다른 데 가서 예쁨 받으면 안 된대?" 어느 날 밤, 나는 고에게 투덜댔다. 고는 내가 아버지 같은 존재가 다른 사람을 더 좋아해서 질투하는 거라고 말했다. 사실이었다.

우리가 공원으로 걸어갈 때 장모가 장인의 등을 토닥거렸다. 나는 누군가가 내게 그렇게 해주기를, 그런 식의 다정한 손길을 얼마나 바라는지 생각했고, 순간 헐떡이는 듯한 흐느낌, 짧은 신음을 내뱉었다. 나는 누군가가 그렇게 해주기를 바랐지만 그것이 앤디인지 에이미인지는 알 수 없었다.

"닉?" 고가 말하며 한 손을 내 어깨에 얹으려고 했지만 나는 어깨를 움츠리며 피했다.

"미안. 와, 미안해. 이상하게 감정이 폭발했네." 내가 말했다. "던 씨답지 않게."

"괜찮아. 나도 요즘은 던 씨답지 않아." 고가 말하며 먼 곳을 쳐다보았다. 나의 '상황'—우리는 나의 불륜을 이렇게 부르기로 했다—을 알게 된 이후로 고는 조금 서먹해졌고 시선은 먼 곳에 가 있었으며 언제나 혼란스러운 얼굴을 하고 있었다. 나는 그것에 대해 화를 내지 않으려고 안

간힘을 쓰고 있었다.

공원으로 들어서자 도처에 카메라 기자들이 있었다. 이제는 지방뿐 아니라 전국 방송에서도 왔다. 던 집안과 엘리엇 집안 사람들은 군중 주위를 돌아 걸어갔다. 장인은 순방 중인 고위 인사처럼 웃으며 고개를 끄덕였다. 보니와 길핀이 거의 동시에 나타나 충직한 포인터 두 마리처럼 우리 바로 뒤에서 걸었다. 그들은, 다분히 의도적으로, 익숙해서 눈에 띄지 않는 가구가 되어가는 중이었다. 보니는 공식 행사 때마다 입는 실용적인 검은색 치마와 회색 줄무늬 블라우스를 입고 머리 양쪽에 핀을 꽂아 흐느적거리는 머리카락을 고정하고 있었다. 나는 보니 모로니라는 여자를 알았지……. 무더운 밤이었다. 보니의 양쪽 겨드랑이에 웃고 있는 거무스름한 얼굴 같은 땀자국이 생겼다. 실제로 보니는 나를 보며 웃고 있었다. 오후에 나를 범인 취급한 일이 ─사실상 범인 취급하지 않았나? ─없었다는 듯이.

우리는 모두 계단을 올라가 흔들거리는 임시 무대 위에 섰다. 나는 나의 쌍둥이를 바라보았다. 고는 내게 고개를 끄덕인 다음 심호흡을 하는 시늉을 했고, 나는 심호흡을 해야 한다는 것을 기억해냈다. 찰각거리며 플래시를 터뜨리는 카메라들과 함께 수백 개의 얼굴이 우리를 쳐다보았다. 웃으면 안 돼. 나는 속으로 생각했다. 웃으면 안 돼.

앞에서는 아내가 수십 장의 '에이미를 찾습니다' 티셔츠에서 나를 응시하고 있었다.

고는 내가 연설을 해야 한다고 했고("넌 빨리 인간적인 모습을 보여줘야 해.") 나는 그렇게 하기로 했다. 나는 마이크 앞으로 걸어갔다. 마이크는 지나치게 낮게, 배 한가운데 정도 되는 높이에 와 있었다. 나는 몇 초 동안 그것과 씨름했지만 겨우 2.5센티미터 정도 올라왔다. 보통 이런 고장은 나를 화나게 만들었지만 나는 더 이상 남들 앞에서 화를 낼 수 없었기에 심호흡을 하고 몸을 앞으로 숙여서 여동생이 써준 글을 읽었다. "나의 아내, 에이미 던이 실종된 지 일주일이 다 되었습니다. 우리 가족이 느끼고 있는 고통은 말로 할 수 없을 정도입니다. 에이미의 실종으로 우리의 삶에 커다란 구멍이 뚫린 듯합니다. 에이미는 제 평생의 사랑이자 엘리엇 가족의 심장과도 같은 존재입니다. 제 아내를 직접 만나보지 못한 분들을 위해 말씀드리자면, 그녀는 재미있고 매력적이며 다정한 사람입니다. 현명하고 따뜻한 사람입니다. 좋은 아내이자 모든 면에서 저의 동반자입니다."

고개를 들고 군중을 바라보는 나의 눈에 마치 마법처럼, 혐오스러운 표정을 짓고 있는 앤디가 들어왔다. 나는 다시 고개를 숙여 색인 카드를 보았다.

"에이미는 함께 나이 들어가고 싶은 여인입니다. 그리고 저는 그렇게 될 거라고 믿습니다."

'정지. 호흡. 웃지 말 것.' 고는 실제로 내가 들고 있는 색인 카드에 그렇게 적어놓았다. 믿습니다, 믿습니다, 믿습니다. 스피커에서 나온 내 목소리가 메아리치며 강 쪽으로 울려 퍼졌다.

"어떤 정보라도 아시는 분은 저희에게 연락 주십시오. 오늘 밤 우리는 에이미가 하루 빨리 안전하게 집으로 돌아오기를 바라는 마음으로 촛불을 켭니다. 사랑해, 에이미."

나는 계속 앤디가 없는 곳만 쳐다보았다. 공원은 촛불로 반짝거렸다. 침묵의 순간이 뒤따라야 했지만 아기들이 울었고 노숙자 한 명이 비틀대고 걸으면서 큰 소리로 재차 물었다. "저기요, 무슨 일이요? 뭔 일 났소?" 누군가 작은 목소리로 에이미의 이름을 대면 노숙자는 더 큰 소리로 물었다. "뭐요? 뭣 때문이라고?"

군중 한가운데서 노엘 호손이 세쌍둥이를 매달고 앞쪽을 향해 움직이기 시작했다. 아이 하나는 그녀의 엉덩이께를, 나머지 둘은 치맛자락을 붙잡고 있었다. 아이들과 시간을 보낸 적 없는 사람의 눈에는 셋 다 터무니없이 작아 보였다. 노엘은 사람들을 밀치며 아이들과 함께 군중 사이를 통과한 후 곧바로 연단 가장자리로 올라와 나를 올려다보았다. 나는 그녀를, 나를 중상하는 여자를 노려보다가 그녀의 배가 부풀어 오른 것을 처음으로 알아차렸고, 그녀가 또 임신했음을 깨달았다. 순간 나의 입이 떡 벌어졌고―네 살도 안 된 애들이 넷? 맙소사!―나중에 그 표정은 분석과 토론의 대상이 되었다. 대부분 사람들은 그것이 분노와 공포의 원투펀치라고 생각했다.

"이봐요 닉." 노엘의 목소리가 반쯤 올려진 마이크로 들어가 청중 쪽으로 울려 퍼졌다.

나는 마이크를 여기저기 더듬었지만 끄는 버튼을 찾지 못했다.

"당신 얼굴을 한 번 보고 싶었어요." 그녀가 눈물을 터뜨리며 말했다. 축축한 흐느낌이 청중들 위로 울려 퍼졌고 다들 완전히 집중했다. "에이미는 어디에 있죠? 그녀를 어떻게 한 거예요? 당신 아내한테 무슨 짓을 했느냐고요!"

했느냐고요, 했느냐고요. 그녀의 목소리가 메아리쳤다. 놀란 세쌍둥이가 울음을 터뜨렸다.

노엘은 너무 격하게 우느라 잠시 동안 말을 잇지 못했다. 완전히 흥분해서 제멋대로인 그녀가 마이크 스탠드를 잡고 자기 쪽으로 홱 잡아당겼다. 나는 마이크를 다시 잡아당길까 하고 생각했지만 임부복을 입고 세 명의 갓난아이와 함께 서 있는 이 여자에게 내가 할 수 있는 일은 아무것도 없다는 사실을 깨달았다. 나는 사람들을 눈으로 훑으며 노엘의 남편을 찾았지만—당신 마누라 좀 말려줘—그는 어디에도 없었다. 노엘이 군중을 향해 돌아서서 말했다.

"저는 에이미의 가장 친한 친구입니다!" 친구입니다, 친구입니다, 친구입니다. 그 말은 세쌍둥이의 울부짖음과 함께 공원 전체로 퍼져나갔다. "제가 갖은 애를 썼지만 경찰은 제 말을 진지하게 생각하지 않는 것 같습니다. 그래서 제가 이 도시에, 에이미가 사랑했고 에이미를 사랑했던 이 도시에 말하고자 합니다. 이 사람, 닉 던은 몇 가지 질문에 대답해야 합니다. 그가 자신의 아내한테 무슨 짓을 했는지 우리에게 말해야 합니다!"

보니가 노엘에게 가려고 무대 옆에서 튀어나오자 노엘이 몸을 돌렸고 두 사람은 서로를 노려보았다. 보니는 필사적으로 목을 자르는 시늉을 했다. 그만해요!

"임신한 자기 아내한테요!"

순간 촛불이 하나도 보이지 않았다. 카메라 플래시가 미친 듯이 터졌기 때문이었다. 장인은 내 옆에서 풍선에서 바람이 빠지는 것 같은 소리를 냈다. 밑에서는 보니가 두통을 멈추려는 듯이 손가락을 모아 미간 사이를 짚고 있었다. 나는 나의 심장박동과 같은 속도로 번쩍거리는 광적인 플래시 세례 속에서 모두를 쳐다보고 있었다.

그때 사람들 속에서 앤디를 보았다. 그녀가 나를 노려보는 모습을 보았다. 앤디의 얼굴은 벌게진 채 일그러져 있었고 두 뺨은 축축했다. 나와 눈이 마주치자 그녀는 "얼간이!"라고 말하고는 비틀거리면서 사람들을 헤치며 뒤쪽으로 가버렸다.

"여길 떠나야 해." 여동생이 내 팔을 잡아당기며 귓가에 속삭였다. 카메라들은 마을 사람들의 횃불에 놀라 불안에 떠는 프랑켄슈타인의 괴물처럼 서 있는 나를 향해 연신 플래시를 터뜨렸다. 펑, 펑. 우리는 움직이기 시작했고 무리는 둘로 나뉘었다. 고와 나는 고의 차 쪽으로 뛰었고, 입을 떡 벌린 채 서 있는 장인과 장모는 연단 위에 덩그러니 남겨졌다. 기자들은 지치지도 않고 내게 똑같은 질문을 던졌다. 닉, 에이미가 임신했습니까? 닉, 에이미가 임신해서 화가 났나요? 나는 쏟아지는 우박이라도 피하듯 고개를 푹 숙인 채 뛰어서 공원을 빠져나갔다. 임신, 임신, 임신. 그 단어가 여름밤의 매미 울음소리에 맞춰 고동치고 있었다.

에이미 엘리엇 던

2012년 2월 15일 일기

생각해보면 참으로 이상한 나날이다. 나는 이 시기를 이런 식으로 생각해야만 한다. 거리를 두고 보려고 노력해야만 한다. 하하, 훗날 돌이켜보면 지금이 얼마나 기이한 시기일까? 빛바랜 라벤더 색 옷을 입고 마티니를 꿀껵꿀껵 마시는 현명하고 유쾌한 사람, 여든인 나는 즐거워하지 않을까? 그리고 이때를 하나의 이야기로 만들지 않을까? 내가 살아남은 한 시절에 대한 기이하고 끔찍한 이야기.

왜냐하면 남편이 어딘가 무서울 만큼 이상하기 때문이다. 아직까지 확신하지는 못하지만. 그렇다, 그는 여전히 어머니의 죽음을 애도하고 있다. 하지만 그 이상의 뭔가가 있다. 나를 향해 있는 것 같은, 슬픔은 아닌……. 가끔씩 그가 나를 지켜보고 있는 듯한 느낌이 들어 고개를 들면 혐오감으로 일그러진 그의 얼굴이 보인다. 마치 우연히 들어왔다가 뭔가 끔찍한 짓을 하고 있는 나를 발견했다는 듯한 표정. 그저 아침에 시리얼을 먹고 있거나 밤에 머리를 빗고 있는 내가 아니라. 그는 아주 화가 나 있다. 또한 그는 너무 불안정해서, 나는 그의 기분이 신체적인 문제와 관련이 있는 것은 아닌지 생각해왔다. 사람을 미치게 만든다는 밀 알레르기의 일종이라든지, 꽃가루 같은 것이 그의 뇌 속으로 들어가 말썽을 일으켰다든지.

어느 날 밤, 나는 아래층에 내려갔다가 그가 주방 식탁 앞에 앉아 두 손으로 머리를 감싼 채 신용카드 청구서 더미를 보고 있는 모습을 보았다. 환한 샹들리에 불빛 아래에 너무나 고독한 모습으로 앉아 있는 남편의 모습. 나는 다가가서 그의 옆에 앉아 함께 고민하고 싶었다. 하지만 그러지 않았다. 그러면 그가 화를 낼 거라는 걸 알기에. 때때로 나는 이것이 나를 향한 그의 혐오감의 근원이 아닐까 생각한다. 그는 내가 자신의 약점을 보게 만들면서도 내가 그것들을 아는 것이 싫은 것이다.

남편이 나를 밀었다. 세게. 이틀 전, 그가 나를 밀었다. 나는 쓰러지면서 부엌의 아일랜드 식탁에 머리를 부딪혔고, 몇 초 동안 아무것도 보이지 않았다. 그 일에 대해 뭐라고 해야 할지 잘 모르겠다. 아프다기보다는 충격이 더 컸다. 나는 남편에게 말하고 있었다. 내가 프리랜서 일 같은 것을 해서 새 식구를 만들자고, 진짜 인생을 살자고…….

"지금 인생은 뭔데?" 그가 말했다.

나는 연옥이라는 단어를 떠올렸지만 입 밖으로 내지는 않았다.

"지금 인생은 뭐냐고, 에이미? 어? 지금 인생은 뭐지? 놀라운 아가씨에 따르면, 지금 인생은 진짜가 아닌가 봐?"

"내가 생각하는 인생은 아니야." 내가 말했고, 그는 나를 향해 성큼성큼 세 발짝을 걸어왔다. 나는 생각했다. 마치 금방이라도…… 바로 그때 그의 손이 나를 후려쳤고 나는 쓰러졌다.

우리 둘 다 경악했다. 그는 주먹을 쥔 손을 다른 손으로 잡고 울 것 같은 얼굴을 하고 있었다. 그는 미안한 것을 넘어 경악하고 있었다. 하지만 여기서 분명하게 짚고 넘어가고 싶은 것이 있다. 나는 내가 뭘 하고 있는지 알고 있었다. 나는 그의 모든 버튼을 눌러대고 있었다. 그가 점점 더 작게 몸을 웅크리는 모습을 지켜보고 있었다. 나는 마침내 그가 뭔가를 말하기를, 뭔가를 하기를 바랐다. 나쁜 것이라도, 최악의 것이라도 좋으니 뭔가를 해, 닉. 나를 이곳에 유령처럼 방치하지 말아줘.

물론 그가 그렇게 나오리라고는 생각하지 못했지만.

남편이 나를 때린다면 어떻게 할 것인지 생각해본 적이 없다. 내 주위에는 아내를 때리는 사람이 없었다. (물론 라이프타임 채널은 본다. 폭력이 모든 사회경제적 경계를 넘나드는 것도 안다. 하지만 설마 닉이?) 그럴듯한 말이지만 실상은 그야말로 터무니없을 뿐이다. 나는 매 맞는 아내다.《어메이징 에이미와 가정폭력 남편》.

그는 거듭 사과했다. (사과 외에 사람이 '거듭' 하는 것이 있을까? 촉구?) 그는 상담을 받겠다고 동의했다. 상상도 못한 일이었다. 고무적이다. 그는 사실 속으로는 아주 착한 사람이고, 나는 이번 일을 기꺼이 잊을 것이다. 실상 이 일은 우리 두 사람을 짓누르고 있는 압박 때문에 발생한 끔찍한 예외 사례라고 믿을 것이다. 가끔씩 나는 내가 스트레스를 받는 만큼 닉도 스트레스를 받는다는 사실을 잊는다. 그는 나를 이곳으로 데려온 것에 대한 부담감을 느끼고 있으며, 나를 만족시키고 싶다는 압박을 느끼고 있다. 행복은 혼자 힘으로 일구는 것이라 굳게 믿는 닉과 같은 남자에게, 그것은 가혹할 수 있다.

그리하여 그 사건은 순식간에 끝이 났고, 밀치기 자체는 나를 두렵게 만들지 않았다. 나를 두렵게 만든 것은 내가 바닥에 쓰러져 울려대는 머리를 잡고 눈을 깜빡이고 있을 때 그가 지었던 표정이다. 한 번 더 나를 치고 싶은 것을 간신히 참던 그의 표정. 나를 다시 때리고 싶어서 어쩔 줄 몰라 하던 그. 그때부터 그가 나를 보는 방식—죄책감, 그리고 그 죄책감에 대한 혐오. 절대적인 혐오.

　가장 어두운 부분은 지금부터다. 나는 어제 차를 타고 쇼핑몰로 갔다. 소도시 주민들의 절반가량이 처방전을 받는 것만큼이나 손쉽게 마약을 사는 곳. 나는 노엘에게 들어서 그 사실을 알고 있었다. 그녀의 남편은 가끔 그곳에서 마리화나를 산다고 했다. 하지만 내가 원했던 것은 마리화나가 아니라 총이었다. 만약을 위해. 닉이 정말로 잘못될 때를 위해. 나는 속으로 말했다. 시아버지의 말이 맞았어. 넌 멍청한 년이야. 남편이 해칠 것 같으면 떠나야지. 하지만 난 아직까지도 어머니의 죽음을 슬퍼하고 있는 남편을 떠날 수가 없다. 도저히. 무언가가 정말로 심각하게 잘못되지 않는 한. 그렇게 하면 성서에 나올 법한 악녀가 되는 거다. 남편이 정말로 날 해칠 거라는 생각이 들면 떠나야 한다.

　하지만 난 닉이 정말로 나를 해칠 거라고 생각하지 않는다.

　단지 총이 있으면 더 안전하다고 느낄 것 같다.

닉 던

실종 6일째

고는 나를 차 안으로 밀어 넣고 공원을 빠져나갔다. 우리는 노엘의 옆을 지나쳤다. 그녀는 보니와 길펀과 함께 순찰차로 걸어가고 있었다. 공들여 옷을 입힌 세쌍둥이는 노엘의 뒤에서 줄 달린 연처럼 털털거리며 걷고 있었다. 우리는 끼익 소리를 내며 군중 옆을 지나갔다. 수백 개의 얼굴, 나를 똑바로 노려보고 있는 통통한 점들로 이루어진 분노에 찬 점묘화. 엄밀하게 말해, 우리는 도망을 쳤다.

"와, 매복 공격." 고가 중얼거렸다.

"매복 공격?" 머릿속이 멍한 내가 따라 말했다.

"우발적인 일이었다고 생각해, 닉? 세쌍둥이 년은 이미 경찰과 얘기를 했어. 그런데 임신 얘기는 안 했단 말이지."

"내 생각엔 그들이 한 번에 조금씩 나눠서 폭탄을 터뜨리는 것 같아."

보니와 길펀은 에이미가 임신했다는 얘기를 이미 들어놓고도 그것을 전략으로 쓰기로 결정했다. 그들은 내가 에이미를 죽였다고 믿고 있는 것이 분명했다.

"노엘은 다음 주에 온갖 케이블 프로그램에 나와서 정의의 사도처럼 네가 살인자고 자신은 에이미와 절친한 친구였다고 말할 거야. 유명해지고 싶어서 환장한 년. 유명해지고 싶어서 환장한 씨발년."

나는 차창에 얼굴을 댔다가 쓰러지듯 의자에 몸을 파묻었다. 뉴스 밴 몇 대가 우리를 따라왔다. 우리는 조용히 달렸고 고의 호흡이 느려졌다. 나는 강을 바라보았다. 나뭇가지 하나가 갑자기 밑으로 휙 내려갔다.

"닉?" 마침내 고가 말했다. "그게, 어······ 넌······."

"모르겠어, 고. 에이미는 내게 아무 말도 안 했어. 임신을 했다면 왜 노엘에게는 얘기하고 나한테는 말하지 않았을까?"

"에이미가 총을 구하려고 했다면 왜 너한테 말하지 않았을까?" 고가 말했다. "말이 전혀 안 돼."

우리는 고의 집으로 달아났다. 우리 집은 촬영팀으로 들끓고 있을 것이기 때문이다. 집 안으로 들어서자마자 내 휴대전화가 울렸다. 장인과 장모의 전화번호였다. 나는 숨을 조금 들이쉰 다음 전화를 받았다.

"물어볼 게 있네, 닉." 장인이었다. 시끄러운 텔레비전 소리가 배경음으로 들렸다. "자네 대답을 꼭 들어야겠어. 에이미가 임신한 걸 알고 있었나?"

나는 멈칫했다. 임신 가능성이 낮다고 적절하게 말할 방법을 찾으려고 애썼다.

"대답해, 빌어먹을!"

장인의 큰 목소리는 나를 더 조용하게 만들었다. 나는 부드럽고 달래는 듯한 목소리로, 가디건을 입은 목소리로 말했다. "에이미와 저는 임신하려고 노력하고 있지 않았습니다. 아내는 임신하고 싶어 하지 않았어요.

장인어른, 전 아내가 임신을 시도한 적이 있는지도 모릅니다. 심지어 우린…… 우린 그렇게 자주 관계를 갖지도 않았습니다. 저는…… 만일 아내가 임신을 했다면 아주 놀랄 겁니다."

"노엘 말로는 에이미가 임신 여부를 확인하러 병원에 갔었다고 하네. 경찰이 이미 의료기록에 대해 영장을 제출했어. 오늘 밤에 기록 내용을 알게 될 거야."

나는 고가 침실 바로 앞에 있는 어머니의 카드 탁자에 차가운 커피 한 잔을 놓고 앉아 있는 것을 보았다. 고는 이곳에 내가 있다는 걸 자신이 알고 있다고 확인시켜줄 정도로만 내 쪽으로 몸을 돌리고 있었지만, 얼굴은 보여주지 않았다.

"왜 계속 거짓말을 하는 거야, 닉? 사돈어른들은 네 적이 아니야. 적어도 아이를 원하지 않은 게 너였다고는 말했어야지? 왜 에이미를 나쁜 사람으로 만들어?"

나는 다시 한 번 분노를 꿀꺽 삼켰다. 분노에 찬 배 속이 뜨거웠다. "난 지쳤어, 고. 젠장. 이 얘길 꼭 지금 해야 해?"

"우리한테 더 나은 때가 올까?"

"난 정말 애를 낳고 싶었어. 에이미와 난 한동안 노력했지만 운이 없었지. 같이 임신 촉진 치료도 시작했고. 그러다가 어느 날 에이미가 아이를 원하지 않는다고 했어."

"넌 나한테 네가 원하지 않는다고 말했어."

"체면치레하려고 그랬던 거야."

"아, 끝내주는군, 또 거짓말." 고가 말했다. "정말 몰랐어, 네가 이렇게…… 닉, 넌 말도 안 되는 소리를 하고 있어. 더 바 기념일에 다 같이 저녁을 먹을 때 나도 있었어. 엄마가 두 사람이 임신 사실을 발표할 거라고 오해했을 때 에이미는 울었어."

"그게, 난 에이미가 했던 모든 일을 설명할 수가 없어, 고. 왜 그랬는지는 모르지만, 그 망할 1년 전에 에이미는 그냥 그렇게 울었던 거야, 알겠어?"

고는 말없이 앉아 있었다. 오렌지색 가로등 불빛이 고의 옆얼굴 주위에 록스타 같은 후광 효과를 내고 있었다. "이건 네게 정말 큰 시험이 될 거야, 닉." 고가 여전히 나를 보지 않으면서 중얼거렸다. "넌 항상 진실을 다루는 걸 어려워했어. 진지한 논쟁을 피하기 위해 언제나 사소한 거짓말을 했어. 항상 가장 쉬운 길을 택했던 거야. 야구팀에서 나왔을 때도 엄마한테는 야구 연습을 하러 간다고 말했고, 영화 보러 가놓고는 교회에 갔다고 말했지. 일종의 이상한 강박이야."

"이건 야구랑은 전혀 달라, 고."

"아주 다르지. 하지만 넌 아직도 어린애처럼 사소한 거짓말을 늘어놓고 있어. 아직도 모든 사람들이 네가 완벽하다고 생각하게 하려고 필사적이야. 절대 나쁜 사람이 되고 싶어 하지 않지. 그래서 넌 에이미의 부모님에게 에이미가 아이를 원하지 않았다고 말하는 거야. 나한테 바람피운다는 말도 하지 않고. 넌 그 신용카드가 너랑 상관없다고 맹세하고, 물가를 싫어하면서도 물가에서 놀고 있었다고 맹세하고, 네 결혼 생활이 행복했다고 맹세해. 난 이제 무슨 말을 믿어야 할지 잘 모르겠어."

"농담하는 거지, 응?"

"에이미가 사라진 뒤 네가 하는 거라곤 거짓말뿐이야. 그래서 걱정이 돼. 지금 무슨 일이 일어나고 있는 건지."

잠시 동안 완전히 침묵이 흘렀다.

"고, 너 지금 하는 말, 내가 생각하는 그런 뜻이야? 만약 그렇다면, 너랑 나 사이의 뭔가가 사라진 거야."

"어렸을 때 네가 엄마랑 하던 게임 기억해? 그래도 날 사랑할 거예요? 그래도 날 사랑할 거예요, 내가 고를 때려도? 그래도 날 사랑할 거예요, 내가 은행 강도가 돼도? 그래도 날 사랑할 거예요, 내가 사람을 죽여도?"

나는 아무 말도 하지 않았다. 호흡이 지나치게 빨라지고 있었다.

"난 그래도 널 사랑할 거야." 고가 말했다.

"고, 내가 정말 그 말을 하길 바라?"

고가 침묵을 지켰다.

"난 에이미를 죽이지 않았어."

고가 침묵을 지켰다.

"내 말 믿어?" 내가 물었다.

"널 사랑해."

고는 내 어깨에 한 손을 얹은 다음 침실로 들어가 문을 닫았다. 나는 침실의 불이 켜지기를 기다렸지만 불은 끝내 켜지지 않았다.

2초 후 휴대전화가 울렸다. 없애버려야 하지만 그럴 수 없는 일회용 전화. 왜냐하면 나는 언제나, 언제나, 언제나 앤디의 전화를 받아야 하기 때문이다. 하루 한 번이야, 닉. 하루에 한 번 대화해야 해.

나는 내가 이를 갈고 있음을 깨달았다.

나는 심호흡을 했다.

저 멀리 이 소도시의 끝에는 지금은 아무도 찾지 않는 또 하나의 공원인 옛 서부 요새 유적지가 있었다. 남아 있는 건 녹슨 그네들과 시소들에 둘러싸인 2층짜리 목재 감시초소뿐이다. 앤디와 나는 그곳에서 한 번 만

난 적이 있다. 우리는 감시초소의 그늘 속에서 서로를 더듬었다.

나는 아무도 없다는 것을 확신하기 위해 동네를 세 바퀴나 돌았다. 만나야겠어, 닉. 오늘 밤, 지금 당장. 안 그러면 진짜 화낼 거야. 요새 앞에 차를 대면서 나는 그곳이 얼마나 외진 곳인지, 그리고 그것이 무엇을 뜻하는지 깨달았다. 앤디는 아직도 나를, 임신한 아내를 살해한 나를 한적하고 캄캄한 장소에서 기꺼이 만나려고 하고 있었다. 억세고 따가운 풀숲을 헤치며 초소를 향해 걸어가는데 나무 감시초소의 조그만 창문 속에서 앤디의 실루엣이 보였다.

그녀는 널 파멸시킬 거야, 닉. 나는 빠른 걸음으로 남은 길을 갔다.

한 시간 뒤, 나는 파파라치가 들끓는 내 집에서 웅크리고 앉아 기다리고 있었다. 장인은 아내의 임신 여부를 자정 전에 알게 될 거라고 말했다. 전화가 울려서 곧바로 받았더니 컴포트 힐이었다. 아버지가 또 사라졌다. 경찰에도 연락했다고 했다. 언제나처럼 그들은 나를 얼간이 취급했다. 이런 일이 또 일어나면 당신의 아버지는 더 이상 이곳에 있을 수 없습니다. 메스꺼운 오한을 느꼈다. 아버지와 나, 한심하고 성마른 두 놈의 동거라니. 지상 최악의 버디 코미디가 될 게 분명하다. 결말은 살인과 자살이겠지. 바-둠-둠! 웃음소리 큐!

나는 전화를 끊고 집 뒤쪽으로 난 창문으로 강을 바라보았다. 진정해, 닉. 그때 보트 창고 옆에 누군가가 웅크리고 앉아 있는 것이 보였다. 처음에는 기자일 거라고 생각했지만 곧 두 주먹을 꽉 쥐고 어깨에 잔뜩 힘을 주고 있는 그를 알아보았다. 리버 로드를 따라 30분 정도 걸어가면 컴포트 힐이었다. 나를 기억하지 못하는 그가 어찌 된 일인지 우리 집을 기억한 것이다.

나는 바깥의 어둠 속으로 나가 그가 한쪽 발을 강물 위에서 덜렁거리며 강물 속을 들여다보고 있는 모습을 보았다. 그는 지난번에 비해 덜 더러운 몰골이었지만 지독한 땀 냄새를 풍기고 있었다.

"아버지? 여기서 뭐 하세요? 다들 걱정하잖아요."

그는 거무스름한 갈색 눈으로, 예리한 눈으로 나를 쳐다보았다. 일부 노인들처럼 침침한 우윳빛 눈이 아니었다. 우윳빛 눈이었다면 덜 당황스러웠을 것이다.

"그 여자가 내게 오라고 했다." 그가 매섭게 말했다. "그녀가 내게 오라고 했어. 여긴 내 집이고 난 내가 오고 싶을 때 올 수 있어."

"여기까지 걸어오신 거예요?"

"난 언제고 여기 올 수 있다. 넌 날 싫어하겠지만 그녀는 날 좋아해."

나는 웃을 뻔했다. 아버지조차 에이미와의 관계를 재구성하고 있었다.

집 앞 잔디밭에 있던 기자 몇 명이 카메라 셔터를 눌러댔다. 나는 아버지를 데리고 집으로 들어가야 했다. 나는 그들이 이 독점 사진과 함께 낼 기사를 상상할 수 있었다. 빌 던은 어떤 아버지였고 어떤 아들을 키워냈는가? 맙소사, 아버지가 '년'들에 관한 장광설을 늘어놓기라도 한다면……. 나는 컴포트 힐에 전화를 걸어 약간의 사기를 쳤고 그들은 아버지를 데려갈 사람을 보냈다. 나는 사진기자들이 사진을 찍어대는 동안 아버지를 안심시키는 말을 중얼거리며 차까지 다정하게 데려다주는 모습을 연출했다.

제 아버지예요. 그가 탄 차가 떠날 때 나는 웃으며 말했다. 나는 아버지를 아주 자랑스러워하는 아들처럼 말하려고 애썼다. 기자들이 내게 아내를 죽였느냐고 질문을 해댔다. 나는 서둘러 집으로 후퇴했고, 그때 경찰차가 도착했다.

파파라치들에 용감히 맞서며 내게 소식을 전하기 위해 집으로 와준 것은 보니였다. 그녀는 친절하게, 손끝으로 살짝 건드리는 듯한 말투로 말했다.

부인은 임신했습니다.

나의 아내가 사라졌다. 배 속에 든 내 아이와 함께. 보니는 나의 반응을 기다리며—경찰 보고서에 써넣기 위해—지켜보고 있었고 나는 나 자신에게 제대로 처신하라고, 일을 망치지 말라고, 이런 소식을 들은 남자가 할 만한 행동을 하라고 명령했다. 나는 두 손으로 머리를 감싸 쥐고 하느님 맙소사, 하느님 맙소사 하고 중얼거렸다. 그러면서 나는 부엌 바닥에서 두 손으로 배를 감싸 쥐고 머리는 맞아서 움푹 들어간 아내의 모습을 떠올렸다.

에이미 엘리엇 던

2012년 6월 26일 일기

지금껏 살면서 요즘처럼 살아 있다는 느낌을 받았던 적이 있었던가. 새파란 하늘, 따뜻한 날씨에 새들은 미친 듯 날아다니고 집 밖의 강물은 세차게 흐르고 있다. 그리고 나는 완전히 살아 있다. 두렵고 오싹하지만, 살아 있다.

오늘 아침 눈을 뜨니 닉은 없었다. 나는 침대에 앉아 천장을 노려보았다. 태양이 성큼성큼 천장을 금빛으로 물들이고 창 밖에는 파랑새들이 지저귀고 있던 그때, 나는 토하고 싶었다. 목구멍이 심장처럼 조였다가 풀렸다. 나는 토하지 않을 거라고 혼잣말을 했지만 이내 화장실로 달려가 토했다. 담즙과 따뜻한 물과 동동 떠 있는 완두콩 한 알. 배 속은 뒤틀리고 눈에는 눈물이 고인 채 숨을 헐떡이면서 나는 변기 위에 웅크린 여자들이 하는 유일한 계산을 했다. 나는 피임약을 먹고 있었지만 하루나 이틀 정도는 잊어버린 적도 있었다. 그게 뭐 대수인가, 나는 서른여덟 살이고 피임약을 먹은 지 거의 20년째였다. 내가 뜻밖의 임신을 할 일은 없을 것이었다.

나는 잠겨 있는 유리 진열장 안에서 테스트기를 발견했다. 나는 우왕좌왕하는 콧수염 난 여자를 불러 진열장을 열어달라고 부탁한 뒤, 참을성 없이 구는 그녀에게 내가 원하는 것을 가리켰다. 여자는 냉랭한 표정으로 그것을 건네주며 "행운을 빌어요"라고 말했다.

양성과 음성 중 어느 쪽이 행운일지 알 수 없었다. 나는 차를 타고 집으로 돌아와 설명서를 세 번 읽고, 테스트기를 적당한 위치에 적당한 시간 동안 갖다 댄 뒤 세면대 가장자리에 놓아둔 다음, 그것이 폭탄이라도 되는 것처럼 도망을 쳤다. 3분을 기다려야 했으므로 나는 라디오를 틀었다. 물론 톰 페티의 노래가 나왔다─라디오를 켰을 때 톰 페티의 노래가 나오지 않는 때가 있었던가? 나는 〈아메리칸 걸〉을 처음부터 끝까지 따라 부른 다음, 다시 욕실로 기어들어갔다. 테스트기가 몰래 다가가야 하는 어떤 것이라는 듯이. 심장이 괜스레 미친 듯이 쿵쾅거렸다. 임신이었다.

나는 곧바로 여름의 잔디밭을 가로지르며 길 위를 달려 노엘의 집 현관문을 쾅쾅 두드렸다. 노엘이 문을 열었을 때 나는 눈물을 터뜨리며 그녀에게 테스트기를 보여주었다. "나 임신했어!"

이제 나 외에 다른 누군가가 알게 되었다. 나는 두려워졌다.

일단 집으로 돌아오자 두 가지 생각이 들었다.

첫째, 우리의 결혼기념일이 다음 주다. 나는 단서들을 연애편지로 활용할 것이며, 마지막 장소에는 나무 요람이 기다리고 있을 것이다. 남편에게 우리가 가족으로서 하나임을 확인시켜줄 것이다.

둘째, 그때 총을 구할 수 있었더라면 좋았을 텐데.

이제 나는 남편이 집에 오면 가끔씩 겁에 질린다. 몇 주 전, 닉은 내게 같이 뗏목을 타러 가자고, 파란 하늘 아래에서 강물을 따라 흘러가보자고 말했다. 그 말을 들었을 때 나는 실제로 두 손으로 계단의 난간 기둥을 감싸 쥐고 거의 매달리다시피 했다. 머릿속에 뗏목을 마구 흔드는 남편의 모습이 떠올랐기 때문이다. 처음에는 놀리는 것처럼 흔들다가, 겁먹은 나를 비웃던 그의 얼굴이 굳어지며 단호해지고, 나는 물속으로 떨어진다. 나뭇가지들과 모래 때문에 따끔거리는 갈색 흙탕물. 그는 내 위에서, 힘센 팔로 나를 내리누른다. 내가 발버둥 치기를 멈출 때까지.

나도 어쩔 수가 없다. 닉은 내가 젊고 부유하고 예뻤을 때 나와 결혼했고 이제 나는 가난한 실직자에 나이는 서른보다 마흔에 더 가깝다. 이제 나는 그냥 예쁜 것이 아니라 나이에 비해 예쁘다. 나의 가치가 감소한 것은 사실이다. 최근 닉의 표정을 보면 알 수 있다. 하지만 그것은 정직한 내기에 뛰어든 남자의 표정이 아니다. 사기당한 남자의 표정이다. 그것은 곧 덫에 걸린 남자의 표정으로 변할 것이다. 아기가 없다면 그는 나와 이혼할 수도 있을 것이다. 하지만 이제 그는, '착한 남자'인 닉은 결코 그렇게 하지 않을 것이다. 그는 가족을 중시하는 이 소도시의 모든 주민들이 자신을 아내와 아이를 버리는 남자로 생각하게 되는 것을 못 견딜 것이다. 그는 차라리 나와 살면서 괴로워하는 쪽을 택할 것이다. 괴로워하고 성내고 분노하겠지.

그래도 나는 낙태하지 않을 것이다. 오늘 아기는 내 배 속에 있은 지 6주가 되었다. 렌즈콩만 한 아기는 지금 폐와 귀가 자라고 있다. 몇 시간 전, 나는 주방으로 가서 시어머니가 닉이 가장 좋아하는 수프를 끓이라며 주었던, 말린 콩이 담긴 밀폐 용기를 찾아냈다. 그리고 렌즈콩 한 알을 꺼내 조리대 위에 올려놓았다. 콩은 내 새끼손가락 손톱보다 작았다. 나는 그것을 조리대 위에 내버려둘 수가 없어서 집어 올린 다음, 손바닥 위에 놓고 손가락으로 톡톡 두드렸다. 지금 그 콩은 내 티셔츠 주머니 안에 있다. 언제나 나와 가까이 있을 수 있도록.

나는 낙태하지 않을 것이다. 닉과 이혼하지도 않을 것이다. 아직은. 나는 어느 여름날 그가 바닷속으로 뛰어들어 두 손으로 바닥을 짚고 거꾸로 선 채 다리를 마구 흔들던 모습을 아직 기억하기 때문이다. 다시 똑바로 선 그의 손에는 나만을 위한 가장 예쁜 조개껍질이 놓여 있었다. 햇빛 때문에 눈이 부셨던 나는 눈을 감고 눈꺼풀 안쪽에서 빗방울처럼 깜박이는 색깔들을 보고 있었다. 그때 닉이 짠맛이 나는 입술로 내게 키스했고, 나는 생각했다. 난 정말 행운아야. 이 사람이 내 남편이라니, 이 사람이 내 아이들의 아버지가 될 거라니. 우린 정말 행복하게 살 거야.

하지만 내가 잘못 생각한 것인지 모른다. 아주 많이 잘못 생각한 것인지 모른다. 가끔씩 그가 나를 보는 방식…… 그토록 다정하던 해변의 남자, 내가 꿈에 그리던 남자, 내 아이의 아버지가…… 감시하는 듯한 눈길로, 벌레의 눈길로, 계산만이 가득한 시선으로 나를 보고 있음을 알아차린다. 그리고 생각한다. 이 남자가 나를 죽일 수도 있겠구나.

그러니 혹시 내가 죽고 당신이 이 일기장을 발견한다면…….

미안, 재미없는 이야기다.

닉 던

실종 7일째

때가 되었다. 중부 표준시로 오전 여덟 시, 뉴욕 시간으로 오전 아홉 시. 나는 수화기를 들었다. 내 아내는 임신한 상태였고 나는 분명 주요―유일한―용의자였다. 나는 오늘 변호사를 고용할 것이고, 그는 내가 원하지 않지만 절대적으로 필요한 바로 그 변호사일 것이다.

태너 볼트. 섬뜩한 필수품. 그 어떤 법률 네트워크, 실제 범죄를 다룬 쇼 프로그램을 찾아보아도 스프레이 태닝을 한 태너 볼트의 얼굴이 튀어나올 것이다. 자신이 변호하는 모든 사이코 고객의 편에 서서 분개하고 걱정하는 그의 얼굴. 그는 서른네 살 때 코디 올슨이라는 시카고의 어느 식당 주인을 변호하면서 유명해졌다. 코디는 임신한 아내를 목 졸라 죽이고 시체를 쓰레기 매립장에 버린 혐의를 받고 있었다. 시체 수색견들이 코디의 메르세데스 벤츠 트렁크 속에서 시체 냄새를 맡았다. 그의 노트북 컴퓨터를 조사한 결과, 코디의 아내가 실종된 날 아침, 누군가가 가장 가까운 쓰레기 매립지의 지도를 출력했음이 밝혀졌다. 답은 간단했다. 하지만 태너 볼트가 자신의 일을 마쳤을 때, 모두가―경찰국, 웨스트사이드

시카고 폭력단원 두 명, 불만을 품은 클럽 경비원—말려들었지만 코디 올슨은 예외였다. 그는 법정을 나가 모두에게 칵테일을 샀다.

그 후 10년 동안 태너 볼트는 '남편들의 매'라는 별명을 얻었다. 그의 특기는 세간의 이목을 끄는 사건에 날아들어 아내를 살해한 혐의를 받는 남자들을 대변하는 것이었다. 그의 승률은 절반이 약간 넘었지만 나쁘지 않은 성적인 것이, 보통 유죄가 거의 확실시되고 피고인이 극도로 혐오스러운—바람둥이, 자아도취증 환자, 소시오패스—사건들을 맡았기 때문이다. 태너 볼트의 또 다른 별명은 '병신들의 옹호자'였다.

나는 두 시에 약속을 잡았다.

"메리베스 엘리엇입니다. 메시지를 남겨주시면 곧바로 연락드리겠습니다……" 장모가 에이미와, 곧바로 연락하지 않는 에이미와 똑같은 목소리로 말했다.

나는 태너볼트를 만나러 뉴욕으로 가기 위해 가속 페달을 밟으며 공항으로 가고 있었다. 내가 도시를 떠나기 위해 보니의 허락을 구하자 그녀는 재미있어하는 것 같았다. 경찰은 실제로 그렇게 하지 않아요. 텔레비전에서만 그러는 거예요.

"안녕하세요, 장모님. 또 닉이에요. 장모님과 얘기를 하고 싶습니다. 제가 드리고 싶은 말씀은…… 어, 전 정말 임신에 대해서 몰랐습니다. 저도 장모님만큼이나 충격을 받은 상태입니다……. 어, 그리고 저 변호사를 고용하려고 해요, 장모님께 알려드리려고요. 장인어른도 그렇게 하라고 하셨던 것 같은데. 어쨌거나…… 장모님도 제가 음성메시지에 얼마나 서툰지는 아시죠. 연락 주십시오."

태너 볼트의 사무실은 내가 일하던 곳에서 그리 멀지 않은 미드타운에 있었다. 엘리베이터는 순식간에 25층까지 올라가면서도 얼마나 부드럽게 움직이는지, 나는 귀가 먹먹해지고 나서야 엘리베이터가 움직이고 있다고 확신할 수 있었다. 26층에서 입을 굳게 다문, 세련된 정장 차림의 금발머리가 탔다. 그녀는 초조하게 발을 구르며 문이 닫히기를 기다리다가 내게 따지듯이 말했다. "닫힘 버튼 좀 눌러주시죠?" 나는 성마른 여자들에게 짓는 미소를 지었다. 가벼운 미소, 에이미가 '인기남 닉의 미소'라고 부른 그 미소. 그러자 여자가 나를 알아보았다. "아." 그녀가 말했다. 썩은 냄새라도 맡은 듯한 표정이었다. 내가 태너가 있는 층에서 허둥대며 내리자 그녀는 그럴 줄 알았다는 표정을 지었다.

이 남자는 최고였고 내게는 최고가 필요했다. 하지만 나는 내가 그와 어떤 식으로든 관계를 맺는다는 사실에 화가 났다. 이 추잡한 놈, 과시꾼, 죄인들의 변호사와. 나는 미리부터 태너 볼트를 너무나 싫어했기 때문에, 그의 사무실이 드라마 〈마이애미 바이스〉의 세트장 같을 거라고 예상했다. 하지만 볼트 앤드 볼트 사무실은 그와 거의 정반대였다. 그곳은 품위 있고 변호사 사무실다웠다. 티끌 하나 없는 유리문들 뒤로는 고급 양복을 입은 사람들이 사무실 사이를 바삐 오가고 있었다.

열대과일 색깔의 넥타이를 맨 젊고 예쁘장한 남자가 나를 맞이하더니 유리와 거울로 이루어진 반짝이는 안내실로 데려가 거창하게 물을 권한 다음(거절했다), 다시 광이 나는 책상으로 돌아가 번쩍이는 수화기를 집어 들었다. 나는 소파에 앉아 스카이라인을 바라보았다. 크레인들이 기계 새들처럼 위아래로 부리를 움직이고 있었다. 그런 다음 나는 주머니에서 에이미의 마지막 단서를 꺼내서 펼쳤다. 5주년은 나무다. 보물찾기의 마지막 상은 나무일까? 아기를 위한 어떤 것. 조각된 오크나무 요람이나 나무

딸랑이? 우리 아기와 우리의 새로운 시작, 새로운 던 집안을 위한 물건.

고에게서 전화가 올 때까지 나는 계속 단서를 응시하고 있었다.

"우리 괜찮은 거야?" 내가 받자마자 고가 말했다.

내 여동생은 내가 아내 살해범일 거라고 생각했다.

"그런 대로. 우리가 다시 볼 수 있을 만큼은."

"닉. 미안해. 미안하단 말을 하려고 전화했어. 아침에 일어났는데 정신이 완전 나간 사람 같았어. 끔찍한 기분이었어. 난 제정신이 아니었어. 잠깐 미쳤었나 봐. 정말, 진심으로 미안해."

나는 잠자코 있었다.

"이것들을 감안해줘, 닉. 피로와 스트레스와…… 미안해…… 정말로."

"괜찮아." 나는 거짓말을 했다.

"하지만 이젠 솔직히 기뻐. 오해를 풀었으니까."

"에이미는 임신한 게 맞아."

배 속이 뒤집혔다. 다시 한 번 내가 뭔가 중요한 것을 잊어버렸다는 기분이 들었다. 나는 뭔가를 놓쳤고 그에 대한 대가를 치를 것이다.

"유감이야," 고가 말한 뒤 몇 초쯤 기다렸다. "사실은……."

"지금은 얘기 못해."

"알았어."

"사실 나 지금 뉴욕이야. 태너 볼트와 약속이 있거든."

"맙소사. 그렇게 빨리 그를 만나는 게 가능해?"

"그만큼 내 사건이 좆같다는 뜻이겠지." 내가 전화를 걸었을 때 즉시 태너에게 연결되었고—내 이름을 말한 뒤 딱 3초 기다렸다—내가 거실에서 받은 심문에 대해 이야기하자 태너는 내게 다음 비행기를 타라고 명령했다.

"조금 겁나." 내가 덧붙였다.

"넌 똑똑하게 굴고 있는 거야. 정말로."

또 한 번의 침묵.

"태너 볼트가 실명일 리는 없겠지?" 분위기를 가볍게 하려고 애쓰며 내가 말했다.

"내가 듣기론 래트너 톨브의 철자 순서를 바꾼 거라던데."

"정말?"

"아니."

나는 웃었다. 부적절하지만 유쾌한 기분이었다. 그때 안내실 저쪽 끝에서 태너 볼트가 나를 향해 걸어오고 있었다. 검은색 핀 스트라이프 양복에 라임그린색 넥타이, 상어 같은 미소. 그는 '흔들고 칠' 태세로 한 손을 내밀며 걸었다.

"닉 던 씨, 저는 태너 볼트입니다. 저와 함께 가시죠, 일을 시작합시다."

태너 볼트의 사무실은 남성 전용 회원제로 운영되는 고급 골프장의 클럽실처럼 설계되어 있었다. 편안한 가죽 의자들, 법률 서적으로 빼곡한 책장들, 에어컨이 있는 방 안에서 불꽃이 타오르고 있는 가스 벽난로. 앉아서 시가 한 대 피우면서 아내 흉을 보시죠, 수상쩍은 농담도 좀 하시고요, 여긴 우리 남자들뿐이니까.

볼트는 일부러 책상 뒤에 앉지 않고 2인용 탁자로 나를 데려갔다. 같이 체스라도 한 판 둘 것처럼. 이건 우리 둘, 파트너 사이의 대화입니다. 볼트는 입이 아닌 행동으로 말하고 있었다. 우리만의 전시 상황실 탁자에 앉아 일에 착수하는 겁니다.

"던 씨, 저의 변호사 의뢰비는 10만 달러입니다. 분명 큰 돈이지요. 그러니 저는 제가 드릴 수 있는 것과, 제가 당신에게 바라는 것에 대해 분명히 짚고 넘어가고 싶습니다. 아시겠습니까?"

그는 나를 빤히 응시하더니 동정 어린 미소를 지은 다음, 내가 고개를 끄덕일 때까지 기다렸다. 오직 그만이 고객인 내가 비행기를 타고 자신에게 오게 만들 수 있었고, 내게 어떤 식으로 해야 내 돈을 자신에게 줄 수 있는지 말할 수 있었다.

"저는 이깁니다, 던 씨. 저는 이길 수 없는 사건들에서 이깁니다. 그리고 제 생각에 당신이 곧 직면하게 될 사건은, 생색낼 생각은 없습니다만, 힘든 사건입니다. 돈 문제, 위기의 결혼 생활, 임신한 아내까지. 언론도 대중도 당신에게 등을 돌렸죠."

그는 오른손에 낀, 도장이 새겨진 반지를 돌리며 내가 듣고 있다는 표시를 할 때까지 기다렸다. 마흔 살의 남자는 자신의 얼굴에 책임을 져야 한다. 나는 항상 이 말을 들어왔다. 볼트의 얼굴은 마흔 살처럼 보였고 잘 관리되어 있었다. 주름이 거의 없고 유쾌하게 살이 오른, 자부심이 느껴지는 얼굴. 여기 자신의 분야에서 최고인, 자신의 인생을 사랑하는 자신만만한 남자가 있었다.

"지금부터는 제가 없이 어떤 경찰 조사도 받아서는 안 됩니다." 볼트가 말하고 있었다. "그 점에 관해 지금까지 당신이 한 행동은 심히 유감스럽습니다. 법적인 부분으로 들어가기 전에, 우리는 모든 여론을 처리하기 시작해야 합니다. 여론이 움직이는 방식상 모든 것은 새어나간다고 가정해야 합니다. 당신의 신용카드, 생명보험, 꾸며진 것으로 추정되는 범죄 현장, 닦아낸 피까지. 상황이 정말 나빠요. 진퇴양난입니다. 경찰은 당신이 범인이라고 생각하기 때문에 대중들이 알게 내버려둡니다. 대중은 분노하고, 체포를 요구하죠. 그러므로 첫째, 우리는 당신을 대신할 용의자를 찾아야 합니다. 둘째, 에이미 씨의 부모가 계속 당신을 지지하게 해야 합니다. 이 점은 아무리 강조해도 지나치지 않습니다. 셋째, 당신의 이미지를 바꿔야 합니다. 사건이 재판장으로 가게 되면 그것이 배심원단에게 영향을 미치기 때문입니다. 재판지 변경은 이제 별로 의미가 없습니다. 24시간 케이블 방송, 인터넷, 온 세상이 당신의 재판지죠. 따라서 지금부터 모든 것을 바꾸기 시작하는 것이 정말로 중요합니다."

"정말이지 저도 그러고 싶습니다."

"장인, 장모와는 잘 지내고 계십니까? 지지 성명을 부탁할 수 있을까요?"

"아내가 임신했었다는 것이 확인된 때부터 연락이 안 됩니다."

"임신했다." 태너가 얼굴을 찌푸렸다. "'했다', '아내가 임신했다'입니다. 앞으로 다시는 아내분의 이야기를 과거 시제로 하지 마세요."

"젠장." 나는 잠깐 동안 손바닥에 얼굴을 묻었다. 나는 내가 그렇게 말한다는 걸 의식조차 못하고 있었다.

"저와 있을 때는 걱정하실 필요 없습니다." 볼트가 너그럽게 손을 흔들며 말했다. "하지만 다른 모든 곳에서는, 고민하세요. 아주 열심히 고민하세요. 지금 이 순간부터 당신은 할 말을 완전히 생각해보기 전에는 입을 열어서는 안 됩니다. 그래서 에이미 씨의 부모와 연락을 못하고 있다는 말씀이군요. 좋지 않네요. 연락하려고 노력은 해보셨겠죠?"

"음성메시지를 몇 번 남겼습니다."

볼트는 노란색 메모 패드에 뭔가를 끄적거렸다.

"알겠습니다. 일단 나쁜 소식이라고 생각해야 합니다. 하지만 계속 그들에게 연락해야 합니다. 어떤 얼간이가 카메라 폰으로 당신을 찍을 수 있는 공공장소에 가선 안 됩니다. 쇼나 켈리 같은 사람을 또 만들어선 안 되죠. 아니면 동생분께 상황이 어떻게 되고 있는지 알아보는 정찰 임무를 맡기세요. 사실 그게 더 낫습니다."

"알겠습니다."

"그리고 제게 목록을 하나 만들어주세요, 닉. 그동안 당신이 아내를 위해 했던 착한 일을 모두 적은 목록이요. 특히 지난해에 했던 낭만적인 행동이 중요합니다. 부인이 아플 때 치킨 수프를 끓여줬다거나, 출장지에서 연애편지를 보냈다거나. 지나치게 요란한 건 안 됩니다. 저는 남자들이 휴가지에서 골랐다고 하는 경우 외에는 보석 선물에 관심이 없습니다. 우리에게 필요한 건 아주 개인적인 것들입니다. 멜로 영화에 나오는 것들 말이죠."

"제가 멜로 영화의 주인공 같은 남자가 아니라면요?"

태너는 입술을 깨물었다가 다시 밀어냈다.

"그럼 뭐라도 지어내세요. 알겠습니까, 닉? 당신은 착한 사람 같아요. 분명 지난 1년간 사려 깊은 행동을 한 적이 있을 겁니다."

나는 지난 2년 동안 아내를 위해 괜찮은 일을 했던 걸 하나도 생각해낼 수가 없었다. 결혼 후 뉴욕에서 보낸 처음 몇 년 동안은 아내를 기쁘게 하기 위해 필사적이었다. 아내가 헤어스프레이 산 것을 기념하는 의식으로 잡화점 주차장을 가로질러 달려와 내 품에 안기던, 팔다리가 흐느적거리던 시절로 돌아가기 위해. 아내의 얼굴은 언제나 내 얼굴에 닿아 있었다. 동그랗게 뜬 그녀의 밝은 파란색 눈동자와, 내 눈썹을 불시에 덮치던 그녀의 노란 속눈썹. 코 밑을 간질이던 그녀의 뜨거운 날숨. 바보짓. 나는 2년을 노력했고, 그동안 예전의 아내는 사라져갔으며, 나는 더 열심히 노력했다. 화내지 않고 다투지 않고 끊임없이 숭배하고 굴복하는, 시트콤 드라마 속 남편의 모습으로. 그래, 자기야. 물론이지, 내 사랑. 미친 토끼 같은 나의 생각들이 어떻게 하면 그녀를 행복하게 할 수 있을지 알아내려고 애쓰는 동안, 내 몸에서는 빌어먹을 에너지가 빠져나가고 있었다. 나의 모든 행동과 시도에 아내는 눈을 굴리거나 슬프고 얕은 한숨을 쉴 뿐이었다. '당신은 이해하지 못하고 있어'라는 한숨.

함께 미주리로 떠날 무렵 나는 화가 나 있었다. 그동안의 나에 대한 기억을 창피해하고 있었다. 허둥거리고 귀에 거슬리는 소리를 내는 곱사등이 종처럼 변한 나의 모습을. 나는 낭만적인 것은 고사하고 다정한 남편조차 되지 못했다.

"그리고 부인을 해칠 만한 사람들의 목록도 필요합니다. 에이미 씨에게 반감이 있었을 사람들이요."

"아내는 실종되기 몇 주 전에 총을 사려고 했습니다."

"경찰도 압니까?"

"네."

"당신은 알고 있었나요?"

"그 남자가 말해주기 전까지는 몰랐습니다."

그는 정확히 2초 동안 생각했다. "그렇다면 분명 경찰은 아내분이 당신으로부터 자신을 보호하기 위해 총을 사려고 했다고 생각하고 있을 겁니다." 태너가 말했다. "에이미 씨는 혼자였고 두려웠다. 그녀는 당신을 믿고 싶었지만 뭔가가 아주 잘못되었다고 느끼고 있었다. 그래서 자신이 두려워하는 최악의 상황이 현실로 나타날 경우를 대비해 총을 사려고 했다."

"와, 대단하군요."

"아버지께서 경찰이셨죠." 태너가 말했다. "어쨌거나 저는 총 이야기가 마음에 드는군요. 이제 우리가 할 일은 그 이야기에 당신이 아닌 누군가를 집어넣는 것뿐입니다. 터무니없는 것은 아무것도 없습니다. 아내분이 끊임없이 짖는 개 때문에 이웃과 말다툼을 했다거나, 추근거리는 남자에게 퇴짜를 놨다거나, 어떤 것이든 좋습니다. 토미 오하라에 대해서는 아는 것 없습니까?"

"그래요! 그가 제보 라인에 몇 번 전화를 했죠."

"그는 2005년에 에이미 씨를 데이트 강간한 혐의로 기소되었습니다."

나는 입이 벌어졌지만 아무 말도 하지 못했다.

"에이미 씨는 그와 이따금씩 데이트를 하고 있었는데, 그 사람 집에서 저녁 식사를 하다가 상황이 걷잡을 수 없게 되었고 성폭행을 당했습니다. 경찰 보고서에 따르면요."

"2005년 언제요?"

"5월입니다."

내가 에이미를 잃어버렸던 8개월 동안의 일이었다. 우리가 처음 만났던 연초와 7번가에서 내가 그녀를 다시 발견했던 때 사이.

태너는 넥타이를 고쳐 매고 다이아몬드가 박힌 결혼반지를 돌리며 나를 응시했다. "부인이 당신한테 말하지 않았군요."

"전혀 들은 적 없는 이야기입니다. 누구한테서도요. 아내한테서는 더더욱."

"아직도 그런 일을 낙인처럼 생각하는 여자들이 얼마나 많은지 알면 놀라실 겁니다. 수치스러워하죠."

"믿을 수가 없군요, 내가……."

"전 고객을 위한 새로운 정보 없이 결코 이런 회의에 나오는 일이 없습니다." 태너가 말했다. "제가 당신의 사건을 얼마나 진지하게 여기는지 보여드리고 싶습니다. 당신에게 얼마나 제가 필요한지도요."

"그 남자가 용의자일 수도 있을까요?"

"그럼요, 안 될 이유가 없죠." 태너가 지나치게 가볍게 말했다. "그에게는 아내분과 관련된 폭력적인 과거가 있으니까요."

"그자는 감옥에 갔습니까?"

"에이미 씨가 소를 취하했습니다. 아마도 증언하고 싶지 않아서였겠죠. 저와 함께하기로 결정하신다면, 제가 그에 대해 조사해보겠습니다. 그동안 누구라도 좋으니 아내분께 관심을 보였던 사람을 생각해보세요. 카르타고에 사는 사람이면 더 신빙성이 있겠죠. 자, 이제," 태너가 다리를 꼬며 보고 있기가 심란할 정도로 삐뚤삐뚤하고 얼룩덜룩한, 말뚝울타리 같은 완벽한 윗니와는 대조적인 아랫니를 드러냈다. 그는 그 비뚤어진 이로 잠시 동안 윗입술을 물고 있었다. "지금부터가 가장 어려운 부분입니다, 닉. 당신은 제게 완벽하게 정직해야 합니다. 다른 길은 없습니다. 결혼 생활에 대한 모든 것, 최악의 부분까지 제게 말씀해주십시오. 제가 최악의 부분을 알아야만 그에 대해 준비를 할 수 있기 때문입니다. 만일 제가 놀라는 상황이 오면 우리는 망한 겁니다. 우리가 망한다는 건 당신이 망한다는 거죠. 저는 제 비행기를 타고 돌아와버리면 그만이니까요."

나는 심호흡을 하고 그를 똑바로 쳐다보았다. "저는 에이미를 속였습니다. 바람을 피우고 있었어요."

"알겠습니다. 여자가 여럿 있었나요, 아니면 하나?"

"여러 명은 아닙니다. 그전에 바람을 피운 적도 없었고요."

"그러니까 한 명?" 볼트가 묻고는 시선을 돌렸다. 그는 결혼반지를 만지작거리며 범선이 그려진 수채화를 쳐다보았다. 나는 그가 나중에 아내에게 전화하는 모습을 상상했다. 단 한 번, 단 한 번만이라도 얼간이가 아닌 놈을 만나고 싶어, 하고 말하는 그를.

"네, 여자애요. 그 앤 아주⋯⋯."

"여자애라고 말하지 마세요. 다시는 여자애라는 말을 쓰지 마십시오."
볼트가 말했다. "여자. 당신에게 아주 특별한 한 여자. 이렇게 말하려고
했던 겁니까?"

물론 그랬다.

"아시겠지만 닉, 사실 특별한 건 더 나쁩니다. 좋아요, 얼마나 됐죠?"

"1년 조금 넘었어요."

"부인이 실종된 후 그녀와 얘기한 적이 있습니까?"

"네, 일회용 휴대전화로요. 직접 만난 적도 한 번 있고요. 아니 두 번.
하지만⋯⋯."

"직접이요."

"우리를 본 사람은 아무도 없습니다. 맹세할 수 있어요. 제 동생만 빼
고."

그는 심호흡을 하고 다시 범선을 쳐다보았다. "이 사태에 대해, 그녀의
이름이 뭐죠?"

"앤디입니다."

"앤디는 이 사태에 대해 어떤 태도를 보이고 있습니까?"

"좋았어요, 임신⋯⋯ 에 대한 발표가 있기 전까지는요. 그 이후론 제
생각에, 앤디가 조금⋯⋯ 초조해하는 것 같아요. 아주 초조해합니다. 아
주, 어, 의존적이라고 하면 이상하겠지만⋯⋯."

"해야 할 말을 하세요, 닉. 의존적이라면."

"네, 의존적이에요. 들러붙는다고나 할까. 안정감을 얻으려는 경향이
강해요. 앤디는 정말 착한 여자지만, 너무 어려서, 그게, 사실은 힘든 상
황입니다."

태너 볼트는 미니바로 가서 클라마토를 꺼냈다. 냉장고 안은 클라마토로 가득 차 있었다. 그는 병뚜껑을 열고 세 번 만에 다 마신 다음, 천 냅킨으로 입술을 닦았다.

"관계를 끊으십시오. 완벽하게 그리고 영원히. 앤디와 완전히 연락을 끊어야 합니다." 그가 말했다. 내가 말을 하려고 했지만 그가 내게 손바닥을 내밀며 말했다. "지금 당장."

"그런 식으로 그녀와의 관계를 끊을 수는 없어요. 이렇게 갑자기."

"이건 논의의 대상이 아닙니다, 닉. 제 말은, 이것 보세요, 제가 꼭 이 말을 해야 하겠습니까? 임신한 아내가 실종된 마당에 연애질을 하며 돌아다닐 수는 없습니다. 감옥에 가게 될 거라고요. 이제 문제는 그녀가 우리에게 적대감을 갖지 않게 하면서 그 일을 하는 겁니다. 그녀가 원한을 품거나, 사람들에게 좋은 기억만 빼고 다 떠벌리고 싶은 충동을 느끼지 않게 말입니다. 이것이 올바른 일이라고 그녀가 믿게 하세요. 그녀가 당신을 지켜주고 싶게 만들어야 합니다. 연애 관계는 원만하게 끝내는 편입니까?"

내가 입을 열었지만 그는 기다리지 않았다.

"증언을 준비해드리듯이 그때를 위한 대화도 준비해드리겠습니다, 아시겠죠? 자, 저와 함께하시겠다면 저는 미주리로 날아가서 본부를 마련하고 당신과 함께 제대로 일을 시작할 겁니다. 빠르면 내일부터 당신과 함께할 거예요. 당신이 저를 변호사로 쓴다면 말이죠. 그렇게 하시겠습니까?"

"그렇게 하겠습니다."

나는 저녁 식사 시간 전에 카르타고로 돌아왔다. 이상한 일이었다. 일단 태너가 전체 그림에서 앤디를 빼버리자—그녀가 더는 머무를 수 없음이 분명해지자—나는 순식간에 그 사실을 받아들였고 놀랍게도 별로 슬프지도 않았다. 나는 한순간에 '앤디를 사랑하는' 남자에서 '앤디를 사랑하지 않는' 남자로 바뀌었다. 마치 문을 열고 걸어 나간 것처럼. 우리의 관계는 즉시 암갈색 초상화 톤을 띠었다. 과거가 되었다. 이 얼마나 웃긴 일인가. 호탕한 웃음과 섹스 후에 마시는 차가운 맥주를 좋아하는 것 외에 나와 공통점이라고는 찾아볼 수 없는 그 어린 여자애 때문에 나의 결혼을 망쳤다니.

당연히 관계를 끝내는 게 좋지. 고는 이렇게 말할 것이다. 결심이 더욱 굳어졌다.

하지만 더 큰 이유는 내 안에서 에이미가 점점 더 커지고 있다는 사실 때문이었다. 에이미는 사라졌지만 내 안에서 다른 누구보다도 생생했다. 내가 에이미와 사랑에 빠졌던 이유는 그녀와 함께 있으면 최고의 남자가 되었기 때문이다. 그녀를 사랑하는 일은 나를 초인으로 만들었고, 내가 살아 있다고 느끼게 했다. 그녀는 가장 쉬울 때조차 어려웠다. 그녀의 뇌는 언제나 정신없이 돌아가고 있었기 때문이다. 나는 그녀를 초월하는 것은 고사하고 대등해지기라도 하기 위해 온 힘을 다해야 했다. 그녀에게 보낼 평범한 이메일 한 통을 쓰는 데도 한 시간이 걸렸고, 그녀가 내게 계속 흥미를 느끼게 하기 위해 아라카나(타로 점을 칠 때 쓰는 카드—옮긴이)를, 호반 시인들을, 결투할 때의 에티켓에 관한 규범을, 프랑스 혁명을 공부해야 했다. 에이미의 사고는 넓고도 깊어서 나는 그녀 옆에서 점점 똑똑해졌다. 더 사려 깊고, 더 활동적이며, 더 생동감 있게 변했다. 마치 전기가 흐르는 사람 같았다. 왜냐하면 에이미와 함께하는 사랑은 마약이나 술 또는 포르노 같았으니까. 그것에는 정점이 없었다. 똑같은 효과를 내려면 지난번 것보다 더 강렬한 자극이 필요했다.

에이미는 나로 하여금 내가 특별하다고, 내가 그녀의 수준에 부합한다고 믿게 만들었고, 바로 그것이 우리를 가깝게, 또 멀게 만들었다. 왜냐하면 나는 그 위대한 요구들을 감당할 수 없었기 때문이다. 나는 편안함과 평균 수준의 사랑을 갈망하기 시작했고, 그런 나 자신을 혐오했으며, 결국에는 그것 때문에 그녀를 벌하고 있었다. 에이미를 지금의 날카롭고 성마른 사람으로 만든 것은 나였다. 나는 어떤 부류의 남자인 척하다가, 사실 내가 그런 부류와는 아주 다르다는 사실을 깨닫게 된 것이다. 더 나쁜 것은, 나는 우리의 비극이 그녀 혼자 만든 것이라고 믿고 있었다. 나는 몇 년 동안 내가 그녀라고 굳게 믿고 있었던 것, 독선적인 분노 덩어리로 변해 있었다.

집으로 오는 비행기 안에서 나는 네 번째 단서를 반복해서 읽으며 암기했다. 나 자신을 고문하고 싶었다. 갑자기 그녀의 편지가 그토록 다르게 느껴지는 것도 놀랄 일이 아니었다. 아내는 임신을 했고, 다시 시작하고 싶어 했으며, 나와 함께 눈부시고 행복하고 생동감 있는 삶으로 돌아가고자 했다. 이 다정한 편지들을 숨기기 위해 도시를 돌아다니는 아내를 상상할 수 있었다. 여학생처럼 들뜬 마음으로 내가 끝까지, 그녀가 내 아이를 임신했다고 알리는 발표 장소에 도착하기를 바랐을 아내. 나무. 분명 고풍스러운 요람이었을 것이다. 나는 아내를 안다. 분명 앤티크풍 요람일 것이다. 다만 편지의 말투는 아기를 기다리는 어머니의 말투와 상당히 거리가 멀었다.

　　나를 그려봐. 나는 아주 나쁜 여자야.

　　나를 벌해야 해. '벌해야' 한다는 건 '가져야' 한다는 뜻이야.

이곳은 당신이 결혼 5주년을 위해 좋은 것들을 보관하고 있는 곳이야.

억지스럽다면 용서해줘!

한낮에 이곳에서 재미를 봤지.

그리고 칵테일을 마시러 나갔어, 너무나 즐거웠지.

그러니 지금 당장 달콤한 한숨으로 가득 찬 그곳으로 달려가.

그리고 문을 열어, 아주 많이 놀랄 거야.

집에 거의 다 왔을 때 나는 알아차렸다. '결혼 5주년을 위해 좋은 것들을 보관하고 있는 곳.' 좋은 것들이란 나무로 만든 것들일 것이다. 벌한다는 건 누군가를 헛간으로 데려간다는 것. 고의 집 뒤에 헛간이 있었다. 잔디 깎는 기계 부품들과 녹슨 도구들을 넣어두는 곳. 야영객들이 한 명씩 살해당하는 슬래셔 영화에 나올 법한, 오래되고 낡은 별채. 절대로 그곳에 가지 않는 고는 그 집으로 이사했을 때부터 헛간을 불태워버려야겠다고 종종 농담을 했다. 그리고 불태우는 대신 풀이 웃자라고 거미줄이 생기게 방치했다. 우리는 그곳이 시체를 묻기에 좋은 장소라고 늘 농담을 했었다.

그럴 리가.

나는 동네를 가로지르며 달렸다. 얼굴에는 감각이 없었고 두 손은 차가워졌다. 고의 차가 진입로에 서 있었지만 나는 거실 창문 앞을 조심스레 지나간 뒤 가파른 내리막 경사를 내려가 곧 고의 시야를 벗어났다. 아무도 볼 수 없는 곳. 아주 은밀한 곳.

뒷마당의 끄트머리, 숲의 가장자리에 헛간이 있었다.

나는 문을 열었다.

안 돼 안 돼 안 돼 안 돼 안 돼.

그가 이런 짓을 해놓고도 좆같은 승리자가 되게 할 수는 없어. 안 돼.

나는 다른 이야기를 생각하기 시작했다. 그를 파멸시킬, 더 나은 이야기를.

그 이야기 속에서 나는 사랑스러운 영웅이 될 것이다.

2부
남자, 여자를 만나다

에이미 엘리엇 던

그날

나는 죽었다. 그래서 훨씬 더 행복하다.

엄밀히 말하자면 실종된 거지만. 곧 죽은 것으로 추정될 것이다. 하지만 편의상 죽은 것으로 하겠다. 몇 시간밖에 되지 않았지만 벌써부터 기분이 나아진다. 관절이 풀리고 근육이 물결친다. 오늘 아침, 문득 내 얼굴이 낯설고 다르게 느껴졌다. 나는 백미러를 들여다보았다. 지긋지긋한 카르타고가 70킬로미터 뒤에 있었다. 자신의 더러운 바에서 빈둥거리고 있는 내 잘난 남편의 똥으로 가득 찬 아둔한 머리 위로, 대재앙이 가느다란 피아노 줄에 매달려 대롱거리고 있었다. 나는 내가 웃고 있다는 걸 깨달았다. 하! 이거 새로운데.

지난 1년간 내가 작성한 수많은 확인 목록 중 하나인 오늘의 확인 목록이 조수석에 놓여 있다. '22. 칼로 살 긋기' 바로 옆에 핏자국이 있다. 하지만 에이미는 피를 무서워하잖아, 하고 일기장의 독자들은 말할 것이다. (일기장. 그래, 내 끝내주는 일기장 이야기도 차차 할 것이다.) 아니, 나는 피를 전혀 무서워하지 않는다. 그럼에도 나는 지난 1년 동안 피를 무서워한다고 말해왔다. 닉에게는 예닐곱 번 정도 얘기했을 것이다. 그러면 그는 "당신이 그렇게 피를 무서워하는 줄은 몰랐는데"라고 말했고, 나는 "말했잖아, 수도 없이 말했어!"라고 받아쳤다. 남의 일에 대해서는 참으로 속 편한 기억력을 자랑하는 닉은 내 말을 곧이곧대로 받아들였다. 혈장 센터에서 기절한 것은 깔끔한 마무리였다. 나는 정말로 그렇게 했다. 지어낸 이야기를 쓴 것이 아니다. (초조해하지 마시라. 앞으로 이 문제도 설명할 것이다. 사실과 사실이 아닌 것과 사실과 다름없는 것들에 대해.)

'22. 칼로 살 긋기'는 오래전부터 목록에 포함되어 있었다. 하지만 그것이 현실이 된 지금, 팔이 아프다. 아주 많이. 자기 몸을 칼로 그으려면, 종이에 베인 정도를 넘어 근육까지 깊이 그으려면 아주 특별한 극기심이 필요하다. 피를 많이 흘려야 하지만 의식을 잃을 정도로 흘려서는 안 된다. 몇 시간 뒤에 붉은색 액체로 가득한 어린이 풀장에서 발견되어 변명을 잔뜩 늘어놓아야 하는 신세를 면하려면 말이다. 처음에 나는 손목에 커터 칼을 들이댔다. 하지만 이리저리 교차하는 정맥들을 보니 액션 영화에 나오는 폭탄 전문가가 된 듯한 기분이 들었다. 선을 잘못 택하면 죽는다. 나는 결국 비명을 지르지 않기 위해 헝겊 조각을 입에 물고 팔죽지에 칼을 찔러 넣었다. 한 번에 깊이, 길게, 제대로 그었다. 그런 다음 10분 동안 책상다리를 하고 주방 바닥에 앉아 꽤 큰 웅덩이가 생길 때까지 피가 흐르게 내버려두었다. 이어 닉이 내 머리를 후려치고 난 뒤 그랬을 것처럼 엉성하게 피 웅덩이를 닦아냈다. 나는 그 집이 진실과 거짓이 갈등하는 이야기를 하게 만들고 싶었다. 거실은 꾸며진 것 같지만, 닦아낸 피가 있군. 에이미가 그랬을 리가 없어!

그러므로 자해는 할 가치가 있었다. 하지만 몇 시간이 지난 지금, 소매 속 지혈대 밑의 베인 상처가 불에 타는 듯이 아프다. (30. 꼼꼼하게 상처를 감쌀 것. 있어서는 안 될 곳에 단 한 방울의 피도 떨어지지 않도록. 커터 칼은 잘 싸서 주머니에 넣고 나중에 버릴 것.)

18. 거실을 꾸민다. 오토만을 뒤집을 것. 확인.

12. '단서 1'을 싸서 구석진 곳에 감춘다. 당황한 남편이 그것을 찾을 생각을 하기 전에 경찰에게 발견되도록. 첫 번째 단서는 반드시 경찰 기록에 포함되어야 한다. 닉이 보물찾기를 시작할 수밖에 없게 만들고 싶다 (그는 자존심 때문에 보물찾기를 끝까지 해낼 것이다). 확인.

32. 수수한 옷으로 갈아입고 모자를 쓴다. 강둑으로 내려가 강물의 가장자리에 바짝 붙어, 주택단지 끝까지 빠르게 걸어간다. 강을 볼 수 있는 유일한 이웃인 테버러 부부는 교회에 있으리라는 걸 알지만 그렇게 해야 한다. 사람 일은 모르는 거니까. 언제나 남들보다 한 걸음 앞서야 한다, 그게 너다.

29. 블리커와 작별하기. 녀석의 고약한 고양이 입 냄새를 마지막으로 맡는다. 밥그릇에 사료를 가득 채울 것. 일단 일이 벌어지면 사람들이 녀석의 밥을 주는 일을 잊어버릴 수도 있으니까.

33. 완벽하게 자취를 감춘다.

확인, 확인, 확인.

내가 이 모든 일을 어떻게 했는지에 대해 더 이야기할 수도 있지만, 먼저 나에 대해 얘기하고 싶다. 허구의 산물인(닉은 내가 진짜 작가가 아니라고 했지만, 내가 그의 말을 신경 쓸 이유가 뭔가?) '일기장 에이미'가 아닌 '진짜 에이미'에 대해. 세상에 어떤 여자가 이런 짓을 하느냐고? 지금부터 이야기를 하나 하겠다. 진짜 이야기. 그러면 이해가 되기 시작할 것이다.

먼저, 나는 태어나지 말았어야 했다.

내 어머니는 내가 태어나기 전에 다섯 번의 유산과 두 번의 사산을 겪었다. 1년에 한 번씩, 가을마다, 무슨 계절 행사처럼, 윤작을 하듯이. 모두 딸이었고, 모두 이름이 '희망'이었다. 나는 아버지가 아버지 특유의 낙관적인 추진력과 철저한 진지함으로 그 이름을 제안했을 거라고 생각한다. 우린 희망을 버려서는 안 돼, 메리베스. 하지만 정확하게 말하자면 희망을 버리고 또 버리는 것이 그들이 한 일이었다.

의사들은 나의 부모에게 이제 포기하라고 말했지만 그들은 거부했다. 우리 부모는 포기를 모르는 사람들이었다. 그들은 시도하고 또 시도했고 마침내 내가 생겼다. 어머니는 내가 살아 있다고 믿을 수가 없었다. 내가 진짜 아기, 살아 있는 아이, 집으로 데리고 가게 될 딸이라는 생각은 감히 할 수가 없었다. 일이 잘못됐다면 나는 '희망 8호'가 되었을 것이다. 하지만 나는 비명을 지르며, 선명한 형광 분홍빛으로 세상에 나왔다. 우리 부모는 너무나 놀랐고, 그때까지 진짜 아이를 위한 진짜 이름을 지어놓지 않았다는 사실을 깨달았다. 내가 태어나 병원에서 처음 이틀을 보낼 때까지도 그들은 내 이름을 지어주지 않았다. 매일 아침 어머니는 문이 열리는 소리를 듣고 간호사가 문간에서 꾸물거리는 기척을 느꼈다(나는 언제나 그 간호사를 중국 음식을 담는 포장 용기처럼 접힌 모자를 쓰고 하얀 치맛자락을 흩날리는 고전적인 모습으로 상상했다). 어머니는 꾸물거리는 간호사를 쳐다보지도 않고 묻곤 했다. "아이가 아직 살아 있나요?"

내가 계속 살아 있자 우리 부모는 내게 에이미라는 이름을 붙였다. 그것은 여자아이들에게는 평범하고 흔한, 그해에 태어난 수많은 여자아이들에게도 붙여진 이름이라, 다른 아기들과 섞여 누워 있는 자신들의 아기를 신들이 알아보지 못할 거라고 생각했기 때문이었다. 엄마는 내 이름을 다시 짓는다면 리디아로 하고 싶다고 말했다.

나는 내가 특별하다는 자부심을 느끼며 자랐다. 흔적도 없이 사라질 위기를 극복한 아이였으니까. 1퍼센트도 안 되는 확률이었지만 나는 해냈다. 그 과정에서 나는 어머니의 자궁을 손상시켰다—나의 태아적 '셔먼의 행진'인 셈이다. 엄마는 다시는 아이를 가질 수 없게 되었고, 그 사실은 어린 내게 생생한 기쁨을 느끼게 했다—나만, 나만, 오직 나만.

어머니는 '희망들'이 태어나자마자 죽은 날이면 흔들의자에 앉아 담요를 덮은 채 뜨거운 차를 홀짝이며 "잠시만 혼자 있을게"라고 말했다. 어머니는 장송곡을 부르기에는 지나치게 지각 있는 사람이라서 극적인 장면은 연출하지 않았지만, 욕심 많은 아이였던 나는 침울하고 멍하게 생각에 잠긴 어머니를 결코 용납할 수 없었다. 나는 어머니의 무릎 위로 기어오르거나, 크레파스로 그린 그림을 어머니의 얼굴에 들이대거나, 즉시 관심을 요하는 부모 동의서를 갑자기 기억해냈다. 아버지는 내 주의를 딴데로 돌리기 위해 나를 영화관에 데려가거나 사탕으로 달래려고 했지만 어떤 책략도 먹히지 않았다. 나는 어머니에게 그 몇 분의 시간도 주려 하지 않았다.

나는 언제나 '희망들'보다 우월했다. 나만이 살아남는 데 성공했으니까. 하지만 그러면서도 죽은 일곱 명의 춤추는 공주들에게 늘 질투를 느꼈다. 그들은 아무런 노력 없이, 존재의 순간과 단 1초도 직면하지 않고 완벽해졌다. 반면 나는 이곳, 세상에 갇혀 매일매일 노력해야 했고, 그 매일은 늘 완벽에 이르지 못했다.

그렇게 사는 건 지치는 일이다. 서른한 살까지 나는 그렇게 살았다.

그 후 2년 정도는 모든 것이 좋았다. 닉 때문이었다.

닉은 나를 사랑했다. '아'가 여섯 개쯤 들어가는 사랑. 그는 나를 사아아아아아아아랑했다. 하지만 그가 사랑한 것은 진짜 내가 아니었다. 닉은 세상에 존재하지 않는 여자를 사랑했다. 나는, 내가 종종 그러듯이, 특정한 인격을 가장하고 있었다. 나도 어쩔 수가 없다. 나는 늘 그렇게 살아왔으니까. 어떤 여자들이 정기적으로 패션을 바꾸듯, 나는 인격을 바꾼다. 어떤 페르소나가 기분이 좋을까, 사람들이 어떤 걸 갈망할까, 요즘은 어떤 게 유행이지? 나는 대부분의 사람들이 이렇게 한다고 생각한다. 다만 인정하지 않을 뿐이다. 하나의 페르소나를 고집하는 사람들은 지나치게 게으르거나 멍청해서 변신하지 못하는 것이다.

그날 밤 브루클린의 파티에서 나는 당시 유행하던 여자, 닉이 원하는 여자를 연기하고 있었다. '쿨한 여자.' 남자들은 이것을 언제나 최고의 찬사처럼 말한다, 그렇지 않은가? 그녀는 쿨한 여자야. 쿨한 여자는 섹시하고, 똑똑하고, 재미있는 여자라는 뜻이다. 그녀는 축구와 포커, 지저분한 농담, 트림을 좋아하고, 비디오 게임을 하며, 싸구려 맥주를 마시고, 스리섬과 항문 섹스를 좋아하며, 지상 최대의 음식 윤간 쇼라도 주최하는 것처럼 핫도그와 햄버거를 입 속에 쑤셔 넣으면서도 어찌 된 일인지 사이즈 2를 유지하는 여자다. 무엇보다도 쿨한 여자는 섹시해야 하니까. 섹시하고 이해심 많은 여자. 쿨한 여자는 절대로 화를 내지 않는다. 화가 나도 사랑스럽게 웃으며 자신의 남자가 뭐든 자기 멋대로 하게 내버려둔다. 마음대로 해, 날 무시해도 괜찮아, 나는 쿨한 여자니까.

남자들은 정말로 이런 여자가 존재한다고 생각한다. 어쩌면 그들은 속고 있는 건지도 모른다. 수없이 많은 여자들이 기꺼이 그런 여자인 척하고 있기 때문이다. 나는 오랫동안 '쿨한 여자'에 분노했다. 나는 남자들—친구들, 동료들, 낯선 사람들—이 그 끔찍하고 가식적인 여자들에게 열광하는 모습을 볼 때마다 그 남자를 앉혀놓고 차분하게 말하고 싶었다. 당신이 만나고 있는 건 여자가 아니다, 당신이 만나고 있는 건 그런 여자들이 실제로 존재하며, 자기한테 키스해줄 거라고 믿고 싶어 하는, 사회에 적응하지 못한 찌질한 남자들이 각본을 쓴 영화를 지나치게 많이 본 여자다. 나는 그 불쌍한 남자의 멱살, 또는 메신저 백을 움켜쥐고 말해주고 싶었다. 그년은 사실 칠리 도그를 좋아하지도 않아. 칠리 도그를 그렇게 좋아하는 사람은 아무도 없다고! 훨씬 더 한심한 건 '쿨한 여자들'이다. 그들은 자신들이 정말로 되고 싶은 여자를 연기하고 있는 것도 아니다. 남자들이 바라는 여자를 연기하고 있는 것이다. 아, 당신은 쿨한 여자가 아니라고? 그렇다고 당신의 남자가 쿨한 여자를 원하지 않는다고 생각해서는 절대로 안 된다. 쿨한 여자에 대한 그의 개념이 다른 남자들과 약간 다른 것일 수도 있으니까. 채식하는 남자의 쿨한 여자는 밀고기를 좋아하고 개를 잘 다루는 여자일 수 있고, 힙스터(유행의 큰 흐름을 따르지 않고 자신만의 고유한 패션과 음악 문화를 좇는 부류를 뜻한다-옮긴이) 예술가의 쿨한 여자는 문신이 있고 만화를 사랑하는 안경 쓴 모범생일 수 있다. 겉으로 보기에 변종이 존재할 수는 있지만, 장담컨대 당신의 남자는 쿨한 여자를 원한다. 쿨한 여자란 기본적으로 그가 좋아하는 온갖 좆같은 것들을 좋아하고, 결코 불평하는 법이 없는 여자다. (당신이 쿨한 여자가 아니라는 건 어떻게 알 수 있느냐고? 당신의 남자가 "난 강한 여자가 좋아" 같은 말을 한다면 당신은 쿨한 여자가 아니다. 그가 당신에게 그런 말을 한다면, 그는 곧 다른 여자와 섹스를 할 것이다. "난 강한 여자가 좋아"는 "난 강한 여자가 싫어"를 뜻하는 암호니까.)

나는 참을성 있게 —몇 년을— 기다렸다. 추세가 역전되어 남자들이 제인 오스틴을 읽기 시작하고, 뜨개질을 배우며, 〈코스모폴리탄〉을 즐겨 읽는 척하고 스크랩북 파티를 주최해 자기들끼리 잘 지내는 동안, 우리 여자들이 음흉하게 지켜보다 '그래, 그는 쿨한 남자야'라고 말하는 날이 오기를.

하지만 그런 일은 결코 일어나지 않았다. 오히려 온 세상 여자들이 합심하여 우리의 타락에 앞장섰다! 얼마 지나지 않아 '쿨한 여자'는 여자의 기준이 되었다. 남자들은 쿨한 여자가 존재한다고, 쿨한 여자가 백만 명 중에 하나 있는 꿈속의 여자가 아니라고 믿게 되었다. 모든 여자는 쿨한 여자가 되어야 했고, 그러지 않으면 그녀에게 뭔가 문제가 있는 것으로 여겨졌다.

하지만 쿨한 여자가 되는 일은 매력적이다. 지기 싫어하는 나 같은 사람에게 모든 남자들이 원하는 여자가 되는 것은 매력적인 일이다. 닉을 만났을 때 나는 그가 원하는 것을 대번에 알아차렸고, 그를 위해서라면 기꺼이 노력해보겠다고 생각했던 것 같다. 내가 잘못한 부분에 대해서는 비난을 받겠다. 중요한 건 처음에 내가 그에게 미쳐 있었다는 사실이다. 내게 그는 괴팍할 정도로 색다른, 착한 미주리 남자였다. 그의 곁에 있는 것이 말도 못하게 좋았다. 그는 내 속에 있는 줄도 몰랐던 것들, 가벼움, 유머, 편안함을 끄집어냈다. 마치 그가 내 속을 파내고 깃털을 집어넣은 것 같았다. 그는 내가 쿨한 여자가 되도록 도와주었다. 다른 누구도 나를 쿨한 여자로 만들 수 없었을 것이다. 내가 원하지 않았을 테니까. 내가 쿨한 여자 노릇을 조금 즐겼던 것도 사실이다. 나는 문파이를 먹었고, 맨발로 걸어 다녔으며, 걱정하는 것을 그만두었다. 멍청한 영화를 보고, 화학물질 범벅인 음식을 먹었다. 가장 중요한 것은 매사에 다음을 생각하지 않게 되었다는 점이다. 나는 콜라를 마시면서도 콜라 캔 재활용이나 내 배 속에 고일 산성의, 동전을 반짝반짝해지도록 세척할 수 있을 만큼 강한 산성 웅덩이에 대해 걱정하지 않았다. 같이 멍청한 영화를 보러 가서도 그 영화에 모욕적인 성차별주의나 중요한 배역을 맡은 소수인종 배우가 없다는 사실에 신경 쓰지 않았다. 그 영화가 말도 안 된다는 것조차 신경 쓰지 않았다. 매사에 다음을 신경 쓰지 않게 된 것이다. 결과라는 건 없었다. 나는 순간을 살았고, 나 자신이 점점 멍청한 속물이 되어간다고 느꼈다. 하지만 행복하기도 했다.

닉을 만나기 전에 나는 한 번도 내가 사람이라고 느껴본 적이 없었다. 나는 늘 하나의 제품이었으니까. 어메이징 에이미는 똑똑하고, 창의적이고, 친절하고, 사려 깊고, 재치 있고, 행복해야 했다. 우린 네가 행복하길 바랄 뿐이란다. 아버지와 어머니는 늘 그렇게 말하면서도 행복해지는 방법은 알려준 적이 없다. 그토록 많은 배움과 기회와 특권에도 불구하고, 그들은 내가 행복해지는 법을 한 번도 가르쳐준 적이 없었다. 나는 늘 다른 애들이 나를 보며 당황하던 것을 기억한다. 나는 생일파티에서 다른 아이들이 키득거리고 희한한 표정을 짓는 것을 보고 따라 해보려 애썼지만 그들이 왜 그러는지 이해할 수가 없었다. 나는 자리에 앉아 생일 모자에 달린 갑갑한 고무줄이 통통한 아래턱을 파고드는 동안, 케이크의 거친 프로스팅이 이빨을 파랗게 물들이는 동안, 그것이 왜 재미있는 것인지 알아내려 애쓰곤 했다.

닉을 만나면서 마침내 나는 이해했다. 그는 너무나 재미있는 사람이었다. 마치 해달과 데이트를 하는 것 같았다. 그는 내가 처음 만난, 태생적으로 행복한 사람이자 나와 대등한 사람이었다. 그는 똑똑하고, 근사하고, 재미있고, 매력적이었으며, 마법의 보호를 받는 사람이었다. 사람들은 그를 좋아했다. 여자들은 그를 사랑했다. 나는 우리가 세상에서 가장 완벽한 한 쌍이 될 거라고 생각했다. 주변에서 가장 행복한 커플. 사랑이 경쟁은 아니지만, 최고로 행복하지 않다면 함께 있을 이유가 별로 없지 않은가.

나는 다른 사람인 척하면서 살던 그 몇 년 동안이, 그전까지 그리고 그

후 내 인생의 어떤 시기보다 더 행복했던 것 같다. 나는 이것이 무엇을 뜻하는지 모르겠다.

하지만 그런 생활을 계속할 수는 없었다. 그것은 진짜가 아니었으니까, 내가 아니었으니까. 그건 내가 아니었어, 닉! 난 당신도 안다고 생각했어. 난 그게 잠깐 하는 게임이라고 생각했어. 우리가 서로 윙크를 하고, '묻지도, 말하지도 않'고 있다고 생각했어. 나는 편한 사람이 되려고 엄청나게 노력했지만 계속 그럴 수는 없었다. 그리고 닉 또한 계속 그럴 수—재치 있는 농담과 똑똑한 게임, 로맨스와 구애—없다는 사실이 드러났다. 모든 것이 스스로 무너지기 시작했다. 진짜 내가 되었을 때 놀라는 닉이 싫었다. 나는 그것을 끝내야 한다는 사실을 모르는 닉이 싫었다. 자신이 정말로 이 괴물, 정액이 묻은 손으로 자기만족에 빠져 혼자 자위하는 남자들의 상상력의 산물과 결혼했다고 믿는 닉이 싫었다. 내가 진짜 내 말을 들어달라고 부탁했을 때, 그는 정말로 충격을 받은 것 같았다. 그는 내가 음모를 죄다 뽑는 것도, 자신이 원할 때마다 펠라티오를 해주는 것도 좋아하지 않는다는 것을 믿을 수 없어 했다. 내 친구들과의 술자리에 그가 나타나지 않는 것을 내가 정말로 싫어한다는 것도. 일기장에 쓴 그 말도 안 되는 얘기? '내 친구들에게 되풀이해서 말할 한심한 춤추는 원숭이 시나리오는 필요 없다. 나는 닉이 닉답게 살도록 하는 것에 만족한다.' 그건 쿨한 여자의 정신 나간 헛소리다. 다시 한 번 말하지만, 나는 이해할 수 없다. 만일 남자가 약속을 취소하거나 당신을 위한 일을 거절한다면 당신은 지는 거다. 당신은 원하는 것을 얻지 못한다. 분명한 사실이다. 물론 남자야 행복하겠지. 그는 당신이 세상에서 제일 쿨한 여자라고 말할 것이다. 하지만 그가 그런 말을 하는 건 자기가 제멋대로 살 수 있기 때문이다. 그는 당신을 쿨한 여자라고 부르면서 당신을 바보로 만들고 있다!

이것이 남자들이 하는 짓이다. 그들은 당신이 쿨한 여자인 것처럼 말하면서 당신이 그들의 요구에 굴복하도록 만든다. 그것은 자동차 판매원이 아직 사겠다는 말도 안 한 손님에게 '이 미녀에게 얼마를 지불하고 싶으십니까?'라고 말하는 것과 마찬가지다. 남자들의 그 끔찍한 말, "그러니까, 난 당신이라면 내가……해도 신경 쓰지 않을 거란 걸 알아", 아니, 난 신경 쓴다. 당당하게 말하라. 지지 마라, 이 멍청한 년아.

그러므로 그것은 끝나야 했다. 닉에게 헌신하고 그와 함께 안정감을 느끼고 그와 함께 행복해하면서 나는 '진짜 에이미'가 존재한다는 사실을 깨달았다. 그녀는 훨씬 더 나은 여자고, '쿨한 에이미'보다 더 흥미롭고 복잡하고 도전적이었다. 그럼에도 닉은 '쿨한 에이미'를 원했다. 상상할 수 있는가? 마침내 당신의 진실한 자아를 당신의 배우자이자 소울메이트에게 보여줬더니 그가 당신을 싫어한다. 그렇게 처음으로 증오가 싹텄다. 나는 이 문제를 아주 오래 생각했다. 나는 그것이 모든 것의 시작이라고 생각한다.

닉 던

실종 7일째

나는 장작 헛간 속으로 몇 발자국 들어가다가 벽에 몸을 기대고 호흡을 가다듬어야 했다.

나쁜 일이 벌어지리라는 걸 알 수 있었다. 마지막 단서, 장작 헛간을 생각해낸 순간 알았다. 한낮의 재미. 칵테일. 그것은 나와 에이미의 이야기가 아니었다. 나와 앤디의 이야기였다. 장작 헛간은 내가 앤디와 섹스한 수많은 이상한 장소 중 한 곳이었다. 나와 앤디는 만날 장소가 마땅치 않았다. 사람들로 북적이는 앤디의 아파트로 가는 일은 거의 없었다. 모텔은 신용카드 기록이 남을 것이고, 나의 아내는 나를 믿지도, 멍청하지도 않았다. (앤디에게 마스터 카드가 한 장 있었지만 그녀의 어머니가 청구서를 받아보았다. 나로서는 받아들이기 힘든 사실이다.) 따라서 고가 일터에 있을 때, 고의 집 뒤편에 있는 그 헛간은 아주 안전한 장소였다. 아버지의 버려진 집도 마찬가지였다(아마도 당신은 나를 이곳에 데려온 것에 죄책감을 느낄 거야 / 조금 기묘한 기분이 든다는 걸 인정해야겠네 / 하지만 우리가 선택할 수 있는 공간은 많지 않았어 / 우리는 결정했고, 이곳을 우리의 공간으로 삼았어). 학교 사무실에서도 몇 번 했고(당신의 학생인 나를 그려봐 / 너무나 잘생기고 현명한 선생님 앞에서 / 나의 마음이 열려(물론 나의 두 허벅지도!)). 해니벌의 비포장도로에 차를 대놓고 카섹스를 한 적도 있었다. 앤디와 함께 그곳에서 당일치기 여행—에이미와 갔던 시시한 현장학습보다 훨씬 더 만족스러운 재방문—을 마치고 난 뒤였다(당신은 나를 이곳에 데려왔어, 내가 당신의 이야기를 들을 수 있도록 / 소년 시절 당신의 모험, 형편없는 청바지와 챙 달린 모자에 관한 이야기를).

모든 단서는 내가 바람을 피운 장소에 숨겨져 있었다. 에이미는 보물찾기를 이용해서 나로 하여금 모든 부정의 현장을 순례하도록 만든 것이다. 나는 약간 토할 것 같은 기분으로, 에이미가 차를 타고—아버지의 집으로, 고의 집으로, 빌어먹을 해니벌로—아무것도 모르는 나의 뒤를 쫓는 모습을 상상했다. 이 귀여운 여자애와 섹스하는 나를 지켜보며 혐오감과 승리감에 입술을 뒤틀고 있는 모습을.

에이미가 승리감을 느낀 건 그녀가 나를 호되게 벌할 것임을 알고 있었기 때문이다. 그리고 지금, 우리의 마지막 정거장에서, 에이미는 내게 그녀가 얼마나 똑똑한지 보여줄 준비가 되어 있었다. 그 작은 장작 헛간은 내가 보니와 길펀에게 아는 바 없는 신용카드로 산 적이 없다고 맹세한 온갖 물건으로 발 디딜 틈이 없었기 때문이다. 터무니없이 비싼 골프채들, 손목시계들과 컴퓨터 게임기들, 명품 옷들. 그 모두가 이곳, 내 동생의 집터 위에서 나를 기다리고 있었다. 마치 내가 아내가 죽은 다음 즐기려고 보관해놓은 것처럼.

나는 고의 집 현관문을 두드렸다. 담배를 물고 나온 고에게 보여줄 것이 있다고 말하고 돌아선 다음, 아무 말 없이 앞장서서 장작 헛간으로 향했다.

"봐." 나는 고를 열린 헛간 문 앞에 서게 하며 말했다.

"이건…… 그 신용카드들로 구매했다는 물건들이잖아?" 고의 목소리가 사납게 높아졌다. 그녀는 한 손으로 입을 막은 채 내게서 한 걸음 뒤로 물러났고, 나는 짧은 순간 그녀가 내가 자백하고 있다고 생각했음을 깨달았다.

우리는 결코 그 순간을 지워버릴 수 없을 것이었다. 그것 하나만으로도 나는 아내를 증오했다.

"에이미가 내게 누명을 씌우고 있어." 내가 말했다. "고, 이건 에이미가 산 거야. 그녀는 내게 누명을 씌우고 있어."

고는 쏘아붙이려고 하다가 눈을 천천히 두 번 깜박인 다음, 재빨리 고개를 한 번 흔들었다. 마치 아내 살인범인 닉의 이미지를 떨쳐버리려는 것처럼.

"에이미는 내가 자기를 죽였다는 누명을 씌우고 있어. 그렇지? 그녀의 마지막 단서가 나를 이곳으로 오게 했어. 난 이 물건들에 대해 전혀 몰랐어. 이건 에이미의 중대 발표야. '닉은 감옥으로 간다!'" 목구멍 안쪽에서 트림이 날 것처럼 거대한 기포가 생겼다. 나는 울거나 웃으려고 하고 있었다. 나는 웃었다. "그러니까, 맞지? 빌어먹을, 그런 거지?"

'그러니 서둘러, 출발해, 제발 시작해 / 그러면 아마 이번에는 내가 당신에게 한두 가지를 가르쳐줄 거야.' 에이미의 첫 번째 단서의 마지막 문구. 어째서 알아채지 못했을까?

"에이미가 네게 누명을 씌우는 거라면, 어째서 네게 알려주는 거지?" 고는 여전히 자신의 헛간 속 물건들에서 시선을 떼지 못하고 있었다.

"왜냐하면 에이미는 너무나 완벽하게 해냈으니까. 에이미는 언제나 인정과 칭찬을 원했어. 그녀는 자기가 나를 엿 먹이고 있다는 걸 알려주고

—

싶은 거야. 그녀에게는 거부할 수 없는 유혹이지. 이렇게 하지 않으면 에이미로서는 재미가 없으니까."

"아니." 고가 손톱을 물어뜯으며 말했다. "다른 뭔가가 있을 거야. 더 있을 거라고. 너, 이 물건들 만졌어?"

"아니."

"좋아. 그럼 문제는……."

"에이미는 내가 동생의 집에서 이걸, 유죄를 암시하는 증거를 발견한 다음에 어떻게 할 거라고 생각했느냐, 그게 문제야. 왜냐하면 에이미가 내가 어떻게 할 거라고 생각했든, 내가 어떻게 하길 바라든, 나는 그 반대로 행동해야 하니까. 내가 기겁해서 이걸 전부 없애려 할 거라고 생각했다면, 장담컨대, 내가 그렇게 하면 들통 나게 해놓았을 거야."

"글쎄, 이대로 내버려두면 안 돼." 고가 말했다. "그러면 분명 들통 날 테니까. 그 단서가 마지막이라고 확신해? 네 선물은 어디 있어?"

"아. 젠장. 아니야. 선물은 분명 헛간 안에 있을 거야."

"헛간에 들어가지 마." 고가 말했다.

"어쩔 수 없어. 에이미가 또 뭘 놔뒀을지 누가 알아."

나는 두 손을 옆구리에 꼭 붙이고 눅눅한 헛간 안으로 조심스럽게 들어가 발자국이 남지 않게 발끝으로 살금살금 걸었다. 평면 텔레비전 바로 옆에, 에이미의 아름다운 은종이에 싸인 커다란 선물 상자가 있었고, 그 위에는 파란 봉투가 놓여 있었다. 나는 봉투와 선물 상자를 가지고 헛간 밖 후텁지근한 공기 속으로 나왔다. 상자 안의 물건은 13킬로그램은 족히 될 정도로 무거웠고, 땅에 내려놓자 상자 안에서 조각 여러 개가 덜그럭거리며 미끄러지는 소리가 났다. 고는 무의식적으로 선물 상자에서 한 걸음 뒤로 물러났다. 나는 편지 봉투를 열었다.

사랑하는 남편,

이제야 내가 당신은 상상도 못할 만큼 당신을 잘 안다는 걸 말할 수 있게 되었네. 난 때때로 당신이 혼자서, 아무에게도 목격되거나 들키지 않고 이 세상을 헤쳐 나가고 있다고 생각한다는 걸 알아. 하지만 단 1초도 그렇게 생각해서는 안 돼. 난 당신을 아주 열심히 연구했어. 난 당신이 실행에 옮기기도 전에 당신이 뭘 할 것인지를 알아. 당신이 어디에 있다 왔는지도, 어디로 갈 것인지도 알아. 이번 결혼기념일을 위해, 나는 여행을 계획했어. 당신이 사랑하는 강을 따라 올라가, 올라가, 올라가! 그러면 당신이 힘들게 기념일 선물을 찾아야 한다는 걱정조차 할 필요가 없을 거야! 이번에는 선물이 당신을 찾아올 거니까! 그러니 편히 앉아서 쉬어, 당신은 '끝났으니까'.

"강 위에 뭐가 있다는 거야?" 그가 물었고 나는 신음하듯 말했다.

"나를 강 위로 보내겠다는 거야(send up the river, '교도소에 집어넣다'는 뜻도 됨-옮긴이)."

"좆같은 년. 상자를 열어봐."

나는 몸을 구부리고 손가락으로 상자 뚜껑을 살짝 들어 올렸다. 마치 폭발하기라도 할 것처럼. 조용했다. 나는 상자 속을 들여다보았다. 상자 바닥에는 나무로 만든 꼭두각시 인형 두 개가 나란히 누워 있었다. 남편과 아내 인형처럼 보였다. 남자는 얼룩덜룩한 옷을 입고 미친 사람처럼 웃고 있었으며, 한 손에 지팡이 혹은 막대기를 들고 있었다. 남편 인형을 들어 올리자 인형의 사지가 준비운동을 하는 댄서처럼 사방으로 마구 흔들렸다. 아내 인형은 더 작고 가냘프고 뻣뻣했고, 마치 방금 놀라운 뭔가를 본 것처럼 충격을 받은 표정을 하고 있었다. 여자 인형 밑에는 인형의 몸에 리본으로 묶을 수 있는 조그만 아기 인형이 있었다. 인형은 구식이었고, 무거웠으며, 컸다. 복화술 인형만큼 컸다. 나는 남자 인형을 집어든 다음, 곤봉처럼 생긴 굵은 손잡이를 잡고 인형을 움직였다. 팔다리가 격렬하게 흔들렸다.

"소름 끼쳐. 그만해." 고가 말했다.

인형 밑에 한 번 접은 매끄러운 파란색 종이가 있었다. 거기에는 찢어진 연 같은, 삼각형과 점으로 가득한 에이미의 손글씨가 적혀 있었다.

아주 멋진 새로운 이야기의 시작이야, 닉! "일은 이렇게 하는 거야!"
즐겨봐.

고와 나는 어머니의 식탁 위에 에이미의 모든 보물찾기 단서와 꼭두각시 인형이 담긴 상자를 올려놓고, 퍼즐을 맞추려는 것처럼 그것들을 뚫어져라 쳐다보았다.

"에이미가 그…… 계획을 세웠다면 어째서 굳이 보물찾기를 했을까?" 고가 말했다.

'계획'은 '실종을 가장해 내게 살인 누명을 씌우는 것'을 뜻하는 공식 약어가 되었다. 그렇게 말하면 덜 정신 나간 소리처럼 들렸기 때문이다.

"첫째는 내 주의를 딴 데로 돌리려는 거야. 나로 하여금 그녀가 아직 나를 사랑한다고 믿게 만들려고. 그래야 내가 온 동네를 뒤지며 단서를 찾을 테니까. 그녀가 그동안의 잘못을 만회하고 싶어 한다고, 우리의 결혼을 되살리고 싶어 한다고 믿으면서 말이야……."

에이미의 편지 때문에 얼빠지고 감상적인 기분에 빠져 있던 나 자신이 역겨웠다. 창피했다. 뼈에 사무치는, DNA의 일부가 될 것 같은, 나를 변하게 만드는 그런 창피함. 그토록 오랜 시간이 지난 뒤에도 에이미는 여전히 나를 갖고 놀 수 있었던 것이다. 편지 몇 통만으로 그녀는 나를 완전히 되돌려놓았다. 나는 줄에 매달린, 그녀의 꼭두각시 인형이었다.

당신을 찾아낼 거야, 에이미. 증오에 찬 의도로 상사병 환자의 입에서 튀어나오는 말.

"그래서 난 이런 생각은 눈곱만큼도 하지 않게 되는 거지. '야, 정말 내가 아내를 죽인 것처럼 보이네, 왜 그럴까?'"

"거기다 경찰도, 너도 이상하다고 생각했을 거야. 에이미가 이 전통적인 보물찾기를 하지 않았다면 말이야." 고가 추론했다. "자신이 사라질 것을 알고 있었던 것처럼 보였을 테니까."

"하지만 이걸 보니 걱정이 돼." 내가 꼭두각시 인형들을 가리키며 말했다. "인형들이 지나치게 기괴해. 분명 무슨 뜻이 있을 거야. 그러니까, 에이미가 그저 잠시 내 주의를 산만하게 만들려는 거였다면 마지막 선물은 나무로 된 것이라면 뭐가 돼도 상관없잖아."

고가 한 손가락으로 남자 인형의 얼룩덜룩한 옷을 쓸어내렸다. "아주 오래된 빈티지 인형인 건 확실해." 고는 인형의 옷을 들춰 남자 인형의 막대 손잡이를 드러냈다. 여자 인형에는 머리에 사각형 모양의 홈만 파여 있었다. "성적인 의미일까? 남자 인형에는 성기 같은 커다란 나무 손잡이가 있는데 여자 인형에는 없어. 여자 인형에는 구멍뿐이야."

"뻔한 이야기네. 남자는 성기가 있고 여자는 질이 있다?"

고는 여자 인형의 홈에 손가락을 넣어 뭔가 숨겨져 있는지 확인했다.

"에이미는 무슨 말을 하고 있는 걸까?" 고가 물었다.

"처음 봤을 때 나는 에이미가 애들 장난감을 샀구나, 하고 생각했어. 엄마, 아빠, 아기. 그녀는 임신을 했으니까."

"임신을 하긴 한 걸까?"

순간 절망감이 온몸을 덮쳤다. 아니, 그 반대라고 해야 하나. 파도가 나를 덮치는 것이 아니라 썰물이 다시 빠져나간 것 같은, 무언가가 내게서 빠져나가는 느낌이었다. 나는 더 이상 아내가 임신했기를 바랄 수 없었지만, 임신하지 않았기를 바랄 수도 없었다.

고가 남자 인형을 꺼내고 코를 찡그리더니 갑자기 생각났다는 듯이 말했다. "넌 줄에 매달린 꼭두각시 인형이야."

나는 웃었다. "나도 딱 그렇게 생각했어. 하지만 어째서 남자와 여자일까? 에이미는 분명 줄에 매달린 꼭두각시가 아니라 꼭두각시를 조종하는 사람인데."

"그럼 '일은 이렇게 하는 거야!'는 뭐야? 무슨 일을 말하는 거지?"

"나를 완전히 엿 먹이는 거?"

"에이미가 평소에 자주 하던 말이야? 에이미 책에서 나온 말이라든지, 아니면……" 고는 서둘러 컴퓨터로 가서 '일은 이렇게 하는 거야'를 검색했다. 매드니스의 〈일은 이렇게 하는 거야〉 가사가 나왔다. "아, 나 매드니스 기억나." 고가 말했다. "굉장한 스카 밴드지."

"스카라." 미친 사람처럼 웃으며 내가 말했다. "훌륭해."

노래 가사는 다양한—전기 일부터 배관 일까지—수리를 할 수 있는, 수리비를 현금으로 받고 싶어 하는 주택 수리공의 이야기였다.

"맙소사, 난 정말이지 1980년대가 싫어. 말이 되는 가사가 없다니까." 내가 말했다.

"'그림자 외동아이'." 고가 고개를 끄덕이며 말했다.

"'공원에서 기다리고 있었지'." 내가 자동적으로 웅얼거리며 맞받았다.

"그렇다고 치면, 무슨 뜻일까?" 고가 말한 뒤 몸을 돌려 내 눈을 들여다보았다. "이건 수리공에 관한 노래야. 네 집에 접근할 수 있는 어떤 사람.

뭔가를 고치거나 '조작'할 수 있는 사람. 기록이 남지 않도록 현금을 받는 사람."

"비디오카메라를 설치한 사람?" 내가 물었다. "에이미는 내가…… 연애를 하는 동안 몇 번인가 외지로 나갔어. 우리 모습을 녹화하려고 했을 수도 있어."

고가 내게 질문하는 눈빛을 쏘았다.

"아냐, 절대, 절대 우리 집에서 만난 적은 없어."

"어떤 비밀의 문을 말하는 건 아닐까?" 고가 추측했다. "에이미가 가짜 비밀 판자문 같은 걸 만들어놓고 거기다가…… 모르겠어, 네 결백을 입증할 뭔가를 숨겨놓았다거나?"

"그런 것 같아. 그래, 에이미는 매드니스의 노래를 이용해서 내게 자유로 향하는 단서를 주려는 거야……. 내가 교활한, 스카 곡에 숨겨진 암호를 해독한다면."

그러자 고도 웃었다. "맙소사, 우리 완전 미친 것 같아. 안 그래? 이거 완전히 미친 짓 아냐?"

"미친 짓이 아니야. 에이미는 나를 함정에 빠뜨렸어. 그게 아니면 '네' 뒷마당에 있는, 물건으로 가득 찬 '창고'를 설명할 수가 없어. 널 끌어들인 것도 아주 에이미다운 짓이야. 나의 오물을 너한테도 조금 튀기려는 거지. 그래, 이게 에이미야. 선물, 내가 이해해야 하는 쾌활하고 음흉한 편지들. 그래, 그럼 다시 '꼭두각시 인형'으로 돌아올 수밖에 없어. 그 말을 꼭두각시 인형과 함께 검색해봐."

나는 소파에 주저앉았다. 온몸이 무겁게 욱신거렸다. 고가 비서 업무에 착수했다. "이런 맙소사! 이건 〈펀치와 주디〉 인형이야. 닉! 우린 바보야. 그 말, '일은 이렇게 하는 거야'는 펀치의 유명한 대사고."

"좋아. 오래된 꼭두각시 인형극. 근데 이거 내용이 굉장히 폭력적이지 않아?" 내가 물었다.

"완전 정신 나간 내용이지."

"고, 폭력적인 거 맞지?"

"응, 폭력적이야. 맙소사, 에이미는 완전히 미쳤어."

"펀치가 주디를 때려, 그렇지?"

"읽고 있는 중이야…… 그래, 펀치가 그들의 아기를 죽여." 고가 나를 쳐다보았다. "그래서 주디가 대드니까 주디도 때려. 때려 죽여."

목구멍에 침이 고였다.

"그리고 펀치는 매번 끔찍한 짓을 저지르고도 탈 없이 빠져나갈 때마다 '일은 이렇게 하는 거야!'라고 말해." 고는 펀치를 집어 들어 무릎 위에 놓은 다음 아기를 잡듯이 손가락으로 펀치의 나무 손을 꼭 잡았다. "펀치는 아내와 아이들을 죽인 후에도 입담이 좋아."

나는 꼭두각시 인형들을 바라보았다. "그러니까 에이미는 나의 가짜 범행을 이야기하고 있는 거네."

"내 머리로는 상상도 못할 일이야. 좆같은 사이코 같으니."

"고?"

"그래, 맞아. 너는 에이미의 임신을 원치 않았고, 화가 나서 그녀와 배 속의 아이를 죽인 거지."

"왠지 결말이 실망스러울 것 같군." 내가 말했다.

"펀치는 결코 얻지 못한 교훈을 네가 얻는 게 클라이맥스겠지. 잡혀서 살인죄로 기소되는 것."

"그리고 미주리 주엔 사형 제도가 있지." 내가 말했다. "재미있는 게임이야."

에이미 엘리엇 던

그날

내가 어떻게 눈치채게 되었는지 아는가? 나는 그들을 보았다. 내 남편은 그 정도로 멍청하다. 눈 내리던 4월의 어느 밤, 나는 너무나 외로웠다. 나는 블리커와 함께 방바닥에 누워서 따뜻한 아마레토(이탈리아 증류주-옮긴이)를 마시며 책을 읽고 있었다. 옛날에 닉과 그랬듯이, 오래되고 스크래치가 난 음반을 들으며(그 일기는 사실이었다). 그러다 갑자기 낭만적인 기분에 휩싸였다. 바로 가서 닉을 깜짝 놀라게 해줘야지. 우리는 술을 몇 잔 마신 다음 벙어리장갑을 끼고 텅 빈 거리를 함께 걸어 다닐 거야. 설탕 구름 같은 눈 속에서 고요한 시내를 돌아다닐 거야. 그는 나를 벽으로 밀어붙이고 키스하겠지. 그렇다, 너무도 간절히 그를 되찾고 싶었던 나는 그 순간을 재현하고자 했다. 다시 한 번 기꺼이 다른 사람을 연기하려고 했다. 늦었지만 우리는 이 상황을 해결할 방법을 찾을 수 있을 거라고 생각했다. 믿음! 내가 그를 따라 멀고 먼 미주리까지 온 것은 그가 결국 나를 다시 사랑해줄 거라고, 그만의 강렬하고 짙은 방식으로, 온 세상이 아름다워 보이게 하던 방식으로 나를 사랑해줄 거라고 믿었기 때문이었다.

믿음!

내가 도착한 바로 그때, 남편은 그 여자와 함께 바를 나서고 있었다. 나는 그 빌어먹을 주차장에, 그와 6미터 정도 떨어진 곳에 있었지만 그는 내가 있다는 걸 알아채지도 못했다. 나는 유령이었다. 그때는 아직 닉이 그녀에게 손을 대지 않고 있었지만 나는 알고 있었다. 알 수 있었다. 그가 그녀를 지나치게 의식하고 있었기 때문이다. 나는 그들을 따라갔다. 닉이 갑자기 그녀를 나무에 밀어붙이고—시내 한가운데서—키스를 했다. '닉이 바람을 피우고 있어.' 나는 멍하게 생각했고, 내가 뭐라고 말을 하기도 전에 두 사람은 그녀의 아파트로 올라가고 있었다. 나는 문 앞 계단에 앉아 한 시간 동안 기다리다가, 너무 추워서—손톱이 파래지고 이가 덜덜 떨렸다—집으로 돌아갔다. 그는 내가 안다는 사실도 몰랐다.

그리하여 내게는 순식간에 새로운 페르소나가 생겼다. 내가 선택한 것은 아니지만. 나는 '흔해빠진 더러운 남자와 결혼한 흔해빠진 멍청한 여자'였다. 그는 자기 혼자서 '어메이징 에이미'를 놀랍지 않게 만들어버린 것이다.

나는 유순한 평범함으로 점철된 페르소나밖에 없는 여자들을 알고 있다. 그들의 삶은 결점으로 가득 차 있다. 고마운 줄 모르는 남자 친구, 5킬로그램 정도의 군살, 멸시하는 상사, 비열한 자매, 탈선하는 남편. 나는 늘 동정심으로 고개를 끄덕이며 그들의 이야기를 듣는다. 그들이 너무나 어리석다고, 그런 일이 일어나도록 내버려두다니, 규율이 없어도 너무 없다고 생각했다. 이제 나도 그들과 똑같다! 사람들로 하여금 동정심에 고개를 끄덕이며 '불쌍하고 멍청한 년'이라고 생각하게 만드는 끝없는 이야기 속의 여자들과.

내 귓가에 그들의 이야기가 들리는 듯했다. 다들 얼마나 신이 나서 그

이야기를 할까. 에이미, 결코 잘못된 일을 하지 않는 그 여자가 어쩌다가 땡전 한 푼 없이 시골 한복판으로 끌려가 어린 여자한테 남편을 빼앗겼는지. 이 얼마나 뻔하고, 완벽하게 흔해빠졌으며, 재미있는 이야기인가. 그여자의 남편은? 그는 어느 때보다도 행복해졌다. 안 돼. 나는 용납할 수 없었다. 안 돼. 절대로. 절대로. 그가 내게 이런 짓을 해놓고도 좆같은 승리자가 되게 할 수는 없어. 안 돼.

그래서 나는 다른 이야기를 생각하기 시작했다. 내게 이런 짓을 한 닉을 파멸시킬, 더 나은 이야기를. 그 이야기 속에서 나는 흠잡을 데 없고 사랑스러운 영웅이 될 것이다.

누구나 '죽은 여자'를 사랑하니까.

물론, 남편에게 자기를 죽인 누명을 씌우는 일은 상당히 극단적이다. 나도 그걸 안다는 걸 알아주기 바란다. 어떤 사람들은 혀를 차며 '그 여자는 남은 자존심이라도 싸들고 그냥 떠났어야 해. 최선의 방법을 선택해야지! 잘못된 둘은 올바른 하나가 될 수 없어!'라고 말할 것이다. 약함을 미덕과 혼동하고 있는 나약한 여자들이 하는 말이다.

나는 닉과 이혼하지 않을 것이다. 이혼이야말로 그가 가장 바라는 것일 테니까. 그를 용서하지도 않을 것이다. '다른 쪽 뺨을 내밀' 생각은 없다. 이 이상 분명하게 말할 수 있을까? 난 그런 결말에 만족할 수 없다. 나쁜 놈이 이긴다고? 엿 먹으라 그래.

지금까지 1년이 넘도록, 나는 침대 속 내 옆으로 기어드는 남편의 손가락 끝에서 그 여자의 밑구멍 냄새를 맡았다. 그가 그녀와의 데이트를 위해 발정 난 비비원숭이처럼 몸단장을 하고, 십대 소년처럼 거울 속 자신에게 추파를 던지는 모습을 지켜보았다. 그의 거짓말, 거짓말, 거짓말을 들었다. 애들이나 하는 단순한 거짓말부터 정교하게 공들인 속임수까지. 그의 두 뺨에 난 까칠한 수염을 느꼈다. 그는 내가 그것을 싫어하는 걸 알지만, 그 여자는 좋아하는 것이 분명했다. 나는 배신의 고통을 나의 모든 오감으로 느껴왔다. 1년이 넘도록.

그래서 나는 약간 미쳐버린 건지도 모른다. 남편에게 자기를 죽였다는 살인죄를 뒤집어씌우는 것이 평범한 여자가 할 만한 일의 경계를 넘어서는 일이라는 것은 나도 알고 있다.

하지만 이것은 정말이지 꼭 필요한 일이다. 닉은 교훈을 얻어야 한다. 그는 한 번도 교훈을 얻은 적이 없다! 그는 사는 내내 그 '매력적인 닉'의 웃음으로, 사랑받는 아이의 권리로 자신의 거짓말과 회피에 대해 책임을 지지 않았고, 누구도 그의 결점과 이기심에 대해 뭐라고 하지 않았다. 나는 이번 경험이 그를 더 나은 사람으로 만들 거라고 생각한다. 아니면 최소한 더 불쌍한 사람으로. 개새끼.

나는 늘 내가 완벽한 살인을 할 수 있다고 생각해왔다. 사람들이 잡히는 이유는 인내심이 없기 때문이다. 그들은 계획을 세우지 않는다. 나는 다시 한 번 웃음을 지으며 나의 고물 도주 차량의 기어를 5단으로 바꾸고 (이제 카르타고는 먼지에 싸인 채 125킬로미터 정도 뒤에 있다) 속력을 내는 트럭을 맞이할 준비를 한다. 이 차는 대형 화물차가 지나갈 때마다 이륙 준비라도 하는 것 같기 때문이다. 그래도 나는 웃는다. 이 차야말로 내가 얼마나 똑똑한지 보여주기 때문이다. 아칸소 주의 온라인 벼룩시장에서 발견해 현금 1,200달러를 주고 산 차. 5개월 전의 일이라 누구의 기억 속에도 생생하게 남아 있지 않을 것이다. 1992년형 포드 페스티바, 세상에서 가장 작고 잊어버리기 쉬운 차. 나는 밤에 아칸소 주 존즈버러의 월마트 주차장에서 판매자들을 만났다. 내가 현금 뭉치가 든 핸드백을 들고 기차를 타고 편도 여덟 시간을 달리는 동안, 닉은 '남자들끼리의 여행'을 떠났다. (여기서 '남자들끼리의 여행'이란 그 좆같은 매춘부와의 섹스를 의미한다.) 나는 기차의 식당 칸에서, 그곳 메뉴에 따르면 샐러드라고 하는, 방울토마토 두 개가 박힌 양상추 덩어리를 먹었다. 내 옆자리에는 침울한 농부가 앉아 있었는데, 처음으로 손녀를 보고 돌아가는 길이라고 했다.

포드를 판 부부는 나만큼이나 신중에 신중을 기하는 것처럼 보였다. 계속 차 안에 앉아 있던 여자는 고무젖꼭지를 문 아기를 안고 그녀의 남편과 내가 현금과 열쇠를 교환하는 모습을 지켜보고 있었다. (알겠지만, '그녀의 남편과 내가'라고 하는 것이 문법에 맞다.) 그런 다음 나는 여자가 내린 차에 올라탔다. 일은 그렇게 순식간에 끝났다. 백미러 속에서 돈을 들고 월마트로 어슬렁거리며 걸어가는 부부가 보였다. 나는 그 차를 세인트루이스의 장기 주차장에 대놓고 한 달에 두 번 그곳으로 가서 주차 자리를 바꿨다. 현금을 쓴다. 야구 모자를 쓴다. 아주 쉽다.

이것은 하나의 예시일 뿐이다. 인내와 계획과 정교함의 예시. 나 자신이 기특하다. 나의 목적지인 미주리의 울창한 오자크 산지에 도착하기까지 세 시간이 남았다. 오두막들이 숲 속에서 작은 군도를 이루고 있는 곳. 숙박비를 현금으로, 일주일 단위로 받고 필수품인 케이블 TV가 있는 곳. 우선은 그곳에 숨어서 1, 2주 정도 지낼 계획이다. 나는 뉴스가 나올 때 길거리에 나와 있는 것을 원하지 않을뿐더러, 내가 숨어 있다는 것을 닉이 알게 된다 해도 그런 곳에 있으리라고는 생각조차 못 할 것이기 때문이다.

이 고속도로 구간은 특히나 추악하다. 미국 중부의 오점이다. 나는 30 킬로미터가량을 더 달린 후, 출구 차선에서 쓸쓸하게 버려진 작은 주유소를 발견한다. 비어 있지만 판자로 입구를 막아놓지는 않았다. 그 옆에 차를 대는데 여자 화장실의 문이 활짝 열려 있는 것이 보인다. 나는 거기로 들어간다. 전기는 끊어졌지만 금속 테두리가 휘어진 거울이 있고 물도 나온다. 오후의 햇빛과 사우나 같은 열기 속에서 나는 핸드백 속에 넣어둔 가위와 갈색 염색약을 꺼낸다. 그리고 머리카락을 뭉텅이로 잘라낸다. 금발은 모두 비닐봉투에 담는다. 뒷목에 공기가 닿으면서 머리가 풍선처럼 가벼워진 느낌이다. 나는 고개를 몇 차례 좌우로 흔들며 즐거워한다. 염색약을 바르고 문간에서 손목시계를 보고 꾸물거리면서 패스트푸드점과 체인 모텔이 듬성듬성 박힌, 저 멀리 있는 평지를 바라본다. 인디언의 울음소리가 들리는 듯하다. (닉은 이 농담을 싫어할 것이다. "식상해!" 그리고 이렇게 덧붙일 것이다. "'식상하다'는 말로 비판하는 것 자체도 식상하지만." 머릿속에서 그를 지워버려야 한다. 그 인간은 160킬로미터나 떨어진 곳에서조차 나를 방해한다.) 나는 세면대에서 머리를 감는다. 미지근한 물 때문에 땀이 난다. 그리고 머리카락과 쓰레기가 담긴 봉투를 들고 다시 차에 탄다. 철테 안경을 쓰고 거울을 보며 또 한 번 웃음을 짓는다. 닉과 처음 만났을 때 내가 이런 모습이었다면 우리가 결혼할 일은 없었겠지. 내가 덜 예뻤다면 이 모든 일을 피할 수 있었을 텐데.

34. 외모를 바꾼다. 확인.

나는 어떤 '죽은 에이미'가 될 것인지 아직 완전히 결정하지 못했다. 그것이 내게 어떤 의미인지, 앞으로 몇 달 동안 내가 무엇이 될 것인지 알아내려고 애쓰는 중이다. 아마도 내가 이미 되어본 적 있는 사람은 아닐 것이다. 어메이징 에이미. 1980년대의 예비학교 여학생. 얼티미트 프리스비 자연보호론자, 얼굴 붉히는 소녀, 재치 있고 헵번식 철자 사용을 지지하는 인텔리. 똑똑하고 신랄한 여자, 보헤미안 아가씨(프리스비 '자연보호론자'의 최신 버전). 쿨한 여자, 사랑받는 아내, 사랑받지 못하는 아내, 복수심에 불타는 무시당하는 아내. 일기장 에이미.

'일기장 에이미'가 마음에 들었기를 바란다. 그녀는 호감형이어야 했다. 당신 같은 사람이 좋아해야 했다. 그녀를 좋아하기는 쉽다. 나는 누구나 좋아하는 사람이라는 것이 어째서 칭찬일 수 있는지 도무지 이해할 수가 없다. 어쨌거나, 일기장은 잘 완성된 것 같다. 쉬운 일은 아니었다. 나는 약간 순진하면서도 싹싹한 페르소나를 유지해야만 했다. 남편을 사랑하고 남편의 결점을 일부 알고 있으면서도(그렇지 않다면 지나치게 멍청한 여자처럼 보일 테니) 그에게 헌신하는 여자. 동시에 독자(이 경우에는 경찰. 그들이 일기장을 발견하기를 너무나 간절히 바라고 있다)가 닉이 정말로 나를 살해할 계획을 세웠다고 결론을 내리도록 유도해야 했다. 앞으로 나타날 수많은 단서, 앞으로 벌어질 수많은 놀랄 일!

닉은 언제나 나의 끝없는 목록을 모욕했다. ("당신은 결코 만족을 모른다는 걸 확인하는 것 같아. 그냥 그 순간을 즐기지 않고 항상 완벽을 위해 뭔가를 더 해야 한다는 듯이 말이야.") 하지만 결국 누가 이기는가? 내가 이긴다. 왜냐하면 나의 목록, '닉 던 엿 먹이기'라는 제목의 탁월한 목록이 철저했기 때문이다. 그것은 지금까지 만든 목록 중에 가장 완벽하고 까다로웠다. 이 목록에는 '2005년에서 2012년까지의 일기 쓰기'가 포함되어 있다. 7년간의 일기. 매일은 아니지만 적어도 한 달에 두 번은 쓸 것. 그것이 얼마나 많은 극기심을 요하는 일인지 아는가? '쿨한 여자' 에이미가 그런 일을 할 수 있었을까? 각 주의 이슈를 조사하고 중요한 사항을 빠뜨리지 않기 위해 나의 옛 일기와 대조한 다음 '일기장 에이미'가 각각의 이슈에 어떻게 반응했을지 재구성하는 일을? 대부분은 재미있었다. 나는 닉이 바에 출근하기를, 그의 내연녀, 끊임없이 문자를 날리고 껌을 씹으며 아크릴 손톱을 하고 엉덩이에 로고가 찍힌 운동복 바지를 입은 무식한 내연녀에게 (그녀가 실제로 그렇다는 뜻은 아니지만, 아마 그런 여자일 것이다) 달려가기를 기다렸다가, 커피를 좀 따르거나 와인을 한 병 따고 서른두 개의 각기 다른 펜 중 하나를 골라 나의 인생을 약간 고쳐 썼다.

이 일을 하는 동안 때로는 닉에 대한 미움이 작아진 적도 있었던 게 사실이다. 쿨한 여자의 즉흥적인 시각 때문이었을 것이다. 가끔씩 닉이 맥주 냄새, 또는 정부와의 성교가 끝난 뒤 온몸에 바른 손 세정제 냄새를 풍기며 집으로 돌아와(하지만 냄새가 완벽하게 지워진 적은 없었다. 그녀의 조개는 지독한 악취를 풍기는 게 분명하다) 나를 보고 죄책감이 섞인 웃음을 지으며 너무나도 사랑스럽게 쭈뼛거릴 때면, 내가 이 일을 끝내지 못할 거라는 생각이 들곤 했다. 그럴 때면 그녀와 함께 있는 그를, 그녀의 끈팬티 속에서 그녀를 모욕하는 그를 상상했다. 그녀는 쿨한 여자인 척하고 있었으므로, 펠라티오와 축구와 쓰레기 취급을 당하는 것도 좋아하는 척할 것이기 때문이다. 그리고 나는 생각했다. 난 얼간이와 결혼했어. 언제나 그런 선택을 할 남자와 결혼했어. 이 등신 같은 년한테 싫증이 나면 그런 여자인 척하는 또 다른 여자를 찾아 나서겠지. 그런 식으로 평생 인생의 쓴맛이라고는 모르고 살 거야.

굳어지는 결의.

총 152일치의 일기 속에서 나는 한 번도 그녀의 목소리를 잃지 않았다고 생각한다. 나는 그녀, '일기장 에이미'를 아주 신중하게 썼다. 그녀는 경찰에게는 물론, 일기가 공개되었을 때 대중에게도 어필할 수 있도록 계획된 인물이다. 사람들은 이 일기를 한 편의 고딕 비극처럼 읽어야 한다. 훌륭하고 마음씨 착한 여자, 앞날이 창창하고 세상 모든 것이 그녀의 편인 여자가 짝을 잘못 골라서 그 대가를 혹독하게 치른다. 그들은 나를, 아니 그녀를 좋아해야만 한다.

물론 나의 부모는 걱정할 것이다. 하지만 내가 어떻게 그들에게 미안해할 수 있겠는가? 나를 이렇게 만들어놓고 버린 게 그들인데? 그들은 자신들이 나를 이용해 돈을 벌고 있다는 사실, 내가 받았어야 할 인세를 자신들이 받았다는 사실에 대해 단 한 번도 제대로 감사한 적이 없었다. 그것도 모자라 나의 '페미니스트' 부모는 내 돈을 빼앗고 닉이 나를 미주리 촌구석으로 끌고 가게 내버려두었다. 내가 무슨 물건인 것처럼, 통신 판매 신부인 것처럼. 자산 교환이라도 하듯이. 내게 자신들을 기억하라며 그 좆같은 뻐꾸기시계를 떠안긴 채. 36년간의 봉사 고마웠어! 그들은 내가 죽었다고 생각해야 마땅하다. 정확히 그 상태로 나를 내몰았으니까. 돈도 없고, 집도 없고, 친구도 없는 상태. 그러니 그들 역시 고통받아 마땅하다. 내가 살아 있을 때 나를 돌보지 않은 것은 나를 죽인 것과 마찬가지다. 닉도 똑같다. 그는 진짜 나를 파괴하고 거부했다. 한 번에 한 조각씩. 당신은 너무 진지해, 에이미, 당신은 너무 신경질적이야, 에이미, 당신은 매사를 지나치게 생각해, 당신은 지나치게 분석해, 당신은 이제 재미가 없어, 당신은 내가 쓸모없는 인간이라는 기분이 들게 해, 에이미, 당신은 내가 나쁜 사람이라는 기분이 들게 해, 에이미. 그의 무심한 언어 공격이 나를 송두리째 없애버렸다. 나의 자립심, 나의 자존심, 나의 자부심을. 나는 주었고 그는 받고 또 받았다. 그는 나를 '아낌없이 주는 나무' 취급을 하며 다 써버렸다.

그 창녀. 그는 내가 아닌 그 어린 창녀를 택했다. 그는 내 영혼을 죽였다. 이것은 범죄다. 진정으로, 그것은 범죄다. 적어도 내 기준으로는.

닉 던

실종 7일째

나는 나의 새 변호사 태너에게 전화를 걸어 그의 잠을 깨우고, 내게 고용된 지 불과 몇 시간 만에 그가 내 돈을 받은 것을 후회하게 만들 말을 해야 했다. '아내가 내게 누명을 씌우고 있는 것 같습니다.' 나는 그의 얼굴을 볼 수 없었지만 상상할 수 있었다. 구르는 눈알과 우거지상, 살기 위해 거짓말만 들어야 하는 남자의 지친 표정.

"자," 입이 떡 벌어진 침묵 끝에 마침내 그가 말했다. "내일 아침 첫 비행기로 가겠습니다. 함께 이 문제를 모두 정리할 겁니다. 그때까지 꼼짝 말고 있으세요, 알겠죠? 잠을 좀 자세요. 허튼 짓은 하지 말고요."

고는 그의 충고를 받아들였다―수면제 두 알을 삼키고 밤 열한 시 직전에 자러 들어갔다. 나는 고의 소파에서 문자 그대로 꼼짝도 하지 않고 분노에 찬 공처럼 몸을 웅크리고 앉아 있었다. 나는 뜬눈으로 밤을 새면서 시도 때도 없이 벌떡 일어나 밖으로 뛰쳐나가, 두 손으로 엉덩이를 짚은 채 헛간을 쫓아버려야 할 맹수라도 되는 것처럼 노려보았다. 그렇게 해서 얻는 게 뭔지 몰랐지만 멈출 수가 없었다. 나는 길어야 5분 정도 앉아 있다가 다시 밖으로 나가서 노려보는 일을 계속했다.

다시 집 안으로 들어왔을 때 누군가 뒷문을 두드렸다. 하느님 맙소사. 한밤중의 노크 소리치고는 요란했다. 경찰이라면 앞문으로 올 테고—그렇지?—기자들은 아직 고의 집을 감시하지 않고 있었다(며칠, 아니 몇 시간 후면 상황이 달라지겠지만). 당황해서 마음을 정하지 못하고 거실에 서 있는데 문을 두드리는 소리가 다시, 더 크게 났다. 나는 작은 소리로 욕을 퍼부으며, 겁을 먹는 대신 화를 내려고 애썼다. 처리해, 딘.

나는 문을 활짝 열어젖혔다. 앤디였다. 그림처럼 예쁜, 한껏 차려입은 빌어먹을 앤디였다. 그녀는 내가 자기 때문에 궁지에 몰릴 거라는 사실을 아직도 이해하지 못한 것이다.

"궁지에 몰릴 거야, 앤디." 나는 그녀를 홱 잡아당겨 집 안으로 들인 다음 그녀의 팔을 잡고 있는 내 손을 노려보았다. "너 때문에 내가 빌어먹을 궁지에 몰릴 거란 말이야."

"뒷문으로 왔잖아." 그녀가 말했다. 나는 고개를 숙여 그녀를 노려보았지만, 그녀는 사과하지 않고 더 고자세로 나왔다. 그녀의 표정이 말 그대로 딱딱하게 변하는 것이 보였다. "난 당신을 만나야 해, 닉. 말했잖아. 매일 만나거나 대화해야 한다고 말했는데 당신은 사라졌어. 곧장 음성사서함으로 넘어가고, 넘어가고, 또 넘어가고."

"내가 연락이 없을 때는 그럴 만한 이유가 있는 거야, 앤디. 맙소사, 난 뉴욕에서 변호사를 구하고 있었어. 그가 내일 해 뜨자마자 여기 올 거라고."

"변호사를 구했어? 그게 얼마나 바쁜 일이기에 나한테 전화할 10초도 못 낸 거야?"

그녀를 후려치고 싶었다. 숨을 들이마셨다. 앤디와의 관계를 끊어야만 했다. 태너의 경고 때문만은 아니었다. 아내는 나를 알았다. 갈등을 해결하는 일을 피할 수만 있다면, 내가 거의 모든 일을 하리라는 사실을 알았다. 에이미는 나의 그런 특징을 이용해 내가 바보짓을 하도록, 이 관계를 정리하지 못하도록, 종국에는 잡히도록 하려는 것이다. 이 관계를 끝내야만 한다. 하지만 완벽하게 끝내야 한다. '이것이 올바른 일이라고 그녀가 믿게 하세요.'

"사실 변호사가 몇 가지 중요한 충고를 했어." 내가 입을 열었다. "무시할 수 없는 충고를."

나는 바로 어젯밤, 가짜 요새에서의 의무적인 만남에서는 아주 다정하고 상냥했다. 온갖 약속을 하며 앤디를 진정시키려 애썼다. 앤디는 이런 일을 예상하지 못했을 것이다. 좋게 받아들이지 않을 것이다.

"잘됐네. 나한테 얼간이처럼 구는 걸 그만두라는 거였어?"

나는 이 대화가 이미 고등학생들의 싸움으로 변했다는 것에 분노가 솟구쳤다. 인생 최악의 밤을 보내고 있는 서른네 살짜리 남자인 내가 열 받은 여자애와 '사물함 옆에서 봐!' 같은 시시한 싸움을 하고 있었다. 나는 그녀를 세차게 한 번 흔들었다. 그녀의 아랫입술 위로 침이 한 방울 떨어졌다.

"난…… 넌 이해 못해, 앤디. 이건 장난이 아니야, 내 인생이 걸린 문제라고."

"난 그냥…… 난 당신이 필요해." 그녀가 두 손을 내려다보며 말했다. "내가 계속 같은 말을 하고 있다는 걸 알지만, 사실이야. 난 못해, 닉. 더는 이렇게 못해. 난 산산이 부서지고 있단 말이야. 하루 종일 너무 무서워."

무섭다고? 나는 지금 경찰이 문을 두드리고, 아내가 실종되던 날 아침에 섹스를 한 여자와 함께 있는 나를 발견하는 상상을 했다. 그날 나는 앤디를 찾아다녔다. 나는 그 첫 번째 밤 이후로는 앤디의 아파트에 간 적이 없지만, 그날 아침에는 곧장 그곳으로 갔다. 몇 시간 동안 내 심장이 쿵쿵거리는 소리를 들으며 에이미에게 이렇게 말할 용기를 내려고 노력한 뒤였기 때문이다. '이혼하고 싶어. 사랑하는 사람이 생겼어. 우린 끝내야 해. 난 당신을 사랑하는 척할 수 없고 결혼기념일 같은 것도 보낼 수 없어. 그렇게 하는 건 당신을 두고 바람을 피운 것보다 더 큰 잘못일 거야.' (논란의 여지가 있다는 건 나도 안다.) 하지만 내가 계속해서 용기를 짜내는 동안 에이미는 아직도 나를 사랑한다는 말로 내게 선수를 쳤고(교활한 년!) 나는 기가 죽어버렸다. 나는 구제불능의 바람둥이이자 비겁한 놈이 된 듯한 기분을 느꼈고, 그래서 앤디를 만나 기분을 풀고 싶었던 것이다.

하지만 이제 앤디는 더 이상 내 기분을 풀어줄 해독제가 아니었다. 오히려 그 반대였다.

이 여자는 지금 이 마당에도 내게 몸을 밀착시키고 있었다. 해초처럼 아둔했다.

"나를 봐, 앤디." 나는 크게 한숨을 쉬며 말했다. 나는 그녀를 앉게 하지 않고 계속 문 옆에 세워두었다. "넌 내게 너무나 특별한 사람이야. 넌 지금까지 놀랄 만큼 잘해왔어……." '그녀가 당신을 지켜주고 싶게 만들어야 합니다.'

"내 말은," 앤디의 목소리가 떨렸다. "에이미가 너무 안됐어. 미친 소리인 거 알아. 나는 에이미 때문에 슬퍼하거나 걱정할 자격도 없다는 걸 알아. 그리고 슬픈 것보다 죄책감이 훨씬 더 커." 그녀는 내 가슴에 머리를 기댔다. 나는 몸을 뒤로 빼고 그녀와 팔 길이만큼 떨어져서 그녀가 나를 똑바로 보게 만들었다.

"난 그게 우리가 바로잡을 수 있는 일이라고 생각해. 우린 바로잡을 필요가 있는 것 같아." 나는 태너의 말을 그대로 써서 말했다.

"우린 경찰서에 가야 해." 앤디가 말했다. "내가 그날 아침 당신의 알리바이잖아. 같이 가서 말하자."

"넌 그날 아침 한 시간 동안만 내 알리바이야. 전날 밤 열한 시 이후에 에이미를 보거나 목소리를 들은 사람은 아무도 없어. 경찰은 내가 널 만나기 전에 아내를 죽였다고 할 거야."

"역겨운 생각이야."

나는 어깨를 으쓱했다. 아주 잠깐 동안 앤디에게 아내가 내게 누명을 씌우고 있다고 얘기할까 생각했지만 재빨리 마음을 접었다. 앤디는 에이미와 대등한 수준으로 게임을 할 수 없었다. 앤디는 나와 한 팀이 되고 싶어 할 것이고, 나를 몰락시킬 것이다. 앞으로 나아가는 데 장애만 될 것이다. 나는 다시 앤디의 두 팔을 잡고 이야기를 이어나갔다.

"봐, 앤디, 우린 지금 둘 다 엄청난 스트레스와 압박을 받고 있어. 대부분은 우리의 죄책감 때문이야. 그리고 앤디, 중요한 건 우리가 좋은 사람이란 거야. 우리가 서로에게 끌렸던 건 우리가 비슷한 가치관을 지녔기 때문이라고 생각해. 사람들을 올바르게 대하고, 옳은 일을 하는 것 말이야. 그리고 지금, 우리는 우리가 하고 있는 일이 옳지 않다는 걸 알아."

앤디의 표정이 변했다. 희망이 깨어지면서 그녀의 젖은 두 눈, 부드러운 손길이 사라졌다. 기이하게 명멸하는 불빛, 차양이 내려진 창문. 그녀의 얼굴에서 뭔가가 어두워졌다.

"우린 끝내야 해, 앤디. 우리 둘 다 그걸 알고 있는 것 같아. 너무나 힘들겠지만 그렇게 하는 게 옳은 일이야. 우리가 제대로 생각할 수 있다면 우린 스스로에게 그렇게 충고할 거야. 널 너무 사랑하지만 난 아직도 에이미의 남편이야. 난 옳은 일을 해야만 해."

"만약 에이미가 발견되면?" 그녀는 죽어서 혹은 살아서라는 말은 하지 않았다.

"그건 그때 가서 함께 의논하면 돼."

"그때 가서! 그럼 그때까진 뭐야?"

나는 무력하게 어깨를 으쓱했다. 그때까진, 아무것도 없지.

"뭐야, 닉? 그때까지 꺼지라고?"

"그건 추악한 표현이야."

"하지만 당신 말은 그거잖아." 그녀가 이죽거렸다.

"미안해, 앤디. 지금 난 너랑 있으면 안 될 것 같아. 너한테도 나한테도 위험한 일이야. 내 양심에 거슬리는 일이야. 내 기분은 그래."

"그래? 내 기분은 어떤지 알아?" 앤디의 눈에서 눈물이 왈칵 쏟아져 두 뺨 위로 흘러내렸다. "난 당신이 마누라한테 싫증이 나자 섹스 파트너로 삼은 멍청한 여대생이 된 것 같은 기분이야. 당신한테 난 더할 나위 없이 편리했겠지. 당신은 집으로 가서 에이미와 저녁을 먹고 그 여자 돈으로 산 당신의 그 잘난 바에서 노닥거릴 수 있어. 그러다가 불쑥 나한테 들러서는 내 젖가슴 위에 정액을 뿌리지. 왜냐하면, 불쌍하게도, 당신은 당신의 못된 마누라한테는 절대 그렇게 하지 못하니까."

"앤디, 그렇지 않다는 걸 너도……."

"당신은 정말 쓰레기야. 어떻게 사람이 그래?"

"앤디, 제발." '참아, 닉.' "그동안 네가 이런 이야기를 할 기회가 없다 보니 네 마음속에서 모든 것이 조금 과장된 것 같아, 조금……."

"좆까. 당신은 내가 멍청한 어린애라고, 당신이 조종할 수 있는 한심한 학생이라고 생각하지? 난 그 온갖 소문을 듣고도 당신 곁에 있었어. 당신이 살인자라는 얘기 말이야. 그런데 상황이 조금 어려워졌다고 이러는 거야? 아니, 아니. 당신은 양심과 체면과 죄책감에 대해 얘기해서도, 자신이 옳은 일을 하고 있다는 기분을 느껴서도 안 돼. 무슨 말인지 알아? 왜냐하면 당신은 바람피우고, 비겁하고, 이기적인 쓰레기니까."

앤디는 울면서 축축한 공기를 잔뜩 빨아들인 뒤, 가냘픈 울음을 토하면서 돌아섰다. 나는 그녀의 팔을 붙잡았다. "앤디, 난 이런 식으로……."

"이거 놔! 이거 놔!"

그녀는 뒷문을 향해 달렸고 나는 앞으로 일어날 일을 알 수 있었다. 그녀에게서 열기처럼 뿜어져 나오는 증오와 수치심. 그녀는 와인을 한 병 또는 두 병 딴 다음 친구나 어머니에게 말할 것이고, 그 이야기는 전염병처럼 퍼져나갈 것이다.

내가 문으로 가는 그녀를 막아서자—앤디, 제발—그녀는 나를 치려고 팔을 들었다. 나는 방어하기 위해 그녀의 팔을 잡았다. 하나가 된 우리의 팔이 열광적인 댄스 파트너의 그것처럼 위아래로 연거푸 움직였다.

"이거 놔, 닉. 안 그러면 맹세코……."

"1분만 있어줘, 내 말 좀 들어줘."

"이것 놔!"

앤디는 내게 키스할 것처럼 내 얼굴에 자신의 얼굴을 들이밀더니 나를 물었다. 내가 뒷걸음질 치는 동안 앤디는 문 밖으로 뛰쳐나갔다.

에이미 엘리엇 던

실종 5일째

나를 '오자크 에이미'라 불러주길. 나는 지금 '하이드-어-웨이(Hide-A-Way) 캐빈스'(이보다 더 적절한 이름이 있을까?)에 숨어서 내가 설치한 모든 장치를 조용히 지켜보고 있다.

닉을 버리고 왔음에도 그 어느 때보다 그를 많이 생각하는 것 같다. 어젯밤 10시 4분에 나의 일회용 휴대전화가 울렸다. (그래, 닉, 그 오래된 '비밀 휴대전화' 트릭을 당신만 아는 건 아니야.) 경보 시스템 회사였다. 물론 나는 받지 않았지만, 이제 닉이 시아버지의 집까지 도달했다는 사실을 알게 되었다. 세 번째 단서. 나는 사라지기 2주 전에 암호를 변경했고, 나의 '비밀 휴대전화' 번호를 첫 번째 연락처로 등록했다. 단서가 적힌 종이를 들고 아버지의 퀴퀴한 먼지투성이 집으로 들어가려고 서투르게 암호를 눌러대는 닉의 모습이 눈앞에 선하다. ……그리고 시간이 다 된다. 삐, 삐, 삐이이! 그의 휴대전화는 나와 연락이 되지 않을 경우(물론 되지 않는다)를 위한 보조 연락처로 등록되어 있다.

닉이 경보를 잘못 작동시키고 경보 회사 사람과 통화했으니, 내가 실종된 뒤 그가 시아버지의 집에 있었다는 기록이 남게 된다. 계획에 도움이 되는 일이다. 확실한 조치는 아니지만. 사실 확실해야 할 필요도 없다. 경찰이 닉을 용의자로 의심하도록 이미 충분한 조치를 취해두었으니까. 꾸며진 현장, 닦아낸 피, 신용카드 청구서들. 아무리 무능력한 경찰이라도 그것들을 찾아낼 수 있을 것이다. 그리고 노엘은 곧 나의 임신 소식을 흘릴 터였다(이미 흘리지 않았다면). 그것으로 충분하다. 특히 경찰이 일단 (명령만 하면 거시기를 뺄 수 있는)'유능한 앤디'에 대해 알게 된다면. 그러니 기타 엑스트라들은 모두 엿 먹이기 보너스 장치, 신나는 부비트랩일 뿐이다. 내가 부비트랩을 놓은 여자라는 사실이 너무 좋다.

'엘런 애벗' 역시 계획의 일부다. 이 나라에서 가장 인기 있는 범죄 고발 프로그램. 나는 엘런 애벗을 사랑한다. 자신의 쇼에서 다루는 모든 실종된 여자들을 마치 어머니처럼 열성적으로 보호하려 하는 그녀가 좋다. 엘런은 일단 용의자(대개는 실종자의 남편)를 물면 미친개처럼 사나워진다. 그녀는 미국 여성들의 정의를 대변하는 목소리다. 그래서 그녀가 내 이야기를 꼭 다뤄주기를 바란다. 대중은 반드시 닉을 적대시해야 한다. 사람들이 자신을 좋아하는지 걱정하며 엄청난 시간을 쓰는 총아에게 있어 자신이 온 세상의 미움을 받는다는 사실을 알게 되는 것은 감옥에 가는 것만큼이나 가혹한 벌이니까. 또한 나는 엘런을 통해 수사의 진척 상황을 계속 알 필요가 있다. 경찰이 내 일기장을 발견했는지? 앤디에 대해서는 아는지? 생명보험 보상금이 증액됐다는 사실을 알게 됐는지? 이것이 가장 어려운 부분이다. 멍청한 사람들이 알아낼 때까지 기다리는 것.

나는 내 조그만 방에서 한 시간에 한 번씩 TV를 켜고 엘런 애벗이 내 얘기를 다루는지 들뜬 마음으로 확인한다. 그녀는 반드시 그럴 것이다. 그럴 수밖에 없다. 나는 매력적이고, 닉도 매력적이며, 《어메이징 에이미》라는 책까지 있다. 정오 직전에 엘런은 화를 벌컥 내며 특별 보도를 예고한다. 나는 채널을 고정하고 텔레비전을 노려본다. 어서, 엘런. 혹은 어서, '엘런'. 그녀와 나는 공통점이 있다. 우리는 사람인 동시에 개체다. 에이미와 '에이미', 엘런과 '엘런'.

탐폰 광고, 세제 광고, 생리대 광고, 창문 닦는 세제 광고. 여자들이 하는 일이라곤 청소하고 피 흘리는 것밖에 없는 줄 알겠군.

그리고 마침내! 내가 나왔다! 나의 데뷔!

엘런이 엘비스처럼 얼굴을 찡그리고 등장한 순간부터 나는 좋은 일이 있을 것임을 알았다. 나의 멋진 사진 몇 장과, 첫 번째 기자회견에서 특유의 정신 나간 '날 사랑해줘요!' 웃음을 짓고 있는 닉의 스틸 사진. 새 소식, '세상 모든 것이 자기편인 미모의 젊은 여성'에 대해 여러 장소에 걸친 무익한 수색이 있었다. 새 소식, 닉은 벌써부터 스스로를 엿 먹였다. 수색이 벌어지는 동안 마을 주민과 과감한 사진을 여러 장 찍은 것이다. 이것이 결정적으로 엘런을 낚은 것이 분명하다. 그녀는 화가 난 것이다. 저기 애인 모드, '나는 만인의 연인' 모드를 한 닉이 낯선 여자의 얼굴에 자신의 얼굴을 대고 있다. 그들은 마치 행복한 단짝처럼 보인다.

이런 멍청한 놈. 정말 맘에 들어.

우리 집 뒷마당이 미시시피 강과 바로 연결된다는 사실을 강조하고 있는 엘런 애벗을 보자, 내가 닉의 컴퓨터 검색 기록에 남겨놓은 미시시피의 수문 및 댐에 관한 연구와 '미시시피 강을 떠내려가는 시체'라는 구글 검색어가 유출된 것인지 궁금해진다. 단도직입적으로 말해, 내 시체가 강물에 휩쓸려 멀리 바다까지 떠내려가는 것은 가능한 일이다(아마도. 그럴 법하지 않지만 전례가 있다). 나는 나의 가냘프고 창백한 알몸이 수면 바로 밑에 떠 있는 모습을 상상하며, 실제로 슬픔을 느낀 적이 있다. 달팽이 떼가 붙은 맨다리 한쪽, 해초처럼 나부끼는 머리카락. 바다에 도착한 나는 밑으로, 밑으로, 밑으로, 바닥까지 가라앉는다. 물에 젖어 무거워진 살점이 겹겹이 부드럽게 갈라진다. 나는 뼈만 남을 때까지 수채 물감처럼 천천히 물속으로 사라진다.

그나마 나는 낭만주의자다. 닉이 실제로 나를 죽였다면 그는 내 시체를 쓰레기 봉투에 구겨넣은 다음, 차를 타고 반경 백 킬로미터 안에 있는 쓰레기 매립장 중 한 곳에 가서 버렸을 것이다. 그 여행의 효율성을 극대화하기 위해 물건 몇 개—수리하기도 아까운 고장 난 토스터와 그가 버리려고 했던 오래된 비디오테이프 한 무더기—도 함께 들고 갔겠지.

나는 혼자서 꽤 효율적으로 사는 법을 배우고 있다. 죽은 여자는 절약해야 한다. 내게는 계획할 시간, 약간의 현금을 모을 시간이 있었다. 나는 사라지기로 결심한 날과 사라지는 날 사이에 1년 정도의 충분한 간격을 두었다. 대부분의 살인범이 잡히는 이유는 바로 이 때문이다. 그들은 극기심을 갖고 기다릴 줄을 모른다. 지금 내게는 현금 1만 2백 달러가 있다. 만약 내가 한 달 동안 1만 2백 달러를 인출했다면 발각되었을 것이다. 나는 닉의 이름으로 발급한 신용카드들, 닉을 탐욕스러운 사기꾼처럼 보이게 만들 카드들에서 미리 현금을 빼냈고, 우리의 은행계좌들에서 몇 달에 걸쳐 4,400달러를 빼돌렸다. 한 번에 2백 달러나 3백 달러씩, 이상해 보일 것 없는 인출. 닉의 호주머니에서도 돈을 훔쳤다. 여기서 20달러, 저기서 10달러, 느리고 신중한 비축. 매일 아침 스타벅스에 가는 대신 그 돈을 단지에 넣어 1년 후 1,500달러를 모으는 절약법과 비슷하다. 또한 바에 갈 때마다 팁 항아리에서 돈을 빼냈다. 닉은 고를 의심하고 고는 닉을 의심하면서도 둘 다 아무 말도 하지 않을 거라 확신한다. 그들은 서로를 지나치게 불쌍하게 여기니까.

하지만 요점은 내가 돈에 대해 신중하다는 것이다. 나는 자살할 때까지 쓸 돈이 충분히 있다. 난 랜스 니컬러스 던이 세계적으로 유명한 악당이 되는 것을 보고, 그가 체포되고, 재판을 받고, 주황색 점프슈트 차림에 수갑을 차고 어쩔 줄 몰라 하며 감옥으로 걸어 들어가는 걸 볼 때까지만 숨어 있을 것이다. 몸부림치고 땀을 흘리며 자신은 결백하다고 외쳐도 갇혀 있을 수밖에 없는 닉을 볼 것이다. 그런 다음 강을 따라 남쪽으로 가서 나의 시체, 멕시코 만에 뜬 나의 가짜 '시체'와 합류할 것이다. 부즈 크루즈―신분증 확인 없이도 나를 수심 깊은 곳까지 데려다줄―에 올라타 성에가 낀 커다란 잔에 담긴 진을 마시고, 아무도 보지 않을 때 수면제를 삼킬 것이다. 그런 다음 버지니아 울프처럼 호주머니에 돌을 잔뜩 넣고 난간 밖으로 조용히 몸을 던질 것이다. 자기 자신을 익사시키려면 극기심이 필요하지만 내게는 극기심 말고는 아무것도 없다. 내 시체는 영원히 발견되지 않거나 혹은 몇 주, 몇 개월 뒤 사망 시각을 확인할 수 없을 정도로 부패되어 수면 위로 떠올라, 닉이 벽면에 쿠션을 댄 복도로, 독극물이 주입되어 죽을 감옥의 탁자로 걸어가게 만들 마지막 증거를 제공할 것이다.

나는 끝까지 기다려서 그가 죽는 모습을 실제로 보고 싶지만, 몇 년이 걸릴지도 모르는 우리 나라의 사법 체계를 고려하면 그럴 돈도, 기력도 없다. 나는 '희망들'을 만나러 갈 준비가 되어 있다.

내가 계획한 예산은 벌써부터 빗나갔다. 오두막을 개량하기 위해 물건들―좋은 이불, 쓸 만한 램프, 몇 년간 표백해도 보풀이 일지 않는 수건―을 사느라 500달러 정도를 쓴 것이다. 하지만 나는 내게 주어진 것들을 받아들이려고 애쓴다. 몇 채 건너 오두막에 과묵한 남자가 하나 있다. 털북숭이 히피풍 도피자, 자연보호론자 부류다. 덥수룩한 수염에 터키옥 반지들을 끼고 가끔 밤에 자신의 뒷베란다에서 기타를 친다. 그의 말에 따르면, 이름은 제프다. 나의 말에 따르면 내 이름이 리디아인 것처럼. 우리는 서로를 스쳐 지나칠 때 웃는 관계일 뿐이지만, 그는 내게 생선을 가져다준다. 그는 지금까지 두세 번에 걸쳐 갓 잡은, 냄새는 나지만 비늘과 대가리를 제거한 생선을 커다란 냉동 팩에 넣어 내게 가져다주었다. 그는 '갓 잡은 생선이요!'라고 말하며 노크하고, 내가 곧바로 문을 열지 않으면 나의 오두막 계단 앞에 냉동 팩을 두고 사라진다. 나는 또 한 번 월마트에서 산 쓸 만한 프라이팬으로 생선을 요리한다. 맛이 괜찮은 공짜 생선이다.

"어디서 생선을 구해요?" 나는 그에게 묻는다.

"구하는 곳에서요." 그가 말한다.

벌써부터 내게 호감을 느낀 프런트데스크 직원 도로시는 자신의 정원에서 딴 토마토를 가져다준다. 나는 흙냄새가 나는 토마토와 호수 냄새가 나는 생선을 먹는다. 내년쯤이면 닉은 실내 냄새밖에 나지 않는 곳으로 격리될 것이다. 데오드란트와 낡은 신발과 탄수화물이 많은 음식과 퀴퀴한 매트리스에서 나는 날조된 냄새들. 그의 최악의 공포, 개인적인 악몽은 감옥에 갇힌 자신에게 아무런 죄가 없다는 걸 알지만 그것을 증명할 수가 없다는 사실이다. 닉의 악몽은 언제나 오해받고, 덫에 걸리고, 자신이 통제할 수 없는 힘의 희생자가 되는 것에 관한 내용일 것이다.

그런 꿈을 꾸고 난 뒤면 닉은 항상 집 안을 서성거리다 옷을 입고 밖으로 나가, 집 근처 길을 배회한 다음 공원—미주리의 공원, 뉴욕의 공원—으로 간다. 아무데나 원하는 곳으로. 그는 야외 활동을 좋아하는 남자라고는 할 수 없지만 바깥으로 도는 남자다. 그는 하이킹도 야영도 하지 않는다. 불을 피우는 방법도 모른다. 물고기를 잡아 내게 선물할 줄도 모를 것이다. 그가 좋아하는 것은 선택권, 선택 가능성이다. 그는 자기가 밖에 나갈 수 있다는 걸 알고 싶어 한다. 설령 그냥 소파에 앉아 세 시간 동안 케이지 파이팅을 보는 쪽을 택할지라도.

그 어린 매춘부, 앤디가 정말로 궁금하다. 나는 그녀가 정확히 사흘을 버틸 거라고 생각했다. 사흘 만에 공유의 유혹에 굴복할 거라고. 나는 그녀의 페이스북 친구여서 그녀가 공유하기를 좋아한다는 걸 알고 있다. 나의 프로필명은 지어낸 것이고(매들린 엘스터, 하!) 내 사진은 담보 대출 광고의 팝업창에서 훔쳐온 것이다(역사상 가장 낮은 금리의 혜택에 미소 짓는 금발). 넉 달 전, 매들린은 무작정 앤디에게 방문해 친구가 되고 싶다고 했고 앤디는 불운한 강아지처럼 받아들였다. 그래서 그 어린 여자와 사소한 일에 열광하는 그녀의 친구들을 꽤 잘 알고 있다. 그들은 낮잠을 많이 자고 그리스 요구르트와 피노 그리지오를 좋아하며 그 사실을 서로 공유하기를 즐긴다. 앤디는 착한 여자다. '흥청망청 노는' 자신의 사진을 게시하지도 않고 도발적인 글을 올리는 일도 없다는 뜻이다. 애석한 일이다. 나는 앤디가 닉의 애인으로 밝혀졌을 때 언론에서 그녀가 폭음을 하거나 여자들과 키스하거나 끈팬티를 내리고 있는 사진을 발견하기를 바랐다. 그것은 그녀가 가정파괴범이라는 사실보다 더 빨리 그녀를 사장시킬 것이기 때문이다.

가정파괴범. 내 가정이 위태롭지만 아직 파괴되지는 않았을 때 그녀는 내 남편과 키스를 하기 시작했다. 그의 바지 속에 손을 넣고 그와 함께 침대로 들어갔다. 입 속에 그의 성기를 받아들인다. 뿌리 끝까지 받아들여 숨 막혀 하는 자신 앞에서 그가 자신의 물건을 더 크다고 느낄 때까지. 항문 깊숙이 그의 성기를 받아들인다. 얼굴과 젖가슴에 정액을 흩뿌리는 짓을 허락하고 그것을 핥아먹는다. 맛있어. 허락한다, 물론 허락한다. 그녀

같은 부류는 그렇게 한다. 닉과 앤디는 1년 넘게 만났다. 심지어 휴일에도. 나는 닉의 (진짜) 신용카드 명세서들을 보고 그가 그녀에게 준 크리스마스 선물을 알아내려고 했지만 그는 놀랄 만큼 신중했다. 현금으로 산 크리스마스 선물만 받아야 하는 여자가 된다는 건 어떤 느낌일까. 자유롭겠지. 서류상에 없는 여자가 된다는 건 배관공에게 전화를 하거나, 일에 대한 불평을 듣거나, 그에게 고양이 사료를 사오라고 상기시키고 또 상기시킬 필요가 없는 여자가 된다는 뜻이다.

나는 그녀가 무너지기를 원한다. 1) 노엘은 누군가에게 나의 임신에 대해 말해야 하고 2) 경찰은 일기장을 발견해야 하며 3) 앤디는 불륜에 관해 누군가에게 말해야 한다. 나는 앤디에게 편견이 있었던 것 같다. 자신에 관한 새 소식을 하루에 다섯 번씩 올리는 여자는 비밀이 무엇인지도 잘 모를 거라는 편견. 앤디는 예전에 내 남편에 대해 가볍게 스치듯 몇 번 언급한 적이 있다.

오늘 섹시남을 봤다.

(털어놔봐!)

(언제 이 종마를 우리한테 보여줄 거니?)

(브리짓 님이 좋아합니다!)

꿈 같은 남자와의 키스는 모든 것이 좋게 느껴지게 만든다.

(완전 공감!)

(우리한테 언제 꿈의 남자를 보여줄 거니?)

(브리짓 님이 좋아합니다!)

그러나 앤디는 나이에 비해 놀랍도록 신중하게 행동하고 있다. 그녀는 착하다(걸레치고는). 하트 모양의 얼굴을 한쪽으로 갸웃한 채 미간을 살짝 찡그리는 그녀를 상상한다. 전 당신 편이라는 것만 알아주세요, 닉. 당신 곁엔 제가 있어요. 쿠키도 구워 바쳤으리라.

엘런 애벗 쇼의 카메라들은 이제 긴급 대책 본부를 비추고 있다. 그곳은 약간 초라해 보인다. 특파원이 나의 실종이 '이 작은 마을을 뒤흔들고' 있다고 말하고 있다. 그녀 뒤쪽으로 불쌍한 니키를 위해 여자들이 손수 만들어 온 캐서롤과 케이크가 줄줄이 놓여 있는 탁자 하나가 보인다. 그 얼간이는 지금까지도 여자들의 보살핌을 받고 있다. 빈자리를 포착한 필사적인 여자들. 잘생기고 취약한 남자. 그래, 그가 아내를 죽였을 수도 있지만, 그건 모르는 거니까. 아직까지는 확실치 않아. 지금으로서는 요리해줄 남자가 있다는 것만으로도 안심이 돼. 자전거를 타고 귀여운 남자의 집 앞을 지나가면서 소녀같이 굴고 있는 사십대 여자들.

쇼에서 휴대전화로 찍은 닉의 웃고 있는 사진을 다시 보여주고 있다. 나는 그 동네 매춘부가 그녀의 쓸쓸하고 반들거리는 부엌 ─ 이혼 수당으로 산 전리품 ─ 에서 재료를 섞어 구우며 닉과의 대화를 상상하는 모습을 상상해본다. 아니에요, 사실 전 마흔세 살이에요. 정말이라니까요! 아뇨, 전 남자들한테 그다지 인기가 없어요. 이 동네 남자들은 나한테 별로 관심이 없더라고요, 대부분은요…….

나는 내 남편과 뺨을 맞대고 있는 저 여자에게 솟구치는 질투를 느낀다. 그녀는 지금의 나보다 예쁘다. 요즘 나는 허쉬초콜릿 바를 먹고 뜨거운 태양 아래서 몇 시간이고 풀에 둥둥 떠 있다. 염소 성분 때문에 피부는 물개처럼 질기다. 태어나 처음으로 피부를 태웠다. 자랑할 만큼 거무스름하고 짙은 색은 아니다. 까맣게 탄 피부는 손상된 피부이며, 주름살 있는 여자를 좋아하는 사람은 아무도 없다. 나는 평생 동안 선크림을 발라 반들반들한 채로 지냈다. 하지만 지금 나는 사라지기 직전까지 피부가 타게 내버려두었고, 실종 닷새째인 지금의 내 피부는 갈색으로 변하는 중이다. 열매 같은 갈색! 관리인 도로시는 말한다. 열매처럼 갈색이군요, 당신! 그녀는 내가 다음 주 방세를 현금으로 내러 갈 때마다 유쾌하게 말한다.

나는 거무스름한 피부에 쥐색 바가지 머리를 하고 모범생 같은 안경을 쓰고 있다. 나는 사라지기 몇 달 전부터 5킬로그램 넘게 살을 찌웠고—품이 넉넉한 원피스로 감춘 살을 나의 무심한 남편은 알아채지 못했다—그 후로도 1킬로그램 정도 더 쪘다. 사라지기 몇 달 전부터는 사진에 찍히지 않도록 주의했다. 대중은 창백하고 날씬한 에이미의 모습만 봐야 하니까. 나는 더 이상 창백하지도 날씬하지도 않다. 때때로 걸을 때 엉덩이가 제 스스로 움직이는 것을 느낀다. 씰룩씰룩 흔들흔들, 옛말에도 있지 않았는가? 이것 역시 살면서 처음 있는 일이다. 내 몸은 모든 곳이 조정되고 모든 것이 균형을 이룬, 아름답고 완벽한 유기적 통일체였다. 나는 그때가 그립지 않다. 나를 쳐다보던 남자들이 그립지 않다. 편의점에 들어갔다가 민소매 플란넬 셔츠를 입고 어슬렁거리는 누군가의 시선을 느끼지 않고, 그가 나초 치즈의 기포처럼 내뱉는 여성 혐오적인 중얼거림을 듣지 않고 곧장 나올 수 있다는 것에 안도감이 든다. 이제 아무도 내게 무례하지 않고 친절하지도 않다. 아무도 예전처럼 지나치게, 별스럽게 애를 쓰지 않는다.

나는 에이미와 정반대가 되었다.

닉 던

실종 8일째

동이 틀 무렵 나는 뺨에 얼음 조각을 대고 있었다. 몇 시간이 지났지만 물린 데가 아팠다. 스테이플러 심처럼 생긴 자국 두 개. 나는 앤디를 뒤쫓아갈 수 없어서—그것은 앤디의 분노보다 더 큰 위험이다—전화를 걸었다. 음성사서함.

참아, 참아야만 해.

"앤디, 정말 미안해. 나도 어찌해야 할지 모르겠어. 무슨 일이 벌어지고 있는지도 모르겠고. 제발 날 용서해줘. 제발."

나는 음성메시지를 남긴 것을 후회했다. 하지만 곧 생각했다. 앤디는 아마 내 음성메시지를 수백 개 정도는 저장해두었을 것이다. 맙소사, 만약 그녀가 그중에서 가장 지저분하고 더럽고 정신 나간 것들을 공개한다면…… 여자 배심원들은 그것만으로도 나를 끝장낼 것이다. 내가 외도를 했다는 걸 아는 것과 내가 엄격한 선생의 목소리로 어린 여학생에게 나의 거대하고 딱딱한 물건에 대해 한 말을 듣는 것은 전혀 다른 문제다.

어둠 속에서 얼굴이 벌게졌다. 얼음 조각이 녹았다.

나는 고의 집 앞 계단에 앉아 몇 시간 동안 앤디에게 10분 간격으로 전화를 걸었지만 아무 소용이 없었다. 잠을 자지 않아 신경이 가시철사처럼 곤두섰을 때 보니가 진입로로 들어왔다. 아침 6시 12분이었다. 스티로폼 컵 두 개를 들고 다가오는 보니를 보며 나는 아무 말도 하지 않았다.

"안녕하세요, 닉. 커피 좀 가져왔어요. 그냥 당신이 잘 있는지 확인하려고 왔어요."

"그러시겠죠."

"임신 소식 때문에 아직도 많이 혼란스러울 거라고 생각해요." 그녀는 보란 듯이—딱 내 취향대로—크림 두 개를 넣은 다음 건네주었다. "그건 뭐예요?" 보니가 내 뺨을 가리키며 물었다.

"뭐가요?"

"얼굴이 왜 그렇게 됐느냐고요. 여기 빨갛게……." 그녀는 내 쪽으로 몸을 기울이더니 내 턱을 잡았다. "물린 자국 같은데요."

"두드러기일 겁니다. 전 스트레스를 받으면 두드러기가 나거든요."

"흐으음." 보니가 커피를 휘저었다. "내가 당신 편인 거 알고 있죠, 닉?"

"네."

"정말이에요. 진심으로. 당신이 날 믿어줬으면 해요. 난 그저, 당신이 날 믿지 않으면 내가 당신을 돕지 못하게 되는 때가 올 거란 걸 말하는 거예요. 경찰이 하는 흔한 대사처럼 들리는 거 알지만, 진심이에요."

우리는 반쯤은 친근한 기묘한 침묵 속에 앉아 커피를 홀짝였다.

"저기, 다른 데서 듣기 전에 알려주고 싶어서 그러는데," 보니가 명랑하게 말했다. "에이미의 핸드백이 발견됐어요."

"뭐라고요?"

"현금은 없었고, 신분증과 휴대전화는 있었어요. 발견 장소는 공교롭게도 해니벌이에요. 증기선 선창의 남쪽에 있는 강기슭이요. 범인이 그곳을 떠나 일리노이로 향하는 다리 쪽으로 가면서 핸드백을 강에 버린 것처럼 보이길 바란 것 같아요."

"보이길 바란 것 같다고요?"

"핸드백은 물에 완전히 빠진 적이 없어요. 위쪽 지퍼 근처에는 지문으로 도배가 되어 있었고요. 물속에서도 지문이 지워지지 않는 경우가 가끔 있지만……. 과학 이야기는 하지 않을게요. 다만, 이론상 누군가 핸드백을 강기슭에 그냥 얹어두었다고 말해두죠. 반드시 발견되기를 바라면서."

"나한테 이런 이야기를 하는 이유가 있을 것 같군요." 내가 말했다.

"그게, 핸드백의 지문이 당신 거였어요, 닉. 그건 이상할 게 없어요. 남자들은 늘 아내의 핸드백을 열어보니까요. 그렇지만……." 보니가 굉장한 생각이 떠올랐다는 듯 웃었다. "당신한테 물어봐야겠어요. 최근에 해니벌에 간 적 없죠?"

너무나 격의 없는 보니의 말에 나는 순간 상상했다. 내가 해니벌에 갔던 날 아침 나를 따라와, 내 차 밑이나 어딘가에 숨어 있는 경찰견 한 마리를.

"다시 말하지만, 내가 왜 해니벌에 가서 아내의 핸드백을 버리겠습니까?"

"이건 어때요, 당신은 아내를 살해한 다음 집에서 범죄 현장을 연출합니다. 아내가 외부인에게 공격을 받았다고 경찰이 생각하도록 말이죠. 하지만 경찰이 당신을 의심하기 시작하자 다시 한 번 외부인에게 혐의가 가도록 뭔가를 해야겠다고 생각하죠. 이건 가정이에요. 하지만 현재 몇몇 경찰은 당신이 범인이라고 확신하고 있어요. 그들은 자신들의 생각을 뒷받침하는 가정을 받아들일 거예요. 그러니 제가 당신을 도울 수 있게 해주세요. 최근에 해니벌에 갔었나요?"

나는 고개를 저었다. "제 변호사, 태너 볼트에게 얘기하세요."

"태너 볼트요? 당신 정말 그 길을 택하고 싶은 거예요, 닉? 전 우리가 그동안 당신을 꽤 공정하게, 열린 마음으로 대했다고 생각해요. 볼트 그 사람은…… 그는 마지막으로 기대야 할 사람이에요. 죄를 지은 사람들이 부르는 사람이라고요."

"하. 글쎄요, 내가 당신들의 주요 용의자인 건 사실이잖아요, 론다. 저도 나름대로 대비를 해야죠."

"그래요, 그럼 그 사람이 오면 같이 봅시다, 됐죠? 그때 다 얘기해주세요."

"물론이죠, 그게 우리의 계획입니다."

"계획이 있는 남자라," 보니가 말했다. "기대할게요." 그녀는 일어서서 걸어가다가 내 쪽을 돌아보며 소리쳤다. "두드러기에는 위치 하젤이 좋아요."

한 시간 후에 초인종이 울렸다. 옅은 파란색 양복을 입은 태너 볼트가 서 있었다. 뭔가가 내게 바로 이것이 태너가 '남쪽으로 내려갈 때' 입는 옷차림이라고 말해주고 있었다. 그는 우리 동네를 관찰하며 진입로의 자동차들과 집들을 살펴보고 있었다. 그는 어떤 면에서 엘리엇 집안 사람들을 떠올리게 했다. 언제나 지켜보고 분석하기. 끄는 버튼이 없는 뇌.

"보여주십시오." 내가 인사말을 하기도 전에 태너가 말했다. "헛간이 어디 있는지 알려주십시오. 함께 갈 필요는 없습니다. 다시는 그 근처에도 가지 마세요. 그런 다음 제게 모두 얘기해주십시오."

우리―나, 태너 그리고 막 잠에서 깬 첫 번째 커피 위로 몸을 웅크리고 있는 고―는 식탁 앞에 앉아 있었다. 나는 서투른 타로 카드 점쟁이처럼 에이미의 단서들을 전부 펼쳐 보였다.

태너는 내 쪽으로 몸을 기울였다. 그의 목 근육이 경직되어 있었다.

"좋습니다, 닉. 저를 설득해보세요." 그가 말했다. "당신의 아내가 이 모든 것을 꾸며냈다고 설득해봐요!" 그가 집게손가락으로 식탁 위를 가리켰다. "전 허무맹랑한 누명 이야기에 의지해서 움직일 남자가 아니니까요. 당신은 저를 설득해야만 합니다. 그럴듯한 얘기를 해야 해요."

나는 심호흡을 하고 생각을 정리했다. 나는 언제나 말하기보다 쓰기를 더 잘하는 사람이었다. "시작하기 전에, 에이미에 관해 반드시 기억해야 할 사실이 있습니다. 그녀는 아주 똑똑합니다. 그녀의 머리는 아주 신속하게 돌아가고, 절대 일차원적으로 작동하는 법이 없습니다. 그녀는 뭔가가 끝없이 나오는 고고학 유적지 같은 사람이에요. 이게 마지막 층이라고 생각하지만 더 파보면 완전히 다른 수갱이 또 한 번 나오는 거죠. 미로처럼 얽힌 굴과 바닥이 보이지 않는 구멍들이 있는 수갱이요."

"좋습니다." 태너가 말했다. "그래서……."

"에이미에 대해 두 번째로 기억해야 할 사실은, 그녀는 언제나 옳다는 겁니다. 에이미는 자신은 늘 옳다고 생각하는 사람들 중 한 명입니다. 사람들을 훈계하고 벌하는 걸 아주 좋아하죠."

"그렇군요, 좋습니다. 그래서……."

"이야기를 하나 들려드리죠. 아주 짧게, 하나만요. 3년 전쯤에 우리 부부는 차를 타고 매사추세츠로 가고 있었습니다. 짜증이 날 정도로 도로 상황이 안 좋았죠. 어떤 트럭 운전사가 끼어들려고 했는데 에이미가 비켜주지 않았어요. 그랬더니 그 남자가 에이미에게 가운뎃손가락을 들어 보였죠. 그리고 갑자기 달려와서는 우리 차 앞을 가로막았어요. 위험한 상황은 없었지만 잠깐 동안 정말 겁이 났죠. 트럭이 뒤에 붙이고 다니는 표시판 아시죠? '내 운전 솜씨 어때?' 에이미는 내게 신고 전화를 걸어 차량번호를 알려주라고 시켰습니다. 나는 그것으로 끝난 줄 알았죠. 그런데 두 달 뒤, 두 달 뒤요, 침실에 들어갔는데 에이미가 전화기에 대고 그 트럭의 차량번호를 되풀이해서 말하고 있더군요. 이야기까지 꾸며내면서요. 두 살짜리 아이와 차를 타고 가고 있었는데 그 남자가 자기 차를 도로 밖으로 거의 밀어내다시피 했다고, 심지어 지금 네 번째로 전화하는 거라고도 말하더군요. 그 가상의 사고가 날 뻔했던 고속도로를 정확하게 찾아보기 위해 그 트럭 회사의 경로까지 검색했다고 했어요. 에이미는 모든 것을 생각했어요. 스스로를 아주 자랑스러워했죠. 그 남자가 회사에서 잘리게 할 거라면서."

"맙소사." 고가 중얼거렸다.

"그것 참…… 계몽적인 이야기군요, 닉." 태너가 말했다.

"하나의 예시일 뿐입니다."

"자, 이제 제가 정리하는 걸 도와주시죠." 그가 말했다. "에이미는 당신이 바람을 핀다는 걸 알고 자신이 죽은 것처럼 꾸민다. 눈썹을 치켜뜨게 할 만큼 '범죄 현장'이 수상하게 보이도록 꾸민다. 신용카드들과 생명보험과 저 뒤에 있는 남자의 동굴로 당신을 궁지에 몰아넣는다……."

"에이미는 사라지기 전날 밤에 말다툼을 하도록 제게 시비를 걸었습니다. 일부러 열려 있는 창문 옆에서요. 이웃들이 듣게끔 만들었죠."

"무엇에 관한 말다툼이었습니까?"

"제가 이기적인 얼간이라고요. 우리는 늘 그 주제로 싸웠습니다. 나중에 에이미가 사과하는 소리는 이웃들이 듣지 못했어요. 그녀는 이웃들이 그 부분은 듣지 못하길 원했으니까요. 저는 그때 아주 놀랐습니다. 그렇게 빨리 화해하기는 처음이었거든요. 아침이 되자 아내는, 맙소사, 내게 줄 크레이프를 만들고 있었어요."

나는 가스레인지 앞에 서서 엄지손가락에 묻은 가루설탕을 핥으며 콧노래를 부르던 그녀를 다시 한 번 떠올렸다. 그때 나는 그녀에게 다가가 그녀를 잡고 흔들었고 결국⋯⋯.

"좋습니다. 그럼 보물찾기는요?" 태너가 말했다. "그건 어떻게 설명할 겁니까?"

모든 단서가 식탁 위에 펼쳐져 있었다. 태너는 단서 몇 개를 집어 들었다가 떨어뜨렸다.

"그건 전부 나를 엿 먹이는 보너스입니다. 전 아내를 압니다. 믿어주세요. 아내는 자기가 보물찾기를 하지 않으면 수상해 보일 거라는 걸 알았던 거예요. 그래서 보물찾기를 했고, 물론 거기에는 열여덟 가지의 각기 다른 의미가 있죠. 첫 번째 단서를 보세요."

당신의 학생인 나를 그려봐,

너무나 잘생기고 현명한 선생님 앞에서

나의 마음이 열려(물론 나의 두 허벅지도!)

내가 당신의 제자라면 꽃다발은 필요 없어.

그저 당신 근무시간 중의 발칙한 약속이면 될 거야.

그러니 서둘러, 출발해, 제발 시작해.

그러면 아마 이번에는 내가 당신에게 한두 가지를 가르쳐줄 거야.

"그야말로 에이미다워요. 나는 이걸 읽고 '아내가 내게 추파를 던지고 있군' 하고 생각했습니다. 아뇨. 그녀는 사실…… 나와 앤디의 부정을 말하고 있었습니다. 엿 먹이기 1호죠. 그 후 저는 길핀 형사와 그곳, 제 사무실로 갔습니다. 거기서 무엇이 날 기다리고 있었을까요? 여자 속옷 두 개였습니다. 에이미의 사이즈도 아니었어요. 경찰이 모든 사람들에게 에이미의 사이즈를 계속 묻고 다닐 때 전 영문을 몰랐죠."

"에이미는 당신이 길핀과 함께 그곳에 갈 거라는 건 몰랐을 텐데요." 태너가 얼굴을 찌푸렸다.

"정말 좋은 시도였죠." 고가 끼어들었다. "첫 번째 단서는 '실제 범죄 현장'의 일부였고, 따라서 경찰이 알게 되어 있었어요. 에이미는 '근무시간'이라는 말을 집어넣었어요. 경찰이 단독으로, 또는 닉과 함께 그곳에 가는 것이 이치에 맞죠."

"그래서 그 팬티들은 누구 거죠?" 태너가 물었다. '팬티'라는 말에 고가 코를 찡그렸다.

"난들 압니까?" 내가 말했다. "난 앤디의 것이라고 추측했었지만…… 아마 에이미가 그냥 산 것들이겠죠. 중요한 건 그게 에이미의 사이즈가 아니라는 겁니다. 사람들로 하여금 내가 사무실에서 아내가 아닌 누군가와 부적절한 일을 벌였다고 믿도록 만들기 위한 거예요. 엿 먹이기 2호죠."

"당신 혼자서 사무실에 갔을 수도 있잖아요?" 태너가 물었다. "아무도 팬티를 보지 못했을 수도 있고?"

"에이미에게는 상관없는 일입니다, 태너 씨! 이 보물찾기는 그 무엇보다 그녀에게 즐거운 일인 겁니다. 어느 쪽이든 에이미에게는 상관 없는 거라고요. 그녀는 단지 수많은 빌어먹을 작은 단서가 돌고 돌며 작동하도

록 하기 위해 여분의 노력을 기울인 겁니다. 다시 말하지만 제 아내란 사
람을 알아야만 합니다. 그녀는 만전을 기하는 타입이에요."

"좋습니다, 그럼 두 번째 단서로 넘어가죠." 태너가 말했다.

> 나를 그려봐. 난 당신에게 미쳐 있어.
>
> 당신과 함께하는 내 미래는 결코 흐릿하지 않아.
>
> 당신은 나를 이곳에 데려왔어, 내가 당신의 이야기를 들을 수 있도록.
>
> 소년 시절 당신의 모험, 형편없는 청바지와 챙 달린 모자에 관한 이야기를.
>
> 다른 모두를 속여, 우리에게 그들은 모두 버려진 사람들이니까.
>
> 그리고 몰래 키스하자…… 우리가 방금 결혼한 척해.

"이건 해니벌입니다." 내가 말했다. "에이미와 저는 그곳에 간 적이 있
어요. 그래서 저는 그때를 말하는 줄 알았죠. 하지만 그곳은 내가…… 앤
디와 관계를 가진 또 다른 장소입니다."

"그런데도 위험신호를 알아차리지 못했습니까?" 태너가 물었다.

"네, 그때는 아직 몰랐습니다. 저는 에이미가 남긴 그 편지들 때문에 완
전히 얼이 빠져 있었거든요. 맙소사, 이 여자는 저를 뼛속까지 알고 있어
요. 그녀는 내가 듣고 싶어 하는 말을 정확하게 알고 있어요. 당신은 똑똑
해. 당신은 재치 있어. 자기가 아직까지도 그런 식으로 내 머릿속을 엉망
으로 만들 수 있다는 걸 알면 그녀는 얼마나 신이 날까요. 심지어 멀리 떨
어진 곳에서 말이죠. 내 말은, 난…… 젠장, 전 정말로 그녀를 다시 사랑
하기 시작했습니다."

나는 잠시 목이 메었다. 에이미 친구 인슬리의 반쯤 벌거벗은 혐오스러
운 아기에 대한 바보 같은 이야기. 우리가 사랑했던 시절, 에이미는 내가

우리 사이에서 무엇을 가장 좋아하는지 알고 있었다. 그것은 거창한 순간 도, 아주 로맨틱한 순간도 아닌, 우리의 비밀스럽고 내밀한 농담이었다. 이제 그녀는 그것들을 이용해 나를 공격하고 있다.

"또 무슨 일이 벌어진 줄 아십니까?" 내가 말했다. "경찰이 해니벌에서 에이미의 핸드백을 발견했습니다. 누군가는 분명 내가 그곳에 있었다는 걸 확인시켜줄 겁니다. 그때 나는 얼굴이 알려져 있었고, 도처에 기자들 이 있었습니다. 젠장, 저는 신용카드로 관광 티켓을 구매했어요. 그러니 증거가 또 하나 생겼습니다. 에이미는 내가 그곳과 반드시 엮이도록 만들 었죠."

"핸드백이 발견되지 않을 수도 있었잖습니까?" 태너가 물었다.

"상관없어요." 고가 말했다. "에이미는 닉이 계속해서 다람쥐 쳇바퀴를 돌도록 한 거예요. 스스로 즐기는 거죠. 그녀는 분명 이것이 얼마나 죄책 감이 드는 여행인지 아는 것만으로도 기뻤을 거예요. 닉은 자신이 불륜을 저질렀고 아내가 실종됐다고 알면서 아내가 남긴 다정한 편지들을 모두 읽어야 했으니까요."

나는 고가 혐오스럽다는 듯 내뱉은 '불륜'이라는 말에 얼굴을 찡그리 지 않으려고 애썼다.

"길핀이 해니벌에서도 닉과 동행했을 수도 있잖아요?" 태너가 물고 늘 어졌다. "길핀이 계속 닉과 함께 있어서 닉이 그날 핸드백을 두고 오지 않 았다는 걸 알았다면요?"

"에이미는 내가 길핀을 따돌릴 거라는 걸 예측할 정도로 나를 잘 압니 다. 아내는 내가 그 편지를 읽는 모습을 낯선 사람이 보면서 내 반응을 지 켜보기를 원하지 않을 거란 걸 알고 있어요."

"정말입니까? 그걸 어떻게 알죠?"

"그냥 압니다." 나는 어깨를 으쓱했다. 나는 알았다. 그냥 알았다.

"세 번째 단서입니다." 내가 그것을 태너의 손에 찔러 넣으며 말했다.

> 아마도 당신은 나를 이곳에 데려온 것에 죄책감을 느낄 거야.
> 나는 조금 기묘한 기분이 든다는 걸 인정해야만 해.
> 하지만 우리는 선택할 수 있는 공간이 많지 않았어.
> 우리는 결정했고, 이곳을 우리의 공간으로 삼았어.
> 우리의 사랑을 이 작은 갈색 집으로 가져가자.
> 내게 온정을 베풀어줘, 화끈한 사랑의 배우자 당신!

"저는 '이곳에 데려온 것'이 카르타고를 두고 한 말인 줄 알았습니다. 하지만 아니었죠. 아내는 제 아버지의 집을 말한 겁니다. 그곳은……."

"당신이 그 앤디라는 여자와 놀아난 또 다른 장소군요." 태너가 그에게 몸을 돌렸다. "상스러운 말을 써서 죄송합니다."

고가 괜찮다는 뜻으로 손을 한 번 내저었다.

태너가 말을 이었다. "그러니까, 닉 씨, 당신 사무실에는 당신을 범인으로 지목하는 여자 팬티들이 있고 그곳은 당신이 앤디와 놀아난 곳이며, 당신을 지목하는 에이미의 핸드백이 발견된 해니벌도 당신이 앤디와 놀아난 곳이고, 당신을 지목하는, 신용카드들로 산 보물들이 잔뜩 헛간에 있고, 그곳도 당신이 앤디와 놀아난 곳이라는 거죠?"

"어, 네, 네, 그렇습니다."

"그렇다면 당신 아버지 집에는 뭐가 있을까요?"

에이미 엘리엇 던

실종 7일째

나 임신했다! 고마워, 노엘 호손. 멍청한 네 덕에 온 세상이 이 사실을 알게 됐어. 그녀가 나를 위한 철야 행사에서 어리석은 계책을 쓴 날(하지만 정말이지 그녀가 내가 받을 관심을 가로채지 않았다면 좋았을 텐데. 못생긴 여자들은 그렇게 뻔뻔하게 도둑질을 한다니까), 닉을 향한 분노가 풍선처럼 부풀어 올랐다. 그는 그 많은 역겨운 사람들에게 둘러싸여서 어떻게 숨을 쉬나 모르겠다.

나는 〈엘런 애벗〉에서 24시간 대대적으로 보도되기 위해, 미친 듯한, 피로 얼룩진 방송을 타기 위해 가장 중요한 것이 임신이라는 사실을 알고 있었다. 《어메이징 에이미》도 그에 못지않게 유혹적이지만. 임신한 어메이징 에이미라니, 저항할 수가 없다. 미국인들은 쉬운 것을 좋아한다. 임신한 여자를 좋아하기는 쉽다. 임신한 여자는 오리새끼나 토끼나 강아지와 비슷하다. 그렇지만 나는 이 당당하고 자아도취적인, 어기적거리는 여자들이 그런 특별 대우를 받는다는 사실이 우습다. 가랑이를 벌리고 그 사이에서 남자가 사정하게 만드는 게 뭐가 그리 어렵다고.

정말로 어려운 게 뭔지 아는가? 임신을 가장하는 것이다.

주목하시라, 꽤 인상적인 이야기니까. 그 시작은 나의 무뇌아 친구 노엘이다. 중서부에는 그녀 같은 사람들이 가득하다. 아주 착한 사람들. 아주 착하지만 영혼이 플라스틱인, 만들기도 쉽고 없애기도 쉬운 사람들. 그 여자가 갖고 있는 음반들은 죄다 포터리 반의 편집 음반이다. 책장은 커다랗고 화려한 잡동사니로 가득하다. 《미국의 아일랜드인들》, 《미주리 대학 풋볼—사진으로 보는 역사》, 《9·11을 기억하다》, 《새끼 고양이들과 바보짓을》. 나는 내 계획에 유순한 친구가 한 명 필요하다는 걸 알고 있었다. 닉에 대한 나의 끔찍한 이야기를 들어주고, 내게 지나치게 애착을 가지며, 조종하기 쉬운 사람. 내 이야기를 듣는다는 사실만으로도 자신이 너무나 특별하게 느껴진 나머지 내가 하는 모든 얘기에 대해 너무 깊이 생각하지 않을 사람. 노엘은 최고의 선택이었다. 그녀가 내게 또 임신했다고 말했을 때—쌍둥이론 성에 차지 않았나 보다—나는 나도 임신할 수 있음을 깨달았다.

인터넷 검색: 수리를 위해 변기 물을 없애는 법.

노엘을 초대해서 레모네이드를 대접한다. 아주 많이.

노엘, 물이 없고 물을 내릴 수도 없는 변기—우리 둘 다 아주 당황한다!—에 오줌을 눈다.

나, 작은 유리병 준비, 변기에 담긴 오줌을 그 병에 담는다.

나, 그동안 바늘과 피에 공포증이 있다는 사실을 충분히 알렸다.

나, 유리병을 핸드백에 숨기고 의사를 만나러 간다(어머, 전 혈액검사를 못해요. 주삿바늘을 너무 무서워하거든요……. 소변검사만 했으면 좋겠어요, 감사합니다).

나, 의료 기록에 임신 사실이 남는다.

나, 노엘에게 달려가 이 기쁜 소식을 전한다.

완벽하다. 닉의 범행 동기가 또 하나 늘었다. 나는 실종된 착한 임신부가 되고 우리 부모는 한층 더 괴로워할 것이며 〈엘런 애벗〉은 저항할 수 없게 될 것이다. 솔직히 말해 수많은 다른 사건을 제치고 마침내 공식적으로 엘런의 선택을 받았을 때, 나는 흥분했다. 그것은 오디션에 나가는 것과 비슷하다. 참가자는 최선을 다할 뿐이고, 그다음은 참가자가 어찌할 수 없는, 심사위원들의 몫이다.

더군다나 엘런은 닉을 싫어하고 나를 좋아한다. 하지만 우리 부모가 특별 대우를 받는 것은 마음에 들지 않는다. 나는 뉴스를 통해 그들을 본다. 야위고 가냘픈 엄마, 언제나 경직되어 있는 엄마의 목에 있는 앙상한 나뭇가지 같은 힘줄들. 두려움으로 두 뺨은 불그레하고, 조금 지나치게 눈을 뜨고 모난 웃음을 짓는 아빠. 평소에는 잘생겼지만 이제 그는 한 장의 캐리커처, 귀신 들린 광대 인형처럼 보이기 시작한다. 나는 그들을 가엾다고 생각해야 한다는 걸 알지만, 그렇게 생각하지 않는다. 나는 평생 동안 그들에게 하나의 상징이자 걸어 다니는 이상형에 불과했다. 살아 있는 어메이징 에이미. 바보짓 하지 마, 넌 어메이징 에이미야. 우리의 하나밖에 없는 자식. 외동아이에게는 불공평한 책임이 따른다. 외동아이는 자라면서 자신은 부모를 실망시킬 수 없다는 걸 알게 된다. 죽어서도 안 된다. 자신을 대체할 어린애가 없으니까. 어린애는 자기 하나뿐이다. 그래서 필사적으로 완벽해지려고 한다. 또 한편으로는 권력에 흠뻑 취한다. 독재자는 그렇게 만들어진다.

오늘 아침 나는 소다수를 사러 도로시의 사무실에 갔다. 사무실은 나무 패널을 덧댄 조그만 방이다. 책상은 도로시가 여기저기서 사 모은 스노

글로브를 진열하는 것 외에 다른 용도는 없어 보인다. 기념할 가치도 없는 방문지에서 산 것들이다. 앨라배마 주의 걸프쇼어스, 아칸소 주의 힐로. 그 스노 글로브들 속에서 나는 천국을 보지 않는다. 내가 상상하는 것은 울부짖는 산만한 아이들을 잡아당기는, 햇볕에 벌겋게 달아오른 촌사람들이다. 그들은 한 손으로는 애들을 철썩 때리고 다른 손으로는 옥수수 시럽이 든 미지근한 음료수가 담긴, 자연 분해되지 않는 거대한 스티로폼 컵을 움켜쥐고 있다.

도로시는 1970년대에 유행하던 나무에 매달린 새끼고양이 포스터 중 한 장을 갖고 있다. '조금만 더 버텨!'라고 적혀 있다. 그녀는 그 포스터를 정성을 다해 붙인다. 나는 도로시가 어느 정도 자기 도치적인 윌리엄스버그 출신의 여자와 우연히 만나는 모습을 즐겨 상상한다. 베티 페이지처럼 앞머리를 내리고 끝이 뾰족한 안경을 쓴 그 여자는 얄궂게도 똑같은 포스터를 소장하고 있다. 두 사람이 합의하려고 애쓰는 대화를 듣고 싶다. 얄궂은 사람들은 진지함과 대면했을 때 어김없이 무너진다. 그것이 그들의 크립토나이트(《슈퍼맨》에 나오는 가상의 광물로 슈퍼맨의 유일한 약점이다-옮긴이)다. 도로시의 뒤쪽 벽에 테이프로 붙어 있는 그녀의 또 다른 보물에는, 변기에 앉아 잠든 아기의 모습이 담겨 있다. '너무 졸려서 쉬를 못해요.' 나는 이 포스터를 훔칠까 생각했다. 도로시에게 말을 걸어 주의를 돌린 다음, 그 오래된 누런 테이프 밑으로 손톱을 집어넣는 것이다. 이베이에 내다 팔면 돈이 꽤 될 거라고 확신하지만—나중을 위해 현금을 좀 확보하고 싶다—그럴 수 없다. '전자 흔적'이 남을 것이기 때문이다. 수많은 범죄 서적에서 이에 관한 글을 읽었다. 전자 흔적은 피해야 한다. 자기 이름으로 개통된 휴대전화를 써서는 안 된다. 기지국에서 당신의 위치를 찾아낼 것이다. ATM이나 신용카드도 쓰지 마라. 트래픽이 많은 공용 컴퓨터만 써라. 어디서든 나타날 수 있는 수많은 카메라를 조심하라. 특히 은행 근처나 붐비는 교차로, 식료잡화점 근처를 주의하라. 이 근방에는 식료 잡화점이 없지만. 이곳 오두막 단지에는 카메라도 없다. 안전 문제 때문인 척하며 도로시에게 물어봐서 안다.

"우리 고객들은 국가의 감시를 그리 좋아하지 않죠." 그녀가 말했다. "손님들이 범죄자는 아니지만, 대개는 레이더망을 피하려고 한답니다."

내 생각에도 그런 것 같다. 내 친구 제프만 봐도 가끔 어디론가 사라졌다가 출처 모를 생선을 의심스러울 만큼 챙겨와 아이스박스에 보관한다. 말 그대로 냄새가 난다. 단지 끄트머리에는 실제 나이는 40대로 추정되지만 필로폰 과용 때문에 최소한 60대처럼 보이는 남녀가 있다. 그들은 이따금씩 광기 어린 눈을 하고 세탁실로 갈 때 말고는 대부분의 시간을 실내에서 보낸다. 옷이 담긴 쓰레기봉투들을 들고 자갈이 깔린 주차장을 잰 걸음으로 가로지른다. 성가신 봄맞이 대청소라도 하는 것처럼. 안녕, 안녕, 그들은 언제나 함께 고갯짓을 하며 두 번씩 말하고는 가던 길을 간다. 남자는 이따금씩 목에 보아 구렁이를 두르고 나타나지만, 나도 그도 뱀의 존재를 절대 인정하지 않는다. 이들 장기투숙자 외에도 꽤 많은 독신 여성들이 곳곳에 묵고 있다. 대개는 멍이 들어 있다. 몇몇은 창피해하고 몇몇은 너무나 슬픈 얼굴을 하고 있다.

어제 한 사람이 들어왔다. 금발머리에 아주 젊고 눈동자가 갈색인 그녀는 입술이 터져 있다. 그녀는 포치에 앉아—나의 옆 오두막이다—담배를 피우고 있었다. 나와 눈이 마주쳤을 때, 그녀는 당당하게 등을 곧추세우고 턱을 치켜올렸다. 미안해하는 기색이라곤 없었다. 나는 생각했다. 나도 그녀처럼 되어야겠어. 그녀를 연구할 거야. 잠시 동안 나는 그녀가 되는 거야. 폭풍이 지나갈 때까지 숨어 지내는, 학대당한 터프 걸.

나는 아침에 몇 시간 동안 에이미 엘리엇 던 사건의 새 소식을 기다리며 텔레비전을 본 뒤, 차갑고 눅눅한 비키니로 갈아입는다. 풀장으로 갈 것이다. 잠시 떠다니며 나의 괴물 같은 뇌를 좀 쉬게 할 예정이다. 임신에 관한 뉴스는 만족스러웠지만 아직도 내가 모르는 것이 너무 많다. 나는 정말로 열심히 계획을 세웠지만 내가 통제할 수 없는 것들도 있다. 그래서 앞으로 일이 어떻게 풀릴지 확신할 수 없다. 앤디는 아직도 자신의 역할을 하지 않았다. 일기가 발견되려면 도움이 좀 필요할지도 모른다. 경찰이 닉을 체포할 기미도 보이지 않는다. 경찰이 어디까지 알아냈는지 모르겠다. 마음에 들지 않는다. 제보 전화를 걸어 그들을 올바른 방향으로 이끌어주고 싶은 유혹을 느끼지만, 며칠 더 기다려볼 것이다. 내 방 벽에는 달력이 걸려 있다. 앞으로 사흘 뒤에 '오늘 전화할 것'이라고 적는다. 이렇게 해서 사흘을 더 기다리기로 한다. 일단 경찰이 일기장을 찾으면 일은 신속하게 진행될 것이다.

오늘도 바깥은 정글처럼 덥다. 매미가 시끄럽게 울어댄다. 나의 공기주입식 고무보트는 핑크색이고 인어가 그려져 있으며 나한테는 너무 작지만—내 종아리는 물속에서 달랑거리고 있다—나는 그것을 타고 족히 한 시간 동안 물 위를 둥둥 떠다닌다. 나는 '내'가 이 일을 좋아한다는 걸 깨달았다.

건너편 주차장에서 금발머리 여자의 머리가 위아래로 움직이는 것이 보인다. 잠시 후 입술이 터진 그 여자가 철책 울타리를 통과해서 나타난다. 오두막에서 제공하는 행주만 한 목욕 수건 몇 장과 메리츠 담배 한 갑, 책 한 권과 SPF 120짜리 선크림을 들고 있다. 폐암은 괜찮지만 피부암은 싫다는 건지. 그녀는 자리를 잡고 앉아 꼼꼼하게 선크림을 바른다. 이곳의 다른 매 맞은 여성들과 다른 점이다. 그들은 베이비오일을 발라

접이식 의자에 끈적거리는 흔적을 남긴다.

여자는 내게 고개를 끄덕여 인사한다. 남자들이 바에서 앉을 때 서로에게 인사하는 방식이다. 그녀는 레이 브래드버리의 《화성 연대기》를 읽고 있다. SF 걸이군. 학대받는 여자들이 현실도피를 좋아하는 건 당연한 일이다.

"좋은 책이네요." 나는 비치볼을 던지듯 그녀에게 무해한 말을 던진다.

"누가 내 방에 두고 갔어요. 이거랑 《아름다운 검정말 블랙 뷰티》랑." 그녀는 커다란 싸구려 선글라스를 쓴다.

"그것도 나쁘지 않아요. '검은 종마'가 더 낫긴 하지만."

그녀가 선글라스를 낀 채 나를 올려다본다. 벌의 눈 같은 검은 원반 두 개. "그래요."

그녀가 다시 책에 집중한다. 사람 많은 비행기에서 흔히 볼 수 있는 '나 지금 책 읽는 중이야'라는 제스처다. 이로써 나는 그녀 옆에 앉아 팔걸이를 독차지하고는 '출장이에요, 관광이에요?' 따위의 질문을 하는 짜증나는 참견꾼이 되어버렸다.

"저는 낸시예요." 내가 말한다. 리디아에 이어 새로운 이름이다. 이 비좁은 곳에서 현명한 처신은 아니지만 나도 모르게 그렇게 말한다. 때로는 지나치게 빨리 돌아가는 머리 때문에 손해를 본다. 나는 이 여자의 터진 입술과 슬프고 닮은 분위기에 대해 생각하다가 학대와 매춘을 생각했고, 이어 어렸을 적 내가 가장 좋아하던 뮤지컬인 〈올리버〉를 생각했다. 비운의 매춘부 낸시는 그의 손에 죽는 그 순간까지 그녀의 폭력적인 남자를 사랑했다. 〈그가 나를 필요로 할 때까지〉가 기본적으로 가정 폭력에 대한 경쾌한 찬가라는 점을 고려할 때, 페미니스트인 내 어머니가 어째서 나와 그 뮤지컬을 보러 갔는지 알 수가 없었다. '일기장 에이미'도 그녀의 남자에게 죽임을 당했다는 점에서 아주 흡사한……

"전 낸시예요." 내가 말한다.

"그레타예요."

지어낸 것 같다.

"만나서 반가워요, 그레타."

나는 물에 뜬 채 멀어진다. 뒤에서 그레타의 라이터가 찰칵거리는 소리가 나더니 머리 위에서 담배연기가 물보라처럼 떠돈다.

40분 뒤, 그레타는 풀의 가장자리에 앉아 두 다리로 물장구를 친다. "뜨겁네요." 그녀가 말한다. "물이요." 담배와 초원의 먼지가 느껴지는 허스키하고 억센 목소리다.

"목욕물 같죠."

"별로 상쾌하지가 않아요."

"호수 물도 비슷할걸요."

"어차피 수영도 못해요." 그녀가 말한다.

수영할 줄 모르는 사람은 처음 본다.

"저도 거의 못해요." 나는 거짓말을 한다. "개헤엄 수준이죠."

그레타가 다리로 일으키는 물결에 내 고무보트가 부드럽게 흔들린다. "여긴 어때요?" 그녀가 묻는다.

"괜찮아요. 조용하고."

"잘됐네요. 제가 원하는 곳이군요."

나는 몸을 돌려 그녀를 본다. 그녀는 금목걸이 두 개를 하고 있고, 왼쪽 가슴에 자두만 한 멍이 있다. 비키니 라인 바로 위에는 토끼풀 모양의 문신이 있다. 체리색 수영복은 새것이지만 싸구려다. 내가 고무보트를 산 정박지의 편의점에서 파는 것이다.

"혼자예요?" 내가 묻는다.

"아주."

나는 이제 뭐라고 물어야 할지 모르겠다. 학대받는 여자들끼리 쓰는 어떤 암호, 내가 모르는 언어라도 있는 걸까?

"남자 문제예요?"

그레타는 긍정하는 것처럼 한쪽 눈썹을 실룩거린다.

"나도 그래요." 내가 말한다.

"우리가 경고를 못 받은 건 아닌 것 같은데 말이죠." 그레타가 말한다. 그녀는 한 손을 오므려 물을 뜬 다음 조금씩 떨어뜨린다. "우리 엄마가 내게 가장 먼저 알려준 것 중 하나였죠. 처음으로 학교에 가던 날 말씀하셨죠. '남자애들을 멀리하렴. 돌을 던지거나 치마를 들칠 거야'."

"그 말이 적힌 티셔츠라도 만들어야겠군요."

그녀가 웃는다. "그건 진리예요. 영원한 진리죠. 우리 엄만 텍사스에 있는 레즈비언 마을에 살아요. 나도 거기 들어갈까 계속 생각 중이죠. 거기 사람들은 다들 행복해 보이거든요."

"레즈비언 마을이라고요?"

"그, 뭐더라. 코뮌이요. 레즈비언들이 공동으로 땅을 사서 그들만의 사회를 만든 거죠. 남자들은 못 들어가요. 내가 볼 땐 엄청 멋져요, 남자 없는 세상이라니." 그녀는 다시 한 번 물을 뜨더니 선글라스를 벗고 얼굴을 적셨다. "내가 조개 취향이 아니라는 게 애석한 일이죠."

그녀가 늙은 여자처럼 화가 나서 짖는 것 같은 웃음을 웃는다.

"여긴 내가 사귈 만한 얼간이 남자 없나요?" 그녀가 말한다. "이런 게 내 패턴 같아요. 한 놈한테 도망쳐서 다른 놈을 만나죠."

"이곳은 대개 반쯤 비어 있어요. 제프라고, 수염이 난 남자가 있는데 아주 착해요." 내가 말한다. "그는 나보다 오래 이곳에 있었어요."

"당신은 얼마나 있을 예정이에요?" 그레타가 묻는다.

나는 멈칫한다. 이상하다, 나는 이곳에서 얼마나 머물지 정확하게 모르고 있다. 닉이 체포될 때까지 머물 계획이었지만, 그가 곧 체포될 것인지 알 수 없다.

"남자가 당신을 찾는 것을 그만둘 때까지, 맞죠?" 그레타가 추측한다.

"비슷해요."

그녀는 얼굴을 찡그린 채 나를 꼼꼼히 뜯어본다. 배 속이 당기는 느낌이다. 나는 그녀가 '당신, 낯이 익어요'라고 말하기를 기다린다.

"새로 생긴 멍이 있는 채로 남자한테 돌아가면 절대 안 돼요. 놈들한테 만족감을 주지 마요." 그레타가 읊조린다. 그녀는 일어나서 자신의 물건을 정리하고 작은 수건으로 다리를 닦는다.

"하루 잘 때웠네요." 그녀가 말한다.

어떤 이유에선지 나는 엄지손가락을 들어 보인다. 이제껏 살면서 한 번도 해본 적 없는 행동이다.

"물놀이 끝나면 내 방에 놀러 와요, 원한다면." 그레타가 말한다. "같이 텔레비전이나 봐요."

나는 도로시에게 받은 신선한 토마토 한 개를 빛나는 집들이 선물처럼 손에 쥐고 간다. 문을 연 그레타는 마치 내가 수년 동안 들락거렸다는 듯, 거의 알은척도 하지 않는다. 그녀는 내 손에서 토마토를 가져간다.

"완벽하네요, 샌드위치를 만들고 있던 참인데." 그녀가 말한다. "앉아요." 그녀는 침대를 가리키고는—이곳 오두막에는 앉아 있을 곳이 없다—작은 주방으로 간다. 나와 똑같은 플라스틱 도마와 무딘 칼. 그녀는 토마토를 얇게 썬다. 조리대 위에 있는, 비닐포장에 싸인 원반 모양의 런천미트에서 나는 달큰한 냄새가 방 안에 가득하다. 그레타는 미끈거리는 샌드위치 두 개를 종이접시 위에 놓고 금붕어 모양 크래커를 한 줌씩 곁들인 다음, 그것들을 침실 쪽으로 들고 온다. 그녀의 손은 이미 리모컨을 잡고 이리저리 채널을 돌리고 있다. 우리는 침대 가장자리에 나란히 앉아 텔레비전을 본다.

"보는 거 있으면 말해요." 그레타가 말한다.

나는 샌드위치를 한 입 베어 문다. 토마토가 옆으로 미끄러져 나와 허벅지 위로 떨어진다.

〈비벌리 힐빌리스〉, 〈서든리 수전〉, 〈아마겟돈〉.

〈엘런 애벗 라이브〉. 내 사진이 화면을 가득 채우고 있다. 오늘도 내가 머리기사다. 아주 잘 나온 사진이다.

"이거 봤어요?" 그레타가 나를 보지 않고 묻는다. 나의 실종이 괜찮은 TV 프로그램의 재방송이라도 된다는 듯한 말투다. "저 여자는 결혼 5주년 기념일에 사라졌대요. 남편은 처음부터 정말 이상하게 굴고 있고요. 남편이 부인의 생명보험금을 증액했고 부인이 임신했다는 사실이 밝혀졌어요. 남자는 아이를 원하지 않았대요."

화면이 바뀌어 나의 다른 사진이 《어메이징 에이미》와 함께 나온다.

그레타가 나를 본다. "저 책들 기억나요?"

"그럼요!"

"좋아해요?"

"다들 귀엽다고 좋아하잖아요." 내가 말한다.

그레타가 코웃음을 친다. "엄청 가식적인 책이에요."

클로즈업된 나.

나는 그녀가 내가 아주 예쁘다고 말하기를 기다린다.

"나이에 비해 괜찮네." 그녀가 말한다. "나도 마흔 살에 저런 모습이었으면 좋겠어요."

엘런은 시청자들에게 지금까지의 이야기를 들려주고 있다. 화면은 계속해서 나의 사진을 보여준다.

"버릇없는 부잣집 딸인 것 같아요." 그레타가 말한다. "까다로운 여우."

부당한 말이다. 나는 누군가가 그렇게 결론을 내릴 만한 증거를 남기지 않았다. 미주리로 이사 온 다음부터, 그러니까 내가 계획을 세운 다음부터, 나는 수수하고 너그럽고 명랑한, 사람들이 바라는 여자가 되기 위해 애썼다. 이웃들에게 손을 흔들어 인사했고 시어머니의 친구들을 위해 심부름을 했으며 언제나 지저분한 스틱스 버클리에게 레모네이드를 준 적도 있다. 시아버지를 보러 가서 모든 간호사들이 내가 얼마나 착한 사람인지 증언할 수 있도록 했다. 나는 빌 던의 거미줄 같은 뇌에 대고 속삭이고 또 속삭였다. 사랑해요, 우리와 함께 살아요, 사랑해요, 우리와 함께 살아요. 과연 그것이 먹힐 것인가 알아보기 위해서. 컴포트 힐 사람들은 시아버지를 방랑자라고 불렀다. 언제나 정처 없이 돌아다녔기 때문이다. 닉이 자신도 그렇게 될까 봐 두려워하는 모든 것들의 살아 있는 토템이자, 닉의 가장 절망적인 대상인 빌 던이 우리 집 문간에 나타나고, 나타나고, 나타나고, 또 나타나는 상상은 나를 즐겁게 한다.

"저 여자가 왜 여우 같아요?" 내가 묻는다.

그레타가 어깨를 으쓱한다. 텔레비전에서는 방향제 광고가 나온다. 한 여자가 가족의 행복을 위해 방향제를 뿌리고 있다. 다음은 여자가 드레스를 입고 춤을 추고, 남자를 만날 수 있게 하는 아주 얇은 팬티라이너 광고다. 그녀는 훗날 그를 위해 방향제를 뿌리겠지.

청소하고 피를 흘린다. 피를 흘리고 청소한다.

"척 보면 알잖아요." 그레타가 말한다. "딱 보니 부자에, 사는 게 지루한 여우 같잖아요. 남편 돈이나 부모 돈으로 컵케이크 회사나 카드 가게, 부티크 나부랭이를 시작하는 부잣집 여우들 있잖아요."

뉴욕에 살 때, 그런 사업을 하는 친구들이 있었다. 그들은 자신들이 일을 한다고 말할 수 있다는 사실을 좋아했다. 하는 일이라곤 컵케이크 이름을 짓거나 문구류를 주문하거나 자기 가게에 있는 예쁜 옷을 입는 것처럼 사소하고 재미있는 일뿐이면서 말이다.

"저 여자도 분명 그들 중 하나일 거예요." 그레타가 말한다. "젠체하는 부잣집 여우."

그레타가 화장실에 가자 나는 살금살금 주방으로 걸어가서 냉장고를 열고 우유와 오렌지주스와 감자샐러드 용기 속에 침을 뱉은 다음, 다시 살금살금 걸어 침대로 돌아온다.

물 내리는 소리. 그레타가 돌아온다. "그렇다고 해서 그가 그녀를 죽여도 된다는 뜻은 아니에요. 그녀 역시 남자를 잘못 고른 또 한 명의 여자일 뿐이죠."

그녀는 나를 똑바로 쳐다보고 있다. 나는 그녀가 말하기를 기다린다. "어, 잠깐만……."

하지만 그녀는 다시 텔레비전으로 눈을 돌리고 아이처럼 배를 깔고 엎드려 두 손으로 턱을 괴고 화면에 뜬 내 모습을 쳐다본다.

"어, 시작한다." 그레타가 말한다. "사람들은 저 남자를 증오할 거예요."

쇼가 시작되고 나는 기분이 조금 나아진다. 에이미는 신격화되고 있다.

캠벨 매킨토시, 어린 시절 친구. "에이미는 정말 잘 챙겨주고 엄마 같은 여자예요. 그녀는 아내가 된다는 사실에 무척 기뻐했어요. 난 그녀가 훌륭한 엄마가 됐을 거라고 믿어요. 하지만 닉은, 닉이 어딘가 이상하다는 걸 아시잖아요. 냉정하고 차갑고 아주 계산적이죠. 그는 에이미가 얼마나 돈이 많은지 분명 알고 있었을 거예요."(캠벨은 거짓말을 하고 있다. 그녀는 닉 앞에서 눈을 희번덕거렸다. 그를 좋아하는 게 분명했다. 하지만 그녀는 물론 그가 오직 돈 때문에 나와 결혼했다고 믿고 싶을 것이다.)

쇼나 켈리, 노스 카르타고 주민. "정말이지 이상하다고 생각했어요. 부인을 찾기 위해 수색 작업을 하는데, 그는 완전히 무관심했거든요. 아시다시피 그는 수다를 떨면서 시간만 때우고 있었죠. 일면식도 없던 나한테 추파를 던지면서요. 전 에이미 이야기를 하려고 애썼지만 그는 전혀 관심이 없었어요."(이 발악하는 헤픈 백인 쓰레기는 절대로 내 이야기를 하려고 애쓰지 않았을 것이다.)

스티븐 '스틱스' 버클리, 닉 던의 오랜 친구. "에이미는 착한 여자였어요. 착한 여자요. 닉이요? 그는 실종된 에이미를 그다지 걱정하는 것 같지도 않았습니다. 그는 항상 그런 식이었어요. 자기중심적이고 좀 거만하죠. 자기는 뉴욕에서 출세했으니까 우리 모두 고개를 숙여야 한다는 듯이."(나는 스틱스 버클리를 경멸한다. 그리고 무슨 이름이 저따위람?)

머리카락을 새로 염색한 것처럼 보이는 노엘 호손. "저는 그가 그녀를 죽였다고 생각해요. 아무도 그렇게 말하지 않겠지만 전 말할 거예요. 그는 에이미를 학대하고 괴롭히고 결국 죽였어요."(충직한 개.)

그레타가 옆눈으로 나를 흘깃 본다. 그녀의 뺨이 손 아래에 짓눌려 있다. 그녀의 얼굴에서 텔레비전의 불빛이 깜빡인다.

"저 말이 사실이 아니었으면 좋겠어요." 그녀가 말한다. "남편이 그녀를 죽였다는 거요. 어쩌면 그녀는 그냥 도망쳤을지도 몰라요. 남편에게서 도망쳐서 지금 안전하게 숨어 있다고 생각하고 싶어요."

그녀는 게으른 물놀이객처럼 다리를 위아래로 흔든다. 그녀가 나를 엿먹이고 있는 것인지 알 수가 없다.

닉 던

실종 8일째

우리는 아버지의 집을 샅샅이 뒤졌다. 집은 딱할 정도로 텅 비어 있어서 일이 금방 끝났다. 장식장들, 옷장들. 나는 양탄자마다 가장자리를 들춰보았고 세탁기 속을 들여다보았으며 연통 위로 손을 집어넣었다. 변기 수조 뒤쪽까지 찾아보았다.

"너 정말 대부 같아." 고가 말했다.

"정말 대부 같다면 우리가 찾는 걸 찾아내서 총을 쏘며 나왔겠지."

태너는 아버지의 거실 한가운데 서서 그의 라임 색 넥타이 끝을 잡아당기고 있었다. 나와 고는 먼지와 검댕으로 더러워졌지만 어찌 된 일인지 태너의 흰색 버튼다운셔츠는 아직까지도 섬광전구 같은 뉴욕의 화려함을 일부 간직한 듯 환하게 빛나고 있었다. 그는 입술을 깨물고 넥타이 끝을 잡아당기며, 장식장의 가장자리를 노려보면서 생각을 하고 있었다. 이 남자는 아마도 오랜 세월을 들여 그 표정을 완성했으리라. '입 닥쳐요, 고객님, 난 지금 생각 중이니까' 하는 표정.

"마음에 들지 않는군요." 마침내 태너가 말했다. "우리에게는 통제되지 않은 문제가 많습니다. 저는 우리가 아주, 아주 많이 통제할 수 있을 때까지는 경찰에 알리고 싶지 않아요. 저의 첫 직감은 한발 앞서 상황에 대처하자는 것이었습니다. 헛간에 있는 물건을 들키기 전에 신고하자는 쪽이었지요. 하지만 에이미가 우리가 여기서 무엇을 발견하기를 원하는지 모른다면, 그리고 앤디의 마음이 어떤 상태인지 모른다면…… 닉, 앤디의 마음이 어떤 상태인지 추측할 수 있습니까?"

나는 어깨를 으쓱했다. "화가 났죠."

"그건 저를 아주, 아주 걱정스럽게 만드는군요. 우린 지금 기본적으로 정말로 골치 아픈 상황에 처해 있습니다. 우리는 경찰에 헛간에 대해 말할 필요가 있습니다. 이와 관련해서는 우리가 앞서 나가야만 합니다. 하지만 우선 그렇게 했을 때 무슨 일이 벌어질지 말씀드리고 싶군요. 경찰은 고를 의심할 겁니다. 둘 중 하나예요. 첫째, 고가 당신의 공범이다. 그녀는 당신이 이 물건을 자신의 집에 숨기도록 도와주었으며, 십중팔구 당신이 에이미를 죽였다는 사실을 알고 있다."

"무슨 소립니까, 진심으로 하는 말이에요?" 내가 말했다.

"닉, 첫 번째는 그나마 운이 좋은 겁니다." 태너가 말했다. "경찰은 자기 마음대로 해석할 수 있습니다. 이건 어떻습니까? 고가 당신을 사칭해서 신용카드를 만들었다. 그곳에 있는 모든 잡동사니를 사들인 것도 고다. 그것을 에이미가 알게 되어 싸움이 벌어졌고, 고가 에이미를 죽였다."

"그렇다면 우리는 모든 면에서 훨씬 앞서가야죠." 내가 말했다. "경찰에 헛간에 대해 이야기하고, 에이미가 내게 누명을 씌우고 있다고도 말하는 겁니다."

"그건 전반적으로 좋지 않은 생각 같습니다. 지금 당장 앤디를 우리 편으로 만들 수 없다면요. 우리는 앤디에 대해서도 말해야 하니까요."

"왜요?"

"우리가 경찰에 가서 당신의 이야기를, 에이미가 당신에게 누명을 씌웠다는 이야기를 한다면⋯⋯."

"왜 자꾸 꾸며낸 이야기인 것처럼 '당신의 이야기'라고 말하는 겁니까?"

"하. 좋은 지적입니다. 에이미가 어떻게 당신에게 누명을 씌웠는지 경찰에게 설명하려면 우리는 그녀가 왜 당신에게 누명을 씌우려 했는지 설명해야만 합니다. 왜? 그녀는 당신이 아주 예쁘고 아주 어린 여자 친구를 몰래 만나고 있다는 사실을 발견했기 때문에."

"경찰한테 꼭 그 얘기를 해야 합니까?" 내가 물었다.

"에이미는 당신에게 살인 누명을 씌웠다. 왜냐하면⋯⋯ 그녀는⋯⋯ 뭐, 지루했기 때문에?"

나는 입술을 깨물었다.

"우리는 경찰에게 에이미의 동기를 말해주어야만 합니다. 다른 방법이 없어요. 하지만 문제는, 만약 우리가 그들의 문간에 앤디를 선물로 올려두었는데도 그들이 누명 이야기를 믿지 않을 경우 우린 그저 당신의 살해 동기를 알려주는 것과 다름없게 된다는 겁니다. 돈 문제, 확인. 임신한 아내, 확인. 여자 친구, 확인. 그야말로 살인자의 3종 세트죠. 당신은 침몰할 겁니다. 여자들이 손톱으로 당신을 갈가리 찢어놓으려고 줄을 설 거라고요." 태너가 이리저리 서성이기 시작했다. "하지만 우리가 아무것도 하지 않는다면, 그사이 앤디가 경찰에 가서⋯⋯."

"그럼 우린 어떻게 해야 합니까?" 내가 물었다.

"제 생각에, 우리가 지금 가서 에이미가 당신에게 누명을 씌웠다고 말한다면 경찰은 우리를 비웃으면서 경찰서 밖으로 쫓아낼 겁니다. 이야기가 너무 엉성해요. 저는 당신을 믿지만, 엉성한 이야기인 건 사실이죠."

"하지만 보물찾기 단서들은……." 내가 말을 시작했다.

"닉, 나조차도 그 보물찾기 단서들은 이해가 안 돼." 고가 말했다. "그건 모두 너와 에이미만 아는 이야기야. 그것들이 너를…… 범인처럼 보이게 하는 상황으로 이끈다는 건 네가 하는 말일 뿐이지. 그러니까, 형편없는 청바지와 챙 달린 모자가 해니벌을 뜻한다는 게 말이 돼?"

"작은 갈색 집이 '파란색'인 당신 아버지의 집을 뜻하는 것도." 태너가 덧붙였다.

나는 태너가 의심하고 있다는 걸 느낄 수 있었다. 나는 정말로 에이미의 성격을 그에게 알려줘야 했다. 그녀의 거짓말, 집요함, 복수심을. 내 말―내 아내가 '어메이징 에이미'가 아니라 '어벤징 에이미'라는 것―을 뒷받침해줄 다른 사람들이 필요했다.

"오늘 우리가 앤디에게 연락할 수 있는지 알아보죠." 마침내 태너가 말했다.

"지금 꾸물거리는 건 위험한 거 아닌가요?" 고가 물었다.

태너가 고개를 끄덕였다. "네, 위험합니다. 우리는 신속하게 움직여야 합니다. 만에 하나 또 다른 증거가 나타난다면, 경찰이 헛간 수색영장을 받는다면, 앤디가 경찰에 가서……."

"앤디는 그러지 않을 겁니다." 내가 말했다.

"그 여자는 당신 얼굴을 물었어요, 닉."

"그러지 않을 거예요. 앤디는 지금 화가 났지만 그녀는…… 저는 앤디가 제게 그럴 거라고 믿을 수가 없습니다. 앤디는 내가 결백한 걸 알아요."

"닉, 에이미가 사라지던 날 아침에 한 시간 정도 앤디와 함께 있었다고 했죠?"

"네. 열 시 반쯤부터 정오 직전까지요."

"그럼 일곱 시 반에서 열 시 사이에는 어디에 있었습니까?" 태너가 물었다. "일곱 시 반에 집을 나섰다고 했죠? 어디에 갔습니까?"

나는 볼 안쪽을 깨물었다.

"어디 갔습니까, 닉? 저는 알아야 합니다."

"관계 없는 일입니다."

"닉!" 고가 매섭게 말했다.

"그냥 가끔씩 아침에 하던 일을 했습니다. 출근하는 척 집을 나와서는 우리 주택 단지의 가장 외진 곳으로 가서…… 차고가 열려 있는 집들 중 한 곳으로 갔습니다."

"그리고요?" 태너가 말했다.

"거기서 잡지를 보거든요."

"네?"

"예전에 제가 냈던 잡지들을 읽는다고요."

나는 아직도 그 잡지들이 그리웠다―나는 그것들이 음란물이라도 되는 양 몰래 숨겨두었다. 누군가 나를 불쌍하게 보기를 원치 않았기 때문이다.

고개를 드니 태너와 고가 나를 아주, 아주 불쌍하게 보고 있었다.

나는 차를 타고 우리 집으로 돌아왔다. 정오가 막 지나 있었다. 거리를 가득 메운 뉴스 중계차들과 우리 잔디밭에 진을 친 기자들이 나를 맞이했다. 우리 집 진입로로는 들어갈 수조차 없어 집 앞 공원에 주차해야만 했다. 나는 심호흡을 한 번 한 뒤에 차에서 내렸다. 그들은 굶주린 새처럼 쪼

아대고 펄럭이며 흩어졌다가, 다시 모여 나를 공격했다. 닉, 에이미가 임신한 걸 알고 있었나요? 닉, 당신의 알리바이는 뭡니까? 닉, 당신이 에이미를 죽였나요?

나는 겨우 집으로 들어와 문에 기대어 섰다. 문 양옆에는 창문이 있었다. 나는 과감하게 움직여 재빨리 블라인드를 내렸다. 그사이 카메라들이 찰칵거렸고 질문이 쏟아졌다. 닉, 에이미를 죽였습니까? 차양을 내리자 마치 밤이 되어 카나리아 새장을 덮은 것처럼 바깥의 소음이 그쳤다.

나는 위층으로 올라가 실컷 샤워를 했다. 아버지의 집에서 묻은 때가 씻겨져 나가도록 한참 동안 눈을 감고 물줄기를 맞았다. 눈을 떴을 때 처음 보인 것은 비누 받침대 위에 놓인 에이미의 분홍색 면도기였다. 그것은 불길하고 사악한 느낌을 주었다. 내 아내는 미쳤다. 나는 미친 여자와 결혼했다. 모든 얼간이의 만트라, '나는 사이코 년과 결혼했다'. 한편으로는 작고 추악한 만족감도 들었다. 나는 진짜, 제대로 된 사이코 년과 결혼했다. 사람을 세상에서 제일 잘 조종하는 인간과 결혼했다. 난 내가 생각하는 것만큼 엄청난 얼간이는 아니었다. 얼간이이긴 하지만 대단할 것 없는 얼간이였다. 내가 바람을 피운 것은 5년의 세월 동안 미친 여자에게 발목을 잡힌 데 대한 선제적이고 무의식적인 반응이었던 것이다. 내가 복잡하지 않고 착한 고향 여자에게 끌렸던 것은 우연이 아니었다. 그것은 마치 철분이 결핍된 사람이 붉은 살코기에 열광하는 것과 같다.

수건으로 몸을 닦고 있는데 초인종이 울렸다. 나는 욕실 문 밖으로 몸을 내밀고 다시 한 번 기자들의 목소리를 들었다. 사위를 믿으세요, 메리베스 씨? 손주가 생겼다는 걸 알게 된 기분이 어떻습니까, 랜드 씨? 닉이 따님을 죽였다고 생각하십니까, 메리베스 씨?

그들은 단호한 표정을 하고 등을 곧추세운 채, 현관 앞 계단 위에 나란히 서 있었다. 기자들과 파파라치들은 열 명 남짓이었지만 그 두 배는 되는 소음을 일으키고 있었다. 사위를 믿으세요, 메리베스 씨? 손주가 생겼다는 걸 알게 된 기분이 어떻습니까, 랜드 씨? 엘리엇 부부는 인사말을 웅얼거리고 눈을 내리깔며 안으로 들어왔고, 나는 카메라들을 향해 문을 쾅닫았다. 랜드는 한 손을 내 팔에 얹었다가 메리베스가 쏘아보자 얼른 손을 치웠다.

"죄송합니다, 샤워를 하고 있었어요." 머리카락에서 여전히 떨어지는 물방울 때문에 티셔츠의 어깨 부분이 젖었다. 메리베스는 머리카락에 기름이 흘렀고, 옷은 후줄근했다. 장모는 미친 사람을 보듯 나를 보았다.

"태너 볼트라니, 자네 진심인가?" 장모가 물었다.

"무슨 말씀이세요?"

"태너 볼트라니, 진심이냐고. 그는 유죄인 사람만 변호해." 그녀는 가까이 다가와 내 턱을 잡았다. "자네 턱은 왜 이런가?"

"두드러깁니다. 스트레스성이에요." 나는 고개를 돌렸다. "태너에 대한 그런 소문은 사실이 아닙니다. 장모님. 그 사람은 업계 최고예요. 전 지금 그가 필요합니다. 지금 경찰은 저만 주목하고 있어요."

"그건 확실히 사실인 것 같네." 장모가 말했다. "물린 자국 같은데."

"두드러기예요."

메리베스는 짜증 섞인 한숨을 내쉬고, 모퉁이를 돌아 거실로 들어갔다. "여기가 그 일이 일어난 곳인가?" 장모가 물었다. 그녀의 얼굴은 살찐 이랑들로 무너져 있었다. 눈 밑 지방과 축 늘어진 뺨, 아래로 처진 입술.

"그렇게 생각하고 있습니다. 어떤…… 다툼이요. 주방에서도 싸움이 있었고요."

"피 때문에 말이지." 메리베스는 오토만을 이리저리 만져보더니 조금 들어 올렸다가 떨어뜨렸다. "자네가 전부 치워버리지 않았으면 좋았을 것을. 아무 일도 없었던 것처럼 만들어놓았군."

"여보, 닉은 여기서 살아야 하잖소." 장인이 말했다.

"난 아직도 이해가 안 돼요. 내 말은, 만약 경찰이 다 찾아낸 게 아니라면요? 만약에…… 모르겠어요. 경찰은 마치 포기한 것처럼 보여요. 그냥 이 집을 방치하는 것 같다고요. 아무에게나 개방하면서."

"경찰은 분명 모든 걸 찾아냈을 거요." 장인이 말하며 장모의 손을 꽉 잡았다. "에이미의 물건들을 보여달라고 부탁하는 게 어떻소? 특별한 물건을 당신이 간직할 수 있도록 말이오, 응?" 그가 내게 눈짓을 했다. "그래도 괜찮겠지, 닉? 지금 그 애의 물건을 갖고 있으면 위안이 될 거야." 장인이 다시 장모를 쳐다보았다. "나나가 에이미에게 떠준 그 파란색 스웨터 말이오."

"여보, 내가 필요한 건 그 빌어먹을 파란 스웨터가 아니에요!"

장모는 장인의 손을 뿌리치고 온 거실을 돌아다니며 물건들을 건드리기 시작했다. 그녀는 발가락으로 오토만을 밀었다. "이게 그 오토만인가, 닉?" 장모가 물었다. "뒤집어져 있었지만 사실은 그렇게 될 수 없다고 경찰이 말한?"

"그 오토만입니다."

그녀는 멈춰 서서 오토만을 다시 발로 찬 다음, 꼿꼿이 서 있는 그것을 쳐다보았다.

"여보, 닉은 분명 피곤할 거요." 장인이 의미심장한 미소를 지으며 나를 흘끗 쳐다보았다. "우리 모두가 그렇잖소. 우리가 와서 하려고 했던 일만 하고……."

"이게 내가 와서 하려고 했던 일이에요, 여보. 세 살짜리처럼 에이미의 그 바보 같은 스웨터를 껴안고 자려는 게 아니라고요. 난 내 딸을 원해요. 그 애의 물건을 원하는 게 아니라고요. 그 애의 물건은 나한테 아무런 의미가 없어요. 난 닉이 우리에게 지금 대체 무슨 일이 벌어지고 있는지 말해주기를 원해요. 지금 모든 게 악취를 풍기기 시작했으니까요. 난 살면서 이렇게, 이렇게 바보 같은 기분은 처음이에요." 그녀는 울기 시작했고 눈물을 닦았다. 우는 자신에게 분노하는 것 같았다. "우린 자네를 믿고 우리 딸을 맡겼네. 우린 자네를 믿었어, 닉. 우리한테 진실을 말해!" 그녀는 떨리는 집게손가락을 내 코밑에 갖다 댔다. "그게 사실인가, 닉? 아이를 원하지 않았어? 에이미를 더 이상 사랑하지 않았던 거야? 그 애를 해쳤나?"

그녀를 후려치고 싶었다. 메리베스와 랜드는 에이미를 길렀다. 에이미는 말 그대로 그들의 합작품이었다. 그들이 그녀를 창조했다. 나는 '당신 딸은 괴물이야'라고 말하고 싶었지만—경찰에 말하기 전까지는—할 수 없었기에, 계속 멍청하게 서서 무슨 말을 해야 할지 생각해내려고 애썼다. 그 모습이 그들에게는 완강히 거부하는 것처럼 보였다.

"장모님, 저라면 절대……."

"저라면 절대, 저라면 결코, 자네의 빌어먹을 입에서 나오는 소리는 그것뿐이야. 그거 아나, 난 이제 자네를 보는 것조차 싫어. 진심이야. 자넨 어딘가 잘못됐어. 자네 속에는 뭔가 빠져 있어. 자네가 행동하고 있는 방식을 보면 말이야. 설사 자네에게 전혀 잘못이 없었다고 밝혀진다 해도 난 이 모든 일에 무관심했던 자네를 결코 용서하지 않을 거야. 자넨 망할 우산 하나쯤 없어진 것처럼 굴고 있어! 에이미가 자네를 위해 포기한 모든 것, 자네를 위해 해준 모든 것에 대한 보답이 이건가. 그건…… 자넨…… 난 자네를 믿지 않아, 닉. 난 이 사실을 알려주려고 여기 왔네. 난 자넬 믿지 않아. 더 이상은."

장모는 울음을 터뜨리며 돌아서서 현관문 밖으로 뛰쳐나갔고, 흥분한 카메라맨들이 그녀를 찍었다. 그녀는 차에 탔고 기자 두 명이 창문을 두드리며 그녀의 대답을 들으려 애쓰고 있었다. 나와 장인은 거실에서 그들이 장모의 이름을 계속해서 부르는 소리를 들었다. 메리베스 씨…… 메리베스 씨…….

장인은 두 손을 주머니에 넣고 어떤 역할을 해야 할지 알아내려고 애쓰고 있었다. 태너의 목소리 — 우리는 엘리엇 부부를 계속 우리 편으로 만들어야 합니다 — 가 그리스 비극 속의 코러스처럼 내 귓가에 울렸다.

장인이 입을 열었을 때 내가 먼저 끼어들었다.

"장인어른, 제가 어떻게 해야 할까요?"

"그냥 말하게, 닉."

"무슨 말이요?"

"난 묻고 싶지 않고, 자넨 대답하고 싶지 않지. 알고 있네. 하지만 난 자네가 그 말을 하는 걸 듣고 싶어. 자네가 우리 딸을 죽이지 않았다고."

그는 웃는 동시에 울음을 터뜨렸다. "맙소사, 평정을 유지할 수가 없군." 랜드가 말했다. 그의 얼굴이 점점 붉어지고 있었다. "어떻게 이런 일이 일어날 수 있는지 이해가 안 돼. 이해할 수가 없어!" 그는 아직도 웃고 있었다. 한 줄기 눈물이 그의 턱까지 흘러내렸다가 셔츠 깃 위에 떨어졌다. "그냥 말해, 닉."

"장인어른, 저는 에이미를 죽이지 않았고 어떤 식으로도 해치지 않았습니다." 장인은 계속 나를 쳐다보고 있었다. "제 말을 믿어주시겠습니까, 제가 물리적으로 아내를…… 해치지 않았다는 걸요?"

장인은 또 웃었다. "내가 뭐라고 말하려 한 줄 아는가? 난 이렇게 말하려고 했어. 난 더 이상 무엇을 믿어야 할지 모르겠다고. 그런데 그게 다른 누구의 대사라는 생각이 들더군. 그건 영화 속 대사지 내가 할 말은 아니라고 말이야. 그리고 잠시 궁금했네. 내가 지금 영화 속에 있는 건가? 이 영화에서 그만 나올 수는 없는 걸까? 그리고 깨달았네. 난 그럴 수 없다는 걸. 잠시 동안 자넨 생각했겠지. 내가 뭔가 다른 말을 하면 이 모든 것이 바뀔까 하고. 하지만 그렇지 않을 거야, 그렇지?"

그는 잭 러셀 테리어처럼 재빨리 고개를 한 번 젓고 나서, 몸을 돌려 아내를 따라 나가 차로 갔다.

나는 슬픔을 느낀 것이 아니라 머릿속에서 경고음을 들었다. 엘리엇 사람들이 진입로를 벗어나기도 전에 나는 생각했다. 우린 빨리, 곧 경찰서에 가야 한다. 엘리엇 부부가 공개적으로 나를 불신한다고 말하기 전에. 태너는 우리에게 증거가 더 필요하다고 말했다. 하나의 행동 패턴, 복수하는 에이미. 나는 순간 토미 오하라를 떠올렸다. 제보 라인에 세 차례 전화를 했던, 과거 에이미가 강간죄로 기소했던 남자. 태너는 그에 대한 기본적인 조사를 해놓았다. 그는 내가 이름만 듣고 상상했던 아일랜드계 마초가 아니었다. 소방수도 경찰도 아니었다. 그는 꽤 괜찮은 온라인 유머 사이트에 글을 썼다. 기고자 사진 속의 그는 거무스름한 뿔테 안경을 쓰고 굵고 검은 머리카락이 거북하게 난, 깡마른 남자였다. 비뚜름한 미소를 짓고 빙고스라는 밴드의 티셔츠를 입고 있었다.

그는 곧바로 전화를 받았다.

"네?"

"저는 닉 던입니다. 제 아내 일로 전화하셨죠. 에이미 던, 에이미 엘리엇이요. 당신과 꼭 이야기를 하고 싶습니다."

잠시 아무 소리도 들리지 않았다. 나는 그가 힐러리 핸디처럼 전화를 끊을 거라고 생각했다.

"10분 후에 다시 전화해주십시오."

나는 그렇게 했다. 그는 바에 있었다. 소리만으로 알 수 있었다. 손님들의 중얼거림, 얼음이 달그락거리는 소리, 술을 시키거나 친구들을 소리쳐 부를 때마다 기이하게 터져 나오는 소리. 갑자기 내 바에 대한 향수가 솟구쳤다.

"네, 고마워요." 그가 말했다. "바에 가야 했습니다. 스카치가 필요한 이야기 같아서요." 그의 목소리가 점점 더 가깝고 굵게 들려왔다. 나는 술잔을 앞에 놓고 방어적으로 몸을 웅크리며 전화기를 입 가까이에 가져가는 그의 모습을 상상할 수 있었다.

"그러니까." 내가 말을 시작했다. "당신이 남긴 메시지들을 들었습니다."

"그래요. 에이미는 아직 실종 상태인 거죠?"

"네."

"당신은 에이미에게 무슨 일이 일어났다고 생각하는지 물어봐도 되겠습니까?" 그가 말했다.

젠장. 술이 필요했다. 나는 내 바 다음으로 가장 좋아하는 장소인 부엌으로 가서 스카치를 한 잔 따랐다. 술 마시는 것을 좀 더 조심하려고 노력하는 중이었지만 느낌이 기막히게 좋았다. 스카치의 톡 쏘는 맛, 바로 밖에 눈부신 태양이 있는 어두운 실내.

"당신이 전화를 걸었던 이유를 물어도 될까요?" 내가 말했다.

"전 방송을 보고 있었습니다." 그가 말했다. "당신은 신세를 조졌어요."

"맞아요. 내가 당신과 얘기하고 싶었던 이유는…… 당신이 연락하려고 애썼다는 게 흥미로웠기 때문입니다. 강간죄로 기소되었던 걸 생각할 때 말이죠."

"아, 알고 계시는군요." 그가 말했다.

"저는 당신이 강간으로 기소되었다는 사실을 알고 있지만 그렇다고 해서 당신이 강간범이라고 확신하고 있지는 않습니다. 저는 당신의 입장을 들어보고 싶었습니다."

"그래요." 그가 스카치를 한 모금 마신 뒤 죽 들이켠 다음, 잔 속의 얼음을 흔드는 소리가 들렸다. "어느 날 밤 뉴스에서 이야기를 들었습니다. 당신과 에이미의 이야기를요. 나는 그때 침대 속에서 태국 음식을 먹으면서 내 일에 대해 생각하던 중이었습니다. 갑자기 머릿속이 엉망이 되었죠. 그 여자 때문에. 그렇게 오랜 세월이 흐른 뒤였는데도 말입니다." 그는 바텐더를 불러 한 잔 더 시켰다. "내 변호사는 절대 당신과 얘기하면 안 된다고 했지만…… 어쩌겠습니까? 난 빌어먹게 착합니다. 당신이 고통으로 몸부림치게 내버려둘 수가 없어요. 맙소사, 당신이 바에서 담배를 피울 수 있기를 바랍니다. 이건 스카치와 담배가 필요한 이야기거든요."

"말씀해주십시오." 내가 말했다. "성폭행 혐의에 대해서, 강간에 대해서요."

"아까 말했듯이, 저는 쭉 방송을 보고 있습니다. 언론은 당신을 아주 가혹하게 다루고 있더군요. 내 말은, 당신이 범인이라는 것처럼요. 저는 끼어들면 안 됩니다. 나는 그 여자가 내 인생에 다시 끼어드는 게 싫어요. 아주 사소한 일로라도 말이죠. 하지만, 젠장. 그때 누군가가 나를 도와주었다면 좋았을 거라고 생각합니다."

"그러니 저를 좀 도와주십시오." 내가 말했다.

"우선, 에이미는 소를 취하했습니다. 아시죠?"

"압니다. 당신은 정말로 그 일을 했나요?"

"제기랄. 당연히 안 했어요. 당신은 했어요?"

"아뇨."

"그럼."

토미가 다시 한 번 스카치를 부탁했다. "하나 물어볼게요. 두 사람의 결혼 생활이 괜찮았습니까? 에이미는 행복했나요?"

나는 침묵을 지켰다.

"꼭 대답하지 않아도 됩니다. 하지만 전 그렇지 않았다고 짐작할 겁니다. 에이미는 행복하지 않았을 거예요. 이유야 어떻든 간에. 알고 싶지도 않습니다. 짐작은 가지만 묻지 않을 거예요. 하지만 당신이 꼭 알아야 할 사실이 있습니다. 에이미는 불행할 때 신처럼 행동하는 것을 좋아합니다. 구약 성서의 하느님처럼요."

"무슨 뜻이죠?"

"그 여자는 벌을 내려요." 토미가 말했다. "호되게." 그가 전화기에 대고 웃었다. "내 말은, 당신이 날 봐야 하는데." 그가 말했다. "내 외모는 알파형 남성(강한 이미지의 남성을 일컫는 말―옮긴이) 강간범과는 거리가 멀어요. 시시한 놈처럼 생겼죠. 실제로도 시시한 놈이고요. 내가 가라오케에 가면 부르는 노래는 〈시스터 크리스천〉이라고요, 맙소사. 난 〈대부 2〉를 보면서 울어요. 볼 때마다." 그가 침을 삼킨 뒤 기침을 했다. 긴장이 풀리는 것 같았다.

"프레도?" 내가 물었다.

"프레도, 그렇죠. 불쌍한 프레도."

"밟혔죠."

대부분의 남자들은 스포츠를 공용어로 삼는다. 이것은 영화광으로 치면 유명한 축구 경기의 훌륭한 플레이를 논하는 것과 같았다. 우린 둘 다 그 대사를 알고 있었고, 그 사실은 하루는 족히 걸릴 '우리 괜찮은 거지' 하는 잡담을 불필요하게 만들었다.

그가 술을 한 잔 더 받았다. "정말이지 좆같이 터무니없는 일이었어요."

"말해봐요."

"녹음을 하거나 그런 거 아니죠? 누군가가 같이 듣고 있다거나? 분명히 말해줘야 해요."

"우리 둘뿐입니다. 전 당신 편이에요."

"전 어느 파티에서 에이미를 만났습니다. 그러니까, 7년 전쯤의 일이군요. 그녀는 정말이지 끝내주게 쿨했어요. 너무나 유쾌하고 기묘하고…… 쿨했죠. 우린 금세 눈이 맞았습니다. 난 여자들한테 별로 인기가 없어요. 적어도 에이미처럼 생긴 여자들한테는요. 그래서 난 생각하기를…… 처음에 난 그녀가 나를 놀린다고 생각했죠. 어디에 함정이 있을까? 하지만 우린 데이트를 시작했고, 서너 달 정도 만났을 때야 난 함정을 발견했어요. 에이미는 내가 만나고 있다고 생각한 여자가 아니었습니다. 그녀는 재미있는 것들을 인용할 수 있었지만 사실은 재미있는 것들을 좋아하지 않았어요……. 어쨌거나 그녀는 웃는 것을 좋아하지 않았죠. 사실, 그녀는 내가 웃거나 자신을 웃기는 것도 좋아하지 않았어요. 우스꽝스러운 것이, 웃기는 건 제 직업인데, 에이미에게 그것은 시간 낭비일 뿐이었죠. 그러니까, 난 에이미가 애초에 왜 나와 사귀었는지조차 모르겠습니다. 나를 좋아하지도 않았던 게 분명하니까요. 무슨 말인지 아시겠습니까?"

나는 고개를 끄덕이고 스카치를 한 모금 마셨다. "네. 압니다."

"그래서 난 에이미와의 만남을 피하려고 변명을 하기 시작했죠. 절교를 선언하지는 않았어요. 난 멍청이고, 그녀는 미인이니까요. 난 상황이 호전되기를 바랐습니다. 하지만 난 꽤 자주 변명거리를 지어냈어요. 일이 너무 많아, 마감이 코앞이야, 친구가 놀러 왔다, 내 원숭이가 아프다, 아무거나요. 그리고 다른 여자를 가끔 만나기 시작했어요. 그냥 가벼운 관계라고 저는 생각했어요. 그런데 에이미가 알게 되었습니다. 어떻게 알게 되었는지는 지금도 몰라요. 아마 내 아파트를 감시하거나 했겠죠. 하지만…… 젠장……."

"술 좀 마셔요."

우리는 둘 다 한 모금씩 마셨다.

"어느 날 밤 에이미가 내 아파트로 왔어요. 내가 다른 여자를 만나기 시작한 지 한 달쯤 됐을 때였죠. 그날 밤의 에이미는 완전히 예전의 에이미로 돌아가 있었어요. 일본 언더그라운드 공연이 담긴, 내가 좋아하는 희극 영화의 해적판 DVD를 가져왔고, 햄버거도 사 왔죠. 우린 같이 그 DVD를 봤는데, 에이미가 한쪽 다리를 제 다리 위에 올려놓더니 내 품으로 파고들었어요. 그래서…… 미안합니다. 이젠 당신 아내인데. 제 얘기의 요점은, 그녀는 나를 흥분시키는 법을 알고 있었어요. 그래서 우린 결국……."

"섹스를 했군요."

"네, 합의에 의한 섹스였어요. 그 후 에이미는 떠났고 아무런 문제도 없었어요. 문가에서 작별 키스도 하고, 할 건 다 했죠."

"그런데 어떻게?"

"그 후 경찰 두 명이 찾아왔어요. 그들은 에이미에게 성폭행 응급 키트를 사용했고, 그녀에게 '강간 때문인 것으로 추정되는 상처들'이 있다고 했습니다. 양 손목에 묶인 흔적도 있다고 했고요. 경찰들이 내 아파트를 수색했고, 침대머리에 걸쳐진 넥타이 같은 끈 두 개가 매트리스 밑에서 나왔어요. 그것들은 '묶인 자국과 일치'했고요."

"에이미를 묶었나요?"

"아닙니다. 그때의 섹스는 전혀…… 아시죠? 난 완전히 방심했어요. 에이미는 분명 내가 일어나서 오줌을 누러 가거나 했을 때 그 끈을 묶어 뒀을 겁니다. 난 완전히 궁지에 몰렸어요. 상황이 정말 나빴죠. 그러더니 그녀는 소를 취하했습니다. 보름쯤 지났을 때 컴퓨터로 작성된 익명의 편지를 받았습니다. '다음에는 두 번 생각하는 게 좋을 거야'라고 적혀 있었죠."

"그 이후로 에이미에게서 아무런 연락도 없었고요?"

"아무 연락도 없었습니다."

"에이미를 고소하려고 애쓰지는 않았고요?"

"아뇨, 절대 그러고 싶지 않았어요. 난 그녀가 사라진 것만으로도 기뻤습니다. 그런데 지난 주에 침대 위에서 태국 음식을 먹다가 그 뉴스를 본 겁니다. 에이미와 당신에 대한 뉴스요. 설명할 수 없는 신용카드 청구서, 증액된 생명보험 보상금, 꾸며진 것처럼 보이는 범죄 현장. 난 정말로 온 몸이 땀에 흠뻑 젖었습니다. 그때 생각했죠. 에이미의 짓이야, 이제는 살인죄로 진화했군. 맙소사. 진심으로 말하지만, 에이미가 당신을 위해 무엇을 준비했든 간에, 그건 진짜 엄청날 겁니다. 당신한테 진짜 무서운 일이 벌어질 거예요."

에이미 엘리엇 던

실종 8일째

범퍼 보트를 타느라 몸이 젖었다. 우리는 5달러어치보다 더 오래 탔다. 햇빛에 놀란 십대 소녀 두 명이 우리를 물 밖으로 나오게 하려고 애쓰는 것보다 가십 잡지를 뒤적이며 담배를 피우는 것을 선호했기 때문이다. 그리하여 우리는 족히 30분 동안 잔디 깎는 기계의 모터로 돌아가는 보트 위에서 서로를 들이받고 급회전을 하다가, 결국 지겨워져서 스스로 배에서 내렸다.

나와 그레타, 제프. 낯선 장소의 기이한 패거리. 그레타와 제프는 하루 만에 친한 친구가 되었다. 이곳에 있는 사람들은 그렇게 한다. 달리 할 일이 없기 때문이다. 그레타는 제프를 또 한 명의 잘못 고른 남자로 삼아야 할지 고민 중인 것 같다. 제프는 그레타가 자신을 선택해준다면 기뻐할 것이다. 그는 나보다 그레타를 좋아한다. 그레타는 지금 이곳에 있는 나보다 훨씬 예쁘다. 싸구려같이 예쁘다. 그녀는 비키니 상의와 진 반바지를 입고 다닌다. 반바지 뒷주머니에는 가게(티셔츠, 목각품, 장식용 돌)나 식당(햄버거, 바비큐, 태피)에 들어갈 때 입기 위한 여벌의 셔츠가 들어 있다.

그녀는 다 같이 서부 시대 사진을 몇 장 찍길 바라지만 그런 일은 일어나지 않을 것이다. 내가 호숫가에 사는 무식한 백인 촌놈이 되고 싶어 하지 않는다는 이유 때문만은 아니다.

우리는 결국 낡아빠진 미니어처 골프 코스에서 몇 라운드 치는 것으로 합의를 본다. 인조 잔디는 군데군데 찢어져 있고 한때 기계적으로 움직였을 악어 떼와 풍차들은 움직이지 않는다. 제프가 대신 주인 노릇을 하며 풍차를 돌리고 악어 턱을 열었다 닫았다 한다. 코스 위의 숫자들은 뒤죽박죽이고 일부 홀은 사용할 수가 없다. 잔디는 카펫처럼 말려 올라가 있고 매력적인 쥐구멍이 있는 농가는 주저앉았다. 그래서 우리는 이렇다 할 순서 없이 이 코스에서 저 코스로 옮겨 다닌다. 아무도 점수를 계산하지 않는다.

'과거의 에이미'라면 이런 무계획성과 무의미함에 아주 화가 났을 것이다. 하지만 이제 나는 흘러가는 법을 배우고 있고, 꽤 잘하고 있다. 나는 목적 없이 사는 데 있어 기대 이상의 성과를 내고 있다. 나는 A형 성격을 가진 게으름뱅이 알파걸이자, 사랑하는 사람의 배신으로 상심하여 이 쓸쓸한 유원지에서 탈선 중인 슬픈 아이들의 우두머리다. 우리가 '러브 테스터' 옆을 지나갈 때 제프(양육권 문제가 복잡한, 오쟁이를 진 이혼남)가 미간을 찌푸린다. 금속 손잡이를 쥐면 체온이 '한때의 바람'에서 '진실한 사랑'으로 올라가는 기구! 이 이상한—손잡이를 꽉 움켜쥐는 것이 깊은 사랑이라는—등식은 온몸을 두들겨 맞은 불쌍한 그레타를 떠올리게 한다. 그녀는 종종 엄지손가락을 가슴께 멍 위에 올려놓는다. 그것이 마치 누를 수 있는 버튼인 것처럼.

"당신 차례예요." 그레타가 말한다. 그녀는 자신의 젖은 공을 반바지에 닦고 있다. 그녀는 지금까지 두 차례 더러운 물웅덩이 속에 들어갔다 나왔다.

나는 자세를 잡고 한두 번 꼼지락거린 다음 나의 밝은 빨간색 공을 퍼트했고, 공은 곧장 새장 구멍 속으로 들어갔다. 공은 잠시 사라졌다가 슈트 밖으로 다시 나타난 다음, 홀 안으로 들어갔다. 사라진다, 다시 나타난다. 불안감이 엄습한다. 모든 것은, 나조차도 언젠가 다시 나타난다. 내가 불안한 것은 내 계획이 바뀌었다고 생각하기 때문이다.

지금까지 나는 딱 두 번 계획을 바꿨다. 첫 번째는 총이었다. 나는 총을 구해서, 사라지는 날 아침에 나를 쏠 생각이었다. 허벅지나 손목처럼 생명에 지장이 없는 곳에. 그런 다음 내 피와 살점이 묻은 총알을 남겨두고 떠나려고 했다. 몸싸움이 벌어졌다! 에이미가 총을 맞았다! 하지만 총을 구할 수 없었고, 곧 그것이 다행이라는 사실을 깨달았다. 그것은 지나치게 마초적인 계획이었다. 총상은 몇 주 동안 아플 것이고 나는 고통을 좋아하지 않는다(칼에 베인 팔은 이제 많이 좋아졌다). 그럼에도 나는 총에 대한 아이디어가 좋았다. 괜찮은 맥거핀이 되니까. '에이미는 총에 맞았다'가 아니라 '에이미는 두려워했다'다. 그리하여 나는 기억될 수 있도록 발렌타인데이에 예쁘게 차려 입고 쇼핑몰로 갔다. 총을 구할 수는 없었지만 계획이 변경된 이상 그건 그다지 중요한 문제가 아니다.

두 번째 수정 사항은 좀 더 극단적이다. 나는 죽지 않기로 결심했다.

나는 자살할 만큼 극기심이 있지만 자살에 흥미를 잃어버렸다. 내가 죽는 것은, 진짜로 죽는 것은 별로 공평하지 않다. 죽고 싶지 않다. 잘못한 사람은 내가 아니니까.

하지만 문제는 돈이다. 내가 가장 걱정해야 할 것이 돈이라니 정말 웃기는 일이다. 내가 가진 돈은 한정되어 있다. 남은 돈은 9,132달러. 돈이 더 필요할 것이다. 오늘 아침 도로시와 수다를 떨러 갔다. 지문을 남기지 않기 위해 언제나처럼 손수건을 손에 쥔 채(도로시에게는 내 할머니의 손수건이라고 말했다. 나는 그녀에게 몰락한 남부 부자라는 듯한 인상을 주려고 노력한다. 블랑슈 뒤부아처럼). 나는 도로시의 책상에 기댄 채 그녀가 아주 복잡하고 세세하게 자신의 형편으로는 살 수 없는 혈액 희석제에 대해 이야기하는 것을 들었고—이 여자는 살 수 없는 약들에 관해서는 걸어 다니는 백과사전이다—그저 상황을 시험해보기 위해 이렇게 말했다. "무슨 뜻인지 알겠어요. 저도 앞으로 한두 주 뒤에는 어떻게 숙박료를 마련해야 할지 잘 모르겠거든요."

도로시는 그저 나를 보며 눈을 깜빡인 다음, 뒤에 있는 텔레비전 쪽을 보며 눈을 깜빡였다. 사람들이 마구 소리를 질러대는 퀴즈 프로그램이 방송되고 있었다. 내게 할머니처럼 마음을 써주는 그녀는 분명 내가 계속 머물 수 있게 해줄 것이다. 어차피 오두막 중 반은 비어 있으니 손해 볼 것도 없었다.

"그럼 일을 해야지." 텔레비전에서 눈을 떼지 않은 채 도로시가 말했다. 한 출연자가 오답을 선택하고 상품을 잃자 우-와아아아 하는 음향효과가 그녀의 고통을 표현했다.

"어떤 일이요? 이 근처에서 내가 할 만한 일이 뭘까요?"

"청소나 아기 봐주기."

그러니까 결국 돈을 받는 주부가 되라는 것이다. 수많은 '조금만 더 버텨' 포스터를 보고 있자니 아주 얄궂었다.

사실 닉과 미주리에서 초라한 생활을 할 때조차 나는 절약할 필요가 없었다. 단지 사고 싶다는 이유로 나가서 새 차를 살 수는 없었지만, 일상적으로 필요한 물건이나 쿠폰 모으기, 상표명이 없는 약을 구입하는 것을 걱정하거나 우유 가격을 기억할 필요는 없었다. 그런 것들을 굳이 가르쳐주지 않은 나의 부모 덕분에, 나는 현실 세계에서 살 준비가 되어 있지 않았다. 예를 들어, 그레타가 마리나에 있는 작은 편의점에서 3.7리터들이 우유가 5달러라고 불평했을 때 나는 움찔하고 놀랐다. 그 가게의 어린 종업원은 내게 언제나 10달러를 요구했기 때문이다. 좀 비싸다는 생각은 들었지만 여드름 난 그 조그만 십대 아이가 내가 어떻게 나오는지 보려고 아무렇게나 가격을 부른 거라고는 상상도 못했다.

그래서 나는 절약했지만 내 돈—인터넷에 따르면 6개월에서 9개월은 간다는 금액—은 분명 바닥이 날 것이다. 그러면 나도 끝이다.

골프를 다 친 다음—내가 이긴다, 당연히 내가 이긴다. 나는 속으로 점수를 계산하고 있기 때문에 이 사실을 안다—우리는 점심을 먹기 위해 골프장 옆 핫도그 가판대로 간다. 내가 모퉁이를 돌아 셔츠 밑에 맨, 지퍼 달린 전대를 뒤지다가 뒤를 보니 그레타가 나를 뒤따라 와 있었다. 돈을 전대에 도로 넣기 직전에 그레타에게 들켜버렸다.

"핸드백이라고 몰라요, 부자 아줌마?" 그녀가 내뱉는다. 이것은 끝까지 문제가 될 것이다. 도주 중인 사람은 현금이 많이 필요하지만 그 현금을 보관할 곳이 없다. 고맙게도 그레타는 더는 그 문제에 대해서 얘기하지 않는다. 그녀는 이곳에 있는 우리 모두가 피해자라는 사실을 알고 있다. 우리는 금속 피크닉 벤치에 앉아 햇볕을 쬐며 핫도그를 먹는다. 초록빛이 너무 진해 독극물처럼 보이는 양념이 묻은, 원통형 인산염을 감싼 흰 빵. 이것은 어쩌면 이제껏 내가 먹은 최고의 음식일 것이다. 이제 나는 '죽은 에이미'이고 더는 신경 쓰지 않기 때문이다.

"제프가 자기 방에서 뭘 찾아서 나한테 줬는지 알아요?" 그레타가 말한다. "《화성 연대기》 작가의 다른 책."

"레이 브래드버로우." 제프가 말한다. '브래드버리.' 나는 생각한다.

"응, 맞아요. 《무언가 위험한 것이 오고 있다》." 그레타가 말한다. "재미있어요." 그녀는 그것이 책에 관해 할 수 있는 말의 전부라는 듯이 새된 소리로 말한다. 재미있거나 재미없거나. 좋거나 싫거나. 글이나 주제, 뉘앙스, 구조에 대해서는 어떤 논의도 없이 그저 좋거나 싫거나. 무슨 핫도그처럼.

"난 여기 처음 왔을 때 그 책을 읽었어요." 제프가 말한다. "재미있어요. 섬뜩하고." 그는 자신을 쳐다보고 있던 나와 시선이 마주치자 눈을 이상하게 뜨고 혀를 내밀며 도깨비 같은 표정을 짓는다. 그는 수염이 지나치게 뻣뻣하고 물고기와 관련된 수상한 일을 하는 게 영 내 타입은 아니지만 착하게 생겼다. 매력적이다. 그의 시선은 아주 따뜻하다. 닉의 차가운 파란 눈과는 다르다. 나는 '내'가 그와의 섹스를 좋아할지 궁금하다. 그가 내게 몸을 밀착한 채 내 안에서 천천히 움직인다. 그의 숨이 귓가에, 그의 뻣뻣한 수염이 내 뺨에 닿는다. 닉이 찍어 누를 때처럼 외롭지 않게. 그럴 때 닉과 나의 몸은 닿아 있는 곳이 거의 없다. 그는 뒤에서 직각으로, 앞에서 'L'자 모양으로 찍어 누르다가 섹스가 끝남과 거의 동시에 침대를 빠져나가 샤워를 한다. 나는 그의 땀으로 젖은 곳에 남아 심장 뛰는 소리를 듣는다.

"고양이가 혀를 물고 갔어요?" 제프가 말한다. 그는 결코 나를 이름으로 부르지 않는다. 마치 내가 거짓말을 했다는 사실을 우리 둘 다 알고 있다는 듯이. 그는 '이 아가씨'라거나 '예쁜 아가씨'라거나 '당신'이라고 말한다. 그가 침대에서는 나를 뭐라고 부를지 궁금하다. 어쩌면 '자기'라고 부르겠지.

"생각 좀 하고 있었어요."

"아아." 그가 말하며 다시 웃는다.

"난 알아. 남자 생각하고 있었죠." 그레타가 말한다.

"어쩌면."

"우리는 잠시 얼간이들을 멀리하기로 한 걸로 아는데요." 그녀가 말한다. "닭이나 돌보면서." 어젯밤 〈엘런 애벗〉이 끝난 뒤 나는 너무 흥분해서 내 방으로 돌아갈 수 없었고, 우리는 여섯 병들이 맥주를 나눠 마시며 그레타의 어머니가 있는 레즈비언 구역의 몇 안 되는 이성애자 여자로서 속세를 떠나 닭을 키우고 햇볕에 빨래를 널며 사는 상상을 했다. 손마디가 굵고 너그럽게 웃는 할머니들이 정중하게 플라토닉 구애를 하는 대상. 데님과 코듀로이와 나막신. 화장이나 헤어스타일이나 손톱, 가슴이나 엉덩이 사이즈에 대해 고민할 필요도, 이해심 많은 아내인 척, 자신의 남자가 하는 모든 것을 사랑하는 사려 깊은 애인인 척할 필요도 없다.

"모든 남자들이 얼간이인 건 아니에요." 제프가 말한다. 그레타가 애매한 소리를 낸다.

오두막으로 돌아온 우리는 팔다리가 후들거린다. 나는 햇빛 속에 남겨진 물풍선이 된 기분이다. 하고 싶은 일이라고는 내 방 창문에서 털털거리며 돌아가는 에어컨 밑에 앉아, 찬바람을 쐬며 텔레비전을 보는 것뿐이다. 나는 70년대와 80년대의 옛날 프로그램만 틀어주는 재방송 채널을 발견했다. 〈사랑의 유람선〉과 〈아들과 딸들〉. 하지만 최근 내가 가장 좋아하는 프로그램인 〈엘런 애벗〉이 먼저다.

새로운 게 전혀 없다. 엘런은 심사숙고하는 대신 과거의 나를 아는 한 무더기의 낯선 사람들을 출연시켰다. 그들은 나와 친구였다고 맹세하고 다들 나와 관련된 사랑스러운 일화가 있다고 한다. 나를 한 번도 좋아해본 적이 없는 사람들까지도. 고인에 대한 맹목적인 호감.

노크 소리가 난다. 그레타와 제프일 것이다. 나는 텔레비전을 끈다. 두 사람이 하릴없이 내 방문 앞에 서 있다.

"뭐 해요?" 제프가 묻는다.

"책 읽어요." 나는 거짓말을 한다.

그는 나를 지나쳐 방 안으로 들어가, 조리대 위에 여섯 병들이 맥주를 올려놓는다. 그레타가 그의 뒤를 따라간다. "어, 텔레비전 소리가 들린 것 같은데."

이 작은 오두막 안에 세 명이면 말 그대로 군중이다. 그들은 잠시 문을 막고 서서 내 온몸이 초조하게 고동치게 만들더니—왜 문을 막고 서 있지?—침대 옆 탁자를 막고 선다. 탁자 속에는 현금 8천 달러가 든 전대가 들어 있다. 백 달러, 50달러, 20달러짜리 지폐들. 불룩한 피부색 전대는 흉측한 물건이다. 모든 돈을 한 번에 몸에 지닐 수는 없지만—돈의 일부는 방 이곳저곳에 숨겨둔다—나는 대부분을 몸에 지니고 다니려고 노력한다. 전대를 차고 다닐 때는 생리대를 하고 해변에 있는 여자처럼 매우 신경이 쓰인다. 나의 괴팍한 점은 돈을 쓰는 걸 즐긴다는 것이다. 20달러짜리 지폐 뭉치를 새로 꺼내 쓸 때마다 숨겨야 할 돈이, 도둑맞거나 잃어버릴까 걱정해야 하는 돈이 줄어들기 때문이다.

제프가 텔레비전을 켜자 엘런 애벗, 그리고 에이미의 얼굴이 점점 뚜렷하게 나온다. 그는 고개를 끄덕이더니, 슬쩍 웃는다.

"보고 싶어요…… 에이미?" 그레타가 묻는다.

무슨 뜻으로 하는 말인지 모르겠다. '보고 싶어요, 에이미?'인지 '에이미 보고 싶어요?'인지.

"아뇨. 제프, 기타 가져올래요? 베란다에 앉아서 놀아요."

제프와 그레타가 시선을 교환한다.

"어…… 하지만 이거 보고 있었던 거 아니에요?" 그레타가 말한다.

그녀가 가리킨 화면 속에는 자선 행사에 참가한 나와 닉이 있다. 나는 드레스 차림에 머리카락은 뒤로 모아 틀어 올리고 있다. 머리가 짧은 지금의 나와 더 비슷한 모습이다.

"재미없어요." 내가 말한다.

"왜, 재미있을 것 같은데." 그레타가 말하며 내 침대에 털썩 주저앉는다.

나는 두 사람을 방 안으로 들인 내가 얼마나 바보인지 생각한다. 내가 그들을 통제할 수 있다고 생각하다니. 그들은 떠돌이 인생들, 돈 벌 기회를 포착하고 약점을 악용하고 언제나 뭔가가 필요한 상황에 익숙한 사람들인 반면 나는 그런 생활에 이제 막 뛰어들었는데. 뒷마당에 퓨마를 키우고 거실에 침팬지를 키우는 사람들이 사랑하는 애완동물에게 온몸을 찢겼을 때의 기분이 꼭 이럴 것이다.

"있잖아요, 부탁인데…… 지금 내가 몸이 안 좋아요. 햇볕을 너무 많이 쬐어서 그런가 봐요."

그들은 놀라고 약간 화가 난 표정을 짓고 나는 내가 잘못 짚은 것인가 하고 생각한다. 악의 없는 그들에게 내가 피해망상 환자처럼 굴었다고. 그렇게 믿고 싶다.

"그렇겠죠, 당연히 그렇겠죠." 제프가 말한다. 두 사람은 내 방에서 허둥지둥 나간다. 제프는 맥주를 들고 나간다. 1분 뒤에 그레타의 오두막에서 으르렁거리는 엘런 애벗의 목소리가 들린다. 힐난하는 질문들. 왜…… 어째서…… 어떻게 설명할 건가요…….

왜 나는 애초에 여기 있는 누군가와 친해졌을까? 어째서 그냥 혼자 지내지 않았을까? 여기 있는 걸 들켰을 때 내가 저지른 짓을 어떻게 설명할 것인가?

나는 들켜서는 안 된다. 들켰다가는 지구상에서 가장 혐오스러운 여자가 될 것이다. 이기적이고 바람피우는 개자식에게 당한 아름답고 다정하며 불운한 임신부에서, 모든 미국 국민의 착한 마음을 악용한 나쁜 년으로 추락하고 말 것이다. 엘런 애벗은 몇 주 연속으로 나를 다룰 것이고 성난 시청자들은 전화를 걸어 분노를 표출할 것이다. "그녀는 제멋대로 굴면서 다른 사람의 감정은 생각하지 않는 또 한 명의 버릇없는 부잣집 딸이에요, 엘런. 그 여자는 평생 감옥에서 썩어야 한다고 생각해요!" 그렇게, 그런 식으로 흘러갈 것이다. 인터넷에는 살인을 가장하거나 가짜 살인죄를 배우자에게 뒤집어씌우는 행위의 처벌에 대해 여러 가지 상반된 정보가 있었지만, 여론은 분명 혹독할 것이다. 그 후에 내가 무슨 일을 하든—고아들에게 밥을 먹이든 나환자들을 포옹하든—죽은 다음 나는 '죽은 척해서 남편에게 살인죄를 뒤집어씌운 여자'로 알려질 것이다.

용납할 수 없는 일이다.

몇 시간 뒤, 잠들지 못하고 어둠 속에서 생각을 하고 있는데 누군가가 내 방문을 조용히 두드린다. 제프다. 나는 망설이다가 아까의 무례함을 사과할 준비를 하고 문을 연다. 그는 문 앞 도어매트를 쳐다보며 턱수염을 잡아당기다가 호박색 눈을 들어 나를 본다.

"도로시가 당신이 일을 찾고 있다고 해서요."

"네. 그랬죠. 맞아요."

"오늘 밤에 일이 좀 있는데, 50달러 줄게요."

에이미 엘리엇 던은 50달러 때문에 방을 나가지 않겠지만, 리디아/낸시에겐 일이 필요하다. 나는 승낙해야 한다.

"두세 시간 일하고 50달러예요." 그가 어깨를 으쓱한다. "사실 나 혼자

일해도 상관없지만, 한번 말해볼까 해서요."

"어떤 일인데요?"

"물고기 잡기요."

나는 제프가 픽업 트럭을 몰 거라고 생각했지만 그가 나를 데리고 간 곳에는 반짝거리는 포드 해치백이 있다. 싫증나는 차, 원대한 계획과 보잘것없는 돈이 있는 대학 졸업생의 차, 나이 든 남자가 몰아서는 안 되는 차다. 나는 그가 알려준 대로 수영복 위에 여름 원피스를 입고 있다("그 비키니 말고 하나로 된 걸 입어요. 진짜로 수영할 수 있는 걸로." 제프는 단조로운 목소리로 말했다. 나는 풀장 근처에서 그를 본 적이 없지만 그는 내 수영복을 알고 있었다. 기분이 좋기도 하고 걱정스럽기도 했다).

그가 창문을 연 채로 숲이 우거진 언덕을 통과하는 바람에 내 뻣뻣한 머리카락이 자갈에서 날린 먼지로 코팅된다. 컨트리 뮤직비디오의 한 장면 같다. 여름밤 공화당 지지 주에서, 창밖으로 팔을 내밀어 바람을 잡으려고 하는 여름 원피스 차림의 여자. 이 차에는 라디오가 없다. 창문도 수동식이다. 제프는 중간중간 쉬어가며 콧노래를 부른다.

그는 기둥들이 떠받치고 있는 호수 위의 식당과 이어진 길가에 차를 세운다. 식당은 '악어 주스'와 '배스 대공습' 같은 괴상한 이름의 커다란 기념품 술잔으로 유명한, 바비큐 전문점이다. 호수의 온 가장자리에 떠다니는 버려진 잔들을 본 적이 있다. 깨진 형광색 컵에는 식당 로고가 그려져 있었다. '메기 칼 식당'. 메기 칼 식당에는 수상 갑판이 있다. 손님들은 흔들거리는 기계에서 고양이 사료를 한 움큼씩 사서 갑판 아래에서 입을 벌리고 있는 수백 마리의 거대한 메기들에게 던져줄 수 있다.

"우리가 할 일이 정확히 뭐죠, 제프?"

"당신은 뜰채로 잡고 나는 죽여요." 그가 차에서 내린다. 나는 그를 따라 해치백 뒷부분으로 간다. 그곳은 아이스박스로 꽉 차 있다. "잡아서 여기 넣어서 되파는 거예요."

"되판다고요. 누가 훔친 고기를 사요?"

제프가 게으른 고양이처럼 웃는다.

"고객이라고 할 수 있는 사람들이 있어요."

그제야 나는 깨닫는다. 그는 털북숭이 히피풍 도피자, 기타를 치고 평화를 사랑하는, '자연보호론자' 가이가 아니다. 그는 무식한 도둑이다. 자신이 그보다는 더 복잡한 사람이라고 믿는 무식한 도둑.

그는 뜰채와 고양이 사료 한 상자, 얼룩진 플라스틱 양동이를 꺼낸다.

나는 이 불법적인 물고기 경제의 일부가 되고 싶은 생각은 추호도 없지만 '나'는 꽤 흥미를 느낀다. 생선 밀매단의 일원이었다고 말할 수 있는 여자가 몇이나 될까? '나'는 용감하다. 나는 죽고 난 다음 다시 용감해졌다. 내가 싫어하거나 두려워했던 모든 것, 나의 모든 한계는 내게서 흘러나갔다. '나'는 거의 모든 일을 할 수 있다. 유령에게는 그런 자유가 있다.

우리는 언덕 아래로, 메기 칼 식당의 갑판 아래로 걸어 내려가 모터 보트—요란하게 경적을 울리는 '지미 뷔페' 배—한 대가 지나가면서 남긴 물의 흔적 위에서 엄벙덤벙 흔들리고 있는 선창 위로 올라간다.

제프가 내게 뜰채를 건넨다. "재빨리 일을 끝내야 해요. 물속에 들어가서 뜰채로 물고기를 잡은 다음, 그걸 내 쪽으로 올려줘요. 무거운 데다 물고기가 요동을 칠 테니 마음 단단히 먹어요. 소리 지르거나 해서는 안 돼요."

"소리 지르지 않을게요. 하지만 전 물속에 들어가고 싶지 않아요. 갑판 위에서 할게요."

"최소한 원피스는 벗어야 해요. 더러워질 거니까."

"괜찮아요."

그는 잠시 화가 난 것처럼 보였지만─상사인 그의 말을 직원인 내가 듣지 않고 있다─곧 천천히 돌아서서 셔츠를 벗더니 부끄러운 듯 나를 똑바로 쳐다보지 않고 고양이 사료 상자를 건넨다. 내가 사료 상자의 작은 구멍을 통해 물에 사료를 뿌리자 순식간에 반짝이는 활 모양의 등 백여 개가 내 쪽으로 몰려온다. 꼬리로 사납게 수면을 가로지르는 구렁이 떼 같다. 이어 내 밑으로 많은 입이 보인다. 물고기들은 서로의 몸 위로 날뛰며 사료를 삼키다가 마치 훈련된 애완동물처럼 고개를 내밀고 더 달라는 듯 나를 쳐다본다.

나는 물고기 떼 한가운데를 뜰채로 덮은 다음 수확물을 끌어올리기 위해 선창 위에 몸을 단단히 붙이고 앉는다. 잡아당긴 뜰채 속에는 수염이 나고 반들반들한 메기 대여섯 마리가 들어 있다. 메기들은 하나같이 물속으로 돌아가려고 필사적이다. 나일론 사각형들 사이로 아가리가 뻐끔거린다. 메기들이 요동치는 통에 뜰채가 위아래로 흔들거린다.

"들어 올려요, 들어 올려요, 아가씨!"

나는 뜰채 손잡이 밑에 무릎을 받친다. 제프가 다가와 미끄러지지 않게 테리 천을 댄 매니큐어 장갑을 낀 두 손으로 물고기 한 마리를 움켜쥔다. 그는 꼬리 쪽으로 두 손을 옮긴 다음 마치 곤봉처럼 물고기를 휘둘러 선창 옆에 대가리를 후려친다. 사방에 피가 튄다. 얇은 생선 껍질이 내 다리를 뒤덮고 단단한 살점이 그의 머리카락에 묻는다. 제프는 후려친 물고기를 양동이에 넣은 다음 다른 물고기를 움켜잡는다. 조립 라인처럼 매끄러운 동작이다.

우리는 30분 동안 끙끙거리고 헐떡거리며 일한다. 뜰채가 네 번 가득 찬 뒤 나의 두 팔은 고무처럼 변하고 아이스박스는 가득 찬다. 제프는 빈 들통을 가져와 호수 물을 떠서 어지럽게 널린 내장을 호수의 물고기들에게 들이붓는다. 메기들은 죽은 형제들의 내장을 먹어 치운다. 선창은 깨끗하다. 그는 양동이 속에 마지막으로 남은 물을 우리의 피 묻은 발에 붓는다.

"왜 물고기를 때리는 거죠?" 내가 묻는다.

"고통스러워하는 걸 볼 수가 없어서요." 그가 말한다. "잠깐 물에 들어갈래요?"

"전 괜찮아요." 내가 말한다.

"내 차에 타면 괜찮지 않을걸요. 그러지 말고 잠깐 들어갔다 나와요. 당신이 생각하는 것보다 더러운 게 많이 묻었어요."

우리는 선창을 떠나 바위가 있는 근처 물가를 향해 뛰어간다. 나는 물속을 헤치며 걷고, 제프는 요란하게 물을 튀기며 들어가더니 팔을 세차게 움직이며 앞으로 나아간다. 그가 충분히 멀어졌을 때 나는 전대를 풀어 원피스로 감싼 다음, 팔을 뻗어 물 밖에 둔다. 이어 미지근한 물이 내 허벅지에, 배에, 목에 닿을 때까지 몸을 낮춘다. 그리고 숨을 들이쉬고 물속으로 들어간다.

나는 점점 더 멀리 헤엄쳐간다. 익사하는 게 어떤 기분인지 느끼기 위해 지나치게 오랫동안 물속에 머무른다. 필요하다면 나는 익사할 수 있다는 걸 안다. 물 밖으로 나와 숨을 들이쉴 때 제프가 빠르게 물가를 향해 뛰어가는 것이 보인다. 나는 전대를 향해 돌고래처럼 빠르게 헤엄쳐서, 그가 도착하기 직전에 바위 위로 기어오른다.

닉 던

실종 8일째

나는 토미와의 전화통화를 끝내자마자 힐러리 핸디에게 전화를 걸었
다. 내가 에이미를 '죽인' 것이 거짓이라면, 토미 오하라가 에이미를 '강
간한' 것이 거짓이라면, 힐러리 핸디가 에이미를 '스토킹한' 것도 거짓이
지 않겠는가? 소시오패스는 분명 어딘가에서 최초의 경험을 한다. 이를
테면 워셔 아카데미의 근엄한 건물에서.

그녀가 전화를 받았을 때 나는 불쑥 말했다. "저는 닉 던입니다. 에이미
엘리엇의 남편이요. 당신과 정말로 얘기하고 싶습니다."

"왜요?"

"저는 정말로, 정말로 더 많은 것을 알고 싶습니다. 에이미와 당신
의……."

"우정이라고는 말하지 마세요." 그녀의 목소리에서 쓴웃음이 들렸다.

"아니, 그렇게 말하지 않을 겁니다. 전 그저 당신의 입장을 듣고 싶어
요. 제가 전화한 이유는 당신이 현재 제 아내와, 아내의 상황과 어떤 관계
가 있다고 생각해서가 아닙니다. 하지만 무슨 일이 있었는지는 정말 알고

싶습니다. 진실을요. 왜냐하면 전 당신이…… 에이미의 행동 패턴에 대해 뭔가 알려줄 수 있을 거라고 생각하니까요."

"어떤 종류의 패턴 말이죠?"

"에이미를 화나게 하는 사람들에게 나쁜 일들이 생기는 것 말입니다."

그녀가 전화기에 대고 깊은 한숨을 쉬었다. "이틀 전만 해도 전 당신과 얘기할 생각이 없었어요." 그녀가 말을 시작했다. "그런데 그날, 전 친구 몇 명과 술을 마시고 있었어요. 텔레비전이 켜져 있었는데, 당신이 나왔죠. 에이미의 임신에 관한 내용이었어요. 나와 함께 있던 모든 사람들이 당신에게 화가 났어요. 당신을 증오했죠. 난 그게 어떤 기분인지 안다고 생각했어요. 에이미는 죽지 않은 거죠? 내 말은, 그냥 계속 실종 상태죠? 시체를 못 찾았나요?"

"그렇습니다."

"그럼 말해드리죠. 에이미에 대해서. 고등학교 시절. 무슨 일이 있었는 지를. 기다리세요." 수화기 너머로 만화영화 소리—흐물거리는 목소리와 증기 오르간 음악—가 나다가 갑자기 멈추더니, 징징거리는 목소리들이 들렸다. 내려가서 봐. 내려가, 좀.

"그러니까, 1학년 때요. 전 멤피스에서 온 아이였어요. 다른 애들은 전부 동부 해안 지역 출신이었을 거예요. 이상하고 낯선 느낌이었죠. 워셔의 모든 여자애들은 마치 다 함께 자란 것 같았어요. 은어에, 옷에, 헤어스타일까지. 제가 따돌림을 당했다는 건 아니에요. 그저…… 안정감을 못 느꼈죠. 에이미는 이미 '더 걸'이었어요. 첫날부터 다들 그 애를 알고 있었고 그 애에 대해 이야기했죠. 그 애는 '어메이징 에이미'였고, 우리는 모두 자라면서 그 책을 읽었어요. 예쁘기까지 했으니까요. 내 말은, 그 애가……."

"네, 압니다."

"그래요. 얼마 후 에이미는 내게 흥미를 보이기 시작했어요. 마치 날 자신의 날개 밑에 품는, 뭐 그런 식이었죠. 그 애는 자기가 어메이징 에이미니까 나는 자기의 조수 수지라고 농담을 했어요. 그리고 나를 수지라고 부르기 시작했죠. 얼마 안 가 다른 애들도 다 나를 그렇게 불렀어요. 난 괜찮았어요. 그러니까, 난 시녀 같았거든요. 에이미가 목이 마르면 마실 것을 구해주고, 그 애가 깨끗한 속옷이 필요하면 갖다주고 그랬죠. 잠시만요."

다시 한 번 그녀의 머리카락이 전화기에 스치는 소리가 들렸다. 장모 메리베스는 사진이 더 필요할 때를 대비해 여행 가방에 엘리엇 가족의 사진 앨범을 모두 담아서 가지고 왔다. 장모는 내게 에이미와 힐러리가 뺨을 맞대고 웃고 있는 사진을 보여주었다. 그래서 나는 힐러리의 모습을 상상할 수 있었다. 에이미와 같은 버터빛 금발이지만 덜 예쁜 얼굴에 진흙 같은 적갈색 눈동자.

제이슨, 나 전화 받고 있어. 애들한테 아이스캔디 좀 줘. 그렇게 어려운 일도 아니잖아.

"미안해요. 애들이 학교에서 돌아왔는데 남편은 한 번도 애들을 본 적이 없어서 내가 당신이랑 통화하는 10분 동안 뭘 해야 할지 갈피를 못 잡네요. 미안해요. 그래서…… 그래서, 난 수지였고 우린 몇 달 동안 그런 식으로 놀았어요. 8월, 9월, 10월. 굉장했어요. 대단한 우정 같았죠. 우린 언제나 함께 다녔어요. 그러다가 몇 가지 이상한 일이 한꺼번에 일어났고, 난 내가 그 애의 신경을 긁었다는 걸 알게 됐어요."

"무슨 일이 있었죠?"

"결연을 맺은 학교의 남자애 한 명이 가을 무도회에서 우리를 만났는데, 다음 날 에이미가 아닌 내게 전화를 걸었어요. 에이미한테 너무 겁을 먹어서 그랬을 거라고 확신하지만, 어쨌거나…… 그리고 며칠 뒤에 중간 고사 성적이 나왔는데 내 점수가 에이미보다 아주 조금 더 잘 나왔어요. 4.1 대 4.0인가 그랬을 거예요. 그리고 얼마 지나지 않아 여자 친구 하나가 내게 자기 가족과 추수감사절을 함께 보내자고 초대를 했죠. 에이미가 아니라 내게요. 난 그것 역시…… 에이미가 사람들을 겁먹게 해서라고 확신해요. 그 앤 함께 있기에 편한 사람이 아니었죠. 늘 그 애를 감동시켜야 한다는 기분이 들게 했으니까. 하지만 난 뭔가가 변하고 있다는 걸 아주 조금 느꼈어요. 에이미는 인정하지 않았지만 전 그 애가 정말로 짜증이 났다는 걸 알았어요.

에이미는 인정하는 대신 제게 이런저런 일을 하게 만들었어요. 내 말은, 그 당시엔 몰랐지만 그 애가 날 함정에 빠뜨리기 시작한 거예요. 에이미는 내게 내 머리카락을 자기처럼 금발로 염색해주겠다고 했어요. 내 머리카락이 칙칙하다면서 한 톤 밝아지면 아주 예쁠 거라고 했어요. 그리고 자기 부모님에 대해 불평을 늘어놓기 시작했어요. 그 앤 원래부터 부모님에 대해 늘 불평했지만 그때부터 정말로 부모 험담을 하기 시작했어요. 그들이 자신을 이상형으로만 사랑하고 진짜 자신은 사랑하지 않는다고 했어요. 그래서 부모님을 괴롭히고 싶다고 했죠. 그 앤 내게 자기 집에 장난 전화를 걸어 그 애 부모님에게 내가 새로운 '어메이징 에이미'라고 말하게 했어요. 우린 가끔 주말에 기차를 타고 함께 뉴욕으로 갔어요. 에이미는 내게 자기네 집 밖에 서 있게 했죠. 한번은 나더러 자기 엄마에게 뛰어가서 내가 에이미를 없애버리고 그녀의 새로운 에이미가 될 거라는 둥, 그런 헛소리를 하라고 시켰어요."

"그래서 그렇게 했다고요?"

"여자애들은 그런 바보 같은 짓을 하면서 놀았어요. 휴대전화나 사이버 왕따가 없던 시절의 이야기죠. 그런 식으로 시간을 때운 거예요. 우린 늘 그런 장난을, 바보 같은 짓을 했어요. 누가 더 대담하고 별난지 경쟁하는 것처럼요."

"그래서 어떻게 됐습니까?"

"그러더니 에이미는 나와 거리를 두기 시작했어요. 냉랭해졌죠. 난 이제 그 애가 날 좋아하지 않는다고 생각했어요. 학교 여자애들은 날 우습게 보기 시작했고요. 난 잘나가던 무리에서 퇴출됐어요. 괜찮았어요. 하지만 어느 날 교장실로 불려갔죠. 에이미가 끔찍한 사고를 당했다고 하더군요. 발목이 삐고 팔이 부러졌고 온몸이 상처투성이라고. 에이미는 높은 계단에서 굴러 떨어졌는데, 내가 자기를 밀었다고 했다는 거예요. 잠깐만요."

아래층으로 내려가. 가. 내려가. 아래층. 아래층으로 내려가아아아.

"미안해요. 절대 애는 낳지 마세요."

"에이미가 당신이 밀었다고 했다고요?"

"네, 내가 미쳤다고 했대요. 내가 자기한테 집착했고, 수지가 되고 싶어 했는데 그런 다음엔 수지가 되는 걸로는 성에 차지 않았다면서. 내가 에이미가 되려고 했대요. 에이미에겐 지난 몇 달 동안 나를 시켜 나 스스로 만들게 한 수많은 증거가 있었어요. 그 애 부모님은 집 근처에 숨어 있던 나를 봤을 것이고, 난 그 애의 엄마에게 다가가서 말까지 걸었으니까요. 내 머리카락은 금발로 염색되어 있었고 옷은 에이미의 옷과 어울리는 것들이었어요. 에이미와 함께 쇼핑하면서 산 옷이었지만 저로서는 증명할 길이 없었어요. 에이미의 친구들이 모두 와서 한 달 동안 에이미가 나를 얼마나 무서워했는지 증언했어요. 다 헛소리였죠. 난 완전히 미친 것처럼 보였어요. 완벽하게 미쳤죠. 에이미의 부모는 나에 대해 접근 금지령을 받아냈어요. 난 계속 내가 그런 것이 아니라고 주장했지만 그때쯤에는 너무 괴로워서 어차피 학교를 떠나고 싶었어요. 그래서 우린 퇴학 문제로 싸우지도 않았어요. 내 말은, 그때쯤 나는 에이미에게서 멀리 떠나고 싶었어요. 무서웠어요. 이 열다섯 살짜리 여자애가 그런 일을 벌였다는 것이. 친구들을, 부모를, 선생님들까지 속이면서."

"그 모든 일이 남학생과 성적과 추수감사절 초대 때문이었다고요?"

"제가 멤피스로 돌아오고 한 달쯤 지난 뒤에 편지가 한 통 왔어요. 서명도 없고 타이프로 친 것이었지만 분명 에이미의 편지였죠. 편지에는 내가 그녀를 실망시킨 모든 일이 적혀 있었어요. 말도 안 되는 것들이었죠. 영어 시간이 끝난 뒤에 자기를 기다리는 일을 잊은 것, 두 번. 자기한테 딸기 알레르기가 있다는 걸 잊은 것, 두 번."

"맙소사."

"하지만 내가 보기에 진짜 이유는 거기 적지도 않은 것 같아요."

"진짜 이유가 뭐였는데요?"

"에이미는 사람들이 자기가 정말 완벽하다고 믿기를 원했던 것 같아요. 난 그 애와 친구가 되면서 그 애를 알게 됐죠. 그 앤 완벽하지 않았어요. 아시죠? 에이미는 똑똑하고 매력적이지만 또한 권위적이고 강박 장애가 있고 과장이 심하고 약간 거짓말쟁이였어요. 전 그래도 괜찮았지만 그 앤 괜찮지 않았던 거죠. 그 애가 날 없애버린 건 내가 그 애가 완벽하지 않다는 걸 알았기 때문이에요. 그래서 난 당신에 대해 생각해봤어요."

"저에 대해서요, 어째서죠?"

"친구들은 서로의 단점을 거의 다 알게 되죠. 배우자들은 밑바닥까지 보게 돼요. 에이미가 몇 달간 친구였던 사람을 자기를 계단에서 민 사람

446

으로 만들어 벌했다면, 자신과 결혼할 만큼 멍청한 남자에게는 무슨 짓을 할까요?"

나는 힐러리의 아이들 중 하나가 내선 전화기에 대고 동요를 부르기 시작했을 때 전화를 끊었다. 나는 즉시 태너에게 전화를 걸어 힐러리와 토미와 통화한 이야기를 들려주었다.

"우리에게 두 편의 이야기가 생겼군요, 좋습니다." 태너가 말했다. "이거 정말 좋은데요!" 그의 말투는 그것이 그다지 좋지 않다는 것처럼 들렸다. "앤디에게는 연락이 없었습니까?"

없었다.

"우리 직원 중 한 명에게 앤디의 아파트 앞에서 그녀를 기다리게 했습니다." 그가 말했다. "눈에 띄지 않게요."

"그런 사람들이 있는 줄은 몰랐군요."

"우리에게 정말로 필요한 일은 에이미를 찾는 겁니다." 그가 내 말을 무시하며 말했다. "그런 여자가 어딘가에서 아주 오랫동안 숨어 지낸다는 건 상상이 되지 않습니다. 짐작 가는 곳 없습니까?"

나는 바다 근처의 호화로운 호텔 발코니에서 카펫처럼 두꺼운 흰 가운을 입고, 고급 몽라셰 백포도주를 홀짝이며 인터넷과 케이블 방송과 타블로이드 신문을 통해 나의 몰락을 지켜보는 에이미를 계속 상상하고 있었다. 끝없는 보도와 에이미 엘리엇 던의 승리를 만끽하는 그녀. 자신의 장례식에 참석하는 그녀. 나는 그녀가 마크 트웨인의 한 페이지를 훔쳤다는 것을 알고 있는지 궁금했다.

"전 바닷가에 있는 아내의 모습이 그려집니다." 나는 이렇게 말하고 곧 멈췄다. 판자 산책로의 심령술사 같은 기분이 들어서였다. "아니, 모르겠어요. 그녀는 말 그대로 어디든 있을 수 있어요. 제 생각엔 그녀가 돌아오기로 결심하지 않는 한 우리가 그녀를 볼 일은 없을 것 같군요."

"그런 것 같군요." 태너가 화가 난 듯 숨을 쉬었다. "그러니 앤디를 찾기 위해 노력해봅시다. 그래서 앤디가 무슨 생각을 하고 있는지 알아내야 해요. 이 문제에 관해 해석의 여지가 점점 줄어들고 있으니까요."

곧 저녁 먹을 시간이 되었고, 해가 졌다. 나는 또다시 내 유령의 집에 혼자 있었다. 나는 에이미의 모든 거짓말을, 임신도 그중 하나인지를 생각하고 있었다. 계산을 해보았다. 에이미와 나는 드문드문했지만 임신이 가능할 만큼 관계를 가졌다. 하지만 그녀는 내가 이런 계산을 할 거란 걸 알았을 것이다.

사실일까, 거짓일까? 거짓말이라면, 이건 나의 내면을 파괴하기 위한 장치일 것이다.

난 언제나 에이미와 내가 아이들을 낳을 거라고 생각했다. 그것은 내가 에이미와 결혼할 거라고 생각했던 이유 중 하나였다. 아이들과 함께 있는 우리의 모습을 상상했기 때문이다. 나는 처음으로 그 모습을 상상했던 때를 기억한다. 우리가 데이트를 시작한 지 두 달도 되지 않은 때였다. 나는 킵스 베이에 있는 내 아파트에서 내가 가장 좋아하던 미니 공원으로 가기 위해 이스트 강을 따라 걷고 있었다. 거대한 레고 블록 같은 유엔 본부를, 바람에 나부끼는 세계 여러 나라의 국기를 지나치게 되는 경로였다. '아이가 보면 좋아하겠어'라고 나는 생각했다. 그 다채로운 색깔, 각각의 국기를 나라와 연결시키는 기억력 게임. 핀란드가 있었고 뉴질랜드가 있었다. 외눈의 미소 같은 모리타니가 있었다. 그러다 문득, 나는 이것을 좋아할 아이가 어떤 아이가 아니라 우리의 아이, 나와 에이미의 아이라는 것을 깨달았다. 우리 아이. 오래된 백과사전 한 권과 함께 바닥에 드러누운 아이. 꼭 내가 그랬던 것처럼. 하지만 우리의 아이는 혼자가 아닐 것이다. 그 소년의 옆에는 나도 드러누워 있을 것이다. 그 애가 기학(旗學)의 싹을 틔우는 것을 도와주면서. 내게 '기학'이라는 말은 국기에 관한 학문이라기보다는 짜증에 관한 학문처럼 들린다. 짜증. 나에 대한 내 아버지의 태도. 하지만 내 아들에 대한 나의 태도는 아닐 것이다. 그리고 에이미를 상상했다. 그녀는 우리와 함께 바닥에 배를 대고 엎드려서 두 발을 공중으로 치켜올린 채, 산뜻한 하늘색 바탕 왼쪽에 노란 원이 그려져 있는 팔라우 국기를 가리키고 있다. 나는 그것이 그녀가 가장 좋아하는 국기일 거라고 확신했다.

그리고 그때부터 그 소년은 현실이었다(가끔은 소녀였지만 대부분은 소년이었다). 그애는 숙명이었다. 나는 정기적이고 끈질긴 아버지 병을 앓았다. 결혼하고 몇 달 뒤, 나는 약장 앞에서 이 사이에 치실을 끼운 채 이렇게 생각하는 기이한 순간을 맞았다. 그녀도 아이들을 원하겠지? 물어봐야지. 물론 물어봐야 해. 내가 그 질문을 완곡하고 모호하게 던졌을 때 에이미는 말했다. 물론이지, 그럼, 언젠가는. 하지만 매일 아침 그녀는 세면대 앞에 서서 피임약을 삼켰다. 3년 동안 그녀는 아침마다 그 일을 했고, 나는 가슴을 두근거리며 그 문제 근처까지 갔지만 결국 말하는 데는 실패했다. 난 우리가 아기를 낳았으면 좋겠어.

우리가 둘 다 실직한 뒤에, 실제로 그 일이 일어날 것처럼 보였다. 갑자기 우리의 삶에서 일이 차지하고 있던 공간이 비게 된 것이다. 그리고 어느 날 아침식사 중에 에이미는 토스트를 바라보고 있다가 시선을 올리고 말했다. 나 약 끊었어. 그냥 그렇게. 그녀는 다섯 달 동안 약을 끊었지만 아무 일도 일어나지 않았다. 그리고 미주리로 이사하고 얼마 되지 않아 그녀는 우리가 의학의 도움을 받도록 예약을 잡았다. 에이미는 일단 프로젝트를 시작하면 꾸물거리는 법이 없었다. "우리가 1년 동안 아이를 가지려고 노력했다고 말할 거야." 그녀는 말했다. 나는 바보 같이 동의했다. 그즈음 우리는 서로에게 거의 손을 대지 않았으면서도 아이를 낳는 게 말이 된다고 생각했던 것이다. 당연히.

"당신도 당신의 역할을 해야 할 거야." 차를 타고 세인트루이스로 가던 길에 에이미는 말했다. "정자를 제공해야 해."

"알아. 왜 그런 식으로 말하는 거야?"

"그냥 당신이 지나치게 자존심이 강한 사람처럼 굴 거라고 생각했어. 자의식과 자존심이 강한 사람."

실제로 나는 그 두 가지 성질을 섞어놓은 고약한 칵테일이었지만, 인공수정센터에서 나는 수음에 전념하기 위한 그 작고 이상한 방으로 순순히 들어갔다. 수많은 남자들이 오직 총 자루를 쥐고, 소총을 청소하고, 오이를 흔들고, 대머리를 울리고, 도다리를 후려치고, 마요네즈의 바다를 항해하고, 해마를 흔들고, 톰과 헉과 함께 흰 칠을 하기 위해 들어가는 장소.(때때로 나는 자기방어를 위해 유머를 이용한다.)

그 방에는 비닐 커버를 덮은 팔걸이의자와 TV 한 대, 그리고 포르노 한 편과 휴지 한 상자가 올려진 탁자 하나가 있었다. 포르노는 여자들의 머리카락(그렇다, 위쪽과 아래쪽 모두)으로 보아 90년대 초반의 것이었고 행위는 미드코어였다. (또 한 편의 좋은 수필: 인공수정센터의 포르노는 누가 선택하는가? 남자들을 오르가슴에 이르게 하면서도 '정액 방' 밖에 있는 모든 여자들(간호사들과 의사들과 희망에 찬, 호르몬 때문에 마음이 혼란스러운 아내들)에게 지나치게 모욕감을 주지 않을 것이 무엇인지 누가 판단하는가?)

내가 그 방을 각기 다른 날에 세 차례 방문하는 동안—그들은 다량의 예비품을 보유하는 편을 선호한다—에이미는 아무것도 하지 않았다. 그녀는 알약을 먹기로 되어 있었지만 그렇게 하지 않았고, 그런 날이 더 이어졌다. 임신할 사람도, 아기에게 몸을 내줘야 할 사람도 그녀였기에 나는 몇 달 동안은 눈치를 주지 않으면서 약통의 약이 줄어들었는지 주시하고 있었다. 그리고 마침내 어느 겨울 밤, 나는 맥주를 몇 잔 마신 뒤 우리 집 계단을 자박자박 걸어 올라가, 옷에 묻은 눈을 털어낸 다음 침대 속의 그녀 옆에 몸을 웅크리고 누워, 그녀의 어깨에 얼굴을 대고 그녀의 냄새를 들이마시며 그녀의 살에 대고 나의 코끝을 데웠다. 내가 속삭였을 때—"이렇게 하자, 에이미, 아기를 낳는 거야"—그녀는 싫다고 말했다. 나는 초조함과 신중함과 우려—"닉, 내가 좋은 엄마가 될 수 있을까?"—를 기대했지만 내가 들은 말은 딱 부러지고 냉담한 '싫어'였다. 그 어떤 여지도 없는 '싫어'. 전혀 극적이지 않고, 아무 일 아니라는 듯이. 그저 더 이상 흥미가 없는 어떤 것에 대해 말하는 것처럼. "힘든 일은 전부 내가 하게 될 거라는 걸 깨달았거든." 그녀가 말했다. "기저귀 갈기와 병원 예약과 훈육은 모두 내 차지가 될 거고, 당신은 잠깐 바람같이 나타나 좋은 아빠 행세를 하겠지. 애들을 좋은 사람으로 만들기 위한 일은 전부 내가 하게 될 거고, 당신은 그걸 도루묵으로 만들 거야. 애들은 당신을 사랑하고 나를 싫어하겠지."

나는 에이미에게 그렇지 않을 거라고 말했지만 그녀는 내 말을 믿지 않았다. 나는 그저 아이를 원하는 것이 아니라 아이가 필요한 것이라고 말했다. 내가 한 사람을 조건 없이 사랑할 수 있다는 것을, 그 작은 생명이 자신은 언제나 환영받고 필요한 존재라고 느끼게 할 수 있다는 걸 알아야만 한다고. 나는 내 아버지와는 다른 아버지가 될 수 있다는 걸. 내 아들을 나와 다르게 키울 수 있다는 걸.

나는 애원했지만 에이미는 꿈쩍도 하지 않았다.

1년 뒤 나는 우편함에서 편지를 발견했다. 연락하지 않으면 나의 정액을 처분하겠다는 클리닉의 통보였다. 나는 그 편지를 식탁 위에 올려두었다. 공개적인 비난이었다. 사흘 뒤 나는 그 편지가 쓰레기통 안에 있는 것을 보았다. 그것이 그 문제에 관한 우리의 마지막 대화였다.

그때 나는 이미 여러 달째 앤디를 몰래 만나고 있었고, 따라서 내게 화를 낼 권리는 없었다. 하지만 외도는 나의 아픔을 멈추게 하지 못했다. 우리의 아들, 나와 에이미의 아들에 대한 나의 백일몽을 멈추게 하지 못했다. 나는 그 아이에게 애착을 갖고 있었다. 사실, 에이미와 나는 훌륭한 아이를 낳을 수 있었을 것이다.

꼭두각시 인형들이 놀란 검은 눈으로 나를 보고 있었다. 나는 창밖을 엿보고 뉴스 트럭들이 사라진 것을 확인한 뒤, 따뜻한 밤공기 속으로 걸어 나갔다. 걸을 시간이다. 어쩌면 타블로이드 신문기자 한 명이 내 뒤를 쫓고 있을지도 모르지만, 상관없었다. 나는 우리의 주택단지를 가로지른 다음 강변길을 따라 45분을 걸어, 카르타고의 한가운데를 관통하는 간선 도로에 올라섰다. 시끄럽고 매캐한 30분—트럭들을 디저트처럼 매력적으로 전시한 자동차 대리점들을 지나, 패스트푸드 체인점과 주류 판매점과 미니 마트와 주유소를 지나—이 지나고 시내로 가는 분기점에 도착했다. 나는 여기까지 걸어오는 내내, 차를 타고 쏜살같이 내 옆을 지나가는 흐릿한 얼굴 외에는 단 한 사람과도 마주치지 않았다.

자정에 가까운 시각이었다. 나는 더 바를 지나쳤다. 안으로 들어가고 싶었지만 사람들 때문에 단념했다. 기자 한두 명이 분명 그곳에서 진을 치고 있을 것이다. 나라면 그렇게 할 것이다. 하지만 나는 바에 있고 싶었다. 사람들에게 둘러싸여 즐거운 시간을 보내면서 열을 식히고 싶었다. 나는 15분을 더 걸어 시내 반대편 끝으로, 토요일 밤이면 언제나 화장실이 토사물로 범벅이 되는 더 저급하고 떠들썩한 젊은 바로 갔다. 앤디 같은 사람들이 갈 만한 바였다. 그러니 어쩌면 앤디를 만나게 될지 누가 알겠는가. 운이 조금 따른다면 그곳에서 앤디를 발견할 것이다. 그녀가 없다면, 그냥 빌어먹을 술이나 마시면 된다.

나는 바의 최대한 안쪽까지 들어갔다. 앤디는 없었다. 나는 야구모자로 얼굴 일부를 가리고 있었다. 그럼에도 불구하고 술 마시는 사람들을 지나쳐 가는 동안 몇 번의 시선을 느꼈다. 나를 향해 갑자기 돌아가는 머리, 알아보고서 크게 뜨는 눈. 저 남자! 맞지?

7월 중순. 나는 10월이 되면 내가 아주 흉악한 존재가 되어 어떤 남학생이 천박한 할로윈 복장으로 나를 흉내 내게 될 것인지 궁금했다. 대걸레 같은 금발 머리카락에 《어메이징 에이미》 한 권을 팔 밑에 낀 모습. 고는 더 바에서 공식 판매하는 티셔츠가 있는지 묻는 전화를 대여섯 통가량 받았다고 했다(다행히 그런 것은 없었다).

나는 앉아서 바텐더에게 스카치 한 잔을 주문했다. 내 나이 정도 되어 보이는 남자 바텐더는 나를 지나치게 오랫동안 쳐다보며 내게 술을 줄지 말지 생각하고 있었다. 결국 그는 마지못해 내 앞에 작은 컵을 내려놓으며 콧구멍을 벌름거렸다. 내가 지갑을 꺼내자 그는 놀란 듯한 손바닥을 내게 들어 보였다. "난 당신한테 돈 받고 싶은 생각 없소. 전혀."

나는 어쨌거나 돈을 올려놓았다. 얼간이.

한 잔 더 시키기 위해 그에게 손을 흔들었을 때, 그는 내 쪽을 흘깃 보더니 고개를 흔든 다음, 그가 말을 걸고 있던 여자 쪽으로 몸을 기울였다. 몇 초 뒤, 그 여자는 스트레칭을 하는 척하면서 조심스럽게 내 쪽을 보았다.

고개를 끄덕이는 그녀의 입꼬리가 아래로 처졌다. 저 남자 맞아요, 닉 던. 바텐더는 다시는 내 쪽으로 오지 않았다.

소리를 지를 수도, 완력을 쓸 수도 없다. 야, 멍청아, 빌어먹을 술 갖다 줄 거야, 말 거야? 그들이 믿고 있는 대로 얼간이처럼 굴 수도 없다. 그저 앉아서 참아야만 한다. 하지만 나는 떠나지 않을 것이다. 나는 빈 잔을 앞에 두고 앉아, 아주 깊은 생각에 빠진 척했다. 그런 다음 휴대전화를 꺼내 뭔가에 몰두하는 척하며 솔리테어를 한 게임 했다. 내 아내는 내게 이런 짓을 했다. 고향에서 술 한 잔 사 먹을 수 없는 남자로 만들어놓았다. 맙소사, 정말이지 난 그녀를 증오했다.

"그거 스카치였어요?"

앤디 또래로 보이는 여자애 하나가 내 앞에 서 있었다. 검은 머리카락이 어깨까지 내려온 아시아 여자로, 아주 귀여웠다.

"뭐라고요?"

"뭐 마시고 있었어요? 스카치?"

"네. 더 주문하긴 했는데……."

그녀는 벌써 바 끝으로 가서 도움을 청하는 커다란 미소를 지으며 바텐더의 눈길을 잡고 있었다. 자신의 존재를 알리는 데 익숙한 여자였다. 곧 그녀는 스카치가 든 커다란 컵을 들고 돌아왔다.

"받아요." 그녀가 슬쩍 밀었고 나는 들은 대로 했다. "건배." 그녀가 거품이 일며 쉬익 소리가 나는 맑은 술을 들어 올렸다. 우리는 술잔을 부딪쳤다. "앉아도 돼요?"

"사실 전 곧 가야 해서요."

나는 주위를 둘러보며 우리를 향해 카메라를 들고 있는 사람이 없는지 확인했다.

"그럼, 좋아요." 그녀가 스스럼없이 웃으며 말했다. "당신이 닉 던이라는 사실을 모른 척할 수 있지만, 당신을 모욕하지 않겠어요. 어쨌거나 난 당신을 응원하고 있으니까요. 당신은 고약한 덫에 걸렸더군요."

"고마워요. 지금은 어, 이상한 시기예요."

"진심이에요. 법정에서 사람들이 CSI 효과에 대해 하는 말 알죠? 예를 들어, 모든 배심원이 CSI를 하도 많이 봐서 과학이 모든 걸 증명할 수 있다고 믿는다는 얘기요."

"네."

"그게, 내 생각엔 '사악한 남편' 효과도 있는 것 같아요. 다들 남편이 항상 살인자인 범죄 고발 프로그램을 너무 많이 봐서 자동적으로 남편이 나쁜 놈이라고 생각하잖아요."

"바로 그겁니다." 내가 말했다. "고마워요. 바로 그거예요. 거기다 엘런 애벗은……."

"망할 엘런 애벗." 나의 친구가 말했다. "그녀는 사법 시스템을 왜곡하면서 남성 혐오증을 불러일으키는 여자일 뿐이에요." 그녀가 다시 잔을 들어 올렸다.

"이름이 뭐예요?" 내가 물었다.

"스카치 한 잔 더?"

"그거 끝내주는 이름이군요."

그녀의 이름은 레베카였다. 그녀는 마음껏 써도 되는 신용카드를 가진 술고래였다. (한 잔 더? 한 잔 더? 한 잔 더?) 그녀는 아이오와 주의 무스카틴(미시시피 강의 또 다른 소도시)에서 태어나 학부를 마친 뒤 뉴욕으로 가 작가가 되었다(나와의 또 다른 공통점). 그녀는 세 군데의 잡지사―예비신부, 위킹맘, 십대 소녀를 위한 잡지 —에서 편집 보조로 일했고 지난 몇 년 사이에 그 모두에서 쫓겨났다. 이제 그녀는 '후던잇(Whodunnit)'이라는 범죄 블로그를 운영하고 있으며, 실제로 (그녀가 킥킥거렸다) 나를 인터뷰하기 위해 이곳에 머무는 중이었다. 젠장, 나는 헝그리 정신에 입각한 그녀의 대담함에 호감을 느끼지 않을 수 없었다. 그곳에 절 보내주기만 하세요. 주요 방송사들은 그를 찾을 수 없지만 전 분명 할 수 있어요!

"지금껏 난 다른 모든 사람들처럼 당신 집에서 당신을 기다리다가, 당신 동생 집으로 갔다가, 술 한 잔 하기로 한 거예요. 그런데 당신이 여기 걸어 들어오더군요. 정말이지 완벽해요. 진짜 희한하죠?" 그녀가 말했다. 그녀는 귀에 걸고 있는 조그만 금 링귀걸이를 계속 만지작거렸다. 그녀의 머리카락은 귀 뒤로 넘겨져 있었다.

"가봐야겠어요." 내가 말했다. 내 말끝이 진득거렸다. 발음이 불분명해지기 시작했다.

"하지만 당신이 왜 이곳에 있는지 내게 말하지 않았잖아요." 레베카가 말했다. "이렇게 말하긴 뭣하지만, 내 생각에 당신이 친구나 아무런 대책 없이 밖으로 나오는 데는 많은 용기가 필요할 것 같아요. 물론 더러운 시선도 많이 받을 거고요."

나는 어깨를 으쓱했다. 그게 뭐 대수인가.

"사람들은 당신을 알지도 못하면서 당신이 하는 모든 행동을 판단하잖아요. 예를 들면 당신이 공원에서 찍은 휴대폰 사진도 그렇고요. 그러니까, 아마 당신은 나랑 비슷할 거예요. 예의 바르게 행동하라고 배우면서 자란 거죠. 하지만 아무도 진짜 이야기를 원하지 않아요. 그들은 그저…… 걸려들길 기다려요. 아시죠?"

"난 내가 일정한 틀에 들어맞는다는 이유로 날 심판하는 사람들한테

신물이 났습니다."

그녀가 눈썹을 추켜세웠다. 귀걸이가 살짝 흔들렸다.

나는 그곳이 어딘지 알 순 없지만, 자신의 빌어먹을 통제실에 앉아서 모든 각도에서 나를 심판하고 있을, 멀리서 봐도 내가 우둔하다는 걸 발견할 에이미를 생각했다. 그녀의 광기를 멈추게 할 무언가가 있을까?

"제 말은, 사람들은 우리가 '험난한' 결혼 생활을 하고 있었다고 생각하지만 사실 아내는 실종되기 직전에 나를 위해 보물찾기를 준비했다는 뜻이에요."

에이미는 둘 중 하나를 원할 것이다. 내가 교훈을 얻고 나라는 나쁜 놈에게 합당하게 전기의자로 처형되거나, 내가 교훈을 얻고 그녀가 받아 마땅한 방식으로 그녀를 사랑하고, 착하고 순종적이고 벌 받은 불알 없는 남자가 되는 것.

"이 환상적인 보물찾기." 내가 웃었다. 레베카는 안됐다는 듯한 표정을 지으며 고개를 저었다. "내 아내는 결혼기념일마다 보물찾기를 했습니다. 하나의 단서가 특별한 장소로 이어지고, 그곳에서 나는 다음 단서를 찾으면서 보물찾기를 계속 하죠. 에이미는……" 나는 눈에 눈물이 고이게 하려고 애썼다. 눈가를 훔치는 장면을 연출하기 위해. 문 위에 걸린 시계는 새벽 12시 37분을 가리켰다. "아내는 실종되기 전에 올해를 위한 단서를 모두 숨겼어요."

"결혼기념일에 실종되기 전에요."

"그리고 저는 오직 그것 하나로 버티고 있어요. 보물찾기는 내가 그녀와 가까이 있는 듯한 기분을 느끼게 하거든요."

레베카가 플립 카메라를 꺼냈다. "당신을 인터뷰하게 해주세요. 카메라로요."

"좋지 않은 생각이에요."

"상황 설명이 될 거예요." 레베카가 말했다. "당신에게 필요한 건 바로 그거예요. 닉, 약속할게요. 상황 설명. 당신은 이게 정말 필요해요. 부탁이에요, 딱 몇 마디만요."

나는 고개를 저었다. "너무 위험해요."

"그냥 방금 하신 말씀을 하세요. 전 진지해요, 닉. 전 엘런 애벗과 정반대예요. 엘런 애벗의 안티라고요. 당신에겐 내가 필요해요." 그녀는 카메라를 들어 올렸다. 작은 빨간색 불빛이 보였다.

"장난 아닙니다. 카메라 꺼요."

"사람 하나 구해주세요. 닉 던과 인터뷰를 한다? 내게는 경력이 생기는 거예요. 당신은 올해의 선행을 하게 되고요. 제발요, 네? 피해 볼 일은 없어요, 닉. 1분만요. 딱 1분. 당신을 우호적으로만 다루겠다고 맹세할게요."

그녀는 근처 부스로 손짓을 했다. 멍청한 구경꾼들의 시선이 닿지 않을 곳이었다. 나는 고개를 끄덕였고, 우리는 다시 자리를 잡았다. 작은 빨간 불빛이 내내 나를 보고 있었다.

"알고 싶은 게 뭐죠?" 내가 물었다.

"보물찾기에 대해 말씀해주세요. 낭만적인 것 같아요. 기발하고, 놀랍고, 낭만적이에요."

이야기를 지배해, 닉. 포주 같은 대중과 창부 같은 아내, 모두를 위해. 나는 생각했다. 지금 이 순간 나는 아내를 사랑하고 아내를 찾으려고 하는 남자야. 응원을 받을 사람이야. 나는 완벽하지 않지만 아내는 완벽한 사람이야. 지금부터 난 아주, 아주 순종적인 사람이 되는 거야.

이것은 슬픔을 가장하는 것보다 더 쉬웠다. 말했듯이, 나는 밝은 분위기에 더 강하다. 그럼에도 나는 이 말을 하려고 준비할 때 목이 죄어오는 듯한 느낌을 받았다.

"내 아내, 에이미는 내가 아는 세상에서 가장 멋진 여자예요. 세상에 이렇게 말할 수 있는 남자들이 몇이나 될까요? '난 세상에서 제일 멋진 여자와 결혼했어.'"

이 씨발년 이 씨발년 이 씨발년. 집으로 돌아와. 죽여버릴 테니까.

에이미 엘리엇 던

실종 9일째

갑자기 신경이 곤두서는 기분이 들면서 잠에서 깬다. 달아나. 여기서 발견되면 안 돼. 이것이 내가 잠에서 깨면서 한 생각이다. 뇌 속에서 번쩍이듯 튀어나온 말. 조사는 충분히 빠르게 진행되지 않는 반면 내 돈은 빠르게 줄어들고 있으며, 제프와 그레타는 탐욕스러운 안테나를 세우고 있다. 그리고 내 몸에서는 생선 냄새가 난다.

강기슭으로, 내 원피스와 전대로 돌진하던 제프에게는 뭔가가 있었다. 늘 우연인 것처럼 〈엘런 애벗〉을 켜는 그레타에게도 뭔가가 있었다. 초조해진다. 내가 피해망상증인가? 나는 '일기장 에이미'처럼 말하고 있다. 남편이 나를 죽이려는 걸까, 아니면 나의 상상인 걸까!?!? 처음으로 일기장 에이미가 진심으로 안됐다고 느낀다.

에이미 던 제보 라인에 두 차례 전화를 걸어 두 사람에게 각기 다른 힌트를 하나씩 제공한다. 그들이 얼마나 빨리 경찰과 얘기할지 모르겠다. 그 자원봉사자들이 전혀 흥미를 보이는 것 같지 않기 때문이다. 나는 암울한 기분으로 차를 몰고 도서관으로 간다. 그냥 짐을 싸서 떠나야 한다.

모든 것을 표백제로 닦아내고, 내 지문을 없애고, 청소기를 돌려 머리카락 하나 남기지 않아야 한다. 에이미(와 리디아와 낸시)를 지우고 떠나야 한다. 떠나면 안전할 것이다. 그레타와 제프가 내가 누구인지 정말로 의심한다 해도, 내가 실제로 잡히지 않는 한 나는 괜찮다. 에이미 엘리엇 던은 입으로 전해지는 탐나는 설인과 같다. 그들, 오자크의 두 사기꾼의 모호한 이야기는 즉시 거짓으로 밝혀질 것이다. 나는 오늘 떠난다. 이렇게 결정을 내리면서 나는 고개를 숙인 채, 서늘하고 대부분 비어 있는 도서관으로 걸어 들어간다. 이용객이 없는 컴퓨터가 세 대 있다. 닉에 관한 새소식을 알아내기 위해 인터넷에 접속한다.

촛불집회 이후 닉에 관한 소식은 재탕이었다. 같은 이야기가 반복해서 나오고 어조는 점점 강해졌지만 새로운 정보는 없었다. 하지만 오늘은 뭔가 다르다. 검색 엔진에 닉의 이름을 치자 여러 블로그에서 난리가 났다. 내 남편이 바에서 술에 취한 채 플립 카메라를 들이대는 웬 여자애와 인터뷰를 하는 미친 짓을 했기 때문이다. 맙소사, 이 멍청이는 도대체가 교육이 안 되는군.

'닉 던의 고백 동영상!!!'

'닉 던의 취중 진담!!!'

심장이 덜컥하며 목젖에서 맥박이 느껴지기 시작한다. 내 남편은 또다시 스스로를 엿 먹였다.

동영상이 재생되자 닉이 나온다. 취할 때면 늘 그렇듯, 눈꺼풀이 무거워진 졸린 눈으로, 특유의 비뚜름한 웃음을 지으며 나에 대해 얘기하고 있는 그가 인간적으로 보인다. 기분이 좋은 듯하다. "내 아내, 에이미는 내가 아는 세상에서 가장 멋진 여자예요." 그가 말한다. "세상에 이렇게 말할 수 있는 남자들이 몇이나 될까요? '난 세상에서 제일 멋진 여자와 결혼했어.'"

배 속이 미세하게 떨린다. 예상 밖의 일이다. 나는 거의 웃고 있다.

"부인의 어떤 점이 그렇게 멋있나요?" 여자애가 화면 밖에서 묻는다. 그녀의 새된 목소리가 여학생처럼 들떠 있다.

닉이 보물찾기 이야기를 시작한다. 그것이 우리의 전통이며, 내가 늘 우리만의 유쾌한 농담을 잘 기억했다고, 이제 그에게 남은 나의 흔적은 그것뿐이라고, 그래서 보물찾기를 끝까지 해내야 한다고. 그것이 그의 임무라고.

"오늘 아침에 저는 마지막 보물을 찾았습니다." 닉이 쉰 목소리로 말한다. 그는 시끄러운 사람들 틈에서 말하고 있다. 그는 집에 가서 따뜻한 소금물로 가글을 할 것이다. 그의 어머니가 그에게 늘 시켰던 대로. 내가 집에 있다면 내게 물을 데워서 소금을 넣어달라고 부탁했을 것이다. 자기는 절대 소금 양을 맞출 수 없다면서. "보물을 찾고서 저는…… 많은 것을 깨달았습니다. 아내는 세상에서 나를 놀라게 할 수 있는 힘을 가진 유일한 사람입니다. 전 다른 사람들이 무슨 말을 할지 늘 알고 있어요. 다들 똑같은 말을 하니까요. 우린 모두 똑같은 프로그램을 보고 똑같은 것을 읽고 모든 걸 재활용하죠. 하지만 에이미는 그녀 자체로 완벽한 사람이에요. 아내는 내게 그런 힘을 행사하죠."

"닉, 부인이 지금 어디에 있을 거라고 생각하세요?"

나의 남편은 고개를 숙여 결혼반지를 쳐다보더니 그것을 두 번 돌렸다.

"괜찮으세요, 닉?"

"사실대로 말할까요? 아뇨. 난 아내를 너무 실망시켰어요. 난 정말 나빴어요. 그저 너무 늦지 않았기를 바랄 뿐입니다. 나도. 우리도."

"감정적으로 너무 지치신 것 같아요."

닉이 카메라를 똑바로 쳐다보았다. "전 제 아내를 원합니다. 아내가 이 자리에 있었으면 좋겠어요." 그가 숨을 들이마신다. "전 감정을 드러내는 데 서툰 사람입니다. 저도 알고 있어요. 하지만 저는 아내를 사랑합니다. 아내가 무사하기를 바랍니다. 무사해야만 합니다. 그녀에게 갚아야 할 게 너무 많아요."

"예를 들면?"

그가 웃는다. 그의 쓴웃음이 지금도 매력적으로 보인다는 것을 깨닫는다. 우리가 좋았던 시절에 나는 그 웃음을 '토크쇼 웃음'이라고 불렀다. 재빨리 시선을 내리깔고 엄지손가락으로 자연스럽게 입가를 긁으면서, 숨을 들이마시며 싱긋 웃는 웃음. 매력적인 영화배우가 아주 우스운 농담을 하기 직전에 언제나 보여주는 그런 웃음.

"음, 당신과는 관계없는 일이죠." 그가 미소를 짓는다. "그냥 난 아내에게 갚아야 할 게 많아요. 난 별로 좋은 남편이 아니었어요. 우린 몇 년 동안 힘들었고, 난…… 형편없었죠. 나는 노력하기를 멈췄어요. 그러니까, 흔한 말 있잖아요. '우리는 노력하기를 멈췄어요.' 모두들 그것이 결혼의 끝을 의미한다는 걸 알고 있어요. 교과서적인 이야기죠. 그런데도 난 노력하기를 멈췄어요. 바람직한 남자가 아니었죠." 닉의 눈꺼풀이 무겁고, 말에도 콧소리가 섞여 나온다. 얼큰하게 취한 상태를 넘어서 있다. 한 잔만 더 마시면 만취할 것이다. 취기가 오른 그의 두 뺨이 발그스레하다. 술을 몇 잔 마신 그의 피부에서 느껴지던 열기를 기억해내자 손가락 끝이 달아오른다.

"부인에게 어떻게 갚아주실 건데요?" 카메라가 잠시 흔들린다. 여자애가 자기 술잔을 들어 올리고 있다.

"어떻게 갚아줄 거냐고요. 우선, 난 아내를 찾아내서 집으로 데려올 겁니다. 내기를 해도 좋아요. 그런 다음? 아내가 내게 무엇을 원하든, 그걸 줄 겁니다. 지금부터요. 왜냐하면 나는 보물찾기의 끝에 도착했고, 무릎을 꿇었으니까요. 겸손하게요. 아내는 내게 지금처럼 분명한 메시지를 보낸 적이 없습니다. 저는 그 어느 때보다 내가 해야 할 일을 확신하고 있어요."

"지금 에이미에게 말할 수 있다면 뭐라고 하시겠어요?"

"당신을 사랑해. 난 당신을 찾아낼 거야. 난……."

나는 그가 〈라스트 모히칸〉에서 대니얼 데이 루이스의 대사를 하려고 한다는 걸 알 수 있다. '살아남아. 난 당신을 찾아낼 거야.' 그는 즉흥적인 영화 대사로 진심을 왜곡하지 않고는 견딜 수가 없다. 그가 막바지에 망설이는 것이 느껴진다. 스스로를 억제하고 있다.

"영원히 당신을 사랑해, 에이미."

어찌나 감동적인지. 어찌나 내 남편 같지 않은지.

전동 킥보드를 탄 병적으로 뚱뚱한 산사람들이 나와 나의 모닝커피 사이에 있다. 킥보드 양옆으로 엉덩이가 삐져나와 있는데도 그들은 에그 맥머핀을 또 먹고 싶은가 보다. 내 앞에는 말 그대로 세 사람이 주차 중이다. 맥도날드 실내에서 선 줄에서.

솔직히 나는 신경 쓰지 않는다. 계획이 약간 틀어졌음에도 나는 이상하게 들떠 있다. 인터넷의 그 동영상은 이미 바이러스처럼 퍼져 나가고 있고, 사람들의 반응은 놀랍게도 우호적이다. 조심스러운 낙관주의. 어쩌면 이 남자는 아내를 죽이지 않았는지도 몰라. 이것이 문자 그대로 가장 흔한 후렴이다. 일단 닉이 긴장을 늦추고 약간의 감정을 드러내자 이렇게 된 것이다. 아무도 그 동영상을 보고 닉이 연기를 하고 있다고 생각할 수 없을 것이다. 그것은 아마추어 연극배우가 고통을 삼키는 연기를 하는 것과는 전혀 다르다. 내 남편은 나를 사랑한다. 혹은 적어도 어젯밤에 그는 나를 사랑했다. 수건에서 곰팡이 냄새가 나는 볼품없는 오두막에서 내가 그의 파멸을 꾀하는 동안, 그는 나를 사랑했다.

이걸로는 부족하다. 물론 알고 있다. 계획을 바꿀 수는 없다. 하지만 이 일은 나를 멈칫하게 만든다. 내 남편은 보물찾기를 끝냈고 나를 사랑하고 있다. 또한 그는 심각한 스트레스를 받고 있다―한쪽 뺨에 발진이 난 것을 나는 똑똑히 보았다.

내 오두막 앞에 차를 세우는데 문을 두드리고 있는 도로시가 보인다. 월가의 빽질이처럼 뒤로 빗어 넘긴 그녀의 머리카락이 땀으로 젖어 있다. 도로시는 윗입술을 문지른 다음 손가락의 땀을 핥는 버릇이 있다. 나를 향해 돌아선 그녀는 집게손가락을 버터 바른 옥수수 속대라도 되는 것처럼 입에 물고 있다.

"이제야 오는군." 그녀가 말한다. "무단결석생."

방세 내는 날이 이틀 지나 있었다. 이틀. 웃음이 날 뻔한다. 내가 방세 내는 날을 넘기다니.

"정말 미안해요, 도로시. 10분 안에 갖다드릴게요."

"여기서 기다려도 되겠지?"

"제가 여기서 계속 머무를지 모르겠어요. 떠날지도 몰라요."

"그렇다 해도 이틀 치는 내야지. 80달러야."

나는 오두막 안으로 들어가 조잡한 전대를 푼다. 아침에 침대에 앉아 한 장 한 장 늘어놓으며 오랫동안 돈을 셌다. 감질나는 경제 스트립쇼. 놀랍게도 내게는, 어찌 된 일인지 8,849달러밖에 남아 있지 않았다. 생활하는 데는 돈이 많이 든다.

문을 열고 도로시에게 돈을 건네는데 (이제 8,769달러 남았다) 그레타와 제프가 그레타의 포치에서 어슬렁거리며 돈을 건네는 현장을 지켜보고 있다. 제프는 기타를 치지 않고 그레타는 담배를 피우지 않고 있다. 그들은 오직 나를 더 잘 보기 위해 그곳에 있는 것처럼 보인다. 두 사람이 내게 손을 흔들고—안녕, 친구—나도 힘없이 손을 흔들어준다. 나는 문을 닫고 짐을 싸기 시작한다.

이 세상에 내 물건이 너무나 적다는 사실이 이상하다. 예전에는 너무나 많은 것이 있었는데. 지금 내게는 달걀 거품기도, 수프 접시도 없다. 이불과 수건은 있지만 제대로 된 담요 한 장 없다. 가위는 있어서 계속 머리카락을 엉망으로 자를 수 있다. 웃음이 난다. 닉과 함께 살기 시작했을 때 닉은 가위가 없었다. 가위도 없고 다리미도 없고 스테이플러도 없었다. 그에게 가위 하나 없이 어떻게 문명인이라 할 수 있느냐고 물었던 것이 기억난다. 닉은 자신은 물론 문명인이 아니라며 나를 안아 올려 침대에 내던진 다음 내게 달려들었고, 나는 웃었다. 그때는 내가 여전히 '쿨한 여자'였기 때문이다. 그때는 그것이 무슨 뜻인지 생각하는 대신 웃었다.

변변한 가위 하나 없는 남자와는 절대 결혼해서는 안 된다. 이것이 나의 충고다. 그런 결혼은 끝이 나쁘다.

나는 옷을 개서 작은 배낭 안에 넣는다. 집에서 아무것도 가져가지 않기 위해 실종 한 달 전에 사서 도주 차량에 보관했던, 똑같은 옷 세 벌이다. 여행용 칫솔과 빗, 로션 등도 던져 넣는다. 물건을 다 챙기는데 이토록 적은 시간이 필요하다니.

비닐장갑을 끼고 모든 것을 닦아낸다. 배수구를 들어내 머리카락을 치운다. 그레타와 제프가 내가 누구인지 정말로 아는 것 같지는 않지만, 만일 그들이 안다 해도 나는 어떤 증거도 남겨놓고 싶지 않다. 청소하는 내내 나는 스스로에게 이렇게 말한다. 이것이 네가 긴장을 늦춘 대가야, 이것이 항상, 항상 생각하지 않은 대가야. 넌 잡혀도 싸. 그렇게 멍청하게 행동하다니. 관리사무실에 네 머리카락이 떨어져 있으면 어떻게 할래? 제프의 차나 그레타의 부엌에 네 지문이 남아 있으면 어떻게 할래? 어째서 네가 아무 걱정도 하지 않을 수 있을 거라고 생각한 거야? 나는 모든 오두막을 뒤지고도 아무것도 발견하지 못하는 경찰을 상상한다. 그러다 마치 영화의 한 장면처럼, 나의 몰락을 기다리며 풀장 콘크리트 바닥에 떨어져 있는 나의 쥐색 머리카락 한 가닥이 클로즈업 되는 장면이 눈앞에 떠오른다.

순간 생각이 다른 방향으로 급선회한다. 물론 아무도 너를 찾으러 여기 나타나지 않을 거야. 경찰이 듣게 될 건 진짜 에이미 엘리엇 던을 다 허물어진 싸구려 오두막에서 보았다고 말하는 몇몇 야바위꾼의 주장뿐이야. 경찰은 그들이 사람들의 주목을 받고 싶어 하는 보잘것없는 사람들이라고 생각하겠지.

확신에 찬 노크 소리가 들린다. 부모가 아이의 방문을 활짝 열어젖히기 직전에 내는 것 같은 노크 소리—여긴 내 집이야. 나는 방 한가운데에 가만히 서서 무시해버릴까 생각한다. 쾅쾅쾅. 이제 나는 어째서 그토록 많은 공포영화가 그 장치—알 수 없는 노크 소리—를 이용하는지 이해한다. 거기에는 악몽 같은 무게가 있다. 밖에 누가 있는지 알 수 없지만 자신이 결국 문을 열게 되리라는 걸 안다. 지금의 나처럼, 나쁜 사람은 노크를 하지 않는다는 생각을 하면서.

어이 친구, 집에 있는 거 알아요, 문 열어요!

나는 라텍스 장갑을 벗고 문을 연다. 물론 제프와 그레타다. 그들은 주차장에 그림자를 드리우는 어스름한 주황색 빛 속에 서 있다.

"어이 예쁜 아가씨, 들어가도 돼요?" 제프가 묻는다.

"사실은 안 그래도 당신들한테 가려던 참이에요." 당황한 나는 당돌하게 들리도록 애쓰면서 말한다. "난 오늘 밤에 떠나요. 내일이나 오늘 밤에. 집에서 전화가 왔어요. 돌아오라고."

"루이지애나의 집 말하는 거야, 아니면 서배너의 집?" 그레타가 말한다. 그녀와 제프는 나에 대한 이야기를 교환한 것이다.

"루이지……."

"그건 상관없어요." 제프가 말한다. "잠깐 들여보내줘요. 작별 인사를 하러 왔으니까."

그가 내 쪽으로 몇 걸음 다가온다. 나는 비명을 지르거나 문을 쾅 닫을까 하고 생각하지만, 어느 쪽도 괜찮은 생각 같지는 않다. 아무 문제도 없는 척하면서 그것이 사실이기를 바라는 것이 낫다.

두 사람이 들어온 뒤 그레타가 문을 닫고 그곳에 등을 기대고 선다. 제프는 어슬렁거리며 나의 작은 침실 속으로 들어갔다가, 날씨에 대해 이야기하며 부엌 쪽으로 간다. 문과 서랍을 열면서.

"전부 다 치워야 해요. 안 그러면 도로시가 보증금을 돌려주지 않거든요." 그가 말한다. "깐깐한 여자죠." 그는 냉장고를 열어 야채칸과 냉동실을 들여다본다. "케첩 한 병도 남기고 가면 안 돼요. 난 그게 참 이해가 안 돼. 케첩은 상하는 것도 아닌데."

그는 옷장을 열고 내가 개어놓은 오두막 이불들을 흔들어서 펼친다.

"난 언제나 이불을 털어보죠. 안에 아무것도 없다는 걸 확인하려고요. 양말이든 속옷이든 뭐든지 간에."

그는 침대 옆 탁자의 서랍을 열고 무릎을 꿇고 앉아 깊숙한 곳까지 들여다본다. "제대로 잘 치운 것 같군요." 그가 일어서서 웃으면서 말한다. 이어 두 손을 청바지에 문질러 닦는다. "전부 다 챙겼어."

그가 나를 목부터 발까지, 그리고 그 반대로 훑어본다.

"그거 어디 있어, 자기?"

"뭐 말이에요?"

"당신 돈." 그가 어깨를 으쓱한다. "일을 어렵게 만들지 말자고. 나랑 그레타는 그 돈이 꼭 필요하거든."

내 뒤에 있는 그레타는 말이 없다.

"나한텐 20달러 정도밖에 없어."

"거짓말." 제프가 말한다. "당신은 전부 다, 방세조차 현금으로 내. 우리가 미니 골프를 쳤던 날에도 항상 현금을 썼지. 당신이 숨기고 있다고 생각하는 그 돈, 그건 전혀 줄어들지 않았어. 그러니 내놔. 그럼 당신은 떠날 수 있고 우린 서로 다시는 얼굴 볼 일 없을 테니까."

"경찰을 부르겠어."

"얼마든지! 마음대로 해."

제프가 양쪽 엄지손가락을 팔꿈치에 대고 팔짱을 낀 채 기다린다.

"네 안경은 가짜야." 그레타가 말한다. "저번에 풀에서 장난삼아 써봤는데 도수가 없더군."

나는 아무 말도 하지 않는다. 그저 그녀가 물러나기를 바라면서 그녀를 노려본다. 이 두 사람은 아주 초조해 보인다. 어쩌면 갑자기 마음을 바꿔 그냥 장난을 친 거라고 말할지도 모른다. 그러면 우리 세 사람은 웃으면서, 사실은 그렇지 않았다는 걸 알면서도 모르는 척할 것이다.

"그리고 네 머리카락, 뿌리가 나오고 있어. 네가 염색한 그 햄스터 같은 색깔보다 훨씬 더 예쁜 금발이야. 그나저나 그 헤어스타일은 정말 꽝이야." 그레타가 말한다. "넌 도망치는 중이야. 뭣 때문인지는 모르지만. 정말 남자 문제인지 뭔지는 모르지만 넌 경찰을 부르지 못할 거야. 그러니 그 돈 내놔."

"제프가 이렇게 하자고 꼬드긴 거야?" 내가 묻는다.

"내가 제프를 꼬드겼지."

나는 그레타가 막고 있는 문 쪽으로 걸어가기 시작한다. "날 보내줘."

"돈 줘."

내가 문손잡이를 잡자 그레타가 나를 밀쳐 벽으로 밀어붙인다. 그녀는 한 손으로 내 얼굴을 잡고 다른 손으로 내 원피스를 끌어올려 전대를 잡아챈다.

"이러지 마, 그레타! 그만해!"

그녀의 뜨겁고 짠 손바닥이 내 코를 찌부러뜨리며 온 얼굴을 뒤덮는다. 그녀의 손가락 한 개가 내 눈을 찌른다. 이어 그녀는 나를 다시 벽 쪽으로 밀어붙인다. 나는 머리를 부딪치고 이로 혀끝을 깨문다. 이 모든 난투극은 아주 조용하게 이루어진다.

나는 전대의 버클 가장자리를 잡고 있지만 그녀를 똑바로 보고 싸울 수가 없다. 눈에 눈물이 너무 많이 어렸기 때문이다. 그녀는 곧 내 손을 잡아뜯으며 내 손마디마다 타는 듯한 손톱자국을 남긴다. 그녀는 다시 한번 나를 떼밀고 전대의 지퍼를 연 다음 안을 뒤진다.

"이런 세상에," 그녀가 말한다. "이건 뭐," 그녀가 돈을 센다. "천 달러, 아니 이, 삼천도 넘겠는데. 이런 세상에. 대단한 여자네! 은행이라도 털었어?"

"그랬을지도 모르지." 제프가 말한다. "횡령했거나."

영화 속이라면, 닉이 보는 영화 속이라면, 나는 손바닥으로 그레타의 얼굴을 밀어 올리고 그녀를 땅바닥에 내동댕이쳐 피를 흘리며 정신을 잃게 만든 다음, 제프에게 펀치를 날렸을 것이다. 하지만 현실 속의 나는 싸우는 법을 모른다. 저들은 두 명이고 싸운다 해도 승산이 없다. 두 사람에게 달려든다면 그들은 내 손목을 잡을 것이고 나는 어린애처럼 버둥거릴 것이다. 또는 화가 잔뜩 난 그들이 나를 실컷 두들겨 팰 수도 있다. 나는 한 번도 맞아본 적이 없다. 나는 다른 사람이 나를 해치는 것이 두렵다.

"경찰에 전화해, 어서 전화해봐." 제프가 다시 말한다.

"좆까." 내가 중얼거린다.

"미안하게 됐어." 그레타가 말한다. "다음번에 어디 가면 좀 더 신중하게 굴어, 알았지? 혼자 도망 다니는 여자처럼 보여서는 안 돼."

"당신은 괜찮을 거야." 제프가 말한다.

두 사람이 나갈 때 그가 내 팔을 두드린다.

침대 옆 탁자에는 25센트짜리 동전 하나와 10센트짜리 동전 하나가 놓여 있다. 이제 이것이 내 전 재산이다.

닉 던

실종 9일째

좋은 아침! 나는 침대 위에 놓인 노트북 옆에 누워서, 나의 즉석 인터뷰에 대한 인터넷상의 반응을 즐기고 있었다. 싸구려 스카치로 인한 가벼운 숙취 때문에 요동치는 왼쪽 눈알 말고는, 모든 것이 상당히 만족스러웠다. 어젯밤에 나는 아내가 돌아오게 하기 위한 첫 대사를 던졌다. 미안해, 당신한테 다 갚아줄게, 지금부터 당신이 원하는 건 뭐든지 하겠어, 당신이 얼마나 특별한지 온 세상이 다 알게 만들 거야.

에이미가 모습을 드러내기로 결심하지 않으면 나는 끝장이기 때문이었다. 태너의 탐정(내가 기대했던 누아르 영화 속의 술 취한 탐정이 아닌, 작지만 강단 있고 말쑥한 차림의 남자)은 아직 아무것도 알아내지 못했다. 아내는 완벽하게 행방을 감춘 것이다. 나는 에이미에게 돌아오라고 설득해야만 했다. 찬사와 굴복으로 그녀를 의기양양하게 만들어야 했다.

인터넷상의 반응으로만 본다면 나의 판단은 옳았다. 반응이 좋았다. 아주 좋았다.

얼음 같던 사람이 녹았군!

난 그가 착한 남자인 걸 알고 있었어.

취중 진담!

어쩌면 그는 그녀를 죽이지 않았는지도 몰라.

어쩌면 그는 그녀를 죽이지 않았는지도 몰라.

어쩌면 그는 그녀를 죽이지 않았는지도 몰라.

또한 사람들은 더 이상 나를 랜스라고 부르지 않았다.

우리 집 밖의 카메라맨들과 기자들은 벌써부터 분주했다. 그들은 '어쩌면 그녀를 죽이지 않았을지도 몰' 남자의 한마디를 듣고 싶어 했다. 실제로 그들은 블라인드가 내려진 창문에 대고 소리치고 있었다. 닉 씨, 나와서 에이미 씨에 대해 얘기해주세요. 닉 씨, 보물찾기에 대해 얘기해주세요. 그것은 그들에게 시청률을 높일 수 있는 새로운 묘안일 뿐이겠지만 그래도 '닉, 당신이 아내를 죽였습니까?'보다는 훨씬 나았다.

갑자기 그들이 고의 이름을 부르기 시작했다. 그들은 고를 사랑했다. 그녀는 포커페이스를 할 줄 몰랐기 때문이다. 고가 슬프거나 화가 났거나 걱정할 때면 누구든 그 사실을 알 수 있다. 밑에 캡션을 단 것처럼 모두 알게 되는 것이다. 마고, 당신의 오빠는 결백한가요? 마고, 말씀해주세요……. 태너, 당신의 의뢰인은 결백합니까? 태너…….

이어 초인종이 울렸고, 나는 문 뒤에 숨어서 문을 열었다. 아직 꼴이 엉망이었기 때문이다. 비죽비죽한 머리카락과 후줄근한 사각팬티만 보아도 분명했다. 어젯밤 카메라 앞에서의 나는 사랑스럽게 고민하는, 조금 흐트러진, 술에 취해 솔직한 남자였지만 이제 나는 그냥 술꾼처럼 보였다. 나는 문을 닫고 두 사람이 나의 공연에 대해 격찬하기를 기다렸다.

"다시는, 다시는 그런 짓 하지 마세요." 태너가 시작했다. "도대체 왜 그래요, 닉? 애들을 묶는 밧줄 같은 걸로 당신을 묶어놓고 싶군요. 어쩜 그렇게 어리석어요?"

"인터넷 댓글 봤어요? 반응이 아주 좋아요. 전 여론을 돌려놓고 있다고요, 당신이 시킨 대로."

"통제되지 않은 상황에서 그런 일을 벌여서는 안 됩니다." 그가 말했다. "그 여자가 엘런 애벗을 위해 일하는 사람이면 어쩔 뻔했습니까? 그녀가 '아내에게 하고 싶은 말은 뭔가요, 귀여운 호박파이 씨?'보다 까다로운 질문을 던지기 시작했으면 어쩌려고요?" 그가 여자 같은 말투로 그녀를 흉내 냈다. 오렌지 빛 태닝 스프레이 아래로 그의 얼굴이 벌겋게 달아오르며 방사성 색깔을 뿜어내고 있었다.

"나의 본능을 믿었어요. 난 기자예요, 태너. 나를 좀 믿어도 돼요. 수상한 건 냄새를 맡는다고요. 그 여자는 정말로, 진짜로 착했어요."

그는 소파에 앉아 혼자서는 절대 뒤집어지지 않는 그 오토만 위에 두 발을 올려놓았다. "그래요, 당신 아내도 한때는 착했죠." 그가 말했다. "앤디도 한때는 그랬고요. 뺨은 좀 어떻습니까?"

뺨은 여전히 아팠다. 태너가 상기시키자 물린 곳이 욱신거리는 듯했다. 나는 지지를 구하며 고를 쳐다보았다.

"현명하지 못한 행동이었어, 닉." 고가 태너의 맞은편에 앉으면서 말했다. "넌 정말, 정말 운이 좋았던 거야. 일이 정말 잘 풀렸지만, 그렇지 않을 수도 있었어."

"둘 다 정말 과민하시네. 그냥 이 짧은 희소식의 순간을 즐길 수는 없는 건가요? 9일 만에 처음 들어온 좋은 소식이잖아요? 딱 30초만요, 네?"

태너가 신랄하게 손목시계를 쳐다보았다. "좋습니다, 그러죠."

내가 말하려고 하자 그는 집게손가락을 들어 올리며, 대화 중간에 끼어들려고 하는 아이를 제지하는 어른처럼 '읍-읍' 소리를 냈다. 그의 손가락이 천천히 손목시계 쪽으로 내려가더니 결국 손목시계 위에 닿았다.

"자, 30초 지났습니다. 다 즐겼습니까?" 그는 잠시 침묵을 지키며 내 말을 기다렸다. 떠드는 학생에게 교사가 질문을 한 다음 허락하는 신랄한 침묵이었다. 이제 다 떠들었니? "이제 이야기를 좀 합시다. 우리는 타이밍이 가장 중요한 순간에 와 있습니다……."

"동의합니다."

"고맙군요." 그가 나를 향해 한쪽 눈썹을 구부렸다. "저는 아주 빠른 시일 내에 경찰에 가서 헛간 이야기를 하고 싶습니다. 대중(the hoi polloi)이……."

그냥 '대중(hoi polloi)'이라고 해야 맞다고 나는 생각했다. 에이미가 내게 가르쳐준 것이었다.

"다시 당신을 좋아하는 지금 말이죠. 아, 죄송합니다. '다시'가 아니라 '드디어'죠. 기자들이 고의 집을 찾아냈습니다. 이제 그 헛간과 거기 있는 것들을 그대로 내버려두는 건 불안합니다. 엘리엇 내외는……?"

"이제 장인어른과 장모님의 지지는 기대할 수 없습니다." 내가 말했다. "전혀요."

또 한 번의 침묵. 태너는 내게 설교하거나 무슨 일이 있었는지 묻지도 않기로 마음을 정했다.

"그러니 이제 우린 공격을 해야 해요." 거칠 것 없고 분노에 찬, 준비된 기분으로 내가 말했다.

"닉, 일이 한 번 잘 풀렸다고 불사조가 된 것 같은 기분을 느껴서는 안 돼." 고가 말했다. 그녀는 핸드백에서 약효가 강한 타이레놀 몇 알을 꺼내

내 손에 쥐여주었다. "숙취를 없애. 오늘 정신 바짝 차려야 해."

"괜찮을 거야." 나는 고에게 말했고, 알약을 삼킨 다음 태너에게 말했다. "뭘 해야 하죠? 계획을 세웁시다."

"좋습니다, 이렇게 하죠." 태너가 말했다. "아주 변칙적이긴 하지만, 그게 저의 방식입니다. 내일 저녁에 샤론 쉬버와 인터뷰를 하게 될 겁니다."

"와, 그건…… 정말입니까?" 샤론 쉬버는 내가 더 바랄 수 없을 만큼 좋은 사람이었다. 최고로 인기가 많은(30~55세 사람들에게) 전국 방송(케이블보다 큰 파급력) 여성 앵커(내가 질(膣)이 있는 사람들을 존중할 수 있다는 것을 증명할 수 있다). 그녀는 범죄 보도라는 더러운 물에 뛰어드는 경우가 아주 드물다고 알려져 있었지만, 일단 뛰어들면 무섭도록 공정했다. 2년 전, 그녀는 자기 아기를 흔들어 죽인 혐의로 수감된 젊은 어머니를 비단 같은 날개로 감싸 안았다. 샤론 쉬버는 며칠 동안 계속해서 모든 적법한, 그리고 매우 감정적인 옹호론을 펼쳤다. 그 아기 엄마는 현재 네브래스카 주의 집으로 돌아가 재혼했고, 태어날 아이를 기다리고 있다.

"정말입니다. 어젯밤의 동영상이 퍼진 후에 그녀 쪽에서 연락이 왔어요."

"그러니 그 동영상이 정말로 도움이 된 거죠." 나는 말하지 않을 수 없었다.

"동영상은 당신에게 흥미로운 측면을 하나 제공한 겁니다. 그전에는 당신이 범인이라는 게 분명했는데 이제 그렇지 않을 수도 있다는 가능성이 아주 조금 생긴 거죠. 이해가 되지 않는군요. 어째서 마침내 당신이 진솔해 보일 수 있었는지……."

"어젯밤 인터뷰에는 에이미를 돌아오게 만든다는 실질적인 목표가 있었기 때문이에요." 고가 말했다. "그 인터뷰는 공격적인 작전이었어요.

그게 아니었다면 그저 응석을 받아주는 부당하고 가식적인 감정에 지나지 않았을 거예요."

나는 고에게 감사의 미소를 보냈다.

"자, 그것에 목적이 있다는 걸 계속 기억하십시오." 태너가 말했다. "닉, 전 여기서 빈둥거릴 생각이 추호도 없습니다. 이건 변칙적인 것 그 이상입니다. 다른 변호사들이라면 당신 입에 자물쇠를 채웠을 겁니다. 하지만 전 그런 것들을 시도해보는 사람입니다. 사법계는 언론에 침수 당했어요. 인터넷에, 페이스북에, 유튜브까지, 편견 없는 배심원단이란 건 이제 존재하지 않습니다. 깨끗한 후보자 명단이란 없어요. 사건의 80~90퍼센트가 법정에 들어가기도 전에 판가름 납니다. 그러니 언론을 이용하지 않을 이유가 없죠. 이야기를 지배해야 합니다. 하지만 거기에는 위험이 따릅니다. 나는 모든 단어, 모든 제스처, 모든 사소한 정보까지 미리 계획하기를 원합니다. 하지만 당신은 자연스럽고 호감 가게 행동해야만 합니다. 안 그러면 역풍만 맞을 테니까요."

"아, 그것 참 쉬운 일처럼 들리네요." 내가 말했다. "백 퍼센트 미리 준비된 것이면서도 완벽하게 진솔해 보여야 한다."

"극도로 신중하게 말해야만 합니다. 샤론에게 특정한 질문은 하지 말라고 할 겁니다. 물론 그녀는 그래도 물어보겠죠. 하지만 당신이 어떻게 말해야 하는지 가르쳐드리죠. '이 사건과 관련한 경찰의 명백히 편파적인 행위들 때문에, 저는 정말로 유감스럽게도 그 질문에는 지금 당장 대답해드릴 수가 없습니다. 정말 대답해드리고 싶지만요.' 아주 그럴듯하게 말해야만 합니다."

"말하는 개처럼요."

"물론이죠, 감옥에 가기 싫은 말하는 개처럼요. 우린 샤론 쉬버가 당신을 명분으로 삼게 할 겁니다. 그런 일에 우린 아주 유능해요. 정말 터무니 없이 변칙적이지만, 그게 바로 겁니다." 태너가 다시 말했다. 그는 그 대사를 좋아했다. 그의 주제곡 같았다. 그는 말을 멈추고 한쪽 눈썹을 구부리며 특유의 생각하는 척을 했다. 그는 곧 내가 좋아하지 않을 말을 덧붙일 것이다.

"뭡니까?" 내가 물었다.

"당신은 샤론 쉬버에게 앤디에 대해 말해야 합니다. 어차피 그건, 외도 이야기는 나오게 되어 있습니다. 반드시."

"하필이면 사람들이 마침내 나를 좋아하기 시작한 지금, 그걸 되돌리란 말입니까?"

"맹세하죠, 닉. 내가 그동안 얼마나 많은 사건을 맡았습니까? 그건 언젠가, 어떤 식으로든 반드시 나옵니다. 이런 식으로 우리는 통제력을 얻는 겁니다. 당신은 쉬버에게 앤디에 대해 이야기하고 사과해야 합니다. 당신의 목숨이 달려 있는 것처럼 사과하세요. 당신은 외도를 한 남자, 약하고 어리석은 남자입니다. 하지만 당신은 아내에게 보상을 해주려고 합니다. 당신은 아내를 사랑하므로 그녀에게 보상을 해줄 것입니다. 인터뷰는 그다음 날 밤에 방송될 겁니다. 모든 내용은 금지 조치를 취했으니 그들은 앤디와의 외도를 광고에서 티저로 쓸 수 없습니다. 폭탄선언이라는 말만 쓸 수 있어요."

"그쪽에 벌써 앤디 이야기를 한 겁니까?"

"맙소사, 아닙니다." 그가 말했다. "나는 우리에게 폭탄선언을 할 거리가 있다고 말했습니다. 그러니 인터뷰 후에 우리에게는 24시간 정도가 있어요. 방송을 타기 직전에 우리가 보니와 길핀에게 앤디와 헛간에서 발견한 것들을 말하는 겁니다. '아, 이런 세상에! 우린 그냥 당신들을 위해 정리를 한 겁니다. 에이미는 살아 있고 닉에게 누명을 씌우려는 거예요! 그 여자는 질투심에 미쳐서 닉에게 누명을 씌우는 겁니다! 이런 재앙이!'"

"그런데 어째서 샤론 쉬버에게는 에이미가 내게 누명을 씌우고 있다는 이야기를 하지 않는 거죠?"

"자, 첫 번째 이유. 당신은 앤디에 대해 사과하고 용서를 빕니다. 전 국민이 당신을 용서할 준비가 되어 있습니다. 당신을 동정할 겁니다. 미국 사람들은 용서를 비는 죄인을 보는 것을 아주 좋아하니까요. 하지만 당신은 아내를 나쁘게 보이게 하는 말을 절대 해서는 안 됩니다. 바람을 피운 남편이 어떤 이유에서라도 아내를 비난하는 것을 보고 싶어 하는 사람은 아무도 없으니까요. 그 일은 다른 누군가가 다음 날쯤 하게 둡시다. 경찰과 가까운 정보통에 의하면 방금 닉이 온 마음을 다해 사랑한다고 맹세했던 닉의 아내가 닉에게 누명을 씌우고 있다! TV 방송용으로 훌륭하죠."

"두 번째 이유는 뭐죠?"

"에이미가 당신에게 정확히 어떻게 누명을 씌우고 있는지 설명하기가 지나치게 복잡합니다. 방송에서 간단하게 얘기할 수 있는 게 아니에요. TV 방송용으로 적합하지 않아요."

"속이 울렁거리네요." 내가 말했다.

"닉, 그건……." 고가 입을 열었다.

"알아, 안다고, 해야만 하는 일이라는 걸. 하지만, 상상이 돼? 자신의 가장 큰 비밀을 온 세상에 대고 말하는 것 말이야. 해야만 한다는 건 알아. 그것이 결국에는 우리에게 유리하게 작용할 거라고도 생각해. 에이미를 돌아오게 하려면 그 수밖에 없어." 내가 말했다. "에이미가 원하는 건 내가 공개적으로 망신을 당하고……."

"뉘우치고," 태너가 끼어들었다. "망신을 당한다는 말은 당신이 스스로를 동정하고 있는 것처럼 들리게 합니다."

"공개적으로 사과하는 거니까." 내가 말을 이었다. "하지만 정말 빌어먹게 끔찍할 거야."

"자, 다음으로 넘어가기 전에, 솔직히 말하겠습니다." 태너가 말했다. "경찰에게 그 모든 이야기를, 에이미가 닉에게 누명을 씌우고 있다고 말하는 것은 위험한 일입니다. 대부분의 경찰들은 한번 용의자를 정하면 꿈쩍도 하지 않으려는 경향이 있으니까요. 다른 옵션에 폐쇄적이죠. 따라서 경찰이 우리 얘기를 들으면 우리를 비웃으며 경찰서 밖으로 내쫓고 당신을 체포할 위험이 있습니다. 거기다 우리의 방어책을 미리 보여주는 셈이니, 경찰은 재판에서 그것을 파괴할 계획을 세울 수도 있죠."

"그렇군요. 잠깐만, 그건 정말, 정말 나쁘게 들리는데요, 태너." 고가 말했다. "그 방법을 쓸 수 없을 것 같아요."

"자, 끝까지 들어주십시오." 그가 말했다. "우선, 전 당신 말이 맞다고 생각합니다, 닉. 보니는 당신이 연루되었다고 확신하고 있지 않아요. 그녀는 다른 이야기에 개방적인 태도를 취할 겁니다. 보니는 평판이 좋아요. 직관이 뛰어나고 공정한 경찰로 알려져 있죠. 그녀와 얘기를 해봤는데 느낌이 좋아요. 증거들은 범인이 당신이라고 말하고 있지만 그녀는 본능적으로 뭔가가 어긋나 있다고 느끼고 있는 것 같습니다. 더 중요한 건 만일 우리가 재판에 가게 된다면 저는 어쨌거나 당신을 변호하기 위해 에이미의 누명 이야기를 하지는 않을 거라는 사실입니다."

"무슨 뜻이죠?"

"말씀드렸듯이, 그건 지나치게 복잡해서 배심원들이 이해하지 못할 겁니다. TV 방송용으로 적합하지 않은 것은 배심원단에게도 적합하지 않은 거예요. 정말이에요. OJ 심슨 재판과 비슷하게 갈 겁니다. 쉬운 이야기로요. 무능력한 경찰이 당신을 괴롭히고 있다, 정황증거뿐이다, 장갑이 맞지 않으면 어쩌고저쩌고."

"어쩌고저쩌고라니, 참으로 든든한데요." 내가 말했다.

태너가 돌연 미소를 지었다. "배심원들은 나를 아주 좋아해요, 닉. 전 그들과 같은 부류거든요."

"당신은 그들과 정반대예요, 태너."

"바꿔 말하죠. 그들은 자신들이 나와 같은 부류라고 믿고 싶어 하죠."

이제 우리는 모든 것을 플래시를 터뜨리는 파파라치들 앞에서 해야 했다. 고와 태너, 그리고 나는 펑펑거리는 빛과 펑펑거리는 소리 속에서 집을 떠났다. (태너는 충고했다. "고개를 숙이지 말고 웃지도 마세요. 부끄러워하는 듯이 보여서도 안 됩니다. 뛰지 말고 걸으세요. 그들이 사진을 찍게 내버려둬요. 그들을 욕하는 건 문을 닫은 다음에 하시고요. 문을 닫고 나서는 어떤 욕이든 해도 됩니다.") 우리는 인터뷰가 있을 세인트루이스로 향했다. 태너의 아내인 베시와 예행연습을 하기 위해서였다. 그녀는 전직 TV 뉴스 앵커고 현재는 변호사다. 볼트 앤드 볼트는 태너와 그녀를 가리키는 상호였다.

오싹한 차량 행렬이었다. 태너와 내 뒤의 고, 그 뒤의 뉴스 밴 대여섯 대. 하지만 스카이라인에 아치형 구조물이 나타났을 때쯤 나는 더 이상 파파라치에 신경을 쓸 수가 없었다.

태너의 호텔 펜트하우스 스위트룸에 도착했을 즈음, 나는 인터뷰에서 승리하기 위해 해야 하는 일을 할 준비가 되어 있었다. 나는 다시 한 번 나만의 주제곡을 갈망했다. 큰 시합을 준비하는 내 모습의 몽타주. 스피드 백(펀치 백의 일종—옮긴이)을 정신적으로 형상화한 음악 없을까?

키가 180센티미터가 넘는 아름다운 흑인 여자가 문을 열어주었다.

"안녕하세요, 닉, 베시 볼트입니다."

내가 상상한 베시 볼트는 몸집이 작고 금발인 남부 출신의 백인 여자였다.

"괜찮아요, 다들 나를 실제로 보면 놀라니까요." 그녀가 악수를 하는 내 표정을 보고 웃었다. "태너와 베시, 《프레피족(학비가 비싼 사립학교 출신 같은 청년-옮긴이) 공식 가이드북》의 표지에 나올 법하죠?"

"《프레피족 핸드북》이야." 태너가 아내의 뺨에 입을 맞추며 정정했다.

"봤죠? 그이는 진짜로 알고 있어요." 베시가 말했다.

그녀는 인상적인 펜트하우스 스위트룸 안으로 우리를 안내했다. 창문으로 둘러싸여 햇빛이 잘 드는 거실 양쪽에 침실이 붙어 있었다. 태너는 데이스 인에서 에이미의 부모님을 존중하기 위해 자신은 절대 카르타고에서 숙박하지 않겠다고 말했지만, 고와 나는 그가 카르타고에 머물지 않는 이유가 가장 가까운 오성급 호텔이 세인트루이스에 있기 때문이 아닐까 하고 생각했다.

우리는 사전 작업에 들어갔다. 베시의 가족과 대학, 경력(모두 훌륭하고 일류였고 최고였다)에 대한 가벼운 대화와, 모두에게 나눠진 음료(소다 팝과 클라마토. 고와 나는 클라마토가 대학 시절 내가 썼던 도수 없는 안경처럼 태너에게 가식적인 개성을 부여할 기벽이라고 생각했다). 이어 고와 나는 가죽소파에 몸을 파묻었고 베시는 우리의 맞은편에서 키보드의 슬래시 바처럼 두 다리를 비스듬히 포개고 앉아 있었다. 예쁘고 프로페셔널했다. 태너는 우리 뒤에서 귀를 기울이며 이리저리 걷고 있었다.

"좋아요. 그럼, 닉," 베시가 말했다. "솔직하게 말할게요. 괜찮죠?"

"네."

"당신과 텔레비전. 어젯밤에 올라온, 바에서 찍은 '후던잇닷컴'인가 하는 블로그 영상을 제외하면 당신은 형편없어요."

"제가 출판사에서 일했던 건 이유가 있어요." 내가 말했다. "카메라만 보면 얼굴이 굳어지거든요."

"그래요." 베시가 말했다. "당신은 장의사처럼 너무 뻣뻣해 보여요. 하지만 전 그걸 고칠 요령을 알고 있죠."

"술이요?" 내가 물었다. "블로그 영상 찍을 때 그게 통했죠."

"그건 여기서는 통하지 않을 거예요." 베시가 말했다. 그녀는 비디오카메라를 설치하기 시작했다. "리허설을 먼저 해야겠다고 생각했어요. 제가 샤론 역을 할 거예요. 나는 그녀가 할 만한 질문을 할 거고 당신은 당신 식대로 대답하는 거예요. 이렇게 하면 당신이 얼마나 잘못하고 있는지 알 수 있죠." 그녀가 다시 웃었다. "잠시만요." 그녀는 푸른색 시스 드레스를 입고, 커다란 가죽 핸드백에서 진주 목걸이를 꺼냈다. 샤론 쉬버 같은 차림새였다. "여보?"

태너는 아내에게 진주 목걸이를 채워주었다. 진주 목걸이를 한 베시가 싱긋 웃으며 말했다. "완벽하게 똑같이 보이는 게 목표예요. 조지아 액센트와 흑인이라는 점만 빼고."

"지금 제 눈에는 샤론 쉬버밖에 안 보이는걸요." 내가 말했다.

그녀는 카메라를 켜고 나의 맞은편에 앉아서 심호흡을 하고 고개를 숙였다가 다시 올렸다. "닉, 이번 사건에는 모순되는 점들이 많습니다." 베시가 샤론의 느긋한 상류풍 방송용 말투로 말했다. "먼저 시청자 여러분께 아내분이 실종되던 날에 대해 말씀해주시겠습니까?"

"닉, 여기서는 아내와 함께 먹은 결혼기념일 아침식사 얘기만 하세요." 태너가 끼어들었다. "그 얘기는 이미 알려져 있으니까요. 하지만 시간표를 제공해서는 안 됩니다. 아침식사 전이나 후라는 말은 하지 마세요. 오직 그 마지막 아침식사가 얼마나 멋있었는지만 강조하세요. 자, 계속 가죠."

"네," 나는 목을 가다듬었다. 카메라에서는 빨간 불빛이 깜빡거렸고 베시는 미심쩍어하는 기자의 표정을 짓고 있었다. "어, 아시다시피, 그날은 우리의 결혼 5주년 기념일이었습니다. 에이미는 일찍 일어나서 크레페를 만들고……."

베시가 갑자기 팔을 앞으로 뻗었고 나는 볼이 따끔했다.

"이게 뭡니까?" 무슨 일이 벌어진 건지 알아내려 애쓰며 내가 말했다. 내 무릎 위에 선홍색 젤리빈이 하나 떨어져 있었다. 나는 그것을 집어 들었다.

"당신이 긴장하거나, 그 잘생긴 얼굴에 장의사 가면을 쓸 때마다 젤리빈을 던질 거예요." 베시가 그것이 아주 합리적인 일이라는 듯이 말했다.

"그런다고 제가 덜 긴장할 것 같습니까?"

"효과가 있어요." 태너가 말했다. "저도 아내에게 이렇게 배웠죠. 나한테는 돌을 던졌던 것 같지만." 그들은 '당신도 참' 하는 기혼자들의 미소를 교환했다. 나는 벌써부터 알 수 있었다. 그들은 항상 둘만의 아침 토크쇼에 출연하고 있는 것처럼 보이는 부부 중 한 쌍이었다.

"다시 시작하죠. 크레페 이야기는 계속하세요." 베시가 말했다. "당신이 크레페를 좋아했나요? 아니면 에이미가? 아내가 당신을 위해 크레페를 만드는 동안 당신은 뭘 하고 있었죠?"

"저는 자고 있었습니다."

"아내분 선물로는 무엇을 샀죠?"

"아직 사기 전이었습니다."

"맙소사." 그녀가 눈을 굴리며 남편을 쳐다보았다. "그럼 그 크레페에 대해 정말로, 정말로, 정말로 많이 칭찬하세요, 알았죠? 그리고 그날 아내 선물로 무엇을 살 예정이었는지도 말하고요. 당신은 그날 빈손으로 퇴근할 생각은 아니었겠죠."

우리는 다시 시작했다. 나는 우리의 크레페 전통을 실상과는 다르게 묘사한 다음, 에이미가 선물을 아주 신중하게 잘 고르는 사람이었다는 얘기를 했다(여기서 젤리빈이 다시 한 번 내 코 옆을 쳤고, 나는 그 즉시 턱에서 힘을 뺐다). 그리고 멍청한 남자인 나는("반드시 바보 같은 남편 연기를 하세요." 베시가 조언했다) 그때까지도 멋진 선물을 고민하고 있었다고 말했다.

"아내는 비싸거나 고급스러운 선물을 좋아했던 사람도 아니었습니다." 나는 말을 시작하기가 무섭게 태녀가 던진 종이뭉치에 맞았다.

"왜요?"

"과거 시제. 아내에 대해 그 빌어먹을 과거 시제 좀 쓰지 마요."

"당신과 아내분 사이에 충돌이 좀 있었다고 들었습니다." 베시가 말을 이었다.

"그게, 요 몇 년 동안 좀 힘들었습니다. 우리 둘 다 실직했거든요."

"좋아요, 그겁니다!" 태녀가 소리쳤다. "우리 둘 다."

"그 후 우린 알츠하이머에 걸린 내 아버지와, 지금은 암으로 돌아가신 내 어머니를 돌보기 위해 이곳으로 이사했습니다. 그리고 저는 무엇보다 저의 새 일터에서 아주 열심히 일하고 있었고요."

"좋아요, 닉, 좋습니다." 태녀가 말했다.

"당신이 어머니와 아주 가까웠다는 이야기는 꼭 하세요." 내게서 어머니에 대한 이야기를 들은 적도 없는 베시가 말했다. "불쑥 끼어들어서 그 얘기에 반대할 사람은 없는 거죠? '엄마가 가장 아끼는 자식'이라거나

'가장 아끼는 아들' 이야기 같은 거 없나요?"

"저는 어머니와 아주 가까웠습니다."

"좋아요." 베시가 말했다. "그럼 샤론과 그 얘기를 길게 하세요. 그리고 당신이 여동생과 운영하는 바 말인데, 바 얘기를 할 때는 항상 여동생을 언급해요. 바를 혼자서 운영하면 노는 사람 같지만, 아끼는 쌍둥이 여동생과 함께 운영하면……."

"아일랜드계죠."

"계속하죠."

"그래서 우리 관계는 곧……." 내가 말을 시작했다.

"안 돼요." 태너가 말했다. "'곧 폭발할 것 같다'는 말이 떠올라요."

"그래서 우리는 잠시 방황했지만, 전 우리의 결혼 5주년 기념일이 우리 관계를 되살릴 기회라고 생각……."

"우리 관계에 다시 헌신할 기회." 태너가 소리쳤다. "되살린다는 건 뭔가가 죽었다는 뜻입니다."

"우리 관계에 다시 헌신할……."

"그런데 어째서 빌어먹을 스물세 살짜리 여자가 그 갱생적인 그림에 끼어든 거죠?" 베시가 물었다.

태너가 베시 쪽으로 젤리빈을 던졌다. "캐릭터를 조금 벗어났어, 여보."

"미안하지만 여자인 내 귀에 그 말은 헛소리, 그야말로 헛소리로 들려요. 우리 관계에 다시 헌신한다니, 이것 봐요, 에이미가 실종됐을 때조차 그 여자는 존재했단 말이에요. 당신이 터놓고 말하지 않는 한 여자들은 당신을 싫어할 거예요, 닉. 핑계 대지 말고 솔직하게 말해요. 이렇게 덧붙이세요. 우리는 둘 다 실직 상태였고, 이사를 했고, 우리 부모님은 죽어가고 있었다. 그러다가 나는 일을 엉망으로, 완전히 엉망으로 만들었다. 나는 원래의 내 모습을 잃어버렸고, 불행하게도, 에이미를 잃고 나서야 그 사실을 깨달았다. 당신은 당신이 멍청이고 모든 것이 당신 탓이라는 걸 인정해야만 해요."

"그러니까, 남자들이 일반적으로 해야 하는 방식으로 말이죠." 내가 말했다.

베시가 화난 얼굴로 천장을 바라보았다. "그건 거슬리는 태도예요. 닉. 그러지 않도록 정말로 조심해야 해요."

에이미 엘리엇 던

실종 9일째

나는 한 푼도 없이 도주 중이다. 엿같이 누아르적이군. 미시시피 강변에 넓게 조성되어 있는 패스트푸드점 부지 주차장의 맨 끝에 댄 차 운전석에서 졸고 있고, 소금 냄새와 공장식 농장의 고기 냄새가 따뜻한 바람에 실려 공기 중에 떠다닌다는 것만 빼면. 이제 저녁이다. 나는 몇 시간이나 낭비했다. 하지만 움직일 수가 없다. 어디로 가야 할지 모르겠다. 차가 점점 더 작게 느껴졌다. 나는 태아처럼 몸을 웅크리고 자려고 애써야만 했다. 오늘 밤은 한숨도 못 잘 것이다. 문을 잠그긴 했지만 누군가가 차창을 두드릴 것만 같기 때문이다. 눈을 살짝 뜨고 올려다보면 이빨이 비뚤어진, 달콤한 말로 속일 연쇄살인범이(내가 정말로 살해되는 것은 얄궂지 않은가?), 아니면 가차 없이 신분증을 요구하는 경찰이 있을 것이었다(내가 부랑자 같은 몰골로 주차장에서 발견되는 것은 더 나쁘지 않은가?). 이곳의 번쩍이는 패스트푸드점 간판들은 꺼질 줄을 모른다. 주차장은 축구 경기장처럼 환하다. 나는 다시 한 번 자살을 생각한다. 불빛 아래에서 24시간 자살 감시를 받는 수감자의 기분은 어떨까. 끔찍한 생각이다. 내 차의 연료 표시선은 4분의 1 밑으로 내려가 있다. 더 끔찍한 건 이제 어느 방향으로든 차로 한 시간 정도밖에 갈 수 없다는 사실이다. 따라서 방향을 신중하게 선택해야 한다. 남쪽은 아칸소, 북쪽은 아이오와, 서쪽은 다시 오자크 산지다. 혹은 동쪽으로, 강을 건너 일리노이로 들어갈 수도 있다. 내가 가는 모든 곳에 강이 있다. 내가 강을 따라가고 있거나 강이 나를 따라오고 있다.

순간, 나는 내가 무엇을 해야 할지를 깨닫는다.

닉 던

실종 10일째

인터뷰 당일, 우리는 태너의 스위트룸에 있는 쓰지 않는 침실에서 대사를 준비하고 표정을 고치면서 낮 시간을 보냈다. 베시는 내 옷차림에 대해 법석을 떨었다. 고가 손톱가위로 나의 귀 위쪽 머리카락을 다듬는 동안, 베시는 내게 번들거림을 잡기 위해 파우더를 하자고 설득했다. 우리 모두는 작은 목소리로 말했다. 샤론의 스태프들이 밖에서 준비하고 있었기 때문이다. 인터뷰는 서부의 관문, 세인트루이스 아치가 보이는 이 스위트룸의 거실에서 진행될 것이었다. 나는 이 나라의 중심을 모호하게 상징한다는 것 외에 이 건조물에 무슨 의미가 있는지 모르겠다. '당신은 이곳에 있다?'

"파우더라도 조금 발라야 해요, 닉." 마침내 베시가 분첩을 들고 다가오며 말했다. "당신은 긴장할 때마다 코에서 땀이 나요. 닉슨은 코의 땀 때문에 선거에서 졌다고요." 태너는 마치 지휘자처럼 상황을 감독하고 있었다. "너무 그쪽으로 떨어지지 마요, 고." 그는 소리쳤다. "여보, 파우더 너무 많이 바르지 마, 지나친 게 부족한 것만 못해."

"닉에게 보톡스 시술을 시켰어야 하는데." 베시가 말했다. 보톡스가 주름만큼 땀에도 효과가 있는 것 같았다. 그들의 의뢰인들 중 몇몇은 재판 전에 팔 밑에 여러 차례 보톡스를 맞았다며 내게 벌써부터 그런 것을 제안하고 있었다. 정중하고 모호한 제안. 우리가 재판까지 간다면.

"네, 부인이 실종된 마당에 내가 보톡스 시술을 받고 있다는 걸 언론이 알면 참 좋아하겠군요." 나는 말했다가 곧바로 과거 시제(was missing)를 현재 시제(is missing)로 고쳐 말했다. 나는 에이미가 죽지 않았다는 걸 알았지만 내 손이 닿지 않는 너무나 먼 곳에 있는 그녀는 내게 죽은 것과 비슷했다. 그녀는 과거 시제 속의 아내였다.

"잘 고쳐 말했습니다." 태너가 말했다. "다음엔 입 밖으로 내기 전에 그 과정을 끝내세요."

오후 다섯 시, 태너의 전화가 울렸다. 그는 휴대폰 화면을 보더니 "보니군요." 하고 말하고는 통화를 음성 사서함으로 돌렸다. "나중에 내가 전화하죠." 그는 우리의 이야기를 고치게 만들 어떤 새로운 정보나 심문, 가십을 원하지 않았다. 내 생각도 같았다. 나는 그때 보니를 생각하고 싶지 않았다.

"보니가 무슨 말을 할지 알고 싶지 않아?" 고가 말했다.

"나를 더 엿 먹이고 싶은 거야." 내가 말했다. "나중에 전화하면 돼. 몇 시간 뒤에. 기다리라지."

우리 모두는 마음을 다잡았다. 그 전화에 대해 걱정할 것 없다는 집단적인 확신. 30초 동안 방 안에는 침묵이 흘렀다.

"좀 그런 얘기지만, 샤론 쉬버를 만날 거라고 생각하니 이상하게 흥분되네." 마침내 고가 말했다. "아주 멋진 여성이지. 코니 정 같은 사람이랑은 달라."

나는 웃었다. 어머니는 샤론 쉬버를 무척 좋아하고 코니 정은 싫어했다. 어머니는 텔레비전에서 뉴트 깅리치가 힐러리 클린턴을 '그 년'이라고 부른 일과 관련해 깅리치의 어머니를 당황하게 만든 코니 정을 결코 용서하지 않았다. 당시의 인터뷰 내용은 잘 떠오르지 않지만 어머니의 분노는 뚜렷하게 기억하고 있다.

오후 여섯 시, 우리는 거실로 들어갔다. 의자 두 개가 마주보게 놓여 있었고 그 뒤로 세인트루이스 아치가 보였다. 인터뷰 시간은 아치가 빛나면서도 일몰로 인한 섬광이 창에 들지 않는 때로 정확하게 선택된 것이었다. 이름이 기억나지 않는 프로듀서가 하이힐을 신고 위태롭게 우리 쪽으로 다가와 '내가 알아야 할 것들'을 설명했다. 인터뷰가 원활하게 흐르는 것처럼 보이고 샤론의 반응을 찍기 위해 질문은 여러 번 반복될 수 있다. 나는 대답하기 전에 변호사와 얘기할 수 없다. 대답을 고칠 수는 있지만 그 골자를 바꾸어서는 안 된다. 여기 물이 있다, 마이크를 달겠다.

우리가 의자 쪽으로 걷기 시작했을 때 베시가 내 팔을 슬쩍 찔렀다. 내가 내려다보자 그녀는 내게 호주머니 속에 든 젤리빈들을 보여주었다.

"기억해요……." 그녀가 말하며 손가락을 치켜세웠다.

바로 그때 스위트룸의 문이 활짝 열리더니 샤론 쉬버가 백조들 사이에서 태어난 것처럼 우아하게 걸어 들어왔다. 아름다운 여자였다. 한 번도 소녀였던 적이 없었을 것 같은 여자. 코에서 땀이 나지 않을 것 같은 여자. 그녀의 거무스름한 머리카락은 숱이 많았고 커다란 갈색 눈은 사슴 같기도 하고 심술궂게 보이기도 했다.

"샤론이야!" 고가 어머니가 그랬을 것처럼 흥분해서 속삭였다.

샤론이 고를 보며 당당하게 고갯질을 한 다음 우리 쪽으로 걸어왔다.

"샤론입니다." 그녀가 고의 두 손을 잡으며 따뜻한 저음으로 말했다.

"우리 어머니가 당신을 무척 좋아했어요." 고가 말했다.

"기쁘군요." 따뜻하게 말하려고 애쓰며 샤론이 말했다. 그녀가 나를 보며 말하려고 하는데, 프로듀서가 하이힐을 또각거리며 오더니 샤론에게 귓속말을 한 다음 샤론의 반응을 기다렸다가 다시 귓속말을 했다.

"아. 이런 맙소사." 샤론이 말했다. 다시 나를 향해 돌아선 샤론의 얼굴에는 웃음기라고는 전혀 없었다.

에이미 엘리엇 던

실종 10일째

나는 전화를 걸었다. 오늘 저녁이 되어서야 만날 수 있으므로—예측 가능한 복잡한 일들이 있다—나는 몸치장과 준비로 낮 시간을 때운다.

맥도날드의 화장실에서 물에 적신 종이타월에 초록색 젤을 묻혀 몸을 씻고 얇은 싸구려 원피스로 갈아입는다. 무슨 말을 할지 생각한다. 사실 나는 놀랍게도 기대에 차 있다. 시궁창 같은 생활이 나를 좀먹고 있었다. 언제나 손가락을 집게 모양으로 만들어, 끼여 있는 누군가의 젖은 속옷을 빼내야 하는 공용 세탁기와 기이하게도 늘 같은 구석자리가 젖어 있던 오두막의 양탄자, 물이 똑똑 떨어지던 욕실 수도꼭지.

다섯 시, 나는 약속 장소, 호스슈 앨리라는 강변의 카지노를 향해 북쪽으로 차를 몬다. 카지노는 별안간 나타난다. 앙상한 숲 한가운데서 반짝이는 네온 불빛 덩어리. 나는 연료가 거의 없어 매연을 내뿜는 차—이제껏 내가 실생활에서 써본 적이 없는 클리셰다—를 주차한 다음 바라본다. 보행기와 지팡이를 짚고 쇠약한 벌레처럼 허둥거리며 이동하는, 산소 탱크를 밀며 밝은 불빛을 향해 가는 노인들. 80대 노인들 사이로 들락날

락하고 있는, 지나치게 차려입은 분주한 남자들. 라스베이거스를 배경으로 한 영화를 지나치게 많이 본 그들은 자신들이 얼마나 불쌍해 보이는지도 모른 채 싸구려 양복을 입고 미주리 숲 속에서 랫 팩(Rat Pack, 1950년대에 가수 겸 배우인 프랭크 시나트라를 중심으로 라스베이거스에서 활발하게 활동했던 공연팀의 애칭-옮긴이)의 멋진 모습을 흉내 내려고 애쓰고 있다.

나는 어느 1950년대 두왑 그룹의 — 단 이틀간의 — 재결합을 선전하는 번쩍이는 광고판 밑을 지나 안으로 들어간다. 카지노는 춥고 답답하다. 댕그랑거리며 경쾌한 전자음을 내는 페니 슬롯머신들은 그 앞에 앉아 덜렁거리는 산소호흡기 위로 담배를 피우고 있는 멍청하고 늘어진 얼굴을 한 사람들과 어울리지 않는다. 1센트 투입, 1센트 투입, 1센트 투입, 1센트 투입, 1센트 투입, 땡땡땡! 1센트 투입, 1센트 투입. 그들이 낭비하는 돈은 눈을 껌벅거리며 지루해하는 그들의 손자들이 다니는, 자금 부족에 시달리는 공립학교로 갈 것이다. 1센트 투입, 1센트 투입. 잔뜩 취한, 총각 파티 중인 남자들이 비틀거리며 지나간다. 남자들의 입술은 아직도 술에 젖어 있다. 그들은 살이 찌고 바가지 머리를 한 내게 눈길조차 주지 않는다. 그들은 여자들에 대해, 여자들이 필요하다고 말하고 있지만 나를 제외하면 이곳에 있는 여자들은 노파들밖에 없다. 그 남자들은 술로 실망감을 달랜 후 집으로 가는 길에 옆에 가는 운전자들을 죽이지 않으려고 애쓸 것이다.

나는 약속한 대로 카지노 입구의 왼쪽 끝에 있는 포켓 바에서 기다리면서, 손가락으로 딱딱 소리를 내거나, 손뼉을 치거나, 상처투성이 손가락으로 무료 땅콩 접시를 뒤적거리고 있는 여러 백발의 관객들을 향해 노래하는 늙은 남자들로 구성된 밴드를 쳐다본다. 매혹적인 턱시도 아래 시든 몸을 감추고 있는 해골 같은 가수들은 관절 교체 수술을 한 엉덩이를 천천히, 조심스럽게 빙빙 돌린다. 빈사 상태인 사람들의 춤이다.

처음에는 카지노에서 만나는 것이 좋은 생각 같았다. 고속도로변에 바로 붙어 있고 술꾼과 노인으로 바글거리며, 시력 좋은 사람이 아무도 없는 곳. 하지만 지금 나는 모퉁이마다 설치된 카메라와 탁 하고 닫힐 수 있는 문들을 의식하며, 갑갑하고 초조한 기분에 빠져 있다.

카지노에서 나가려는 순간 그가 천천히 걸어온다.

"에이미."

나는 헌신적인 데시에게 전화를 걸어 구조(와 방조)를 요청했다. 데시, 나는 한 번도 그에게 완전히 연락을 끊은 적이 없고, 내가 닉과 우리 부모에게 말한 것과는 달리 그는 조금도 나를 불안하게 만들지 않는 남자다. 나는 그가 언젠가는 쓸모가 있을 거란 걸 늘 알고 있었다. 어떤 목적으로든 이용할 수 있는 남자가 적어도 한 명 있다는 건 좋은 일이다. 데시는 백기사 타입이다. 그는 곤경에 처한 여자들을 사랑한다. 워셔를 졸업하고 나서 오랜 세월이 흐르는 동안, 그와 이야기를 할 때면 나는 최근에 사귄 여자 친구의 근황을 묻곤 했는데, 어떤 여자든 그의 대답은 늘 같았다. "아, 그 사람 잘 지내지 못하고 있어, 불행하게도." 하지만 나는 그것—섭식 장애, 진통제 중독, 심한 우울증—이 데시에게는 불행한 일이 아니라는 걸 알고 있었다. 그에게는 침대 옆에 있을 때보다 행복한 순간이 없었다. 침대 속이 아닌, 수프와 주스를 들고 침대 옆에 자리를 잡고, 부드럽게 풀을 먹인 목소리로 말하는 데시. 불쌍하기도 하지.

지금 그는 한여름용 흰색 슈트를 입고 있다(데시는 매달 옷장 안의 옷을 바꾼다. 6월에 적절했던 것들이 7월에는 통하지 않는 것이다. 나는 언제나 콜링스 가의 통제되고 꼼꼼한 옷차림에 감탄했다). 그는 좋아 보인다. 나는 그렇지 않다. 나의 김이 서린 안경과 허리에 붙은 군살이 지나치게 신경이 쓰인다.

"에이미." 그는 내 뺨을 만진 다음 내 몸을 끌어당겨 감는다. 안는 것이 아니다. 데시는 안지 않는다. 몸에 꼭 맞춘 무언가로 둘러싸이는 것에 더 가깝다. "자기는 상상도 못할 거야. 그 전화. 난 내가 미쳤다고 생각했어. 당신을 상상 속에서 만들어낸 거라고! 어떻게든 당신이 살아 있을 거라고 상상하고 있었는데 당신 전화가 온 거야. 괜찮은 거야?"

"이제 괜찮아." 내가 말한다. "이젠 안전하다는 느낌이야. 정말 끔찍했어." 나는 눈물을, 진짜 눈물을 터뜨린다. 의도하지 않은 것이지만 눈물을 흘리자 깊은 안도감이 느껴진다. 더군다나 이 순간과 완벽하게 어울린다. 나 자신이 완전히 흐트러지도록 내버려둔다. 스트레스가 물이 새듯 빠져나간다. 계획을 실행하느라 곤두선 신경, 잡힐 것에 대한 두려움, 빼앗긴 돈, 배신, 거친 몸싸움, 살면서 처음으로 혼자 견뎌야 했던 험난한 생활.

2분 정도 울고 나니, 내가 꽤 예뻐 보인다. 그보다 더 오래 울면 콧물이 흐르고 얼굴이 부었겠지만, 지금 나는 입술이 도톰해지고 눈이 커지고 뺨은 발그레해진 상태다. 나는 데시의 안감을 댄 어깨에 기대 울면서 속으로 시간을 쟀고—미시시피 하나, 미시시피 둘(또 그 강이군)—1분 48초에서 눈물을 그쳤다.

"미안해. 더 빨리 왔어야 했는데 그럴 수가 없었어." 데시가 말했다.

"재클린이 당신 스케줄을 꽉 쥐고 있잖아." 내가 불만스럽게 말했다. 데시와 나 사이에 그의 어머니는 민감한 문제다.

"넌 아주…… 달라 보여." 마침내 데시가 말한다. "특히 얼굴이 많이 통통해졌네. 그리고 이 불쌍한 머리카락은……." 그가 말을 멈춘다. "에이미. 내가 뭔가에 그토록 감사하는 마음이 들게 될 줄은 꿈에도 몰랐어. 무슨 일이 있었는지 말해봐."

나는 소유욕과 분노에 대한, 중서부의 스테이크와 감자의 야만성, 애 낳는 기계처럼 강요된 임신, 동물 같은 지배에 대한 고딕 이야기를 늘어 놓았다. 강간과 알약과 술과 주먹질에 대해서. 갈비뼈에 박힌 끝이 뾰족 한 카우보이 부츠, 공포와 배신, 부모의 무관심, 고립, 그리고 닉의 결정 적인 마지막 말. "넌 절대 날 떠날 수 없어. 난 널 죽일 거야. 무슨 일이 있 어도 널 찾아낼 거야. 넌 내 거야."

어째서 내가 나와 태중의 아이의 안전을 위해 사라져야만 했는지, 어째 서 데시의 도움이 필요했는지에 대해서. 나의 구원자. 나의 이야기는 몰 락한 여자들에 대한 데시의 갈망을 충족시킬 것이다. 지금 나는 그 누구 보다도 큰 상처를 입은 여자다. 오래전 기숙학교에서 나는 그에게 밤마다 내 방으로 오는 아버지에 대해, 아버지가 볼일을 끝낼 때까지 천장을 노 려보는, 주름 장식이 달린 분홍색 잠옷을 입은 나에 대해 이야기했다. 데 시는 그 거짓말을 들은 이후로 나를 사랑했다. 나는 그가 나와의 섹스를 상상한다는 것을 알고 있다. 내 머리카락을 쓰다듬으며 아주 부드럽게, 달래는 듯이 내 속으로 들어오는 그. 내가 그에게 나를 바치면서 작은 소 리로 흐느끼는 모습을 상상한다는 것을 알고 있다.

"난 절대로 예전의 생활로 돌아갈 수 없어, 데시. 닉은 나를 죽일 거야. 난 늘 불안에 떨게 될 거고. 아기도 무사하지 못할 거야. 하지만 난 그를 감옥에 보낼 수 없어. 난 그냥 사라지고 싶었어. 경찰이 그가 그랬다고 생 각할 줄은 몰랐어."

나는 무대 위의 밴드를 향해 예쁘게 시선을 던졌다. 해골 같은 70대 노 인들이 사랑을 노래하고 있었다. 우리 테이블과 멀지 않은 곳에서 잘 다 듬은 콧수염을 가진 남자가 등을 곧게 펴고 앉아 우리 근처에 있는 휴지 통에 자기 컵을 던지지만, 빗나간다. 나는 더 그림 같은 장소를 골랐어야 했다고 생각한다. 이제 그 남자는 나를 보고 과장된 혼란스러운 표정을 지으며 고개를 갸웃거린다. 만화 속이었다면 통통 튀는 효과음과 함께 머리를 긁적일 것이다. 왠지 나는 그가 경찰 같다고 생각한다. 그에게 등을 돌린다.

"닉에 대해서는 걱정할 필요 없어." 데시가 말한다. "걱정은 나한테 맡겨. 내가 널 돌봐줄게." 그가 옛날처럼 한 손을 내민다. 그는 나의 걱정 보관소다. 그것은 10대 때 우리가 하던 일종의 의식과 같은 놀이다. 내가 그의 손바닥에 뭔가를 올려놓는 시늉을 하면 그는 주먹을 쥔다. 그러면 실제로 기분이 나아진다.

"솔직히 말하면 난 닉을 걱정하지 않을 거야. 그가 네게 한 짓을 생각하면 그가 죽기를 바라." 그가 말한다. "제대로 된 세상이라면 그래야 해."

"글쎄, 우린 미친 세상에 살고 있잖아. 그래서 난 숨어 지낼 곳이 필요해." 내가 말한다. "내가 끔찍하다고 생각해?" 나는 이미 그의 대답을 알고 있다.

"물론 아니지, 자기야. 넌 이렇게 할 수밖에 없잖아. 다른 선택을 하는 게 미친 거지."

그는 임신에 대해 아무런 질문도 하지 않는다. 앞으로도 하지 않을 것이다.

"이 일을 아는 건 너뿐이야." 내가 말한다.

"내가 널 돌봐줄게. 내가 어떻게 하면 돼?"

나는 망설이는 척한다. 입술을 깨물며 먼 곳을 보다가 다시 데시를 본다. "잠시 동안 버틸 돈이 필요해. 취직을 하려고 생각했지만……."

"이런, 안 돼, 그러지 마. 넌 사방에 깔렸어, 에이미. 뉴스며 잡지며 온통 네 얘기야. 누군가 널 알아볼 거야. 심지어 이……." 그가 내 머리카락을 만진다. "발랄한 새 헤어스타일을 하고 있어도 말이지. 넌 아름다운 여자야. 아름다운 여자들은 사라지기 어려워."

"유감스럽게도 네 말이 맞다고 생각해." 내가 말한다. "그냥 네가 내가 널 이용한다고 생각하는 게 싫어. 그냥 너 말곤 아무도……."

예쁜 갈색머리 여자로 변장한 못생긴 갈색머리 웨이트리스가 와서 테이블 위에 술을 올려놓는다. 그녀에게서 고개를 돌린 내 눈에, 바 끝에 서서 반쯤 웃는 표정으로 나를 쳐다보는 호기심 많은 콧수염 남자가 보인다. 지금 나는 컨디션이 나쁘다. 과거의 에이미였다면 절대 이곳에 오지 않았을 것이다. 다이어트 콜라와 내 몸 냄새 때문에 머리가 둔해졌다.

"널 위해 진토닉을 시켰어." 내가 말한다.

그가 얼굴을 살짝 찡그린다.

"왜?" 나는 묻지만, 이미 이유를 알고 있다.

"그건 봄에 마시는 거야. 지금은 진저에일이지."

"그럼 진저에일 한 잔 주문하자. 네 진토닉은 내가 마실게."

"아냐, 괜찮아, 신경 쓰지 마."

구경꾼 남자가 또 내 근처에서 어슬렁거린다. "저 남자, 콧수염 난 남자 말이야, 지금 보지 마, 나를 보고 있어?"

데시가 재빨리 곁눈질을 하더니 고개를 젓는다. "그가 보는 건…… 가수들이야." 그는 '가수들'이라는 단어를 미심쩍게 말한다. "넌 그냥 약간의 현금이 필요한 게 아냐. 넌 이런 속임수에 지치게 될 거야. 사람들을 똑바로 쳐다볼 수 없고……." 그가 카지노 전체를 포함하기 위해 두 팔을 펼친다. "너와 별로 공통점이 없는 사람들 속에서 사는 것에, 네 수준에 미치지 못하는 생활에 말이야."

"앞으로 10년 동안 그렇겠지. 내가 나이를 많이 먹고 이 이야기가 잊히고 나서야 난 편안해질 거야."

"하! 10년을 그렇게 살겠다고? 에이미?"

"쉿, 그렇게 부르지 마."

"캐시, 제니, 메건, 누구든지 간에 말도 안 되는 소리 그만해."

웨이트리스가 또 온다. 데시는 그녀에게 20달러를 쥐여주고 돌려보낸다. 그녀는 웃으며 걸어간다. 신기하다는 듯이 20달러를 높이 든 채로. 나는 내 술을 한 모금 마신다. 내 아기는 신경 쓰지 않을 것이다.

"네가 돌아가도 닉이 널 고소할 것 같지는 않아."

"뭐?"

"그가 나를 만나러 왔어. 그는 자기 탓인 걸 아는 것 같⋯⋯."

"닉이 널 만나러 갔다고? 언제?"

"며칠 전에. 다행히 네 전화를 받기 전이지, 맙소사."

닉은 내게 지난 일주일 동안 지난 몇 년 동안보다 더 많은 관심을 보여주고 있다. 나는 언제나 나를 두고 싸움을 할, 진짜 잔혹하고 피 튀기는 싸움을 할 남자를 원했다. 데시에게 따지러 간 닉이라, 좋은 출발이다.

"그가 뭐라고 했어? 어때 보였어?"

"그는 지상 최고의 얼간이처럼 보였어. 나를 탓하고 싶어 하더군. 나에 대한 말도 안 되는 이야기를 늘어놨어. 내가⋯⋯."

나는 언제나 그 거짓말을 좋아했다. 나 때문에 자살하려고 했던 데시의 이야기. 실제로 데시는 나와 헤어진 뒤 완전히 얼이 빠져서는 아주 성가시게 굴었다. 소름 끼치는 모습으로 교정을 배회하며, 내가 다시 자신을 받아주기를 바랐다. 그러니 어쩌면 정말로 자살을 시도했을지도 모른다.

"닉이 나에 대해 뭐라고 했어?"

"그는 이제 온 세상 사람들이 너를 알고 걱정하게 되어서 자신이 너를 해칠 수 없다는 것을 아는 것 같아. 그는 네가 무사히 집으로 돌아오기를 바라야 할 거야. 그럼 넌 그와 이혼하고 제대로 된 남자와 결혼할 수 있지." 그가 술을 한 모금 마신다. "마침내."

"난 돌아갈 수 없어, 데시. 사람들은 닉의 학대가 사실인 걸 알게 되더라도 나를 싫어할 거야. 내가 그들을 속인 게 되니까. 난 세상 최고의 추방자가 될 거야."

"넌 나의 추방자가 될 거야. 난 네가 어떤 모습이건 사랑할 거고 모든 것에서 너를 지켜줄 거야." 데시가 말한다. "넌 아무것도 신경 쓰지 않아도 돼."

"우린 다시는 누구와도 마음을 터놓고 교제할 수 없을걸."

"네가 원한다면 함께 이 나라를 뜰 수도 있어. 스페인이든, 이탈리아든, 네가 원하는 곳으로 가서 낮에는 햇볕을 쬐며 망고를 먹는 거야. 늦잠을 자고, 스크래블을 하고, 하릴없이 책장을 넘기다가 바다에서 수영을 하는 거지."

"그리고 난 죽어서도 기괴한 존재, 기묘한 구경거리가 되겠지. 싫어. 내게도 자존감이라는 게 있어, 데시."

"난 너를 트레일러 주차장 인생으로 돌려보내지 않을 거야. 그럴 수는 없어. 나와 함께 가자. 호숫가 별장에서 지내게 해줄게. 아주 외딴 곳이야. 식료품이며 네가 필요한 건 뭐든지 언제든 가져다줄게. 넌 어떻게 할지 결정할 때까지 거기 숨어서 혼자 지내면 돼."

데시의 호숫가 별장은 대저택이었고, '식료품을 가져다준다'는 건 '나의 정부가 된다는 것'이었다. 그에게서 열처럼 뿜어져 나오는 욕구가 느껴졌다. 그는 그것이 실현되기를 바라며 슈트 밑에서 아주 약간 몸을 꿈틀거리고 있었다. 데시는 수집가였다. 그에게는 차 네 대와 집 세 채, 셀 수 없이 많은 슈트와 구두가 있었다. 그는 나를 몰래 데려가 유리 밑에 숨길 수 있다는 걸 알고 좋아하고 있을 것이다. 백기사의 궁극적인 판타지. 학대당하는 공주를 그녀의 추잡한 상황에서 몰래 탈출시켜, 자신 외에는 아무도 접근할 수 없는 성 안에, 자신의 금빛 보호 아래 두는 것.

"그럴 순 없어. 경찰이 알게 돼서 수색하러 오면 어떻게 해?"

"에이미, 경찰은 네가 죽은 줄 알아."

"아니야, 이제 난 혼자서 해내야 해. 그냥 나한테 돈을 좀 빌려줄 수는 없어?"

"내가 거절한다면?"

"그럼 난 네가 날 돕겠다는 게 별로 순수하지 않다고 생각할 거야. 너도 닉처럼 그저 날 어떻게 해서든 지배하고 싶은 거라고."

데시는 말없이 굳은 턱을 하고 술을 마셨다. "그건 아주 잔인한 말이야."

"그건 아주 잔인한 행동이야."

"그렇지 않아." 그가 말했다. "난 네가 걱정돼. 호숫가 별장에서 지내봐. 나 때문에 답답하면, 불편한 기분이 들면 떠나면 돼. 일어날 수 있는 최악의 일이라고는 며칠 동안 쉬면서 안정을 취하는 것뿐이야."

콧수염 남자가 갑자기 우리 테이블 옆에 나타나 미소를 짓고 있다. "부인, 혹시 엔로 집안과 관련이 있는 분 아니신가요?" 그가 묻는다.

"아니에요." 내가 말하고 고개를 돌린다.

"죄송하지만, 부인은 꼭⋯⋯."

"우린 캐나다에서 왔어요. 그만 가주시죠." 데시가 퉁명스럽게 말한다. 남자는 눈을 굴리며 "저런"이라고 중얼거린 다음, 다시 바 쪽으로 걸어간다. 하지만 그는 계속해서 나를 쳐다본다.

"여기서 나가야 해." 데시가 말한다. "호숫가 별장으로 가자. 내가 데려다줄게." 그가 일어선다.

데시의 호숫가 별장에는 커다란 주방과 여기저기 돌아다닐 수 있는 방이 있을 것이다. 방들은 아주 넓어서 나는 그 안에서 빙글빙글 돌며 〈산들은 살아 있다〉를 부를 수도 있을 것이다. 그 집에는 (나의 지휘본부에 꼭 필요한) 와이파이와 케이블이 연결되어 있고, 입을 크게 벌린 욕조와 호화로운 가운들, 그리고 내려앉을 염려 없는 침대가 있을 것이다.

그곳에는 데시도 있겠지만, 나는 그를 관리할 수 있을 것이다.

바에 있는 그 남자는 여전히, 이제는 덜 다정한 시선으로 나를 쳐다보고 있었다.

나는 몸을 기울이고 데시의 입술에 부드럽게 키스했다. 내가 결정한 것처럼 보여야만 했다. "넌 정말 훌륭한 남자야, 널 이런 상황에 처하게 해서 미안해."

"난 이런 상황에 처하기를 원해, 에이미."

우리는 밖으로 나오는 길에 유별나게 우울한 바를 지나친다. 모퉁이마다 시끄럽게 울리는 텔레비전이 있다. 순간 그 '창녀'가 보인다.

그 창녀가 기자회견을 열고 있다.

데시와 나는 발걸음을 멈추고 텔레비전을 올려다본다.

앤디는 작고 순진해 보인다. 베이비시터 같다. 포르노 속 섹시한 베이비시터가 아니라 길에서 마주치는 여자애, 실제로 아이들과 놀아주는 베이비시터다. 나는 이것이 진짜 앤디가 아니라는 것을 안다. 실생활에서의 그녀를 추적했기 때문이다. 실생활에서 앤디는 가슴을 돋보이게 하는 딱 붙는 톱에 꼭 맞는 청바지를 입고, 길고 구불거리는 머리카락을 늘어뜨리고 다닌다. 실생활에서 그녀는 헤픈 년이다.

지금 그녀는 주름 장식이 달린 셔츠 드레스에 머리카락은 귀 뒤로 넘겨 묶었다. 그녀는 울고 있었던 것처럼 보인다. 두 눈 밑이 분홍색으로 부어올라 있기 때문이다. 그녀는 지치고 초조해 보이지만 솔직히 아주 예쁘다. 지금껏 내가 생각했던 것보다 더 예쁘다. 나는 그녀를 이렇게 가까이에서 본 적이 없다. 그녀는 주근깨도 있다.

"이이이런 젠장." 한 여자가 친구에게 말한다. 싸구려 카베르네 와인 같은 빨강머리다.

"안돼애애, 그 남자가 불쌍하다고 생각하기 시작했는데." 여자의 친구가 말한다.

"내 냉장고 속 음식이 저 여자보다 오래됐겠다. 이런 나쁜 자식."

앤디는 마이크 뒤에 서서 거무스름한 속눈썹이 붙은 눈을 내리깔고 그녀의 손 안에서 이파리처럼 떨리고 있는 성명서를 보고 있다. 그녀의 축축한 윗입술이 카메라 불빛을 받아 반짝거린다. 그녀는 집게손가락으로 땀을 문질러 닦아낸다. "음. 제가 할 말은 다음과 같습니다. 저는 2011년 4월부터 올해 7월, 닉 던 씨의 아내, 에이미 던 씨가 실종될 때까지 그와 불륜 관계였습니다. 닉은 제가 다니는 카르타고 주니어 칼리지의 교수였습니다. 우리는 가깝게 지내다가 관계가 깊어졌습니다."

그녀는 말을 멈추고 목을 가다듬는다. 앤디 뒤에 있는, 나보다 나이가 그리 많지 않은 듯한 머리카락이 거무스름한 여자가 앤디에게 물이 담긴 유리컵을 건넨다. 앤디는 재빨리 물을 들이켠다. 유리컵이 떨리고 있다.

"저는 결혼한 남자를 가까이한 것을 진심으로 부끄럽게 생각합니다. 그것은 저의 모든 가치관에 반하는 일입니다. 저는 제가 진심으로……." 앤디는 울기 시작한다. 그녀의 목소리가 떨린다. "닉 던 씨를 사랑하고,

그도 나를 사랑한다고 믿었습니다. 그는 내게 아내와의 관계가 끝이 났으며 두 사람은 곧 이혼할 거라고 말했습니다. 저는 에이미 던 씨가 임신한 줄 몰랐습니다. 저는 에이미 던 씨의 실종과 관련한 경찰 수사에 협조할 것이며 제가 도울 수 있는 것이라면 뭐든지 할 것입니다."

그녀의 목소리는 작고 아이 같다. 그녀는 고개를 들었다가 자신의 앞을 벽처럼 막고 있는 카메라들을 보고 충격을 받은 듯 다시 고개를 숙인다. 그녀의 동그란 두 뺨 위에 빨간 사과 두 알이 생긴다.

"전…… 전," 앤디가 울기 시작하자 그녀의 어머니는—그 여자는 분명 앤디의 어머니일 것이다. 그들은 똑같이 지나치게 큰 애니메이션 주인공 같은 눈을 하고 있다—한 팔을 앤디의 어깨 위에 올려놓는다. 앤디가 계속해서 읽는다. "저는 제가 한 일에 대해 너무나 죄송하고 부끄럽습니다. 에이미 씨의 가족분들에게 고통을 준 것을 사과하고 싶습니다. 저는 경찰 조사에 협조하겠습니- 아, 아까 한 말이네요."

그녀가 당황한 표정으로 조금 웃자 기자들도 격려하듯 빙그레 웃는다.

"불쌍한 것." 빨강머리가 말한다.

그녀는 창녀야, 동정받을 자격이 없다고. 나는 누군가 앤디를 불쌍하게 여긴다는 걸 믿을 수가 없다. 문자 그대로 믿을 수가 없다.

"저는 스물세 살 학생입니다." 앤디가 말을 잇는다. "저는 그저 아주 고통스러운 이 시기에 제게 약간의 프라이버시를 허락해주시기만을 바랍니다."

"잘해봐." 내가 중얼거린다. 앤디가 돌아서고 경찰관 한 명이 아무 질문도 받지 않겠다고 말한다. 곧 그들은 카메라 밖으로 사라진다. 마치 그들을 계속 볼 수 있을 것처럼 왼쪽으로 몸을 기울이고 있는 나 자신을 발견한다.

"불쌍한 어린 양." 나이 많은 여자가 말한다. "애가 겁을 잔뜩 먹었네."

"결국 그 남자 짓인가 봐요."

"저 여자랑 만난 지 1년이 넘었다잖아."

"저질."

데시가 나를 슬쩍 찌르며 묻는 듯이 눈을 크게 뜬다. 외도에 대해 알고 있었어? 괜찮아? 나는 내 얼굴이 분노로 활활 타고 있다는 걸 알지만—불쌍한 어린 양 좋아하네—그것이 닉의 배신 때문인 것처럼 연기할 수 있다. 나는 희미하게 웃으며 고개를 끄덕인다. 난 괜찮아. 우리가 막 나가려는데 언제나처럼 손을 잡은 우리 부모가 나타나더니 나란히 마이크 앞에 올라선다. 내 어머니는 방금 머리를 자른 것처럼 보인다. 나는 내가 실종된 와중에 치장할 짬이 난 그녀에게 화를 내야 하는 것인지 생각한다. 보통 누군가가 죽고 친척들이 모이면 꼭 이렇게들 말한다. 아무개도 그러기를 바랄 거야. 나는 그러기를 바라지 않는다.

내 어머니가 말한다. "저희의 성명은 짧습니다. 그리고 아무런 질문도 받지 않을 것입니다. 우선 우리 가족에게 큰 힘이 되어주신 여러분께 감사드립니다. 온 세상이 우리만큼 에이미를 사랑하는 것 같습니다. 에이미, 우린 너의 따뜻한 목소리와 뛰어난 유머, 기발한 재치와 착한 마음씨가 너무나 그립구나. 넌 정말로 놀라운 사람이란다. 우리는 네가 다시 가족의 품으로 돌아오게 할 거야. 그럴 수 있을 거라고 난 믿는다. 다음으로, 저희는 사위 닉 던이 외도를 했다는 사실을 오늘 아침에야 알게 되었습니다. 그는 이 악몽이 시작된 이후로 지금까지, 언제나 성의 없고 무관심하며 응당 써야 할 신경을 쓰지 않았습니다. 우리는 그가 충격을 받아서 그런 거라고 좋게 생각했습니다. 이제 그 사실을 알게 된 이상, 우리는 더 이상 그렇게 생각할 수 없습니다. 따라서 우리는 닉에 대한 우리의 지지를 철회합니다. 앞으로 진행될 조사에 있어, 우리는 에이미가 돌아오기만을 바랄 것입니다. 에이미의 이야기는 계속될 것입니다. 온 세상이 새로운 장을 읽을 준비가 되어 있습니다."

아멘, 누군가가 말한다.

닉 던

쇼가 끝나고, 앤디와 에이미의 부모는 시야에서 사라졌다. 샤론의 프로듀서는 TV의 전원을 하이힐의 앞코로 차서 꺼버렸다. 이제 방 안의 모든 사람은 설명을 기다리며 나를, 파티장 바닥에 똥을 싼 손님을 쳐다보고 있었다. 샤론은 나를 보며 지나치게 밝은 미소를, 화난 미소를 짓느라 보톡스 맞은 부분이 땅기는 듯했다. 그래서 얼굴의 이상한 부분에 주름이 잡혔다.

"자?" 여전히 차분하고 느긋한 상류층 말투로 그녀가 말했다. "저건 대체 뭐죠?"

태너가 끼어들었다. "그게 바로 폭탄선언이었습니다. 닉은 자신의 행동을 고백하고 논의할 준비가 완전히 되어 있었고, 지금도 그렇습니다. 타이밍이 꼬여서 유감이지만, 어떻게 보면 당신에겐 더 잘된 일이에요, 샤론. 닉의 반응을 가장 먼저 듣게 될 테니까요."

"죽여주게 재미있는 이야깃거리를 갖고 있어야 할 거예요, 닉." 그녀는 경쾌하게 걸어 나가며 누구에게랄 것도 없이 "그에게 마이크를 달아줘요, 바로 시작하죠"라고 소리쳤다.

결론을 말하자면, 샤론 쉬버는 나를 죽여주게 좋아했다. 뉴욕에서 살 때, 나는 그녀가 외도를 했다가 남편에게 돌아갔다는 루머를 늘 듣고 있었다. 다들 쉬쉬하는 언론계의 비화였다. 지금으로부터 거의 10년 전 일이지만 나는 아직까지도 그녀에게 죄를 용서받고 싶은 충동이 남아 있다고 생각했다. 실제로 그랬다. 그녀는 방긋 웃었고, 응석을 받아주었으며, 회유하고 놀렸다. 그녀는 번들거리는 도톰한 입술을 오므린 채 경청했고―주먹 쥔 손으로 턱을 받치고 있었다―꽤 껄끄러운 질문들을 했다. 나는 이번만은 잘 대답했다. 나는 에이미처럼 대단한 거짓말쟁이는 아니지만 꼭 필요할 때는 거짓말을 곧잘 한다. 나는 아내를 사랑하고 자신의 외도를 부끄럽게 여기며, 앞으로 제대로 할 준비가 되어 있는 남자처럼 보였다. 간밤에 나는 잠이 오지 않았고 초조해서 휴 그랜트가 1995년에 제이 레노의 쇼에 나와서 매춘부에게 오럴 섹스를 받은 일을 온 국민에게 사죄하는 인터넷 동영상을 보았다. 그는 마치 피부가 두 사이즈 정도 작아진 것처럼 우물쭈물 말을 더듬으며 부끄러워했다. 하지만 변명은 하지 않았다. "누구나 살아가면서 해서 좋은 일과 해선 안 되는 일을 알고 있습니다. 저는 나쁜 일을 했고…… 그것이 전부입니다." 젠장, 그 자는 잘해냈다. 그는 유순하고 초조하며 금방이라도 무너질 것처럼 보여서 누구든 그의 손을 잡고 '젊은 친구, 그건 그렇게 대단한 일이 아니야, 너무 자책하지 마.' 하고 말하고 싶었을 것이다. 내가 의도한 것도 그런 결과였다. 그 동영상을 어찌나 많이 봤던지 영국식 억양까지 흉내 낼까 봐 겁이 날 지경이었다.

나는 더할 수 없이 속이 빈 남자였다. 에이미의 주장에 따르면 사과하는 법이 없는 남편이, 마침내 사과를 했다. 어느 배우에게서 빌린 말과 감정을 이용해서.

하지만 그것은 먹혀들었다. 샤론, 저는 나쁜 짓을, 용서받을 수 없는 짓을 저질렀습니다. 전 그것에 대해서 어떤 변명도 할 수 없습니다. 전 제 자신을 실망시켰어요. 저는 제가 바람을 피우는 사람이 될 줄은 결코 몰랐습니다. 그보다 중요한 건, 제가 제 아내를, 아내의 가족을, 제가 만났던 그 젊은 여성에게 상처를 줬다는 사실입니다. 이건 변명의 여지도 없고 용서받을 수 없는 일입니다. 제가 바라는 건 제가 남은 일생 동안 아내에게 보상하고, 그녀에게 합당한 대접을 하며 살아갈 수 있도록 에이미가 집으로 돌아오는 것뿐입니다.

아, 물론 나는 에이미에게 합당한 대접을 하고 싶다.

하지만 이 말은 꼭 해야겠습니다, 샤론. 저는 에이미를 죽이지 않았습니다. 저는 결코 아내를 다치게 하지 않습니다. 제 생각에 지금 벌어지고 있는 일은 제가 속으로(빙그레 웃는다) 엘런 애벗 효과라고 부르는 것입니다. 이것은 당황스럽고 무책임한 유형의 언론이죠. 우리는 오락거리로 포장된 여성 살인 사건들을 보는 데 너무나 익숙해져 있습니다. 역겨운 일이죠. 그런 프로그램들에서 범인은 항상 누구죠? 언제나 남편입니다. 그래서 대중, 그리고 어느 정도까지는 경찰마저 모든 사건이 그런 식이라고 세뇌가 된 것 같습니다. 사람들은 맨 처음부터 내가 아내를 죽였다고 사실상 추측했습니다. 그것이 우리가 반복해서 들은 이야기니까요. 그것은 잘못된 일입니다, 도덕적으로 잘못된 일입니다. 저는 아내를 죽이지 않았습니다. 저는 아내가 돌아오기를 바랍니다.

나는 샤론이 엘런 애벗을 선정주의적인 시청률 창녀로 그릴 기회를 좋아할 것임을 알았다. 20년간 언론인으로 일하며 아라파트와 사르코지와 오바마를 인터뷰한 위엄 있고 고상한 샤론이 엘런 애벗이라는 존재에 반감을 갖고 있을 것임을 알았다. 언론인인(이었던) 나는 그것을 잘 알고 있었고, 내가 '엘런 애벗 효과'라는 말을 했을 때 샤론의 입이 실룩거리고 눈썹이 살짝 치켜올라가면서 얼굴 전체가 밝아지는 것을 알아차렸다. 그것은 자신에게 온 기회를 알아차리는 순간의 모습이었다.

인터뷰 막바지에 샤론은 내 두 손을 감싸쥐고―그녀의 손은 서늘하고 못이 조금 박혀 있었다. 그녀가 골프광이라는 기사를 읽은 적이 있다―행운을 빌어주었다. "당신을 계속 지켜보겠어요, 친구." 그녀는 이렇게 말하고, 고의 뺨에 입을 맞춘 뒤 우리에게 등을 보이며 재빨리 자리를 떴다. 그녀의 등은 드레스가 앞으로 처지는 것을 막기 위해 꽂은 스틱핀들로 전쟁터나 다름없었다.

"너 기똥차게 잘했어." 고가 문 쪽으로 걸어가며 말했다. "예전과는 완전히 달라 보여. 주도적이지만 건방져 보이지 않았어. 네 턱마저…… 덜 나쁜 놈처럼 보여."

"내 턱에 팬 홈이 사라졌어."

"거의, 그래. 집에서 봐." 고는 내 어깨에 그녀만의 승리의 펀치를 날렸다.

나는 인터뷰를 세 차례―케이블 프로그램 두 개와 네트워크 프로그램 한 개―더 했다. 내일 쉬버와의 인터뷰가 방송된 다음 나머지 인터뷰도 방영될 예정이었다. 사죄와 뉘우침의 도미노. 나는 주도권을 잡고 있었다. 나는 더 이상 유죄인 것 같은 남편이나 감정 없는 남편이나 바람을 피우는 무정한 남편이 되기를 거부할 것이다. 나는 모두가 아는 사람, 많은 남자들(과 여자들)이 되어본 적 있는 사람이었다―나는 바람을 피웠고, 기분이 더럽고, 상황을 수습하기 위해 필요한 일을 할 것이다. 왜냐하면 나는 진짜 남자니까.

"우리는 잘하고 있습니다." 일이 마무리될 때쯤 태너가 선언했다. "앤디 문제는, 샤론과의 인터뷰 덕분에 최악의 상황은 피할 수 있을 겁니다. 우린 앞으로 모든 일에 있어 앞서 가기만 하면 됩니다."

고에게서 전화가 왔다. 그녀의 목소리는 가늘고 높았다.

"경찰이 수색영장을 들고 헛간을 조사하러 왔어……. 아버지 집에도 경찰이 가 있대. 그들은…… 나 무서워."

우리가 도착했을 때 고는 부엌에서 담배를 피우고 있었다. 70년대 천박한 재떨이가 넘쳐흐르는 것으로 보아 두 갑째였다. 머리를 아주 짧게 깎고 경찰복을 입은 어색하고 어깨가 좁은 어린애 하나가 고 옆에 있는 바 스툴에 앉아 있었다.

"이쪽은 타일러 씨야." 고가 말했다. "테네시에서 자랐고, 말이 한 마리 있는데 이름이 커스터드……."

"커스터." 타일러가 말했다.

"커스터래. 땅콩 알레르기가 있는데, 말 말고 타일러 씨 말이야. 아, 그리고 타일러 씨는 관절 와순 파열이야. 야구 투수들이 입는 부상이랑 똑같은 건데, 타일러 씨는 어쩌다가 다쳤는지 모른대." 고는 담배를 한 번 빨았다. 그녀의 눈에 눈물이 고여 있었다. "타일러 씨는 여기 오래 있었어."

타일러는 내게 강한 표정을 지으려고 애쓰다가 결국 광을 잘 낸 자신의 구두를 쳐다보았다.

보니가 집 뒤쪽의 유리 미닫이문으로 들어왔다. "대단한 날이죠, 여러분." 보니가 말했다. "여자 친구가 있다고 우리한테 말해줬다면 좋았을 텐데요, 닉. 시간이 엄청나게 절약됐을 거예요."

"그 문제를 논의하게 되어 기쁘군요. 헛간 물건에 대해서도 말이죠. 우린 경찰에 두 가지 모두 말하려고 하던 참이었습니다." 태녀가 말했다. "솔직히 말해, 경찰이 우리에게 앤디 이야기를 해주는 성의를 보여주었더라면 많은 고통을 사전에 방지할 수 있었을 겁니다. 하지만 당신들은 기자회견을 원했고, 홍보를 해야 했죠. 그 여자애를 그렇게 세워두다니 참으로 역겹군요."

"그래요." 보니가 말했다. "그럼, 헛간으로. 다들 나를 따라오시겠어요?" 보니가 우리에게 등을 보이고 늦여름의 드문드문한 잔디 위를 걸어 헛간으로 향했다. 그녀의 머리카락에 붙은 거미줄이 면사포처럼 나부꼈다. 보니는 가만히 서 있는 나를 보더니 참을성 없이 손짓을 했다. "어서와요." 보니가 말했다. "물지 않을 테니."

휴대용 전등 여러 개가 헛간을 비추며 한층 더 불길한 분위기를 자아내고 있었다.

"이곳에 마지막으로 온 게 언제죠, 닉?"

"아주 최근에, 아내의 보물찾기가 이곳을 가리켰을 때 왔습니다. 하지만 이것들은 제 것이 아니고, 저는 아무것도 손대지 않았습니다……."

태녀가 끼어들었다. "제 의뢰인과 제게는 폭발적인 새 이론이 있습니다……." 태녀가 말을 시작하다가 멈칫했다. 그 허풍선이 같은 TV용 연설은 지독하게 형편없고 부적절해서 다들 몸을 움츠렸다.

"아, 폭발적이라. 참 흥미진진하군요." 보니가 말했다.

"사실 우리는 당신에게 알리려던 참……."

"정말요? 참으로 편리한 타이밍이네요." 보니가 말했다. "거기 서 계세요." 헛간 문은 경첩에 헐겁게 달려 있었고 문 옆쪽에 부서진 자물쇠가 매달려 있었다. 길핀이 안에서 물건 목록을 작성하고 있었다.

"이 골프채를 쓴 적이 없다고요?" 길핀이 번쩍거리는 아이언들을 거칠게 뒤적이며 말했다.

"이곳에 제 것은 아무것도 없습니다. 제가 여기 가져다놓은 건 아무것도 없어요."

"재미있군요. 여기 있는 물건들은 모두, 역시 당신 것이 아닌 신용카드의 구매 내역과 일치하거든요." 보니가 퉁명스럽게 말했다. "이건 꼭, 그뭐라더라, '남자의 동굴' 같지 않아요? 아내가 영원히 사라져버리기를 기다리며 만드는 중인 남자의 동굴. 근사한 오락거리들을 마련해뒀군요, 닉." 보니는 커다란 마분지 상자 세 개를 꺼내 내 발 앞에 놓았다.

"이게 뭡니까?"

보니는 장갑을 꼈음에도 불구하고 혐오스럽다는 듯이 손가락 끝으로 상자를 열었다. 상자 속에는 포르노 DVD 수백 개가 들어 있었다. 온갖 색깔과 크기의 나체들이 표지를 장식하고 있었다.

길핀이 킬킬거렸다. "당신한테 넘겨줘야 할 것 같군요, 닉. 내 말은, 남자에겐 나름의 욕구가……."

"남자들은 아주 시각적인 동물이다. 내 전남편이 나한테 들켰을 때 했던 말이죠." 보니가 말했다.

"남자들은 아주 시각적인 동물이죠. 하지만 닉, 이 쓰레기들은 나조차 얼굴을 붉게 만드는군요." 길핀이 말했다. "몇 개는 역겹기까지 해요. 난 어지간해서는 역겨움을 느끼지 않는 사람인데 말이죠." 그는 DVD 몇 개를 추악한 카드처럼 펼쳐 보였다. 대부분 제목이 폭력을 암시하고 있었다. '잔혹한 항문', '잔혹한 펠라티오', '굴욕당한 창녀들', '가학적인 매춘부 섹스', '윤간당한 매춘부들' 그리고 고통에 몸부림치는 여자들과 음흉하게 쳐다보며 여자들의 몸에 물건을 집어넣는 남자들의 사진이 붙어 있는 '암캐 때리기' 시리즈가 18편까지 있었다.

나는 고개를 돌렸다.

"아, 이제 부끄러운가 보군요." 길펀이 씨익 웃었다.

하지만 나는 대꾸하지 않았다. 고가 경찰차 뒷좌석에 태워지는 모습을 보았기 때문이다.

우리는 한 시간 뒤 경찰서에서 만났다. 태너는 반대했지만 내가 고집을 부렸다. 나는 그의 인습 타파주의적인, 백만장자 로데오 카우보이의 자아에 호소했다. 우리는 경찰에게 진실을 말해야 한다고. 때가 되었다고.

그들이 나를 엿 먹이는 건 괜찮다. 하지만 내 여동생은 안 된다.

"내가 동의하는 건 우리가 무슨 짓을 하든 당신이 체포되는 걸 막을 수 없기 때문입니다." 그가 말했다. "경찰에게 우리가 말할 준비가 되어 있다는 걸 알려주면, 우리는 그들이 갖고 있는 당신에게 불리한 정보를 조금 더 알 수 있습니다. 시체가 없으니 경찰은 자백을 원할 거고, 따라서 증거들로 당신을 압박할 겁니다. 그러면 우리는 제대로 된 방어책들을 얻을 수도 있고요."

"그들에게 다 말하는 거죠, 그렇죠?" 내가 말했다. "단서들과 꼭두각시 인형들과 에이미까지." 나는 빨리 가고 싶어서 미칠 지경이었다. 갓이 덮이지 않은 전구 밑에서 경찰들이 여동생을 들볶는 모습이 눈앞에 보였다.

"내가 말하도록 해준다면," 태너가 말했다. "내가 그 누명에 대해 말하는 한 경찰은 재판에서 그 이야기를 우리에게 불리하게 이용하지 못합니다……. 그러니까, 우리가 다른 방법으로 방어한다면요."

내 변호사가 진실을 전혀 신빙성 없다고 여긴다는 사실이 나를 불안하게 만들었다.

길핀은 늦은 저녁을 먹었는지 한 손에 콜라를 들고 경찰서 계단에서 우리를 맞이했다. 돌아서서 우리를 안내하는 그의 등이 땀에 흠뻑 젖어 있었다. 해는 한참 전에 졌지만 습도는 여전했다. 그는 두 팔을 위아래로 한 번 움직이며 셔츠를 펄럭거렸지만 셔츠는 다시 그의 피부에 달라붙었다.

"아직도 덥군요." 그가 말했다. "밤새도록 더울 거래요."

보니는 회의실에서 우리를 기다리고 있었다. 첫째 날 밤, '그날 밤'과 똑같은 회의실이었다. 그녀는 흐느적거리는 머리카락을 프랑스식으로 땋아서 뒤통수에 고정시켰다. 애처로워 보이는 올림머리였다. 그녀는 립스틱도 발랐다. 갑자기 그녀에게 데이트 약속이 있는 것인지 궁금했다. '자정 넘어서 만나요'의 상황.

"자제분이 있습니까?" 나는 의자를 빼내며 별안간 보니에게 물었다.

그녀는 놀란 표정으로 손가락을 하나 들어 보였다. "하나요." 그 외에는 이름도, 나이도, 아무것도 말해주지 않았다. 보니는 비즈니스 모드였다. 그녀는 우리를 끝까지 기다리려고 애썼다.

"당신 먼저," 태너가 말했다. "당신이 알고 있는 걸 먼저 말해주십시오. 그럼 우리가 어째서 그것이 가치 없는 것인지 설명하겠습니다."

"그러시겠죠." 보니가 말했다. "좋아요." 그녀는 녹음기를 켜고 사전 절차를 생략했다. "닉, 당신은 누이의 집에 있는 헛간 속 물건에 손을 댄 적이 없다고 주장하고 있습니다."

"그렇습니다."

"헛간 속의 거의 모든 물건에는 당신의 지문이 잔뜩 묻어 있어요."

"거짓말이에요! 난 아무것도, 거기 있는 건 하나도 건드리지 않았습니다! 에이미의 편지와 내 결혼기념일 선물만 빼고요, 둘 다 그녀가 안에다 둔 거예요."

태너가 내 팔을 건드렸다─주둥이 좀 닥쳐.

"포르노와 골프 클럽들, 손목시계 상자들과 텔레비전에도 당신 지문이 있었어요."

순간 에이미가 이 일을 얼마나 즐겼을지 알 수 있었다. 나의 자랑이던 숙면(나는 이에 대해 그녀에게 잘난 척을 했다. 마음을 더 느긋하게만 먹으면, 나와 더 비슷해지면 불면증이 사라질 거라고)이 내게 불리하게 작용했다. 눈앞에 선했다. 몇 달 동안 무릎을 꿇고 앉아 달아오른 두 뺨으로 나의 코 고는 소리를 느끼며 내 손가락 끝을 여기저기에 갖다 대는 에이미. 내 술에 몰래 약을 탔을 수도 있다. 나는 어느 날 아침, 입술에 백태가 끼도록 푹 자고 일어난 나를 들여다보던 그녀를 기억한다. 그녀는 말했다. "당신, 꼭 죽은 사람처럼 자네. 아니, 약에 취한 사람처럼." 나는 둘 다였지만 그 사실을 몰랐다.

"지문에 대해 설명하고 싶습니까?" 길핀이 말했다.

"나머지도 얘기해주십시오." 태너가 말했다.

보니가 작고 가죽커버로 싸인, 가장자리가 새까맣게 탄 고리 세 개짜리 바인더를 탁자 위에 올려놓았다. "이게 뭔지 알아보시겠습니까?"

나는 어깨를 으쓱하고 고개를 저었다.

"아내분의 일기장입니다."

"음, 아니에요. 에이미는 일기를 쓰지 않아요."

"닉, 아내분은 일기를 썼습니다. 그것도 7년 동안요." 보니가 말했다.

"그렇군요."

뭔가 나쁜 일이 벌어지려 하고 있었다. 아내가 또 영리해지고 있었다.

에이미 엘리엇 던

실종 10일째

우리는 내 차를 타고 주 경계선을 넘어 일리노이로 들어가, 어느 파산한 강변 소도시의 유별나게 끔찍한 동네에서 한 시간 동안 차의 구석구석을 닦아낸 다음, 점화 스위치에 키를 꽂은 채 차를 버린다. 그 차는 문제의 순환이라고 부를 만하다. 나 이전에 이 차를 몰던 아칸소 커플은 수상쩍었고, 오자크 에이미 역시 미심쩍었으며, 바라건대 일리노이의 어느 빈털터리 역시 잠시 동안 이 차를 타고 즐길 것이다.

그 후 우리는 다시 미주리로 돌아간다. 마침내 구불구불한 언덕들 너머, 나무들 사이로 반짝이는 하나판 호수가 보인다. 세인트루이스에 가족이 살고 있는 데시는 그 지역이 오래되었다고, 동부 해안만큼 오래되었다고 생각하기를 좋아하지만 사실은 그렇지 않다. 하나판 호수는 19세기의 정치가나 남북전쟁 영웅의 이름을 딴 것이 아니다. 그것은 마이크 하나판이라는 기름기 흐르는 개발업자가 2002년에 인공적으로 조성한 개인 호수다. 알고 보니 그는 유해한 폐기물을 몰래 갖다 버리는 야간 부업을 하고 있었다. 패닉에 빠진 지역사회는 자신들의 호수에 새로운 이름을 짓기 위해 서두르는 중이다. 물론 '콜링스 호수'가 물망에 올랐을 것이다.

그러므로 잘 조성된—몇몇 선택받은 주민들이 항해는 할 수 있지만 모터보트는 탈 수 없는—호수와 데시의 고상하게 웅장한 주택—미국식 규모의 스위스 대저택—에도 불구하고 나는 여전히 별 감흥이 없다. 데시는 늘 이게 문제였다. 미주리 출신이든 아니든 간에 '콜링스' 호수가 코모 호수인 척해서는 안 되는 것이다.

그는 그의 재규어에 몸을 기대고 그 집을 올려다본다. 나 역시 잠시 집을 감상하도록 만들기 위해서다.

"이 집은 어머니와 내가 브리엔츠에서 머물렀던 작고 아름다운 샬레풍 별장을 모델로 삼은 거야." 그가 말한다. "빠진 건 그곳의 산맥뿐이지."

가장 중요한 게 빠졌군, 하고 생각하면서 나는 그의 팔에 손을 얹으며 말한다. "집 안을 보여줘, 굉장히 멋질 것 같아."

그는 5센트라는 말에 웃으며 내게 '5센트 투어'를 시켜준다. 대성당 같은 식당은 온통 화강암과 크롬이고 거실에 있는 남녀용 한 벌의 벽난로는 숲과 호수가 내려다보이는 (중서부 사람들이 데크라고 부르는) 외부 공간과 연결되어 있다. 지하 휴게실에는 스누커대와 다트, 입체음향 시설과 개인용 바, 그리고 (중서부 사람들이 또 하나의 데크라고 부르는) 별도의 외부 공간이 있다. 휴게실 옆에는 사우나가 있고 그 옆은 와인 셀러다. 이층에는 침실이 다섯 개 있는데, 그는 나를 두 번째로 큰 방에 묵게 한다.

"그 방을 새로 칠해두었어." 그가 말한다. "네가 더스티 로즈 색을 좋아한다는 걸 알거든."

나는 더 이상 더스티 로즈를 좋아하지 않는다. 그건 고등학교 때 이야기다. "넌 정말 자상해, 데시, 고마워." 나는 최대한 진심 어린 목소리로 말한다. 고맙다는 말은 늘 상당히 부자연스럽게 나온다. 고맙다는 말을 아예 하지 않는 경우가 더 많다. 사람들은 해야 할 일을 해놓고 상대방이 감사 인사를 듬뿍 건네기를 기다린다. 팁을 받으려고 스티로폼 컵을 내미는 얼린 요구르트 가게 직원들처럼.

하지만 데시는 쓰다듬는 손길을 즐기는 고양이처럼 고맙다는 말에 의지한다. 그는 기뻐서 등이 거의 활처럼 휘어진다. 지금으로서는 쓸모 있는 제스처다.

나는 내 방에 가방을 내려놓고, 저녁 시간은 혼자 보내고 싶다는 신호를 보내려고 애썼다. 사람들이 앤디의 고백에 어떤 반응을 보이는지, 닉이 체포되었는지 알아봐야 한다. 하지만 고맙다는 말을 한참은 더 해야 할 것 같다. 데시는 내가 자신에게 평생 못 갚을 빚을 지게 될 거라고 확신한다. 그는 깜짝 놀랄걸, 하는 미소를 지으며 내 손을 잡고(너한테 보여줄게 또 있어) 다시 아래층으로 내려가(정말로 네가 좋아했으면 좋겠어) 식당 옆 복도로 들어선다(품이 많이 들었지만 그럴 만한 가치가 충분해).

"정말로 네가 좋아했으면 좋겠어." 그는 다시 말하고 문을 활짝 연다.

그곳은 유리로 된 방, 온실이다. 온갖 색깔의 튤립 수백 송이가 있다. 데시의 호숫가 별장에서, 아주 특별한 여자를 위한 특별한 방 안에서 7월에 활짝 핀 튤립.

"네가 제일 좋아하는 꽃이 튤립인 걸 알지만 개화기가 너무 짧아." 데시가 말한다. "그래서 널 위해 개화기를 고정시켰어. 이 꽃들은 1년 내내 활짝 피어 있을 거야."

그는 내 허리에 팔을 두르고 내가 제대로 감상할 수 있도록 꽃을 향해 서게 만든다.

"튤립, 그것도 1년 내내." 나는 말하고, 눈물을 글썽이려 애쓴다. 튤립은 고교 시절 내가 가장 좋아하는 꽃이었다. 다들 튤립을 가장 좋아했다.

1980년대 말의 거베라 데이지인 셈이다. 지금의 나는 기본적으로 튤립과 정반대인 난초를 좋아한다.

"닉이라면 너를 위해 이런 생각을 할 수 있었을까?" 데시가 내 귀에 대고 속삭인다. 튤립들은 기계가 공중에 살포하는 물을 맞으며 흔들거린다.

"닉은 내가 튤립을 좋아한다는 사실조차 기억 못할 거야." 내가 정답을 말한다.

그것은 상냥한, 솔직히 상냥한 것 이상의 제스처다. 나만의 화원이라니, 동화 같다. 그럼에도 나는 갑자기 신경이 곤두선다. 나는 겨우 24시간 전에 데시에게 전화를 걸었다. 하지만 이것들은 갓 심은 튤립이 아니고 침실 역시 페인트 냄새가 나지 않았다. 궁금해진다. 지난 1년 동안 조금 늘어난 데시의 편지들, 구애하는 듯한 어조……. 그는 얼마나 오랫동안 나를 이곳에 데려오고 싶어 한 것일까? 그는 내가 이곳에 얼마나 머물거라고 생각하고 있는 걸까? 1년 내내 매일매일 활짝 핀 튤립들을 감상할 만큼 오래.

"맙소사, 데시." 내가 말한다. "마치 동화 같아."

"너의 동화지." 그가 말한다. "네가 어떤 인생을 살 수 있는지 보여주고 싶어."

동화 속에는 늘 황금이 등장한다. 나는 그가 내게 돈 뭉치를, 얇은 신용카드를, 유용한 뭔가를 주기를 기다린다. 투어는 내가 처음에 놓쳤던 디테일에 우, 하고 아, 할 수 있도록 다시 온 방을 돌며 이어지다가 마침내 새틴과 실크의, 분홍색과 플러시의, 마시멜로와 솜사탕으로 꾸며진 여자아이의 방인 내 침실로 돌아온다. 창 밖으로 저택을 둘러싸고 있는 높은 담장이 보인다.

나는 초조해져서 불쑥 말한다. "데시, 나한테 돈 좀 주고 가면 안 돼?"

그는 정말로 놀라는 척한다. "넌 이제 돈이 필요 없어, 그렇지 않아?" 그가 말한다. "넌 이제 방세를 낼 필요도 없고, 집에는 먹을 것도 많아. 네가 입을 새 옷도 내가 가져다줄 거야. 미끼 가게에서 산 것 같은 옷을 입은 네가 싫다는 뜻은 아니지만."

"현금이 조금 있으면 마음이 더 편할 것 같아. 무슨 일이 있을 때를 대비해서 말이야. 내가 이곳을 빨리 떠나야 한다거나."

그는 그제야 지갑을 열어 20달러짜리 지폐 두 장을 꺼낸 다음 그것들을 내 손에 부드럽게 쥐여준다. "여기 있어." 그가 관대하게 말한다.

나는 그제야 내가 아주 큰 실수를 한 건 아닌지 생각한다.

닉 던

실종 10일째

나는 아주 우쭐한 기분에 빠져서 실수를 저질렀다. 이 일기장은 뭔진 몰라도 나를 파멸시킬 것이다. 나는 이 범죄 고발 소설의 표지를 이미 알 수 있었다. 우리의 결혼식 사진이 흑백으로 등장할 것이고 배경은 피처럼 붉을 것이며 재킷 카피는 다음과 같을 것이다. '미공개 사진 16페이지와 에이미 엘리엇 던의 실제 일기—저승에서 보내는 메시지—수록'……. 나는 에이미가 여름에 하던 독서를, 집안 곳곳에서 발견한 그 저급한 범죄 고발 책들을, 이상하지만 조금은 귀엽다고 생각했다. 나는 그녀가 긴장을 풀고 있나 보다고, 해변에서 책 읽는 기분을 내고 있나 보다고 생각했다.

하지만 아니었다. 그녀는 공부 중이었던 것이다.

길펀은 의자를 하나 빼내어 등받이가 앞을 향하게 해서 앉은 다음, 팔짱 긴 팔 위로 몸을 내 쪽으로 기울였다. 영화 속 경찰을 흉내 내는 것이었다. 자정이 거의 다 된 시간이었지만 새벽 같은 느낌이었다.

"지난 몇 달간 아내분의 질병에 대해 말해주십시오." 그가 말했다.

"질병이요? 에이미는 아팠던 적이 없습니다. 1년에 한 번쯤 감기는 걸렸어요. 아마도."

보니가 일기장을 들어 올려 표시된 페이지를 펼쳤다. "지난달에 당신은 음료를 만들어서 에이미 씨와 뒷베란다에서 마셨습니다. 아내분은 그 음료수가 터무니없이 달고, 알레르기 반응이 생긴 것 같다고 적었어요. '심장이 빨리 뛰고 혀가 끈끈하게 바닥에 붙었다. 다리에 힘이 하나도 없어서 계단을 올라갈 때 닉이 도와주었다.'" 보니는 읽던 부분을 손가락으로 짚은 다음, 내가 주의를 기울이고 있지 않지도 모른다는 듯이 고개를 들었다. "다음 날 일어났을 때는 이랬습니다. '머리가 아프고 배 속이 니글거린다. 더 이상한 건, 손가락이 옅은 파란색이다. 거울을 보니 입술도 그랬다. 그 뒤 이틀 동안 소변을 보지 못했다. 기운이 너무 없었다.'"

나는 혐오감에 고개를 저었다. 나는 보니에게 애착을 느끼고 있었다. 그녀가 더 나은 사람이기를 바랐다.

"이게 아내분의 필체가 맞습니까?" 보니가 일기장을 내 쪽으로 기울였고 나는 짙은 검은색 잉크로 적힌, 체온표처럼 들쭉날쭉한 에이미의 필기체를 보았다.

"네, 그런 것 같습니다."

"우리의 필체 전문가도 그렇게 말했죠."

보니는 어떤 자긍심을 갖고 그 말을 했고 나는 깨달았다. 이 두 사람은 이번에 처음으로 외부 전문가가 필요했고, 필체를 분석하는 것 같은 색다른 일을 하는 전문가들과 함께 일했던 것이다.

"우리가 이 일기를 의료 전문가에게 보여주고 나서 알게 된 다른 사실이 뭔지 아십니까?"

"중독이요." 내가 불쑥 말했다. 태너가 나를 향해 얼굴을 찡그렸다. 조심해요.

보니는 잠시 말을 더듬었다. 그것은 내가 제공할 것 같은 정보가 아니었던 것이다.

"그래요, 닉, 고마워요. 부동액 중독이죠." 보니가 말했다. "전형적인. 아내분이 살아남은 게 다행이죠."

"아내는 '살아남은' 게 아닙니다. 그런 일은 일어난 적이 없었으니까요." 내가 말했다. "말씀하셨듯이, 아주 전형적이죠. 인터넷을 보고 지어낸 이야깁니다."

보니는 얼굴을 찌푸렸지만 믿으려고 하지 않았다. "일기장 속의 당신은 그리 좋아 보이지 않아요, 닉." 그녀가 계속 말하며 한 손가락으로 자신의 땋은 머리를 훑었다. "학대. 당신은 아내를 막 대했어요. 스트레스. 당신은 걸핏하면 화를 냈습니다. 성관계는 강간에 가까웠고요. 끝부분에 보면 에이미 씨는 당신을 아주 무서워했습니다. 읽기가 고통스러울 지경이에요. 우리가 궁금했던 총도, 당신이 두려워서 갖고 싶었다고 적혀 있고요. 마지막 일기에는 이렇게 적혀 있군요. '이 남자가 나를 죽일 수도 있겠구나.' 당신 부인이 직접 쓴 겁니다."

목구멍이 죄어오는 느낌이 들었다. 토할 것 같은 기분이었다. 대부분은 공포였고, 다음은 솟구치는 분노였다. 씨발년, 씨발년, 걸레, 걸레, 걸레.

"뭐, 아내로서는 아주 똑똑하고 편리한 맺음말이군요." 내가 말했다. 태너가 내 입을 다물게 하기 위해 한 손을 내 손 위에 얹었다.

"지금 그녀를 다시 한 번 죽이고 싶다는 표정이군요." 보니가 말했다.

"당신은 지금껏 우리한테 거짓말만 했습니다, 닉." 길핀이 말했다. "당신은 그날 아침 강가에 있었다고 했지만 우리가 만난 모든 사람들은 당신이 그곳을 싫어한다고 말했습니다. 당신은 신용카드 이용 한도를 최대로 늘려서 구입한 물건에 대해 전혀 모른다고 했지만, 그 물건들로 가득 찬 헛간이 발견되었습니다. 그 물건들은 온통 당신의 지문투성이고요. 에이미 씨는 실종되기 불과 몇 주 전에 부동액 중독으로 보이는 증세 때문에 고생했던 겁니다. 그러니까, 제발 좀." 길펀이 효과를 위해 말을 멈췄다.

"다른 건요?" 태너가 물었다.

"우린 당신이 해니벌에 갔던 것도 압니다. 며칠 뒤 당신 부인의 핸드백이 발견된 곳이죠." 보니가 말했다. "실종 전날 밤에 당신과 부인이 싸우는 소리를 들은 이웃도 있어요. 당신이 원치 않았던 임신과, 이혼할 경우 부인에게 돌아갈, 부인의 돈으로 빌린 바. 그리고 물론, 물론, 1년 넘게 남몰래 만난 여자 친구도 있죠."

"우리가 당신을 도울 수 있는 건 지금뿐이에요, 닉." 길펀이 말했다. "일단 당신을 체포하면 그럴 수가 없습니다."

"일기장은 어디서 찾으셨죠? 닉의 아버지 집인가요?" 태너가 물었다.

"그렇습니다." 보니가 대답했다.

태너가 내게 고갯짓을 했다—이것이 우리가 찾지 못한 것이군요. "어디 한번 맞춰볼까요. 익명의 제보죠?"

두 경찰 모두 아무 말도 하지 않았다.

"그 집 어디서 일기장을 찾았는지 물어봐도 될까요?" 내가 물었다.

"난로 속에서요. 일기장은 타지 않았어요. 당신이 던져넣었을 때, 일기장이 점화용 불씨에 떨어져서 불이 꺼졌죠. 그래서 가장자리만 탄 겁니다." 길펀이 말했다. "우리로서는 아주 운이 좋았죠."

그 난로—에이미의 또 다른 은밀한 농담! 그녀는 언제나 내가 남자라면 알아야 할 것들을 얼마나 모르는지 놀랍다고 했다. 아버지의 집을 뒤질 때, 나는 아버지의 그 오래된 난로를 쳐다보기까지 했지만, 파이프와 철사와 꼭지들에 겁을 먹고 돌아서버린 것이다.

"운이 아닙니다. 당신들은 그걸 찾게 되어 있었던 거라고요." 내가 말했다.

보니가 왼쪽 입꼬리를 올리며 웃었다. 그녀는 몸을 뒤로 기울이고 기다렸다. 아이스티 광고 속 인기 연예인처럼 편안한 모습이었다. 나는 태너에게 화난 표정으로 고갯짓을 했다. 시작해요.

"에이미 엘리엇 던은 살아 있고 닉에게 자신을 죽였다는 누명을 씌우려고 하고 있습니다." 태너가 말했다. 나는 두 손을 맞잡고 똑바로 앉아서 그 말을 더 조리 있게 뒷받침해줄 뭔가를 하려고 애썼다. 보니가 나를 바라보았다. 내게는 파이프와, 극적 효과를 위해 재빨리 벗을 안경과, 팔꿈치에 받칠 백과사전 세트가 필요했다. 기분이 들떴다. 웃으면 안 돼.

"뭐라고 하셨습니까?" 보니가 얼굴을 찌푸렸다.

"에이미는 아주 멀쩡하게 살아 있고, 닉에게 누명을 씌우려고 한다고요."

내 대리인이 다시 말했다.

그들은 둘 다 탁자 위에 웅크리고 앉아서 시선을 교환했다─이 자를 믿을 수 있어?

"그녀가 왜 그런 짓을 하죠?" 길핀이 두 눈을 비비며 말했다.

"닉을 싫어하기 때문이죠. 당연히. 닉은 형편없는 남편이었으니까요."

보니가 바닥을 쳐다보며 한숨을 내쉬었다. "그 말에는 전적으로 동의합니다."

길핀이 동시에 말했다. "아, 정말이지."

"부인이 미쳤나요, 닉?" 보니가 몸을 앞으로 기울이며 말했다. "당신 말대로라면, 이건 미친 짓이에요. 듣고 있어요? 이 모든 걸 준비하려면 6

개월에서 1년은 걸릴 거예요. 부인이 1년 동안은 당신을 증오했어야 했어요. 당신을 이렇게 극단적으로, 진지하게, 끔찍하게 해치려고 했다면 말이에요. 그런 증오심을 그렇게 오랫동안 유지하는 게 얼마나 어려운지 아세요?"

그녀는 그럴 수 있었다. 에이미라면 얼마든지 그럴 수 있었다.

"그냥 당신이랑 이혼하면 되잖아요?" 보니가 쌀쌀맞게 말했다.

"그건 아내와…… 아내의 정의감에 어긋나는 일일 겁니다."

"정말이지, 닉, 지치지도 않습니까?" 길핀이 말했다. "당신 아내가 직접 썼다고요. '그가 나를 죽일 것 같다.'"

어느 시점에서 누군가 그들에게 말해주었을 것이다. 용의자의 이름을 자주 불러라, 그러면 그는 편안하고 익숙한 느낌을 갖게 될 것이다. 영업에서도 통하는 이야기다.

"최근에 아버지 집에 갔었죠, 닉?" 보니가 물었다. "이를테면 7월 9일에 말이죠."

씨발. 그래서 경보 암호를 바꾼 것이다. 스스로에 대한 혐오감이 엄습했다. 아내는 나를 두 번이나 갖고 놀았다. 아내는 나로 하여금 그녀가 아직 나를 사랑한다고 믿도록 속였을 뿐 아니라, 실제로 내가 스스로 용의자가 될 수밖에 없게 만들었다. 사악하고 사악한 여자. 웃음이 나올 지경이었다. 정말이지 그녀가 싫다. 하지만 그년은 존경받아 마땅하다.

태너가 말을 시작했다. "에이미는 자신의 단서들을 이용하여 제 의뢰인이 그 여러 장소들, 그녀가 증거를 남겨놓은 곳들로 갈 수밖에 없게 만든 겁니다. 그래서 닉이 유죄처럼 보이게 만든 것이죠. 닉의 아버지 집이 있는 해니벌도 그중 한 곳입니다. 제 의뢰인과 저는 지금 그 단서들을 가지고 왔습니다. 호의의 표시로요."

그는 단서들과 그녀의 연애편지들을 꺼내, 경찰들 앞에서 마치 카드마술을 하는 것처럼 흔들었다. 나는 그들이 그것들을 읽는 동안 땀을 흘리며, 그들이 고개를 들고 이제 모든 것이 분명해졌다고 말하기를 바랐다.

"좋아요. 그러니까 당신의 주장은 에이미 씨가 당신을 너무나 싫어해서 당신에게 살인죄를 씌우려고 몇 달을 보냈다는 거죠?" 보니가 실망한 부모의 고요하고 신중한 목소리로 내게 물었다.

나는 멍한 표정으로 보니를 쳐다보았다.

"이건 화가 난 여자처럼 보이지 않는데요, 닉." 그녀가 말했다. "그녀는 당신에게 사과하려고, 다시 시작하자고 제안하려고, 당신을 얼마나 사랑하는지 알리려고 당신을 지나치게 치켜세우고 있어요. 당신은 따뜻해, 당신은 나의 태양이야. 당신은 똑똑해, 당신은 재치 있어."

"아, 빌어먹을, 정말이지."

"또 그러는군요, 닉. 결백한 사람이라면 믿을 수 없을 만큼 이상한 반응이에요." 보니가 말했다. "당신 아내가 당신에게 보낸 마지막 말일지도 모르는 달콤한 메시지를 읽어줬는데 당신은 화가 난 것 같군요. 난 아직도 그 첫날밤을 기억해요. 에이미가 실종되고 당신이 이곳에 들어왔죠. 우리가 당신을 이 방에서 45분 동안 기다리게 했을 때, 당신은 지루해 보였어요. 우리는 당신을 지켜보고 있었죠. 당신은 실제로 잠이 들었어요."

"그건 아무런 관련이 없는……." 태너가 입을 열었다.

"난 침착하려고 애쓰고 있었습니다."

"실제로 당신은 정말로, 아주, 아주 침착해 보였습니다." 보니가 말했다. "지금까지 계속 당신의 행동은…… 부적절했어요. 무심하고, 건방졌어요."

"그게 원래 제 모습이에요. 모르시겠어요? 전 내색을 하지 않습니다.

지나칠 정도로요. 에이미도 알고 있었죠……. 아내는 늘 그런 나를 못마 땅하게 여겼어요. 내가 공감 능력이 떨어진다고, 마음을 터놓지 않는다 고, 힘든 감정 상태, 슬픔, 죄책감을 감당하지 못한다고요. 그녀는 내가 지독하게 의심스러워 보일 거라는 걸 알았던 거예요. 이런 빌어먹을, 정 말이지! 힐러리 핸디와 얘기해보시겠습니까? 토미 오하라와 얘기해보세 요. 난 그들과 이야기를 했어요! 그들은 아내가 어떤 사람인지 말해줄 겁 니다."

"우리도 그들과 얘기를 해봤습니다." 길핀이 말했다.

"그래서요?"

"힐러리 핸디는 고교 시절 이후 두 번 자살을 시도했습니다. 토미 오하 라는 재활원에 두 번 들어갔고요."

"에이미 때문이겠죠."

"혹은 그들이 극도로 불안정한, 죄책감에 시달리는 사람들이라서 그럴 수 있죠." 보니가 말했다. "보물찾기 얘기로 돌아가죠."

길핀이 고의적인 단조로운 어조로 두 번째 단서를 소리 내어 읽었다.

당신은 나를 이곳에 데려왔어, 내가 당신의 이야기를 들을 수 있도록.

소년 시절 당신의 모험, 형편없는 청바지와 챙 달린 모자에 대한 이야기를.

다른 모두를 속여, 우리에게 그들은 모두 버려진 사람들이니까.

그리고 몰래 키스하자…… 우리가 방금 결혼한 척해.

"이게 당신을 해니벌로 가게 만들기 위해서 쓴 글이라는 겁니까?" 보 니가 말했다.

나는 고개를 끄덕였다.

"어딜 봐도 해니벌이라는 말은 나오지 않는데요." 그녀가 말했다. "암시조차 없어요."

"챙 달린 모자, 그건 우리 둘만 알고 있는 오래된 농담입니다. 그게 뭐냐면……"

"아, 둘만의 농담이요." 길핀이 말했다.

"그럼 다음 단서, 작은 갈색 집은요?" 보니가 물었다.

"내 아버지 집으로 가라는 거죠." 내가 말했다.

보니의 얼굴이 다시 단호해졌다. "닉, 당신 아버지의 집은 파란색이에요." 그녀는 태너를 보며 눈을 굴렸다. 이게 당신이 나한테 주려던 겁니까?

"내 귀에는 당신이 이 단서 속에서 '둘만의 농담'을 지어내고 있는 것처럼 들리는데요." 보니가 말했다. "당신이 편한 대로 얘기하려는 것 같다는 말입니다. 우리가 당신이 해니벌에 갔다는 걸 알아내니까 '당신들이 뭘 알아, 이 단서에는 해니벌로 가라는 비밀스러운 뜻이 있어'라고."

"마지막 선물은 이겁니다." 태너가 말하며 탁자 위에 상자를 올려놓았다. "그리 모호하지 않은 힌트죠. 펀치와 주디 인형입니다. 아시다시피, 펀치는 주디와 그녀의 아기를 죽입니다. 제 의뢰인이 발견한 물건입니다. 우리는 경찰이 이것을 가져가기를 원합니다."

보니는 상자를 열고 라텍스 장갑을 낀 후 꼭두각시 인형들을 들어 올렸다. "무겁군요." 그녀가 말했다. "단단하고요." 그녀는 여자 인형의 옷에 달린 레이스와 남자 인형의 얼룩덜룩한 옷을 살펴보았다. 이어 남자 인형을 들어 올려 손가락을 얹는 홈이 있는 굵은 나무손잡이를 살펴보았다.

남자 꼭두각시를 두 손에 든 그녀가 찌푸린 얼굴로 동작을 멈췄다. 그런 다음 그녀는 여자 인형을 거꾸로 들어 치마가 뒤집어지게 했다.

"이건 손잡이가 없네요." 그녀가 말했다. "여기에 손잡이가 있었나요?"

"내가 어떻게 알겠습니까?"

"폭 5센티미터, 길이 10센티미터 정도에, 아주 두껍고 무거운, 잘 잡을 수 있도록 홈이 있는 손잡이죠?" 그녀가 차갑게 말했다. "망할 곤봉 같은 손잡이?"

그녀는 나를 노려보았고 나는 그녀의 생각을 알 수 있었다. 넌 게임을 하고 있어. 넌 소시오패스야. 넌 살인자야.

에이미 엘리엇 던

실종 11일째

오늘 밤 닉과 샤론 쉬버의 화제의 인터뷰가 방송된다. 나는 뜨거운 물로 목욕을 한 다음 질 좋은 와인을 한 병 따고, 그의 거짓말을 기록하기 위해 녹화를 하면서 방송을 볼 생각이었다. 그가 지껄이는 모든 과장과 반쪽짜리 진실, 거짓말과 뻔뻔한 말들을 적어서 그에 대한 나의 분노를 다지고 싶다. 블로그 인터뷰—유일하게 술에 취해 준비 없이 한 인터뷰!—이후 분노가 빠져나가고 있다. 용인할 수 없는 일이다. 나는 물렁해지지 않을 것이다. 난 바보가 아니다. 그렇지만 앤디가 무너지고 난 지금, 그녀에 대한 그의 생각, 그의 입장을 듣고 싶다.

나는 혼자서 인터뷰를 보고 싶지만 데시는 하루 종일 내 주위를 맴돌며, 마치 갑자기 나타나 피할 수 없는 먹구름처럼 내가 도망치는 방마다 따라다닌다. 나는 그에게 가달라고 말할 수가 없다. 이곳은 그의 집이기 때문이다. 이미 시도해보았지만 소용이 없다. 그는 지하실 배관을 점검하고 싶다거나 사야 할 식료품을 알아보기 위해 냉장고를 들여다보고 싶다고 말할 것이다.

이 상황은 계속될 거야, 하고 나는 생각한다. 이것이 앞으로의 네 인생이야. 그는 자신이 원할 때 나타나 자신이 원하는 만큼 머무를 것이며, 발을 질질 끌고 돌아다니면서 내게 말을 걸다가 자리를 잡고 앉아서 내게도 앉으라고 하겠지. 그런 다음 와인을 한 병 딸 것이고 우리는 갑자기 함께 식사를 하게 될 거야. 도저히 멈출 방도가 없어.

"정말 피곤해서 그래." 내가 말한다.

"아주 조금만 더 네 은인의 비위를 맞춰줘." 그는 대답하고 손가락으로 바지에 잡힌 주름을 쓸어내린다.

오늘 밤 방영될 닉의 인터뷰에 대해 알고 있는 데시는, 나가서 내가 좋아하는 음식을 잔뜩 사들고 돌아온다. 만체고 치즈와 초콜릿 트뤼플과 차가운 상세르 와인 한 병. 심지어 그는 한쪽 눈썹을 묘하게 일그러뜨린 채 내가 '오자크 에이미'였을 때 좋아했던 칠리 치즈 프리토까지 만든다. 그가 와인을 따른다. 우리 두 사람은 아기에 대한 자세한 이야기를 하지 않기로 무언의 합의를 했다. 우리는 둘 다 우리 집안의 유산 내력을, 유산에 대해 말하는 것이 내게 얼마나 끔찍한 일인지를 알고 있다.

"그 야비한 놈이 뭐라고 변명하는지 듣고 싶은걸." 그가 말한다. 그가 씨발놈이나 개새끼라는 말은 거의 하지 않고 야비한 놈이라고 하는데, 실제로 그 말은 그의 입에서 나올 때 더 악랄하게 들린다.

한 시간 뒤, 우리는 데시가 만든 가벼운 저녁식사를 마치고 그가 가져온 와인을 홀짝이고 있다. 그는 내게 치즈를 한 조각 주고 트뤼플을 반으로 쪼개 나와 나눠 먹었고, 내게 정확히 프리토 열 개를 준 다음 나머지는 치워버렸으며, 내가 다 먹을 때까지 기다렸다가 접시를 치웠다. 그는 프리토 냄새가 싫다고, 거슬리는 냄새라고 말하지만 그가 정말로 싫어하는 것은 나의 몸무게다. 이제 우리는 소파에 나란히 앉아 부드럽게 해진 담요를 함께 덮고 있다. 데시가 냉방을 세게 틀어서 가을 같은 7월처럼 만들었기 때문이다. 그는 탁탁 소리를 내는 불을 피우고 우리가 한 담요를 덮을 수밖에 없도록 하기 위해 그렇게 한 것 같다. 그것이 그가 상상하는 10월의 우리 모습이기 때문일 것이다. 그는 내게 줄 선물, 혼색의 보라색 터틀넥 스웨터까지 가져와 내게 입혔다. 나는 그것이 담요와 데시의 짙은 녹색 스웨터를 둘 다 돋보이게 하기 위한 것이라는 사실을 알아차린다.

"너도 알다시피, 아주 먼 옛날부터 비참한 남자들은 자신들의 남성성을 위협하는 강한 여자들을 학대해왔어." 데시가 말한다. "정신 상태가 너무나 약해빠져서 그런 지배를 원하는 거야……."

하지만 나는 다른 종류의 지배를 생각하고 있다. 보살핌을 가장한 지배. 자기가 추울까 봐 스웨터 가져왔어, 어서 입고 내 눈을 즐겁게 해줘.

닉은 적어도 이런 짓은 하지 않는다. 닉은 내가 원하는 것을 하게 내버려둔다.

데시가 그냥 닥치고 가만히 앉아 있었으면 좋겠다. 그는 꼼지락거리고 초조해한다. 마치 자신의 라이벌이 실제로 우리와 한 방에 있기라도 한 것처럼.

"쉬잇." 내가 말한다. 화면에 나의 예쁜 얼굴이 나오고 있다. 사진들이 마치 낙엽처럼 떨어지면서 이 사진에서 저 사진으로 바뀐다. 에이미 콜라주다.

"그녀는 모든 여자들의 이상형이었습니다." 쉬버의 목소리가 말했다. "아름답고, 똑똑하고, 영감의 원천이었으며, 아주 부유했죠."

"그는 모든 남자들이 칭찬하는 남자였습니다……."

"그건 아니지." 데시가 내뱉었다.

"…… 잘생기고, 재미있고, 밝고, 매력적이었죠."

"하지만 지난 7월 5일, 그들의 다섯 번째 결혼기념일에 에이미 엘리엇 던이 실종되면서 완벽해 보이던 그들의 세계는 산산조각이 났습니다."

요약, 요약, 요약. 나와 앤디와 닉의 사진들. 임신 테스트와 미납된 청구서 같은 자료 사진들. 나는 정말이지 멋지게 일을 처리했다. 벽화를 그린 다음 뒤로 물러나서 마침내, 완벽하군, 하고 생각하는 것과 비슷하다.

"이제 오직 이곳에서, 닉 던은 침묵을 깨고 아내의 실종은 물론 그의 외도와 다른 모든 루머에 대해 이야기합니다."

갑자기 닉에게 따뜻한 마음이 솟아난다. 그가 내가 제일 좋아하는 넥타이를 매고 있기 때문이다. 그것은 내가 사준 것으로, 그가 여자 것처럼 색이 지나치게 밝다고 생각한, 혹은 생각했던 넥타이다. 그것은 닉의 눈을 거의 보라색처럼 보이게 만드는 공작 같은 보라색이다. 한 달 만에 그의 만족스런 얼간이 같은 올챙이배가 사라졌다. 그는 배가 들어갔고, 볼살도 사라졌으며, 턱도 덜 쪼개져 보였다. 머리카락은 자르지는 않았지만 다듬어져 있었다. 나는 닉이 카메라 앞에 서기 직전에 그의 머리를 정리하는 고를 떠올린다. 엄마 모의 역할을 떠맡아, 닉의 머리 위에서 법석을 피우며 침을 묻힌 엄지로 그의 아래턱 근처를 문지르는 그녀. 닉이 내가 사준 넥타이를 매고 손을 들어 올리는 제스처를 할 때, 나는 그가 내가 그의 서른세 번째 생일에 선물한 빈티지 부로바 스페이스뷰 손목시계를 차고 있다는 것을 알게 된다. 그는 자기한테 어울리지 않는다며 그 시계를 절대로 차지 않았다. 그것이 그와 완벽하게 어울림에도 불구하고.

"아내가 실종됐다고 생각하는 남자치고는 너무 잘 차려입고 나왔군." 데시가 비난한다. "손톱 손질도 잊지 않았군. 다행이야."

"닉은 절대로 손톱 손질을 하지 않을걸." 광을 낸 데시의 손톱을 흘끗 보며 내가 말한다.

"본론으로 바로 들어가죠, 닉." 샤론이 말한다. "당신은 아내의 실종과 조금이라도 관련이 있습니까?"

"아뇨. 아닙니다. 절대로, 결코 그렇지 않습니다." 닉이 잘 훈련받은 방식으로 상대와 눈을 맞추며 말한다. "하지만 이 말은 해야겠습니다, 샤론. 저는 결백이나 당당함, 혹은 좋은 남편과는 거리가 아주 멉니다. 만약 에이미가 너무나 걱정되는 상황이 아니라면, 나는 어떤 면에서는 이번 일이, 그녀가 사라진 것이 잘된 일이라고 말할 겁니다……."

"잠시만요, 닉. 하지만 아내분이 실종된 지금, 많은 사람들은 당신의 말을 믿기 힘들다고 생각할 겁니다."

"저는 지금 세상에서 가장 끔찍하고 고통스러운 기분이고 그 무엇보다도 그녀가 돌아오기를 바라고 있습니다. 제가 하려는 말은, 이번 일이 내게는 너무나도 잔인하게 눈을 뜨게 해주는 사건이라는 것입니다. 이런 일이 일어나고 나서야 지독한 이기심을 버리고 자신이 세상에서 가장 운 좋은 나쁜 놈이라는 사실을 깨달을 정도로, 자신이 형편없는 인간이라고 생각하고 싶은 사람은 아무도 없을 겁니다. 그러니까, 아내는 저와 대등한, 모든 면에서 저보다 나은 여자였습니다. 저는 저의 불안감, 실직해서 가족을 돌보지 못하게 되는 것, 나이가 드는 것에 대한 불안감이 그 모든 것을 덮어버리도록 내버려두었습니다."

"말도 안 돼……." 데시가 입을 열고, 나는 그에게 쉿 소리를 낸다. 닉으로 하여금 자신이 좋은 사람이 아니라는 사실을 세상 사람들 앞에서 인정할 수밖에 없도록 만드는 것은 '프티트 모르(petite mort, 직역하면 '작은 죽음'으로, 오르가슴을 뜻하는 불어 표현-옮긴이)'와는 다른 종류의 작은 죽음이다.

"이 말도 해야겠습니다, 샤론. 지금 당장 해야겠어요. 저는 바람을 피웠습니다. 제 아내를 속였습니다. 전 그런 제 자신이 싫었지만, 그것을 바로 잡는 대신 쉬운 탈출구를 택했습니다. 저는 저를 잘 알지도 못하는 젊은 여성과 바람을 피웠습니다. 그러면서 내가 대단한 남자라고 착각했습니다. 내가 원하는 현명하고 당당하고 성공한 남자가 될 수 있을 거라고 착각했습니다. 왜냐하면 그 젊은 여성은 꿈에도 몰랐으니까요. 그녀는 제가 일자리를 잃고 한밤중에 욕실에서 수건에 얼굴을 묻고 우는 모습을 보지 못했습니다. 저의 모든 기벽과 약점도 몰랐습니다. 저는 바보처럼, 제가 완벽하지 않으면 아내가 저를 사랑하지 않을 거라고 생각했습니다. 저는 아내의 영웅이 되고 싶었는데, 직장에서 쫓겨났습니다. 저는 자존감을 잃었고, 더 이상 영웅이 될 수 없었습니다. 샤론, 전 잘잘못을 구분할 줄 압니다. 저는, 저는 잘못을 저질렀습니다."

"아내가 어딘가에서 지금 당신을 볼 수 있다면, 아내에게 뭐라고 말하고 싶습니까?"

"이렇게 말할 겁니다. 에이미, 당신을 사랑해. 당신은 내가 아는 최고의 여자야. 당신은 내게 과분해. 당신이 내게 돌아온다면 남은 평생 동안 당신에게 보상하며 살 거야. 우리는 이 악몽을 끝낼 방법을 찾아낼 거고, 나는 세상에서 제일 좋은 남편이 될 거야. 제발 내 곁으로 돌아와줘, 에이미."

바로 그때, 그는 턱의 갈라진 부분에 아주 잠깐 집게손가락을 갖다 댔다. 우리가 서로를 속이고 있지 않다는 뜻으로 쓰는, 우리만의 오래되고 은밀한 신호였다. 그 옷은 정말 괜찮아, 그 글은 정말 훌륭해. 나는 지금 절대적으로, 백 퍼센트 진실해. 당신 뒤통수를 치는 일은 없을 거야.

데시가 내 앞으로 몸을 기울여 화면을 가리면서 상세르 와인을 향해 팔을 뻗는다. "와인 더 줄까, 자기?" 그가 말한다.

"쉬잇."

데시가 방해한다. "에이미, 넌 착한 여자라서…… 애원에 약하다는 걸 알아. 하지만 그는 지금 거짓말만 하고 있어."

닉은 정확히 내가 듣고 싶은 말을 하고 있다. 마침내.

데시는 나를 똑바로 쳐다보기 위해 이리저리 움직이며 내 시야를 완전히 가려버린다. "닉은 연극을 하고 있어. 착하고 뉘우치는 남자처럼 보이고 싶은 거지. 솔직히 말하면 그는 지금 끝내주게 잘하고 있어. 하지만 이건 진짜가 아니야. 그는 자신이 널 때렸다거나 욕보였다는 말은 조금도 하지 않았어. 저 남자가 너를 어떻게 지배하고 있는지 모르겠지만, 분명 스톡홀름 증후군 같은 걸 거야."

"알아." 내가 말한다. 나는 데시에게 해야 할 말을 정확하게 알고 있다. "네 말이 맞아. 네 말이 백번 맞아. 난 오랫동안 지금처럼 안전하다고 느껴본 적이 없어, 데시. 하지만 난 아직도…… 그를 보면…… 이러지 싶지 않지만 그는 나를…… 수 년 동안이나 아프게 했는걸."

"우리 이거 그만 보는 게 좋을 것 같아." 그가 지나치게 가까이 다가와 내 머리카락을 만지작거리며 말한다.

"아냐, 계속 틀어놔." 내가 말한다. "난 현실을 직시해야 해. 너와 함께 말이야. 너와 함께라면 난 할 수 있어." 나는 그의 손을 잡는다. 그러니까 이제 좀 닥쳐.

전 그저 에이미가 집으로 돌아와서 저의 남은 인생 동안 그녀에게 보상하고, 그녀에게 걸맞은 대접을 하고 싶을 뿐입니다.

닉은 나를 용서한다—나도 당신을 속였고, 당신도 나를 속였어, 이제 화해하자. 만약 그의 신호가 진짜라면? 닉은 내가 돌아오기를 원한다. 돌아온 나를 제대로 대접하고 싶어 한다. 내게 응당한 대접을 하며 자신의 남은 인생을 보내려고 한다. 아주 끌리는 이야기다. 우리는 뉴욕으로 돌아갈 것이다. 내가 실종된 이후 《어메이징 에이미》 시리즈는 매출이 급증했다. 3대에 걸친 독자들은 자신들이 얼마나 나를 사랑하는지 기억해냈다. 나의 탐욕스럽고 어리석고 무책임한 부모는 마침내 나의 신탁기금을 돌려줄 수 있게 됐다. 이자까지 쳐서.

왜냐하면 나는 내 과거의 인생으로 돌아가고 싶기 때문이다. 아니, 내 과거의 돈과 '새로운 닉', '사랑하고 존경하고 복종하는 닉'이 함께하는 내 과거의 인생으로. 어쩌면 그는 이미 교훈을 얻었는지도 모른다. 어쩌면 그는 예전의 그로 돌아갈지도 모른다. 나는 공상에 빠져 있었다. 오자크의 오두막에 갇힌, 데시의 저택에 갇힌 나는 공상에 빠질 시간이 많았다. 내가 공상한 것은 옛날의 닉이다. 그전에는 감옥에서 강간당하는 닉을 상상했지만 최근에는 그런 상상을 그다지 많이 하지 않았다. 나는 그옛날, 맨살에 닿는 시원한 면의 감촉을 느끼며 함께 침대에 누워 있던 옛날을 생각한다. 닉은 나만을 쳐다보며 한 손가락으로 나의 턱을, 턱 끝에서 귀까지 쓸어 올리며 나를 굼실거리게 만들곤 했다. 그는 내 귓불을, 이어 귓속의 고둥껍질 같은 모든 곡선을, 머리카락과 얼굴의 경계를 가볍게 간질이다가, 우리가 첫 키스를 하던 날처럼 내 머리카락을 한 움큼 잡고 끝부분까지 쓸어내린 다음 부드럽게, 마치 종을 울리는 것처럼 두 번 당기며 이렇게 말하곤 했다. "당신은 그 어떤 이야기책보다 더 나은 존재야. 누군가가 지어낼 수 있는 그 어떤 것보다 나은 존재야."

닉은 내가 땅에 단단히 붙어 있게 해주었다. 닉은 내가 원하는 것(튤립, 와인)을 가져다주고, 그 대가로 나로 하여금 자신이 원하는 것(그를 사랑하는 것)을 하게 만드는 데시와 달랐다. 닉은 그저 내가 행복하기를 바랐다.

전적으로, 순수하게. 어쩌면 나는 그것을 게으름이라고 오해한 것인지도 모른다. 난 당신이 행복하기를 바랄 뿐이야, 에이미. 그는 얼마나 자주 그 말을 했던가. 나는 그 말을 이렇게 해석했다. 난 당신이 행복하기를 바랄 뿐이야, 에이미. 그래야 내가 할 일이 줄어드니까. 하지만 어쩌면 나는 부당했는지 모른다. 글쎄, 부당하지 않았다면 혼란스러워한 것이다. 지금껏 내가 사랑한 사람들 중 숨은 의도가 없는 사람은 아무도 없었다. 그러니 내가 어떻게 알 수 있었겠는가?

정말이지 사실이다. 이 끔찍한 상황이 벌어지고 나서야 우리는 깨달은 것이다. 닉과 내가 천생연분이라는 것을. 나는 조금 넘치고 그는 조금 부족하다. 나는 우리 부모의 지나친 관심 때문에 잔뜩 곤두선 가시나무이고, 그는 아버지에게 찔려 수많은 상처를 가진 남자다. 나의 가시와 그의 상처는 서로 완벽하게 들어맞는다.

나는 집으로, 그에게로 돌아가야 한다.

닉 던

실종 14일째

나는 동생의 소파 위에서 격심한 숙취와 아내에 대한 살인 충동을 느끼며 잠에서 깨어났다. 경찰에게 '일기장 심문'을 받은 다음 며칠 동안, 꽤 자주 일어나는 일이었다. 나는 에이미를 찾아내는 상상을 하곤 했다. 그녀는 서부 해안의 어느 스파에 틀어박혀 긴 의자 위에서 파인애플 주스를 홀짝이면서 근심걱정을 멀리, 저 멀리, 완벽한 파란 하늘 위로 날려 보내고 있다. 나는 차를 타고 분주하게 전국을 쏘다니느라 더럽고 냄새 나는 몰골로 햇빛을 가리며 그녀 앞에 선다. 마침내 에이미가 나를 올려다보고, 나는 두 손으로 그녀의 완벽한 목을 감싸쥔다. 그녀의 성대와 움푹 들어간 곳을. 맥박이, 처음에는 빠르게, 그다음엔 느리게 고동친다. 이윽고 우리는 서로의 눈을 들여다보고 마침내 무언가를 이해하게 된다.

나는 체포될 것이다. 오늘 아니면 내일, 내일 아니면 그다음 날. 경찰은 에이미가 살아 있다는 우리의 주장을 검토했다고 말할 수 있을 만큼만 기다릴 테지만, 실제로는 그사이 자신들의 증거를 정리할 것이다. 빈틈없이 정리해서 나를 체포하기 위해. 나는 경찰이 나를 경찰서 밖으로 내보낸 것이 좋은 징조라고 받아들였지만 태너는 일축했다. "시체가 없이는 유죄 판결이 어려워요. 그들은 그저 세심하게 주의를 기울이고 있는 것뿐입니다. 앞으로 남은 시간은 뭐든 해야 할 일을 하면서 지내십시오. 일단 체포되면 우린 바빠질 거니까요."

창문 바로 밖에서 카메라 기자들이 웅성거리는 소리가 들렸다. 마치 공장에서 출근 카드를 찍듯 서로에게 좋은 아침이라고 인사하는 남자들. 고의 집 앞을 향해 불안한 메뚜기 떼처럼 찰칵, 찰칵, 찰칵거리는 카메라들. 누군가가 내 여동생의 땅에 있는 내 '남자의 동굴'에서 발견된 물건들과 나의 체포가 임박했음을 누설했고, 나와 고는 커튼 한 번 젖힐 엄두도 내지 못했다.

고가 플란넬 사각팬티와 그녀가 고등학교 때부터 입은 '똥구멍 서퍼들' 티셔츠 차림으로 걸어 들어왔다. 그녀는 노트북 화면을 보고 있었다.

"다들 너를 다시 싫어하고 있어." 그녀가 말했다.

"변덕스러운 개새끼들."

"어젯밤 누군가가 헛간이랑 에이미의 핸드백, 일기장에 대한 정보를 흘렸어. 이제 다들 이래. 닉은 '거짓말쟁이'다, 닉은 '살인자'다, 닉은 '거짓말하는 살인자'다. 샤론 쉬버는 지금 막 사건이 흘러가는 방향과 관련해서 '아주 충격을 받았으며 실망스럽다'는 성명을 냈어. 아, 그리고 이제 다들 그 포르노에 대해 알고 있어. '암캐 죽이기'."

"'암캐 때리기'야."

"아, 미안. '암캐 때리기'. 따라서 '닉은 거짓말쟁이 살인자-슬래시-가학성 변태 성욕자'라는군. 엘런 애벗이 그 문제에 대해 미쳐 날뛸 거야. 그 여자는 열광적인 포르노 반대자거든."

"물론 그렇겠지." 내가 말했다. "에이미는 물론 그 사실을 잘 알고 있을 거고."

"닉?" 고가 그녀 특유의 '정신 차려' 목소리로 말했다. "상황이 심각해."

"고, 우린 다른 사람들의 생각은 중요하지 않다는 걸 기억해야 해. 지금 중요한 건 에이미의 생각이야. 나에 대한 그녀의 화가 누그러졌는지라고."

"닉. 너 정말 에이미가 너를 그렇게 싫어하다가 다시 사랑하게 될 수 있다고 생각해?"

이 주제에 대한 우리의 다섯 번째 대화였다.

"그래, 고, 그렇게 생각해. 에이미는 늘 허튼 소리를 알아챌 줄 모르는 사람이었어. 만약 네가 에이미한테 아름답다고 말한다면, 에이미는 그걸 사실로 받아들여. 똑똑하다고 말해주면 에이미는 그걸 아부 같은 게 아니라 당연한 거라고 생각해. 그래서 난 에이미가 내가 잘못을 깨닫기만 한다면 당연히 자기를 다시 사랑할 거라고 진심으로 믿을 거라 생각하고 있어. 왜 안 그러겠어?"

"만약 에이미가 허튼 소리를 알아챌 줄 알게 되었다면?"

"너도 알다시피 에이미는 꼭 이겨야만 해. 그녀는 내가 외도를 했다는 사실 자체보다 내가 그녀가 아닌 다른 누군가를 선택했다는 데 더 화가 났어. 에이미는 자기가 승리자라는 걸 증명하기 위해서라도 내가 돌아오길 원할 거야. 그렇지 않아? 에이미는 내가 자기를 제대로 숭배할 수 있도록 돌아와달라고 애원하는 모습을 보는 것만으로도 사족을 못 쓸 거야. 그렇게 생각하지 않아?"

"괜찮은 생각 같네." 고가 복권을 산 사람에게 행운을 빌어주는 듯한 말투로 말했다.

"야, 뭐든 더 좋은 생각이 있으면 말해봐, 젠장."

우리는 이제 이런 식으로 서로에게 매정하게 말했다. 예전에는 한 번도 이런 적이 없었다. 경찰은 헛간을 발견한 뒤, 태너가 예상했던 대로 고를 호되게 심문했다—고도 알고 있었나? 고가 닉을 도왔나?

나는 그녀가 그날 밤 집으로 돌아와 분통을 터뜨리며 욕설을 퍼부을 거라고 예상했다. 하지만 고는 그저 수치스럽다는 듯한 웃음을 지으며 내 옆을 지나쳐, 태너의 수임료를 내느라 이중으로 저당 잡힌 집의 자기 방으로 들어가버렸다.

나는 나의 형편없는 결정 때문에 내 여동생을 재정적, 법적 위험 속에 빠뜨렸다. 이 모든 상황 때문에 고는 화가 났고 나는 죄책감에 빠졌다. 궁지에 몰린 두 사람의 치명적인 조합이었다.

나는 다른 얘기를 꺼냈다. "요즘 앤디한테 전화를 하면 어떨까 생각하고 있었어. 이제……."

"그래, 그것 참 천재적인 생각이야, 닉. 그럼 그 여자는 또다시 〈엘런 애벗〉에 출연할 수 있겠지."

"앤디는 〈엘런 애벗〉에 출연하지 않았어. 그녀가 기자회견을 한 걸 〈엘런 애벗〉에서 방송한 거지. 앤디는 악마가 아니야, 고."

"그 여자는 너한테 화가 났기 때문에 기자회견을 한 거야. 난 이제 네가 그 여자랑 그냥 계속 놀아나는 편이 나았겠다고 생각해."

"좋네."

"그 여자한테 뭐라고 할 건데?"

"미안하다고."

"물론 염병하게 미안하겠지." 고가 웅얼거렸다.

"난 그냥…… 그렇게 끝낸 게 싫어."

"앤디는 너랑 마지막으로 만난 날에 널 물었어." 고는 마치 어린아이한 테 숨 쉬는 방법을 가르치는 것처럼 지나치게 참을성 있는 목소리로 말했 다. "너희 두 사람은 서로 더 할 말이 없을 것 같은데. 넌 살인 사건의 유 력한 용의자야. 넌 평화롭게 헤어질 권리를 박탈당했다고. 제발 정신 차 려, 닉."

우리는 서로에게 점점 넌더리를 내고 있었다. 내가 한 번도 일어날 거 라고 상상한 적 없는 일이었다. 그것은 기본적인 스트레스보다, 내가 고 의 문간에 놓아둔 위험보다 더 나빴다. 불과 며칠 전, 내가 헛간 문을 열 며 고가 언제나처럼 내 마음을 읽어주기를 바랐던 10초 동안, 고는 내가 아내를 죽였다는 것을 읽었다. 나도, 고도 그것을 극복할 수 없었다. 이제 나는 이따금씩 고가 아버지를 쳐다보는 그 섬뜩한 냉기 어린 눈으로 나를 쳐다보는 것을 목격했다. 자리만 차지하는 또 한 명의 타락한 남자. 그리 고 나는 분명 때때로 아버지의 비열한 눈을 통해 고를 바라보고 있었다. 나를 화나게 하는 또 한 명의 속 좁은 여자.

나는 한숨을 토해낸 다음 일어서서 고의 손을 꽉 잡았다. 고도 내 손을 꽉 잡았다.

"난 우리 집으로 가야겠어." 내가 말했다. 구역질이 날 것 같았다. "더 는 못 참겠어. 체포되기를 기다리는 거, 참을 수가 없어."

고가 나를 말리기도 전에 나는 문을 활짝 열어젖혔다. 카메라들이 폭발 하기 시작했고 고함소리가 터져 나왔다. 이봐요, 닉. 아내를 죽였습니까? 이봐요, 마고. 오빠가 증거물을 숨기는 것을 도왔습니까?

"좆같은 새끼들." 고가 내뱉었다. 그녀는 '똥구멍 서퍼들' 티셔츠와 사 각팬티 차림으로 연대하듯 내 옆에 서 있었다. 시위자 몇몇이 팻말을 들고 있었다. 헝클어진 금발머리에 선글라스를 낀 어떤 여자가 '닉 던을 체포하라! 에이미는 어디에?'라고 적힌 보드지를 흔들었다.

고함소리는 더 크고 광적으로 변했다. 마고, 당신 오빠는 아내를 죽였습니까? 닉이 아내와 태아를 죽였습니까? 마고, 당신은 용의자입니까? 닉이 아내를 죽였습니까? 닉이 자기 자식을 죽였습니까?

나는 물러서지 않으려고 애쓰며, 다시 집으로 들어가기를 거부하고 그 자리에 서 있었다. 갑자기 고가 내 뒤에서 웅크리더니 계단 근처에 있는 수도꼭지를 끝까지 돌렸다. 그리고는 호스를 잡더니, 세차게 뿜어져 나오는 물줄기를 모든 카메라맨과 시위자들과 텔레비전 방송용 정장을 입은 예쁜 기자들에게, 마치 그들이 동물들인 것처럼 뿌렸다.

그녀가 나를 위해 엄호 사격을 하고 있었다. 나는 내 차로 달려가 앞마당 잔디밭에서 물을 뚝뚝 흘리는 그들을 뒤로하고 무서운 속도로 내뺐고, 고는 새된 소리로 웃었다.

우리 집 앞 진입로에서 차고까지 들어가는 데 10분이 걸렸다. 나는 천천히, 천천히 조금씩, 화난 인파를 가르며 앞으로 나아갔다. 우리 집 앞에는 카메라맨들 외에도 적어도 스무 명의 시위자가 있었다. 이웃인 얀 테버로도 그들 중 하나였다. 그녀는 나와 눈이 마주치자 자신의 포스터를 내게 보여주었다. '닉, 에이미는 어디 있죠?'

마침내 나는 안으로 들어왔고 차고 문이 윙윙거리며 내려왔다. 나는 그 콘크리트 공간의 열기 속에 앉아 숨을 골랐다.

이제 모든 곳이 감옥처럼 느껴졌다. 문들은 열리고 닫히고 열리고 닫혔다. 나는 어디서도 안전하다고 느낄 수 없었다.

나는 에이미를 어떻게 죽일 것인지 상상하며 남은 하루를 보냈다. 내가 생각할 수 있는 것은 그것뿐이었다. 그녀를 끝낼 방법을 찾는 것. 에이미의 바쁘고 바쁜 뇌를 으깨버리는 나. 나는 에이미에게 합당한 것을 줘야 했다. 나는 지난 몇 년간은 졸고 있었는지 모르지만, 이제는 좆같이 완전히 깨어 있었다. 결혼 초기 때처럼 다시 전기가 흘렀다.

나는 뭔가를 하고 싶었다. 뭔가가 일어나게 하고 싶었다. 하지만 할 수 있는 일이 없었다. 밤이 되자 카메라맨들은 모두 떠났지만 나는 집을 나서는 모험을 할 수 없었다. 걷고 싶었지만 이리저리 서성거리는 것으로 만족했다. 위험할 정도로 신경이 곤두서 있었다.

앤디는 나를 골탕 먹였고 메리베스는 내게 등을 돌렸으며 고는 나에 대한 신뢰를 상당 부분 접었다. 보니는 나를 궁지로 몰았고 에이미는 나를 파멸시켰다. 나는 결국 술을 따랐고 단숨에 한 잔 마신 다음, 술잔의 곡선을 감싼 손가락에 힘을 주다가 벽에 던졌다. 나는 불꽃처럼 폭발하는 유리를 보았고, 박살이 나는 큰 소리를 들었고, 버번 구름의 냄새를 맡았다. 오감으로 느껴지는 분노. 이 씨발년들.

나는 평생 동안 괜찮은 남자, 여자를 사랑하고 존중하는 남자, 심리적인 문제가 없는 남자가 되려고 애썼다. 그리고 지금 나는 나의 쌍둥이에 대한, 장모에 대한, 내연녀에 대한 추악한 생각을 하고 있다. 아내의 두개골을 부숴버리는 상상을 하고 있다.

분노에 차서 현관문을 쾅쾅쾅 두드리는 큰 소리가 나를 악몽 같은 생각에서 흔들어 깨웠다.

나는 문을 활짝 열고 분노로 분노를 맞았다.

아버지였다. 그는 나의 증오가 불러들인 끔찍한 유령처럼 우리 집 문간에 서서, 거친 숨을 몰아쉬며 땀을 흘리고 있었다. 아버지의 셔츠 소매는 찢어져 있었고 머리는 마구 헝클어져 있었지만 두 눈에는 언제나처럼 거무스름한 기민함이 있어서 멀쩡한 사람처럼 보였다.

"그 여자 있어?" 아버지가 매섭게 말했다.

"누구요, 아버지, 누구를 찾으시는데요?"

"누군지 알잖아." 아버지는 나를 밀치며 지나치더니 흙 자국을 남기며 온 집 안을 돌아다녔다. 아버지는 두 주먹을 꽉 쥐고, 무게중심이 심하게 앞쪽으로 치우친 채로 계속해서 중얼거리며 걸어 다녔다. 나쁜 년 나쁜 년 나쁜 년. 아버지에게서 박하 향이 났다. 합성된 것이 아닌 진짜 박하 향이었다. 누군가의 정원을 쿵쿵거리며 돌아다니기라도 한 듯, 아버지의 바지에는 녹색 얼룩이 묻어 있었다.

나쁜 년, 그 나쁜 년. 그는 계속해서 중얼거렸다. 식당에서 주방으로, 가는 곳마다 불을 켜면서. 바퀴벌레 한 마리가 허둥지둥 벽을 타고 올라갔다.

나는 아버지를 따라다니며 진정시키려고 애썼다. 아버지, 아버지, 좀 앉으세요, 아버지 물 한 잔 드실래요, 아버지……. 그는 쿵쿵거리며 아래층으로 내려가며 내 집을 진흙투성이로 만들었다. 나는 두 주먹을 꽉 쥐었다. 물론 이 개자식은 불쑥 나타나서 일을 악화시킬 것이다.

"아버지! 제기랄, 아버지! 여기 나 말고 아무도 없어요. 나뿐이라고요." 그는 게스트룸 문을 활짝 열어젖힌 다음, 나를 본체만체하며 다시 거실로 올라갔다. "아버지!"

나는 아버지에게 손을 대고 싶지 않았다. 아버지를 칠까 봐 두려웠다. 내가 울까 봐 두려웠다.

나는 이층 침실로 가려고 하는 아버지를 막아섰다. 한 손은 벽에, 한 손은 난간에 대고 인간 바리케이드를 쳤다. "아버지! 날 봐요."

분노에 차서 뱉는 침처럼 그의 말이 터져 나왔다. "그년한테 말해, 그 추한 년한테 아직 끝나지 않았다고 말해. 그년은 나보다 못하다고 말해. 그년은 나랑 상대가 안 돼. 그년은 결정할 권리가 없어. 그 못생긴 년은 배워야만 할 거야……."

맹세하건대, 한순간, 거슬리도록 뚜렷하고 완전한 순간, 눈앞이 텅 빈 흰색으로 변했다. 나는 처음으로 아버지의 목소리를 막으려고 애쓰는 것을 멈추고 그것이 내 귀를 때리도록 내버려두었다. 나는 저 남자가 아니었다. 나는 모든 여자들을 싫어하고 두려워하지 않았다. 나는 한 여자에 대해서만 여성혐오자였다. 내가 오직 에이미만 경멸한다면, 나의 모든 화와 분노와 원한을 그것을 받아 마땅한 그 한 여자에게 집중한다면, 나는 아버지가 아닐 수 있었다. 미친 사람이 아닐 수 있었다.

나쁜 년, 나쁜 년, 나쁜 년.

나는 그 말을 진정으로 사랑하게 만든 지금보다 더 아버지를 증오한 적이 없었다.

씨발년, 씨발년.

나는 아버지의 팔을 세게 잡아끌어 차 안으로 밀어 넣은 다음, 차 문을 쾅 닫았다. 그는 컴포트 힐로 가는 내내 그 주문을 외웠다. 나는 요양원 앞, 응급차를 대는 자리에 차를 대고 아버지 쪽으로 가서 문을 활짝 연 다음, 아버지의 팔을 잡고 밖으로 세게 끌어낸 후 실내로 들여보냈다.

그런 다음 등을 돌려 집으로 돌아갔다.

씨발년, 씨발년.

하지만 내게는 애원하는 것 외에 할 수 있는 일이 없었다. 나의 암캐 같은 아내는 내가 등신처럼 돌아와달라고 애원하는 것 외에는 아무것도 할 수 없게 만들고 사라졌다. 지면이든 온라인이든 텔레비전이든, 모든 곳에서 내가 할 수 있는 일이라곤 아내가 나를 보기를 바라며 좋은 남편 행세를 하고, 그녀가 내게서 듣고 싶어 하는 말을 하는 것뿐이었다. 항복이야. 완전히. 당신은 옳고 나는 틀렸어. 늘 그렇지. 집으로 돌아와 (이 좆같은 걸레). 돌아와. 내가 널 죽일 수 있도록.

에이미 엘리엇 던

실종 26일째

데시가 또 왔다. 그는 이제 거의 매일 와서 멍청한 웃음을 흘리며 집 안 여기저기를 돌아다닌다. 지는 해에 비치는 그의 옆얼굴에 내가 감탄할 수 있도록 주방에 서 있고, 내가 얼마나 안전하고 사랑받고 있는지 상기시키며 자신에게 다시 고마워할 수 있도록 내 손을 잡아끌어 튤립 온실로 들어간다.

그는 내가 안전하고 사랑받고 있다고 말하며 떠나지 못하게 한다. 이것은 안전하고 사랑받는 것이 아니다. 그는 내게 차 열쇠도, 집 열쇠도 주지 않는다. 대문 보안 코드도 알려주지 않는다. 나는 그야말로 죄수다. 대문의 높이는 4.5미터가 넘고 저택에는 사다리가 없다(찾아보았다). 가구 몇 개를 벽까지 끌고 가서 쌓아 올린 뒤 바깥으로 뛰어내려 다리를 절거나 기어서 도망갈 수는 있겠지만, 내가 하고자 하는 말은 그게 아니다. 내가 하려는 말은, 내가 귀하고 사랑받는 손님이라면 원할 때 떠날 수 있어야 한다는 것이다. 나는 며칠 전에 이 이야기를 꺼냈다. "내가 갑자기 떠나야 하는 상황이 되면 어떻게 해?"

"난 여기로 들어와 살 수도 있어." 그가 대꾸한다. "그럼 내가 늘 이곳에서 널 안전하게 지켜줄 수 있을 거야. 그리고 무슨 일이 생기면 함께 떠나는 거지."

"너희 엄마가 낌새를 채고 들이닥쳐서 네가 날 숨겨주고 있는 걸 알게 되면? 그럼 끔찍할 거야."

그의 어머니. 만일 그의 어머니가 이곳에 온다면 나는 죽어버릴 것이다. 그녀는 즉시 내가 여기 있다고 신고할 것이기 때문이다. 그 여자는 나를 경멸한다. 고교 시절 사건 때문이다. 아주 오래전 일이지만 그녀는 아직도 원한을 품고 있다. 나는 내 얼굴에 긁힌 상처를 내고 데시에게 그녀가 나를 공격했다고 말했다(그 여자는 데시에게 지독하게 집착하고 내게 지독하게 냉정했으니, 나를 공격한 거나 다름없다). 그들은 한 달 동안 서로 말을 하지 않았다. 그 이후로 화해한 것이 분명하다.

"재클린은 보안 코드를 몰라." 그가 말한다. "이곳은 내 별장이니까." 그는 말을 멈추고 생각하는 척한다. "역시 내가 여기로 들어오는 게 낫겠어. 혼자서 너무 오래 지내는 건 너한테 좋지 않아."

하지만 실상 나는 혼자서 그리 많은 시간을 보내고 있지 않다. 우리에게는 불과 2주 만에 굳어진 일상이 있다. 나의 귀족적인 교도관, 응석받이 알랑쇠인 데시가 만든 것이다. 데시는 정오 직후에 도착한다. 흰색 리넨 식탁보가 깔린 레스토랑에서 재클린과 함께 먹어치운 값비싼 점심 식사 냄새를 어김없이 풍기면서. 우리가 그리스로 떠난다면 그는 나를 그런 레스토랑에 데려갈 것이다. (그리스로 떠나는 것은 그가 내게 반복해서 제안하는 또 다른 옵션이다. 어떤 이유에서인지 그는 자신이 여러 번 여름을 지낸 그리스의 조그만 어촌 마을에 가면 아무도 나를 알아보지 못할 거라고 믿고 있다. 나는 그가 그곳에서 와인을 홀짝이고, 문어를 잔뜩 먹고 해질녘에 나른하게 사랑을 나누는 우리를 상

상한다는 걸 알고 있다.) 집 안으로 들어서는 그에게서 점심 식사 냄새가 풀
풀 난다. 거위 간을 양쪽 귀 뒤에 문지른 것이 분명하다. (그의 어머니가 언
제나 희미한 질 냄새를 풍기는 식으로. 음식과 섹스. 콜링스 가의 냄새. 나쁘지 않은
전략이다.)

그가 들어오면 내 입에 침이 고인다. 그 냄새. 그는 나를 위해 맛있는
음식을 가져오지만 그것은 방금 그가 먹은 것만큼 맛있는 음식은 아니다.
그는 내 살을 빼려 한다. 그는 자신의 여자가 몹시 여윈 것을 선호한다.
그래서 나를 위해 싱싱한 초록색 스타 프루트와 끝이 뾰족한 아티초크와
가시투성이 게를 사온다. 하나같이 복잡한 준비 과정이 필요하면서도 그
대가는 보잘것없는 것들이다. 이제 나는 거의 예전 몸무게로 돌아왔고,
머리카락도 자라고 있다. 나는 그가 사온 머리띠로 예전처럼 머리를 넘기
고, 역시 그가 사온 염색약으로 예전처럼 금발머리로 돌아갔다. "네가 네
예전 모습으로 돌아가면 기분이 더 좋아질 거야." 그는 말한다. 그래, 이
건 모두 나의 행복을 위해서다. 그가 내가 과거의 나와 똑같은 모습으로,
1987년의 에이미로 보이기를 바라서가 아니다.

내가 점심을 먹는 동안 그는 내 주위를 맴돌며 감사의 말을 기다리고
있다. (다시는 고맙다는 말을 할 필요가 없었으면 좋겠다. 내 기억에 넉은 내가 감사
인사를 할 수 있도록—억지로 하도록—기다린 적이 한 번도 없다.) 내가 다 먹자
데시는 자기 나름대로 할 수 있는 만큼 뒷정리를 한다. 우리는 둘 다 자신
의 뒷정리를 하는 데 익숙지 않다. 이제 이곳은 사람이 상주하는 집처럼
보이기 시작한다. 조리대 위의 기이한 얼룩, 창턱 위의 먼지.

점심 식사가 끝나면 데시는 잠깐 동안 나를 가지고 논다. 나의 머리카
락, 나의 피부, 나의 옷, 나의 마음을.

"네 모습을 봐." 그는 자기가 좋아하는 방식으로 내 머리카락을 귀 뒤로

넘기면서 말한다. 이어 내 셔츠 단추를 하나 풀고 옷깃을 벌려, 쇄골의 옴폭 파인 부분을 쳐다본다. 그는 그곳을, 그 조그만 오목한 곳을 자신의 손가락 하나로 채운다. 음탕하다. "어떻게 닉은 너를 아프게 하고, 너를 사랑하지 않고, 너를 두고 바람을 피울 수가 있지?" 그는 이 말을 되풀이하며 나의 상처를 쑤신다. "닉에 대한 것, 그 끔찍한 5년은 다 잊어버리고 새로운 인생을 시작하면 정말 멋지지 않을까? 알다시피 네게는 제대로 된 남자와 완전히 새로 시작할 기회가 있어. 이런 말을 할 수 있는 사람이 몇이나 되겠어?"

정말이지 나는 제대로 된 남자와, '새로운 닉'과 새롭게 시작하고 싶다. 상황이 그에게 정말로 불리하게 돌아가고 있다. 닉을 내게서 구할 수 있는 건 나뿐이다. 하지만 나는 덫에 걸렸다.

"만일 네가 이곳을 떠난다면 난 네가 어디에 있는지 모르니 경찰에게 가야 할 거야." 데시가 말한다. "내게는 선택권이 없어. 난 네가 무사하다는 걸, 닉이…… 어딘가에 너를 가둬놓고 욕보이고 있지 않다는 걸 확인해야 하니까."

걱정의 탈을 쓴 협박.

이제 나는 데시를 보면 곧바로 혐오감이 치솟는다. 때때로 나의 피부는 혐오감과, 그 혐오감을 숨기려는 노력 때문에 뜨거워진다. 한동안 데시를 잊고 있었다. 그 교묘한 조종, 소곤거리는 설득, 미묘한 괴롭힘을. 죄책감을 에로틱하다고 느끼는 남자. 그는 일이 자기 뜻대로 되지 않으면 자신의 작은 레버를 당겨 나에게 벌을 가할 것이다. 적어도 닉은 어딘가에 성기를 밀어 넣을 만큼 남자다웠다. 데시는 내가 자신이 원하는 것을 내놓을 때까지, 끝으로 갈수록 가늘어지는 매끈한 손가락으로 나를 찌르고 또 찌를 것이다.

데시를 통제할 수 있을 거라고 생각했지만 내가 틀렸다. 머지않아 뭔가 아주 나쁜 일이 벌어질 것만 같다.

닉 던

실종 33일째

하루하루가 길고 느슨하게 이어지다가 벽에 부딪혀 으깨졌다. 8월의 어느 아침, 식료품을 사러 나갔다가 돌아오니, 태너가 보니와 길핀과 함께 거실에 있었다. 탁자 위에 놓인 증거물 비닐 봉투 속에는 손가락을 얹는 정교한 홈이 파인 굵고 기다란 막대기가 들어 있었다.

"우리는 당신 집 근처의 강에서 이것을 발견했습니다. 첫 수색 때요." 보니가 말했다. "그 당시엔 중요한 물건처럼 보이지 않았습니다. 그저 우연히 떨어져 있는 이상한 잡동사니 같았죠. 하지만 어쨌거나 수색 과정에서 발견한 물건은 모두 보관합니다. 당신이 우리에게 펀치와 주디 인형을 보여줬을 때…… 알게 되었죠. 그래서 이 막대기에 대해 DNA 검사를 했습니다."

"그래서요?" 내가 억양 없이 말했다.

보니가 일어서더니 내 눈을 똑바로 보았다. 그녀는 슬퍼 보였다. "물속에 오래 있었음에도 불구하고 여기서 에이미의 피가 검출되었습니다. 이제 이 사건을 살인 사건으로 분류합니다. 그리고 우리는 이것이 살인 무기라고 생각합니다."

"보니, 말도 안 돼요!"

"때가 됐어요, 닉." 그녀가 말했다. "때가 됐어요."

다음 단계가 시작되고 있었다.

에이미 엘리엇 던

실종 40일째

나는 오래된 노끈과 빈 와인 병을 찾아내 나의 프로젝트에 이용하고 있었다. 그리고 베르무트(포도주에 향료를 넣어 우려 만든 술 – 옮긴이). 준비가 다 됐다.

극기심. 극기심과 집중력이 필요할 것이다. 나는 잘해낼 것이다.

나는 데시가 가장 좋아하는 모습으로 치장한다. 가냘픈 꽃처럼. 머리카락에 느슨한 웨이브를 주고 향수를 뿌린다. 실내에서 한 달을 보낸 피부는 창백하다. 화장은 거의 하지 않았다. 아이라인을 가늘게 그리고 마스카라를 한 번 칠한다. 핑크빛 두 뺨과 투명한 립글로스를 바른 입술. 그가 사준, 몸에 붙는 핑크색 드레스를 입는다. 브래지어도, 팬티도 입지 않는다. 발이 시리지만 신발도 신지 않는다. 탁탁 소리가 나게 불을 피우고 공기 중에 향수를 뿌린다. 점심을 먹고 불쑥 들이닥친 그를 기쁘게 맞이한다. 두 팔로 그를 안으며 그의 목에 얼굴을 묻는다. 그의 뺨에 내 뺨을 비빈다. 지난 몇 주 동안 그에게 점점 더 다정하게 굴었지만 매달리는 것은 이번이 처음이다.

"웬일이야, 자기?" 그는 놀라서 말한다. 그가 어찌나 기뻐하는지 내가 다 민망할 지경이다.

"어젯밤에 끔찍한 악몽을 꿨어." 나는 속삭인다. "닉이 나왔어. 잠에서 깼을 때 난 오직 네가 여기 있었으면 좋겠다는 생각밖에 들지 않았어. 그리고 아침에…… 하루 종일 네가 여기 있기를 바라고 있었어."

"네가 원하면 난 늘 여기 있을 수 있어."

"원해." 나는 말하며 고개를 들어 그를 바라보고, 그는 내게 키스한다. 그의 키스는 역겹다. 쪽잘거리고 우물쭈물하는 것이 꼭 물고기 같다. 그것은 강간당하고 학대당한 여자를 존중하는 데시의 방식이다. 그는 두 손을 거의 내 몸에 대지 못한 채 축축하고 차가운 입술로 다시 쪽잘거린다. 나는 그저 이 모든 과정이 끝나기를 바란다. 빨리 해치우고 싶다. 나는 그를 끌어당기고 혀로 그의 입술을 강제로 연다. 그를 물어버리고 싶다.

그가 뒤로 물러난다. "에이미." 그가 말한다. "넌 많은 일을 겪었잖아. 이러기는 일러. 네가 원하지 않으면 서두르지 않아도 돼. 확신이 들지 않는다면 말이야."

나는 그가 내 젖가슴을 만지리라는 걸 안다, 그가 내 안으로 밀고 들어오리라는 걸 안다. 그리고 나는 빨리 끝내고 싶다. 그를 할퀴고 싶은 충동을 참기 힘들다. 이 일을 천천히 해야 한다는 생각도 참기 힘들다.

"난 확신해. 우리가 열여섯 살이었을 때부터 그랬던 것 같아. 난 두려웠을 뿐이야."

이것은 아무 의미 없는 말이지만 그를 흥분시킬 것이다.

나는 다시 그에게 키스한 다음 나를 '우리의' 침실로 데려가 달라고 부탁한다.

침실에서 그는, 내 옷을 천천히 벗기는 것으로 시작해 섹스와는 아무

관련이 없는 나의 신체 부위—어깨와 귀—에 키스한다. 나는 조심스럽게 그를 내 손목과 발목에서 먼 곳으로 인도한다. 그냥 해, 제발 좀. 10분이 지난 뒤 나는 결국 그의 손을 잡아채 내 다리 사이로 밀어 넣는다.

"확신해?" 그가 몸을 뒤로 빼고 얼굴을 붉히며 말한다. 그의 이마 위로 머리카락 한 가닥이 흘러내려와 있다. 고등학교 때랑 똑같다. 데시의 그 모든 진전에도 불구하고 우리는 다시 기숙사 방으로 돌아간 것 같다.

"그래, 자기야." 나는 말하고 천천히 그의 성기에 손을 가져간다.

다시 10분이 지난 뒤 마침내 그는 내 다리 사이에서 부드럽게, 천천히, 천천히 움직인다. 사랑을 나눈다. 그는 동작을 멈추고 키스와 애무를 반복한다. "해줘." 나는 속삭인다. "세게 해줘."

그가 멈춘다. "꼭 그래야 할 필요 없어, 에이미. 난 닉이 아니야."

지당하신 말씀. "알아, 자기야, 난 그냥 네가…… 나를 채워주기를 원해. 난 텅 비어 있는 것 같아."

이 말이 먹혔다. 나는 그가 몇 번 더 찔러 넣으며 절정에 오르는 동안 그의 어깨 위에서 얼굴을 찡그린다. 나는 너무 늦게 알아차리고—이런, 이게 그의 비참한 절정 소리군—재빨리 '우우', '아아' 하고 온순한 새끼고양이 울음소리를 흉내 내며 눈물을 쥐어짜내려고 애쓴다. 그가 자신과 처음 할 때 우는 나를 상상한다는 것을 알기 때문이다.

"우는 거야, 자기?" 내 몸 밖으로 미끄러져 나가며 그가 말한다. 그가 내 눈물에 키스한다.

"그냥 행복해서." 내가 말한다. 그런 부류의 여자들은 이렇게 말하기 때문이다.

나는 마티니를 좀 만들어두었다고 말하고—데시는 퇴폐적인 오후의 술을 아주 좋아한다—술을 가져오려고 셔츠를 입으려는 그에게 그냥 침대에 있으라고 고집을 부린다.

"이번에는 내가 너에게 뭔가를 해주고 싶어." 내가 말한다.

나는 얼른 주방으로 가서 커다란 마티니 잔 두 개를 꺼내, 내 잔에는 진과 올리브 한 알을 넣는다. 그의 잔에는 올리브 세 알과 진, 올리브 주스, 베르무트와 내게 마지막 남은 수면제 세 알을 으깨서 넣는다.

나는 마티니를 가져오고, 끌어안기와 코 비비기가 뒤따른다. 그러는 동안 나는 진을 꿀꺽 마신다. 내게는 무디게 만들어야 하는 신경이 있다.

"내 마티니가 마음에 안 들어?" 그가 한 모금만 마시자 내가 묻는다. "난 늘 네 아내가 되어서 네게 마티니를 만들어주는 상상을 했단 말이야. 바보 같은 건 알지만."

내가 입을 삐죽거린다.

"이런, 자기야, 전혀 바보 같지 않아. 난 그냥 천천히 즐기고 싶었어. 하지만……." 그는 남은 술을 죄다 마셔버린다. "네 기분이 나아진다면 야!"

그는 승리감에 들떠 있다. 나를 정복한 그의 성기가 매끈하다. 그도 결국 다른 남자들과 똑같다. 얼마 안 가 그는 졸려하더니 금방 코를 곤다.

그리고 나는 시작한다.

당신, 무슨 생각 하고 있어? 뭘 느끼고 있어?

당신은 누구지? 우리가 서로에게 무슨 짓을 한 걸까?

앞으로 무슨 짓을 하게 될까?

3부

남자, 여자를 되찾다

닉 던

실종 40일째

보석으로 풀려나 재판을 기다리고 있다. 나는 기소되었다가 풀려났다. 비인격적인 감옥 출입, 보석 심리, 지문과 사진, 그리고 이리저리 내돌리다가 처리. 그동안 동물이 된 것 같은 기분까지는 아니지만, 생산 라인에서 만들어진 생산품이 된 것 같은 기분이 들었다. 그들이 만들고 있던 것은 '살인자' 닉 던이었다. 몇 달 후면 나의 재판이 시작될 것이다('나의 재판'이라는 말은 아직도 나를 완전히 망칠 것처럼, 나를 새된 소리로 낄낄거리는 미친 사람으로 바꿀 것처럼 위협적이다). 나는 보석으로 풀려난 것을 특권이라고 생각해야 했다. 체포될 것이 분명한 순간에도 가만히 있었기 때문에 도주 위험이 없다고 간주된 것이다. 또한 보니가 나에 대해 좋게 말해주었을 수도 있다. 따라서 나는 감옥으로 운반되어 국가에 의해 살해되기 전에 몇 달 더 내 집에서 지낼 수 있게 되었다.

그렇다. 나는 아주 운 좋은 남자였다.

8월 중순이었다. 나는 이것이 늘 낯설었다. 아직도 여름이라니, 하고 생각하곤 했다. 그토록 많은 일이 있었는데 어떻게 아직도 여름이지? 잔인하도록 따뜻한 날씨였다. 언제나 기온 자체보다 자식들의 편의를 더 걱정하는 우리 엄마라면 셔츠 소매 날씨라고 묘사했을 것이다. 셔츠 소매 날씨, 재킷 날씨, 외투 날씨, 파카 날씨. '겉옷의 1년.' 내게 있어 올해 날씨는 수갑 날씨, 법정 날씨에 이어 아마 죄수복 날씨일 것이다. 또는 장례식 양복 날씨이거나. 왜냐하면 나는 감옥에 갈 생각이 없기 때문이다. 그전에 자살할 거니까.

태너는 탐정 다섯 명을 풀어 에이미를 추적하게 했지만 아직까지 아무런 소득이 없었다. 물을 잡으려고 애쓰는 것과 같았다. 나는 수주 동안 매일같이 나의 보잘것없는 역할을 다했다. 에이미에게 보내는 동영상 메시지를 찍어 레베카의 후던잇 블로그에 올렸다. (적어도 레베카는 끝까지 나를 믿어줬다.) 동영상들 속에서 나는 에이미가 사준 옷을 입고 그녀가 좋아하는 방식으로 빗은 머리를 하고 그녀의 마음을 읽으려고 애썼다. 그녀를 향한 나의 분노는 뜨거운 철사 같았다.

카메라맨들은 아직도 거의 매일 아침마다 우리 집 잔디 위에 진을 치고 있었다. 우리는 여러 달 동안 사정거리를 유지하며 무인 지대의 양쪽 끝에서 서로를 주시하다가, 일종의 비정상적인 동지애를 느끼게 된 적군 같았다. 그들 중에는 내가 실제로 본 적이 없는데 애착을 느끼게 된, 만화 속 힘센 남자 같은 목소리의 소유자도 있었다. 그는 자신이 아주, 아주 좋아하는 여자와 데이트를 하고 있었다. 매일 아침 그가 그 여자와의 데이트를 분석하는 목소리가 창을 통해 들려왔다. 데이트는 아주 잘 진행되고 있는 것 같았다. 나는 어떻게 결말이 날지 듣고 싶었다.

에이미에게 보내는 영상을 녹화하고 나니 오후가 다 갔다. 나는 그녀가 좋아하던 초록색 셔츠를 입고 브루클린의 파티에서 가진 우리의 첫 만남에 대해, 나의 끔찍한 오프닝 멘트인 '올리브는 한 알뿐이지만'에 대해 이야기했다. 에이미가 그 대사를 언급할 때마다 나는 곤혹스러웠다. 나는 난방을 지나치게 세게 틀어놓았던 그 아파트에서 탈출해 그녀와 손을 잡고 추운 바깥으로 나왔던 때를, 설탕구름 속에서 나눈 키스를 이야기했다. 그것은 우리가 똑같이 이야기하는 몇 안 되는 이야기 중 하나였다. 나는 잠자기 전 책을 읽어줄 때처럼 달래는 듯 익숙하고 반복적인 어조로 말했다. 끝은 항상 '집으로 돌아와, 에이미'였다.

나는 카메라를 끄고 소파에 편안하게 앉았다(나는 언제나 에이미의 악질적이고 예측 불가능한 뻐꾸기시계 밑에 놓인 소파에 앉아서 녹화를 했다. 왜냐하면 뻐꾸기시계를 보여주지 않으면 그녀는 내가 결국 그녀의 뻐꾸기시계를 없애버린 것인지 궁금해할 것이고, 이어 궁금해하기를 멈추고 내가 그 시계를 없애버렸다고 믿을 것이며, 내 입에서 무슨 말이 나오건 낮은 목소리로 "하지만 그는 내 뻐꾸기시계를 갖다 버렸어"라고 반박할 것이기 때문이었다.) 이제 뻐꾸기가 곧 내 머리 위에서 튀어나와 그 거슬리는 소리—필연적으로 내 턱에 힘이 들어가게 할 소리—를 낼 참이었다. 그때 집 밖의 카메라맨들이 바다 같은 소리로 크게, 집단적으로 웅성거렸다. 누군가 이곳에 와 있었다. 몇몇 여성 뉴스 앵커들이 갈매기처럼 외치는 소리가 들렸다.

뭔가 잘못됐군. 나는 생각했다.

초인종이 연달아 세 번 울렸다. 닉-닉! 닉-닉! 닉-닉!

나는 망설이지 않았다. 나는 한 달 전부터 망설이기를 멈췄다. 문제는 얼른 일으킬 것.

문을 열었다.

아내였다.

그녀가 돌아왔다.

에이미 엘리엇 던은 젖은 듯 몸에 들러붙은 얇은 핑크색 원피스를 입고 맨발로 우리 집 문간에 서 있었다. 그녀의 양쪽 발목에는 거무스름한 보라색 고리 모양으로 테가 둘러져 있었고 축 늘어진 한쪽 손목은 노끈에 묶여 있었다. 머리카락은 짧았고, 날이 무딘 가위로 마구 자른 것처럼 끝부분이 너덜너덜했다. 그녀의 얼굴에는 멍이 들어 있었고 입술은 부어 있었다. 그녀는 울고 있었다.

그녀가 두 팔을 벌리며 내게 다가올 때, 나는 그녀의 배 근처가 말라붙은 피로 얼룩져 있는 것을 보았다. 그녀는 뭍으로 떠밀려온 인어처럼 입을 열고 두어 번 말을 하려고 하다가 아무 말도 하지 않았다.

"닉!" 마침내 그녀가 울부짖으며 — 모든 텅 빈 집에 울려 퍼지는 구슬픈 소리 — 내 품 안에 몸을 던졌다.

나는 그녀를 죽이고 싶었다.

우리 둘뿐이었다면 나의 두 손은 그녀의 목을 두르며 제자리를 찾고, 손가락으로는 그녀의 목에서 완벽한 홈을 찾았을 것이다. 손가락 밑에서 세찬 맥박을 느끼며……. 하지만 우리만 있는 것이 아니었다. 뒤에는 카메라들이 있었고, 사람들은 이 낯선 여자가 누구인지 깨닫고 있었고, 집 안에 있는 뻐꾸기시계만큼이나 분명 활기를 띠고 있었다. 몇 번의 찰칵거림과 몇 개의 질문에 이어 소음과 빛이 산사태처럼 쏟아졌다. 카메라들은 우리의 모습을 마구 찍어댔고 리포터들은 마이크를 들고 가까이 오고 있었다. 모두 다 에이미의 이름을 외치고 있었다. 고함을, 말 그대로 고함을 치고 있었다. 나는 올바른 일을 했다. 그녀를 끌어안고 곧바로 포효하듯 그녀의 이름을 불렀다. "에이미! 맙소사! 맙소사! 내 사랑!" 그리고 내 얼굴을 그녀의 목에 묻고 두 팔로 그녀를 꽉 껴안으며 카메라에게 15초를 내어준 다음, 그녀의 귓가에 낮게 속삭였다. "이 씨발년." 그리고 그녀의 머리카락을 쓸어내리고 애정 어린 두 손으로 그녀의 얼굴을 받친 다음 그녀를 거칠게 집 안으로 끌어당겼다.

문 밖에서는 록 콘서트의 관객들이 앙코르를 원하고 있었다. 에이미!
에이미! 에이미! 누군가 창문에 돌을 몇 개 던졌다. 에이미! 에이미! 에이
미!

나의 아내는 그것을 자신이 받아 마땅한 것으로 여기며 바깥의 오합지
졸을 향해 거부하는 손짓을 날렸다. 그녀는 지친, 하지만 의기양양한 웃
음을 지으며 내 쪽으로 돌아섰다. 성폭행 피해자, 학대 생존자의 웃음, 침
대를 뜨뜻하게 만드는 옛날 텔레비전 영화 속 장면. 나쁜 놈이 마침내 정
의의 심판을 받고 우리의 여주인공은 다 잊고 인생을 살아가게 될 거라고
알려주는 웃음! 정지 화면.

나는 노끈을, 마구 잘린 머리카락을, 말라붙은 피를 가리켰다.

"그래, 당신의 이야기는 뭐야, 부인?"

"나 돌아왔어." 그녀는 훌쩍이며 말했다. "당신한테 돌아왔다고." 그녀
는 두 팔로 나를 안으려고 했다. 나는 몸을 비켰다.

"당신의 이야기가 뭐냐고, 에이미?"

"데시." 그녀가 아랫입술을 떨며 속삭였다. "데시 콜링스가 나를 데려
갔어. 그날 아침, 우리 결혼기념일 아침에 말이야. 초인종이 울려서 나
는…… 모르겠어, 난 당신이 꽃을 보냈을지도 모른다고 생각했어."

나는 움찔했다. 물론 그녀는 불만사항을 이용할 방법을 찾았을 것이었
다. 내가 그녀에게 꽃을 보낸 적이 거의 없다는 사실을. 장인은 장모에게
결혼한 뒤 매주 꽃을 보냈다. 2,444다발 대 4다발.

"꽃이나, 다른 뭐라도." 그녀가 말을 이었다. "그래서 난 별 생각 없이
문을 열었는데, 데시가 굳게 마음먹은 표정을 하고 서 있었어. 마치 아주

오랫동안 그날을 준비해왔다는 표정으로. 나는 손잡이를…… 꼭두각시 주디 인형 손잡이를 들고 있었어. 꼭두각시 인형들은 찾았어?" 그녀가 눈물이 그렁그렁한 눈으로 미소 지으며 나를 올려다보았다. 아주 사랑스러운 모습이었다.

"아. 당신이 내게 남긴 건 다 찾았어, 에이미."

"그때 난 주디 인형의 손잡이를 찾아낸 직후였어. 그게 떨어져 나갔다는 걸 그날 아침에야 알아차렸거든. 그래서 그걸 손에 든 채 문을 열었던 거야. 난 그걸로 그를 치려고 했고, 그와 몸싸움을 했는데, 그가 그걸로 나를 때렸어. 세게. 그다음에 내가 기억하는 건……."

"넌 나한테 살인 누명을 씌우고 사라졌어."

"전부 다 설명할 수 있어, 닉."

나는 그녀를 한참 동안 노려보았다. 나는 '뜨거운 태양 아래의 날들'을, 해변의 모래 위에 한껏 뻗은, 서로의 다리를 간질이는 우리의 다리를 보았다. 그녀의 부모님 집에서 열린 '가족 저녁식사들'을, 내 잔을 끊임없이 다시 채워주며 어깨를 두드려주던 장인의 모습을 보았다. 나의 초라한 뉴욕 아파트에서 '깔개 위에 큰 대자로 드러누워' 천장에 달린 게으른 선풍기를 쳐다보는 우리의 모습을 보았다. 그리고 '내 아이의 어머니'를 보았고 한때 내가 우리를 위해 계획했던 놀라운 인생을 보았다. 그것은 심장이 한 번, 두 번 뛰는 순간 일어났고, 그동안 나는 그녀의 말이 사실이기를 통렬하게 바랐다.

"사실 난 당신이 전부 다 설명할 수 있을 거라고 생각하지 않아." 내가 말했다. "하지만 당신이 애쓰는 모습은 기꺼이 봐주겠어."

"지금 물어봐."

내 손을 잡으려고 하는 그녀를 나는 뿌리쳤다. 나는 그녀에게 등을 보이며 걸어가 숨을 고른 다음 그녀를 똑바로 쳐다보았다. 내 아내는 늘 똑바로 쳐다보고 있어야 한다.

"어서, 닉. 지금 물어봐."

"좋아, 물론. 어째서 보물찾기의 모든 단서가 내가…… 앤디와 잤던 곳에 숨겨져 있었던 거지?"

그녀는 한숨을 쉬고 바닥을 쳐다보았다. 그녀의 두 발목은 껍질이 벗겨져 있었다. "난 앤디의 존재를 TV를 보고서야 알았어. 그때 난…… 데시의 호숫가 별장에 갇혀 침대에 묶여 있었어."

"그럼 그게 모두…… 우연이었다고?"

"그곳들은 모두 우리에게 의미 있는 장소였어." 그녀가 말했다. 한 줄기 눈물이 그녀의 얼굴 위로 흘러내렸다. "당신 사무실은 언론계에 대한 당신의 열정에 다시 불을 붙인 곳이지."

나는 숨을 들이마셨다.

"해니벌은 이 지역이 당신에게 얼마나 큰 의미가 있는지 내가 마침내 이해한 장소야. 당신 아버지의 집은 당신에게 그토록 큰 상처를 준 남자와 맞선 곳이고, 이제는 고의 집이 된 당신 어머니의 집. 이 두 사람은 당신을 그토록 착한 남자로 만들었어. 하지만…… 사랑에 빠진 사람과 함께 가고 싶어 했다는 게 놀랄 일은 아닌 것 같아." 그녀는 고개를 떨궜다. "당신은 언제나 반복하기를 좋아했으니까."

"좋아, 그럼 어째서 그 모든 장소에는 늘 내가 당신을 죽였다고 암시하는 단서가 있었지? 여자 속옷, 당신의 핸드백, 당신의 일기장. 그 일기장에 대해 설명해봐, 에이미. 그 모든 거짓말 말이야."

그녀는 내가 안됐다는 듯 고개를 저으며 웃기만 했다. "전부 다, 전부 다 설명할 수 있어." 그녀가 말했다.

나는 눈물로 얼룩진 그 다정한 얼굴을 들여다보다가 시선을 내려 피를 쳐다보았다. "에이미. 데시는 어디에 있지?"

그녀는 다시 고개를 저으며 슬프고 희미한 웃음을 지었다.

나는 경찰에 연락하려고 전화기 쪽으로 걸어가다가 문을 두드리는 소리를 듣고 그들이 이미 이곳에 있다는 사실을 깨달았다.

에이미 엘리엇 던

돌아온 날 밤

내 몸속에는 데시가 나를 강간하던 마지막 날의 정액이 아직 남아 있었기 때문에 의료 검사는 순조롭게 진행된다. 노끈 자국이 난 두 손목, 손상된 질, 멍들. 내가 그들에게 제시한 몸은 교과서였다. 늙은 남자 의사가 축축한 숨을 내쉬며 굵은 손가락으로 골반 검사를 하는 동안, 론다 보니 형사는 내 손을 잡고 있다. 차가운 새의 발톱이 움켜쥐는 것 같은 느낌이다. 전혀 편안하지 않다. 보니는 내가 자신을 보고 있지 않다고 생각할 때 한차례 빙긋 웃었다. 그녀는 닉이 결국 나쁜 놈이 아니라는 사실에 아주 신이 났다. 그렇다, 미국의 모든 여자들은 집단적으로 안도의 숨을 내쉬는 중이다.

데시의 집으로 경찰이 급파되었다. 그들은 그곳에서 벌거벗은 채 피가 다 빠져나간 데시를 발견하게 될 것이다. 놀란 표정을 하고 있는 그는 아직도 내 머리카락 몇 가닥을 움켜쥐고 있을 것이고, 침대는 피에 흠뻑 젖어 있을 것이다. 내가 그와 나를 묶은 줄을 끊을 때 쓴 칼이 근처 바닥에 떨어져 있을 것이다. 나는 그곳에 칼을 떨어뜨린 다음 맨발로 망연히, 걸어 나갔다. 그의 차와 대문 열쇠 외에는 그 집에서 아무것도 들고 나가지 않았다. 나는 여전히 그의 피로 미끌거리는 상태로 그의 빈티지 재규어에 올라타고, 오랫동안 길을 잃은 충성스러운 애완동물처럼 곧장 남편에게 돌아갔다. 나는 동물 신세로 전락해 있었다. 닉에게 돌아가는 것 외에 아무런 생각도 떠오르지 않았다.

늙은 의사는 내게 좋은 소식이라며 영구적인 손상이 없어 인공중절을 할 필요가 없다고 말한다. 내가 너무 일찍 유산했다는 것이다. 보니는 계속 내 손을 꼭 잡은 채 "세상에, 엄청난 일을 겪으셨네요, 몇 가지 질문에 대답하실 수 있겠어요?"라고 중얼거렸다. 애도를 표하다가 그토록 빨리 본론으로 들어가다니. 못생긴 여자들은 일반적으로 지나치게 공손하거나 터무니없이 무례하다는 사실을 깨닫는다.

당신은 납치되어 반복적으로 강간당한 잔혹한 사건에서 살아남은 '어메이징 에이미'다. 당신은 납치범을 죽이고, 외도를 했다는 것을 알게 된 당신의 남편에게 돌아왔다. 당신은

1) 자신을 최우선으로 여기며 혼자 생각을 정리할 시간을 달라고 요구한다

2) 조금만 더 버티며 경찰을 돕는다

3) 어떤 인터뷰를 먼저 할지 결정한다. 당신은 이 시련을 이용해 출간 계약과 같은 좋은 것을 얻을 수 있을지도 모른다.

답: 2번. 어메이징 에이미는 언제나 남들을 먼저 생각한다.

나는 병원의 개인 병실에서 몸을 씻어도 된다고 허락을 받는다. 이어 닉이 집에서 가져온 옷으로 갈아입는다. 너무 오래 개어져 있어 접힌 자국이 난 청바지와, 먼지 냄새가 나는 예쁜 블라우스. 보니와 나는 차를 타

고 병원을 나와 거의 침묵을 지키며 경찰서로 향한다. 나는 힘없이 우리 부모의 안부를 묻는다.

"그분들은 경찰서에서 당신을 기다리고 있어요." 보니가 말한다. "소식을 알려드렸더니 우시더군요. 기뻐서요. 물론 기쁘고 안심하셔서 그렇겠죠. 당신에게 질문을 하기 전에 부모님과 실컷 포옹할 시간을 드릴 거니까 걱정하지 마세요."

경찰서에는 이미 여러 카메라가 와 있다. 주차장은 희망에 찬, 과도하게 불을 밝힌 스포츠 경기장의 모습을 연상시킨다. 지하주차장이 없기 때문에 우리는 건물 앞에 차를 대야 한다. 광기에 빠진 군중이 몰려든다. 젖은 입술과 침이 보인다. 모든 사람들이 고함을 지르며 질문을 하고, 플래시와 카메라 불빛이 펑펑 터진다. 사람들은 한 무리를 이루어 서로를 밀치고 당기고 있다. 조금씩 오른쪽으로, 이어 왼쪽으로 재빨리 움직이며 내게 다가오려고 애쓴다.

"못하겠어요." 나는 보니에게 말한다. 사진기자 한 명이 균형을 맞추려고 애쓰는 동안 어떤 남자의 손바닥이 차창을 후려친다. 나는 보니의 차가운 손을 잡는다. "이건 너무 심해요."

그녀는 내 몸을 두드리며 기다리라고 말한다. 곧 건물 안의 모든 경관들이 계단을 줄지어 내려와 나의 양쪽에서 줄을 서서, 기자들을 막으며 의장대 노릇을 한다. 보니와 나는 수상한 신혼부부처럼 손을 잡고 달려가, 현관 바로 안쪽에서 기다리던 부모에게 돌진한다. 모두들 서로 부둥켜안은 우리의 사진을 찍는다. 엄마는 착한 딸, 착한 딸, 착한 딸 하고 속삭이고 아빠는 너무 큰 소리로 울어서 숨이 거의 막힐 지경이다.

그런 다음 나는 잽싸게 끌려간다. 마치 벌써 한참 전에 끌려갔어야 했다는 것처럼. 나는 편안하지만 싸구려인, 언제나 천 속에 오래된 음식물 찌꺼기가 끼여 있을 것 같은 사무실 의자가 놓인 작은 벽장 같은 방 안에 넣어진다. 카메라 한 대가 방구석에서 불빛을 깜빡이고 있고 창문은 없다. 내가 상상했던 것과 다르다. 이곳은 내가 안전하다고 느끼도록 설계된 곳이 아니다.

나는 보니와 그녀의 동료인 길펀, 그리고 세인트루이스에서 내려온, 거의 침묵을 지키는 FBI 요원 두 명에게 둘러싸여 있다. 그들은 내게 물을 준다. 이어 보니가 말을 시작한다.

보니: 좋아요, 에이미, 먼저 힘든 일을 겪으신 후에 우리와 이야기하기로 해주셔서 진심으로 감사드립니다. 이런 사건의 경우, 기억이 아직 생생할 때 모든 걸 기록하는 일이 매우 중요합니다. 얼마나 중요한지 상상도 못하실 거예요. 피해자는 일단 안전해지면 아주 빨리 기억이 사라집니다. 피해자의 기억력이 주인을 위해 세부 사항들을 잊어버리거든요. 그러니 당장 이야기하는 것이 좋습니다. 우리가 모든 세부 사항을 기록하게 되면 사건이 종결되고, 당신과 닉은 이전의 생활로 돌아가실 수 있어요.

에이미: 꼭 그러고 싶어요.

보니: 당신은 그럴 자격이 있습니다. 그러니 시작할 준비가 되셨으면 시간표부터 작성하겠습니다. 데시가 댁의 현관에 나타난 게 몇 시였는지 기억하십니까?

에이미: 오전 열 시쯤이요. 열 시가 조금 넘었을 거예요. 테버러 부부가 교회에 가기 위해 차 쪽으로 걸어가면서 얘기하는 걸 들었거든요.

보니: 문을 열었을 때 어떤 일이 벌어졌습니까?

에이미: 문을 열자마자 뭔가 잘못됐다는 느낌이 들었어요. 우선, 데시

는 줄곧 내게 편지를 보내고 있었어요. 하지만 지난 몇 년 동안은 그의 집착이 점차 줄어드는 것처럼 보였어요. 나를 그냥 옛날 친구로 생각하는 것 같았고, 경찰이 그에 대해 할 수 있는 일도 없었기 때문에 저도 그런 상황을 그냥 내버려두고 있었죠. 전 한 번도 그가 나에게 실제로 해코지를 할 거라는 느낌을 받은 적이 없었어요. 지리적으로 가까운 곳에 살고 있다는 건 늘 마음에 걸렸지만요. 제 생각에 그것이 그를 마침내 벼랑 끝으로 내몬 것 같아요. 내가 아주 가까운 곳에 있다는 걸 알고요. 그는 집 안으로 들어와서…… 그는 땀을 흘렸고 조금 초조해했지만 한편으로는 아주 단호한 표정을 짓고 있었어요. 그때 나는 이층에서 내 원피스를 다리려던 참이었는데, 그때 주디 인형의 나무 손잡이가 방바닥 위에 있는 걸 봤어요. 그 전에 떨어졌나 봐요. 낙담했죠. 이미 헛간에 꼭두각시 인형들을 숨기고 난 뒤였거든요. 그래서 나는 그 손잡이를 집어 들었고, 그 상태로 문을 열었어요.

보니: 기억력이 아주 좋으시군요.

에이미: 고마워요.

보니: 그다음엔 어떻게 됐습니까?

에이미: 데시는 안절부절못하면서 약간 미친 사람처럼 이리저리 걸어다니면서 말했어요. '결혼기념일을 위해 뭘 할 거지?' 저는 무서웠어요, 그가 그날이 우리의 결혼기념일이라는 걸 안다는 사실이요. 거기다 그는 그 때문에 화가 난 것처럼 보였어요. 그러더니 갑자기 팔을 뻗어 내 손목을 잡고 등 뒤에서 비틀었어요. 그리고 우리는 싸웠어요. 진짜 몸싸움을 했죠.

보니: 그다음은요?

에이미: 나는 그를 발로 찼고, 잠시 풀려나 주방으로 달려갔어요. 우리

는 몸싸움을 했고 그는 주디 인형의 커다란 나무 손잡이로 나를 한 번 내리쳤어요. 내가 나동그라지자 두세 번 더 내리쳤고요. 순간 앞이 보이지 않았어요. 그냥 어지럽고 머리가 욱신거렸죠. 나는 손잡이를 잡으려고 했는데 그가 들고 있던 주머니칼로 내 팔을 찔렀어요. 아직도 그 흉터가 남아 있죠. 보이시죠?

보니: 네, 당신의 의료 검사 기록에 포함되어 있었습니다. 얕은 자상에 그친 게 다행이에요.

에이미: 통증으로는 얕은 자상 같지 않아요, 정말이에요.

보니: 그가 당신을 찔렀다고요? 각도가…….

에이미: 각도는 잘 모르겠어요. 그가 일부러 그런 것인지 어쩌다가 내가 스스로 칼날에 스친 건지도 잘 모르겠어요. 난 완전히 균형을 잃었거든요. 하지만 그 손잡이가 바닥으로 떨어진 건 기억나요. 바닥을 내려다 봤더니 찔린 상처에서 흐른 피가 손잡이를 뒤덮으면서 웅덩이를 이루고 있었죠. 그때 내가 기절한 것 같아요.

보니: 깨어났을 때 어디에 있었습니까?

에이미: 사지가 묶인 채 우리 집 거실에 있었어요.

보니: 소리를 질러서 이웃에게 알리려고 하지는 않았습니까?

에이미: 당연히 질렀죠. 내 말은, 내 말을 듣고 있는 건가요? 난 두드려 맞았고, 칼에 찔렸고, 사지가 묶여 있었어요. 수십 년간 제게 집착한 남자한테, 내 기숙사 방에서 자살 시도를 한 남자한테요.

보니: 좋습니다, 좋아요, 에이미 씨, 죄송합니다. 당신을 조금이라도 비난하려고 한 질문은 아닙니다. 우린 그저 전체적인 그림을 그려서 이번 수사를 종결짓고 당신을 원래의 생활로 돌려보내고 싶을 뿐이에요. 물이나 커피나, 다른 것 더 필요하세요?

에이미: 따뜻한 걸 좀 마시고 싶네요. 너무 추워요.

보니: 문제없습니다. 커피 한 잔 갖다주시겠어요? 그래서 그다음엔 어떻게 됐습니까?

에이미: 그의 원래 계획은 그냥 나를 제압하고 납치해서 아내가 가출한 사건처럼 보이게 만드는 것 같았어요. 내가 깨어났을 때 그는 주방의 피를 다 닦아낸 다음, 내가 주방으로 뛰어 들어갈 때 쓰러진 앤티크 장식품들을 바로 세우고 있었거든요. 그는 인형 손잡이도 없애버렸어요. 하지만 그에게 남은 시간이 다 되어가고 있었고, 제 생각에 분명 이렇게 되었을 거예요. 그는 난장판이 된 거실을 보고 '내버려두자. 여기서 뭔가 나쁜 일이 벌어진 것처럼 놔두자'라고 생각한 다음, 현관문을 열어 놓고, 거실 물건 몇 개를 쓰러뜨린 거죠. 그 오토만도 뒤집고요. 그래서 현장이 그토록 이상해 보였던 거예요. 반은 진실이고 반은 거짓이었으니까요.

보니: 데시는 보물찾기와 관련된 모든 장소, 닉의 연구실, 해니벌, 닉의 아버지의 집, 고의 헛간에 유죄를 암시하는 물건들을 놓아두었나요?

에이미: 무슨 말씀을 하시는 거죠?

보니: 닉의 연구실에 당신 사이즈가 아닌 여자 속옷이 한 벌 있었어요.

에이미: 아마 남편이…… 만나던 여자의 물건이겠죠.

보니: 그 여자의 사이즈도 아니었습니다.

에이미: 글쎄요, 이 문제에 대해선 제가 도와드릴 수가 없네요. 닉이 만나던 여자가 한 명 이상이었을지도 모르죠.

보니: 당신의 일기장이 닉의 아버지 집에서 발견되었습니다. 군데군데 난로에 탄 채로요.

에이미: 이런, 그 일기를 읽었어요? 끔찍해라. 닉은 분명 그걸 없애버리고 싶었을 거예요. 저는 그이를 탓하지 않아요. 당신들이 어찌나 빨리

그를 겨냥했는지를 생각하면 말이죠.

보니: 그가 어째서 아버지의 집으로 가서 그것을 태우려고 했는지 모르겠습니다.

에이미: 그이한테 물어보세요. (침묵) 닉은 자주 그곳에 갔어요. 혼자 시간을 보내기 위해서요. 그이는 혼자 있는 걸 좋아하거든요. 내 말은, 남편은 우리 집에서는 그 일을 할 수 없었을 거예요. 그곳은 범죄 현장이니까요. 당신들이 다시 와서 잿더미 속에서 뭔가를 발견할지 누가 알겠어요? 아버지의 집에 가면 어느 정도 자유롭게 행동할 수 있잖아요. 저는 남편이 현명하게 행동했다고 생각해요. 아까도 말했지만, 경찰이 그야말로 닉을 몰아세우고 있었으니까요.

보니: 일기장의 내용은 아주, 아주 걱정스러웠습니다. 일기장에 따르면 당신은 학대를 당했고, 닉이 아이를 원하지 않는다고, 닉이 당신을 죽이고 싶어 할지도 모른다고 두려워하고 있었어요.

에이미: 정말이지 그 일기장이 다 타버렸으면 좋았을 텐데요. (침묵) 솔직하게 말할게요. 그 일기장에는 지난 몇 년간 나와 닉이 겪은 시련의 일부가 적혀 있어요. 우리의 결혼 생활이나 닉이 그다지 좋게 그려져 있지는 않죠. 하지만 솔직히 말씀드릴게요. 저는 제가 아주아주 행복할 때, 혹은 정말정말 불행해서 감정을 분출하고 싶을 때만 일기를 썼어요. 그리고…… 저는 조금 극적인 기분에 빠질 때가 있어요. 원래 제가 매사에 조바심을 잘 내거든요. 제 말은, 그 일기의 대부분은 그냥 추한 진실이에요. 남편은 나를 한 번 밀쳤고, 아이도 원하지 않았고, 돈 문제도 많았죠. 하지만 내가 그이를 두려워했냐고요? 인정하기 고통스럽지만, 그건 그냥 저의 극적인 성향 때문이에요. 제 생각에 문제는, 전 여러 번 스토킹을 당했어요. 평생 동안 겪은 문제죠. 사람들이 나에게 집착하는 것 말이에요.

그래서 전 약간 편집증이 있어요.

보니: 당신은 총을 사려고 했습니다.

에이미: 전 편집증이 심해요, 됐나요? 미안해요. 내가 어떻게 살아왔는지 당신이 안다면 이해할 거예요.

보니: 일기 중에는 당신이 밤에 마신 음료 때문에 전형적인 부동액 중독처럼 보이는 증상으로 고생했다는 내용도 있습니다.

에이미: (긴 침묵) 이상한 이야기군요. 그래요, 아팠던 건 사실이에요.

보니: 좋아요, 보물찾기 이야기로 다시 돌아가죠. 당신은 헛간에 펀치와 주디 인형을 숨겼습니까?

에이미: 네.

보니: 이번 사건은 닉의 빚, 다량의 신용카드 구매 내역, 그리고 헛간에 숨겨져 있던 수많은 물건에 많은 초점이 맞춰져 있습니다. 당신은 헛간문을 열었을 때 그 물건들을 보고 어떤 생각을 했습니까?

에이미: 저는 고의 집에 있었고 고와 저는 그렇게 가까운 사이가 아니라서, 저는 나랑 거의 상관없는 것들을 둘러보고 있다는 기분을 느꼈어요. 그때 전 그것들이 고가 뉴욕에서 가져온 게 분명하다고 생각했어요. 나중에 뉴스를 보고, 데시는 내가 모든 걸 보게 만들었어요, 그 물건들이 닉의 신용카드 구매 내역과 일치한다는 걸 알았죠……. 전 닉에게 돈 문제가 좀 있다는 걸 알고 있었어요. 남편은 돈을 잘 썼거든요. 그이는 아마 그냥 당황했던 걸 거예요. 충동 구매한 물건 중에 반품이 안 되는 것들을 내가 모르는 곳에 숨겨놓고, 인터넷으로 팔려고 했을 거예요.

보니: 그 펀치와 주디 인형은 결혼기념일 선물치고는 좀 불길해 보이는군요.

에이미: 알아요! 이젠 저도 알아요. 전 펀치와 주디 이야기를 제대로

기억하고 있지 않았어요. 그냥 전 임신 중이었고, 남편과 아내와 아기를 본 거죠. 거기다 나무로 만든 거니까요. 인터넷 검색을 하다가 펀치의 대사—일은 이렇게 하는 거야!—를 봤어요. 그때는 그냥 귀엽다고만 생각했어요. 무슨 뜻으로 한 말인지 몰랐던 거죠.

보니: 당신은 사지가 묶여 있었다고 했습니다. 데시가 어떻게 당신을 차까지 데려갔습니까?

에이미: 차고에 차를 대고 차고 문을 내린 다음, 나를 끌고 가서 트렁크에 집어넣고 재갈을 물렸어요. 그리고 차를 타고 나갔죠.

보니: 그때 당신은 소리를 질렀습니까?

에이미: 네, 빌어먹을, 소리 질렀어요. 그때 내가 앞으로 한 달 동안 그에게 강간당할 거라는 걸 알았더라면, 그런 다음 내가 우는 소리에 잠을 깨지 않도록 그가 마티니와 수면제를 들고 와 내 옆에서 잘 거라는 걸 알았더라면, 경찰이 그와 이야기를 하고 나서도 아무것도 알아내지 못한 채 그 잘난 엉덩이를 붙이고 앉아 있을 거라는 걸 알았더라면, 아마 더 크게 소리를 질렀을지도 몰라요. 네, 그랬을 거예요.

보니: 다시 한 번 사과드립니다. 던 부인, 조직을 좀 채취해도 되겠습니까? 그나저나 부인의 커피는 어디…… 고마워요. 좋습니다, 그 후에 어디로 갔나요, 에이미?

에이미: 우리는 세인트루이스 쪽으로 가고 있었어요. 그리고 가는 도중에 해니벌에 들른 기억이 나요. 증기선 기적 소리를 들었거든요. 아마 데시는 그때 내 핸드백을 버렸을 거예요. 살인처럼 보이려고 그가 했던 또 하나의 꾸며낸 행동이었죠.

보니: 아주 흥미롭군요. 이번 사건에는 기이한 우연이 지나치게 많은 것처럼 보입니다. 예를 들어, 데시는 해니벌에서 우연히 그 핸드백을 버

렸고, 그곳은 당신이 닉으로 하여금 단서를 따라 가게끔 만든 곳이죠. 그래서 우리는 닉이 거기서 핸드백을 버렸다고 믿게 되었어요. 닉이 자기만 아는 신용카드들로 산 물건을 숨긴 바로 그 장소에, 당신이 선물을 숨기기로 했다는 것도 그렇고요.

에이미: 정말요? 죄송하지만 제게는 아무것도 우연처럼 들리지 않아요. 내 귀에는 내 남편이 범인이라는 생각에 빠져 있던 경찰이 내가 살아 돌아오고 닉이 범인이 아닌 것이 확실해지면서 자신들이 바보처럼 보이니까 책임을 지기는커녕 변명으로 발뺌하려고 애쓰는 것처럼 들리는데요. 만약 이 사건이 계속 당신들의 빌어먹게 무능한 손아귀 안에 있었더라면 닉은 사형수가 됐을 거고, 나는 침대에 묶여서 죽을 때까지 날마다 강간을 당했겠죠.

보니: 죄송합니다. 그건……

에이미: 전 제 자신을 스스로 구했고, 그러면서 닉도 구했어요. 빌어먹게 한심한 당신들까지 구했죠.

보니: 아주 정확한 지적입니다, 에이미 씨. 죄송합니다. 저희는 너무…… 저희는 너무 오래 이 사건을 붙들고 있었기 때문에 우리가 놓친 모든 세부 사항을 알고 싶습니다. 같은 실수를 되풀이하지 않기 위해서요. 하지만 에이미 씨의 말이 절대적으로 옳습니다. 우리는 큰 그림을, 당신이 영웅이라는 사실을 놓치고 있었어요. 당신은 물론 영웅입니다.

에이미: 감사합니다. 그렇게 말씀해주시니 고맙군요.

닉 던

돌아온 날 밤

나는 아내를 데리러 경찰서로 갔다가 록스타이자, 오스카 수상자이자, 압승을 거둔 대통령이자, 처음으로 달에 간 사람인 것처럼 언론의 환호를 받았다. 나는 승자들이 보통 그러듯이 두 손을 맞잡아 머리 위에서 흔들고 싶은 충동을 억눌러야 했다. 나는 생각했다. 그래, 이제 우리 모두 친구인 척하자고.

나는 마치 계획이 틀어진 휴일 파티 같은 장면과 마주했다. 어떤 책상 위에 종이컵에 둘러싸인 샴페인 몇 병이 방치되어 있었다. 내 등을 두드리며 열광적인 환호를 보내는 사람들은 마치 어제까지 나를 박해하던 사람들이 아닌 것처럼 굴었다. 하지만 나는 장단을 맞춰야 했다. 등을 두드리라고 내밀어야 했다. 아 그래, 이제 우리는 모두 친구야.

'중요한 것은 에이미가 무사하다는 사실뿐입니다.' 나는 이 대사를 연습하고 또 연습했다. 나는 일이 어떤 방향으로 진행될 것인지 알게 될 때까지, 안도하고 자상한 남편처럼 보여야만 했다. 경찰이 에이미의 찐득찐득한 거미줄투성이 거짓말들을 잘라냈다고 확신할 때까지. 그녀가 체포되어…… 나는 거기까지도 생각했다. 그녀가 체포될 때까지. 순간 나의 뇌가 팽창하는 동시에 수축하는 것—나의 뇌를 찍는 히치콕 줌—같은 느낌이 들었고, 나는 생각했다. 나의 아내는 사람을 죽였어.

"칼로 찔렀답니다." 가족에게 연락하는 일을 맡은 젊은 경관이 내게 말했다. (나는 앞으로 다시는 어떤 이유로도, 누구한테서도 연락을 받지 않기를 바랐다.) 그는 고에게 자신의 말과 관절 와순 파열과 땅콩 알레르기에 대해 지껄여댔던 바로 그 녀석이었다. "경정맥을 정통으로 찔렀대요. 그렇게 찔리면, 한 60초 정도 피가 뿜어져 나오죠."

60초면 자신이 죽어가고 있다는 것을 알고도 남을 시간이다. 나는 데시가 에이미를 낚아채려 하다가 두 손으로 자신의 목을 감싸 쥐고, 맥박이 뛸 때마다 손가락 사이로 피가 솟구치는 것을 느끼는 모습을 상상할 수 있었다. 그가 공포에 질릴수록 맥박은 더 빨라지다가…… 다시 느려지고, 데시는 느려지는 것이 더 나쁘다는 것을 안다. 그러는 내내 에이미는 쾌씸하고 역겹다는 표정으로 데시를 관찰하고 있다. 고등학교 생물 시간에, 약간 떨어진 곳에 서서 물이 뚝뚝 떨어지는 돼지새끼를 쳐다보는 학생처럼, 손에는 여전히 조그만 메스를 쥔 채로.

"오래된 커다란 푸주 칼로 찔렀대요." 녀석이 말하고 있었다. "그자는 종종 침대에 누워 있는 에이미 씨의 바로 옆에 앉아서 고기를 잘라 먹였다는군요." 그는 그것이 칼로 찌르는 것보다 더 역겹다는 것처럼 말했다. "하루는 접시에서 그 칼이 떨어졌는데 그가 전혀 눈치를 못 채서……."

"아내는 늘 묶여 있었다는데 어떻게 그 칼을 쓸 수 있었습니까?" 내가 물었다.

녀석은 마치 내가 자신의 어머니에 대해 농담이라도 한 것 같은 표정으로 나를 쳐다보았다. "모르겠습니다, 던 씨. 지금 안에서 사람들이 세부 사항을 확인하고 있습니다. 중요한 건, 당신의 아내가 무사하다는 거죠."

만세. 녀석이 내 대사를 훔쳤다.

나는 6주 전 우리가 처음 기자회견을 했던 방 안에 랜드와 메리베스가 있는 것을 발견했다. 그들은 언제나처럼 서로에게 몸을 기대고 있었다. 메리베스의 정수리에 키스하는 랜드와 그에게 코를 비벼대며 화답하는 메리베스를 보면서 어찌나 분노가 치미는지, 그들을 향해 뭔가를 집어 던질 뻔했다. 당신 둘, 서로를 숭배하고 흠모하는 두 얼간이가 복도 끝에 있는 저 물건을 만들어서 세상에 풀어놓았어. 얼씨구나, 정말 완벽한 괴물일세! 그런 그들이 벌을 받는가? 아니, 지금껏 그들의 인격을 의심하고 나서는 사람은 단 한 명도 없었다. 그들은 쏟아지는 사랑과 지지 외에는 아무것도 경험하지 않았다. 그리고 이제 에이미가 그들에게 돌아가면 모든 사람은 그녀를 더 사랑하게 될 것이다.

지금까지 나의 아내는 만족을 모르는 소시오패스였다. 앞으로 그녀는 무엇이 될 것인가?

조심스럽게 걸어, 닉, 아주 조심스럽게 걸어.

나와 눈이 마주친 랜드가 이리 오라는 손짓을 했다. 내가 가자 그는 청중이 되는 영광을 얻은 몇몇 선별된 기자들을 위해, 나와 악수를 했다. 메리베스는 요지부동이었다. 나는 여전히 자신의 딸을 두고 외도한 남자인 것이다. 장모는 퉁명스럽게 고개를 까닥이고는 나를 외면했다.

내 코앞까지 몸을 기울이는 랜드에게서 스피어민트 껌 냄새가 났다. "닉, 우린 에이미가 돌아와서 정말 안심했네. 자네한테 사과도 해야겠지. 아주 크게 사과해야지. 자네와의 결혼 생활에 대해서는 에이미의 결정을 따를 걸세. 하지만 난 적어도 일이 흘러간 방향에 대해서는 사과하고 싶어. 자네가 이해를 해줘야 해……."

"이해합니다." 내가 말했다. "다 이해합니다."

랜드가 사과나 장담을 더 늘어놓기 전에 태너와 베시가 함께 도착했다. 그들은 보그 잡지의 좌우 양면 광고처럼 보였다. 빳빳한 슬랙스와 보석 색상 셔츠, 번쩍이는 금시계와 반지. 태너는 내 귀에 대고 "상황이 어떤지 알아보죠"라고 속삭였다. 이어 고가 뛰어 들어왔고 우리의 젊은 가족 연락관이 그 뒤를 따랐다. 고는 아주 놀란 눈을 하고 질문을 퍼부었다. 이게 무슨 뜻이야? 데시는 어떻게 됐어? 에이미가 그냥 너희 집 문간에 나타났다고? 이게 무슨 뜻이야? 너 괜찮아? 이제 어떻게 되는 거야?

기이한 모임이었다. 재회의 느낌과도, 병원 대기실에서의 느낌과도 달랐다. 들뜨면서도 불안한, 마치 아무도 모든 규칙을 다 알지 못하는 실내 게임을 하는 느낌이었다. 그러는 동안, 장인과 장모가 실내에 들어오도록 허락한 기자 두 명이 계속해서 내게 질문을 던졌다. 에이미 씨가 돌아와서 얼마나 기쁘십니까? 지금 얼마나 행복하신가요? 에이미 씨가 돌아와서 얼마나 마음이 놓이십니까?

"정말 안심이 되고 너무나 행복합니다"라고 나는 말하고 있었다. 내가 나만의 단조로운 PR 멘트를 꾸며내고 있을 때, 문이 열리더니 재클린 콜링스가 들어왔다. 굳게 다문 그녀의 입술은 붉은 흉터 같았고, 파우더를 바른 얼굴에는 눈물로 선들이 그려져 있었다.

"그 여자는 어디 있죠?" 그녀가 내게 말했다. "그 거짓말쟁이 년 어디 있느냐고? 그 여자가 내 아들을 죽였어. 내 아들을." 그녀는 울기 시작했고 기자들은 사진을 몇 장 찍었다.

아드님이 납치와 강간 혐의를 받고 있는데 심정이 어떠십니까? 기자 하나가 딱딱한 목소리로 물었다.

"내 심정이 어떠냐고?" 그녀가 쏘아붙였다. "당신 진심이야? 사람들이 정말로 그런 질문에 대답을 해? 그 추악하고 천한 여자애가 내 아들을 평생 동안 조종했어. 받아 적어. 그 여자는 내 아들을 조종하고 속이고 결국엔 살해했어. 심지어 내 아들이 죽은 다음에도 이용하고 있다고……."

"콜링스 부인, 우린 에이미의 부모예요." 메리베스가 입을 열었다. 그녀는 재클린의 어깨로 손을 뻗었지만 재클린이 뿌리쳐버렸다. "이런 고통을 겪으시다니, 유감입니다."

"내 아들이 죽은 것에 대해서는 그렇지 않다는 말이군요." 재클린은 메리베스보다 머리 하나가 더 컸다. 그녀는 장모를 매서운 눈으로 내려다보았다. "내 아들이 죽은 것에 대해서는 그렇지 않다는 말이군요." 그녀가 재차 말했다.

"저는…… 모든 것에 대해 유감입니다." 메리베스가 말했고, 랜드가 그녀 옆으로 와서 섰다. 그는 재클린보다 머리 하나만큼 더 컸다.

"당신들 딸은 어쩔 겁니까?" 재클린이 물었다. 그녀는 제자리를 지키려고 애쓰고 있던, 젊은 연락 담당 경관을 향해 돌아섰다. "에이미에 대해 어떤 조치가 내려지고 있죠? 내 아들한테 납치당했다는 그 여자의 말은 거짓말이니까요. 그 여자는 거짓말을 하고 있어요. 그녀는 데시를 죽였어요, 자고 있는 내 아들을 살해했다고요. 아무도 내 말을 진지하게 받아들이지 않는 것 같군요."

"모든 것이 아주, 아주 진지하게 받아들여지고 있습니다, 부인." 젊은 경관이 말했다.

"인용하도록 한마디 해주시겠습니까, 콜링스 부인?" 기자가 물었다.

"방금 했잖아요. 에이미 엘리엇 던이 내 아들을 살해했다고. 그건 정당방위가 아니었어요. 그 여자는 내 아들을 살해했다고요."

"뒷받침할 증거가 있습니까?"

물론 없었다.

그 기자는 기사에서 남편인 나의 지친 모습과(그의 야윈 얼굴은 너무나 많은 밤을 공포로 떨면서 보냈음을 암시했다) 엘리엇 부부의 안도감을(그녀의 부모는 외동딸이 공식적으로 그들에게 돌아오기를 기다리는 동안 서로 꼭 붙어 있었다) 차례대로 기록할 것이었다. 또한 경찰의 무능함을 논하고(이번 사건은 편견으로 점철되어 있었고, 막다른 골목과 잘못 든 길로 가득했다. 해당 부서가 엉뚱한 사람을 물고 늘어졌기 때문이다) 재클린 콜링스를 단 한 줄로 처리해버릴 것이었다(격분한 재클린 콜링스는 에이미의 부모와 어색한 언쟁을 벌인 뒤 밖으로 안내되면서, 아들이 결백하다고 주장했다).

실제로 재클린은 밖으로 안내되어 다른 방으로 보내졌다. 그곳에서 그녀의 진술이 녹음될 것이다. 그녀의 말은 훨씬 더 좋은 이야기, '어메이징 에이미의 위풍당당한 귀환'에 가려질 것이다.

에이미가 풀려나 우리에게 돌아오자 모든 것이 다시 시작되었다. 사진과 눈물, 포옹과 웃음. 사람들이 보고 싶어 하고 알고 싶어 하는 모든 것. 어떻게 됐습니까, 에이미? 납치범에게서 달아나 남편에게 돌아오신 소감이 어떤가요? 닉, 아내가 돌아오고 자유도 되찾은 기분이 어떻습니까?

나는 대부분 침묵을 지키고 있었다. 나만의 질문을, 수년간 생각해온 질문, 우리 결혼의 불길한 후렴구를 생각하고 있었다. 당신 무슨 생각을 하고 있어? 무엇을 느끼고 있어? 당신은 누구지? 우리가 서로에게 무슨 짓을 한 걸까? 앞으로 무슨 짓을 더 하게 될까?

에이미는 고매한 여왕처럼, 부정한 남편과 함께 우리 집으로, 우리의 결혼 침대로 돌아가기를 원했다. 모두가 동의했다. 마치 왕가의 결혼 행렬 때처럼 언론이 우리를 뒤따르는 동안, 우리 두 사람은 네온사인과 패스트푸드점으로 어지러운 카르타고 시내를 통과해 강 위에 있는 우리의 맥맨션에 당도했다. 에이미는 우아하고 용감한 동화 속 공주였다. 나는 물론 남은 평생을 머리를 조아리며 살 아첨꾼 곱사등이 남편이었다. 그녀가 체포될 때까지. 그녀가 체포되는 것이 가능하다면.

에이미가 풀려났다는 것 자체가 걱정이었다. 걱정을 넘어 그야말로 충격이었다. 나는 그들이 회의실에서 줄지어 나오는 모습을 보았다. 그들은 그곳에서 에이미를 네 시간 동안 심문하고도 그녀를 놓아준 것이다. 놀랄 만큼 머리가 짧고 무표정한 얼굴을 한 FBI 요원 두 명, 인생 최고의 스테이크 디너를 즐기고 나온 듯한 표정의 길핀, 유일하게 입술을 앙다물고 미간을 작은 V자로 찌푸리고 있던 보니. 보니는 한쪽 눈썹을 구부린 채 나를 쳐다보다가, 나를 지나쳐 사라졌다.

그리고 너무나도 빨리, 에이미와 나는 우리 집에 돌아왔고 거실에 단둘이 남겨졌다. 블리커가 눈을 빛내며 우리를 쳐다보고 있었다. 커튼 밖에는 여전히 TV 카메라 불빛들이 기이하게 호화로운 오렌지색 빛을 내며 우리 거실을 비추고 있었다. 촛불에 비친 우리 모습은 낭만적이었다. 에이미는 완벽하게 아름다웠다. 나는 그녀를 증오했다. 그녀가 두려웠다.

"우린 같은 집에서 잘 수 없어." 내가 말을 꺼냈다.

"나는 당신과 이곳에 머물고 싶어." 에이미가 내 손을 잡았다. "남편과 함께 있고 싶다고. 난 당신에게 당신이 되고 싶은 남편이 될 기회를 주고 싶어. 난 당신을 용서해."

"날 용서해? 에이미, 왜 돌아온 거야? 내가 인터뷰에서 한 말 때문이야? 동영상들?"

"당신이 원한 게 그거 아니었어? 그게 그것들의 요점 아니었어? 동영상 속의 당신은 완벽했어. 우리가 한때 어땠는지, 그것이 얼마나 특별했는지 내게 상기시켜줬어."

"난 그저 당신이 듣고 싶은 이야기를 한 것뿐이야."

"알아. 당신은 나를 그토록 잘 알고 있어!" 에이미가 말했다. 그녀의 얼굴이 빛났다. 블리커는 에이미의 두 다리 사이에서 8자를 그리기 시작했다. 에이미는 블리커를 안아 올려 쓰다듬었다. 블리커가 귀청이 터질 듯 가르랑거렸다.

"생각해봐, 닉. 우리는 서로를 알아. 이 세상 누구보다도 잘 알지."

사실은 나도 그렇게 느낀 적이 있었다. 에이미가 무사하기를 바랐던 지난달에. 그런 느낌은 이상한 순간에, 한밤중에 오줌을 누러 일어났을 때나, 식탁에 앉아 입 안 가득 토스트를 집어넣고 있을 때 나를 찾아왔고, 나는 일순간 감탄했다. 그리고 그보다 더 큰, 나의 한가운데에서, 배 속에서부터 아내에 대한 애정을 느꼈다. 아내는 내가 듣고 싶어 한 말을 정확하게 알고 있었고, 보물찾기 편지를 통해 자신에게 돌아오라고 나를 유혹하고 있었으며, 심지어 나의 모든 잘못된 행보까지 예측하고 있었다……그 여자는 나를 뼛속까지 알고 있었다. 그녀는 세상 누구보다도 나를 잘알고 있었다. 나는 그때까지도 우리가 남남이라고 생각했는데, 우리는 직관적으로, 피 속까지, 뼛속까지 서로를 알고 있었던 것이다.

어떤 면에서 그것은 낭만적이었다. 재앙처럼 낭만적이었다.

"우리는 예전으로 돌아갈 수 없어, 에이미."

"아니, 예전이 아니야." 그녀가 말했다. "지금이야. 이제 당신은 나를 사랑하고, 다시는 잘못을 저지르지 않을 거야."

"넌 미쳤어. 내가 여기 머물 거라고 생각한다면 넌 그야말로 미친 거야. 넌 사람을 죽였다고." 나는 말한 다음 그녀에게서 등을 돌렸다. 순간 한 손에 칼을 든 그녀가 복종하지 않는 나를 향해 입술을 앙다무는 모습이 떠올랐다. 나는 다시 돌아섰다. 그렇다, 나의 아내는 결코 등을 보여줘서는 안 되는 사람이다.

"탈출하기 위해서였어."

"당신은 데시를 죽였어. 새로운 이야기를 쓰기 위해, 돌아와서 사랑받는 에이미가 되고 당신이 한 짓에 대해 어떤 비난도 받지 않기 위해서 말이야. 모르겠어, 에이미? 그 아이러니를? 당신은 항상 그 문제 때문에 나를 싫어했잖아. 내가 내 행동에 책임을 지지 않는다고 말이야, 그렇지? 자, 그동안 나는 제대로, 호되게 대가를 치렀어. 그런데 당신은? 당신은 사람을 죽였어. 당신을 사랑하고 도와주었을 남자를 말이야. 그리고 이제 내가 그의 역할을 떠맡아 당신을 사랑하고 당신을 돕기를 원하고 있어……. 난 못해. 난 그럴 수 없어. 난 그렇게 하지 않을 거야."

"닉, 당신은 뭔가 잘못된 이야기를 들은 것 같아. 떠돌고 있는 수많은 루머를 생각한다면 놀랄 일도 아니지만. 하지만 우린 이제 모두 다 잊어야 해. 우리가 새출발을 하려면 말이야. 우린 새출발을 하게 될 거야. 미국 전역이 우리의 새출발을 원하고 있어. 그게 지금 당장 세상이 필요로 하는 이야기야. 데시는 나쁜 놈이고, 나쁜 놈들을 원하는 사람은 아무도 없어. 사람들은 당신을 좋아하고 싶어 해, 닉. 당신이 다시 사랑받을 수 있는 유일한 방법은 나와 함께 지내는 거야. 그게 유일한 방법이야."

"무슨 일이 있었던 건지 말해, 에이미. 데시가 계속 당신을 돕고 있었던 거야?"

그 말에 에이미는 벌컥 화를 냈다. 자기는 남자의 도움 같은 건 필요 없다고. 분명 남자의 도움을 필요로 했으면서. "물론 아니야!" 그녀가 쏘아붙였다.

"말해봐. 손해 볼 게 뭐 있어. 나한테 다 털어놔봐. 당신과 나는 이 가짜 이야기로는 새출발을 할 수 없어. 난 매사에 당신과 싸우게 될 거야. 당신이 모든 걸 생각해놓았다는 걸 알아. 난 당신의 실수를 잡으려고 애쓰지 않을 거야, 경찰은 그럴지도 모르지만. 난 당신을 앞지르려고 애쓰는 데 지쳤어. 그럴 생각이 없다고. 난 그저 무슨 일이 벌어진 건지 알고 싶은 거야. 난 사형당하기 직전이었어, 에이미. 당신이 돌아와서 나를 구한 거야. 듣고 있어? 고마워, 나중에 내가 고마워하지 않았다는 말은 하지 마. 고마워. 하지만 난 알아야겠어. 당신도 내가 알아야 한다는 걸 알 거야."

"옷 벗어." 그녀가 말했다.

에이미는 내 몸에 도청 장치가 없다는 것을 확인하고 싶어 했다. 나는 그녀 앞에서 옷을 벗고 실오라기 하나 걸치지 않은 알몸이 되었다. 그녀는 나를 검사하며 한 손을 내 턱과 가슴, 등 아래쪽으로 쓸어내렸다. 손바닥으로 내 엉덩이를 덮었다가 나의 두 다리 사이로 미끄러지듯 손을 집어넣었다. 그녀는 손바닥 위에 내 고환을 올려놓은 다음, 나의 축 늘어진 성기를 움켜쥐고 잠시 기다리며 무슨 일이 벌어지는지 지켜보았다. 아무 일도 벌어지지 않았다.

"깨끗하군." 그녀가 말했다. 그것은 농담이자 경구, 예전에 우리가 듣고 웃었던 영화 대사였다. 내가 말이 없자 그녀는 뒤로 물러나서 말했다. "난 언제나 당신의 알몸을 보는 게 좋았어. 그러면 행복했지."

"당신을 행복하게 하는 건 아무것도 없어. 이제 옷을 입어도 될까?"

"안 돼. 소맷부리나 옷단 속에 숨겨진 도청 장치를 걱정하긴 싫거든. 그리고 우리는 욕실로 가서 물을 틀어야 해. 당신이 집 안에 도청 장치를 설치했을지도 모르니까."

"당신은 영화를 너무 많이 봤어." 내가 말했다.

"하! 당신한테 그런 소릴 들을 거라고는 상상도 못했네!"

우리는 욕조 안에 서서 샤워기를 틀었다. 물줄기가 나의 벗은 등을 쳤고 에이미의 셔츠 앞자락을 안개로 덮었다. 이윽고 에이미가 셔츠를 벗었다. 그리고 나머지 옷도 즐거운 스트리퍼처럼 다 벗어서 샤워 스톨 너머로 던졌다. 우리가 처음 만났을 때처럼 싱긋 웃으며 투지 넘치게— 다 받아주겠어! 그런 다음 그녀는 내 쪽을 보았고 나는 그녀가 내게 추파를 던질 때처럼 머리카락을 어깨 뒤로 휙 넘기기를 기다렸지만 지금 그녀의 머리는 너무 짧았다.

"이제 공평하네." 그녀가 말했다. "한 사람만 옷을 입고 있는 건 무례한 것 같아서 말이야."

"우린 이제 에티켓을 따질 단계를 넘어선 것 같은데, 에이미."

그녀의 눈만 봐, 그녀한테 손대지 마, 그녀가 너한테 손대게 하지 마.

그녀는 내 쪽으로 다가와 한 손을 내 가슴 위에 올려놓았다. 그녀의 젖가슴 사이로 물이 떨어졌다. 그녀는 자신의 윗입술에 묻은 물방울을 핥아내고 웃음을 지었다. 에이미는 샤워기의 물줄기를 싫어했다. 그녀는 얼굴이 젖는 것을 싫어했다. 물방울이 살갗을 때리는 느낌을 싫어했다. 그녀와 결혼한 나는 이 사실을 알고 있었다. 내가 샤워기 밑에서 그녀를 거칠게 잡고 희롱할 때마다 그녀는 늘 거절했다. (이게 섹시해 보인다는 건 알아, 닉. 하지만 사실 이건 섹시하지 않아. 이건 영화 속 배우들이나 하는 일이야.) 지금 그녀는 그렇지 않은 척하고 있었다. 내가 그녀를 안다는 사실을 잊어버렸다는 듯이. 나는 뒤로 물러섰다.

"다 털어봐, 에이미. 우선, 아이가 정말로 있었어?"

아이는 거짓이었다. 그 사실은 이 모든 이야기를 통틀어 나를 가장 비참하게 했다. 내 아내가 살인자라는 것은 무섭고 혐오스러웠지만, 아이 이야기가 거짓이었다는 점은 견디기가 거의 불가능했다. 아이도, 피를 무서워한다는 것도 거짓이었다. 지난 1년 동안 내 아내의 거의 모든 것은 거짓이었다.

"어떻게 데시한테 누명을 씌웠지?" 내가 물었다.

"지하실 구석에서 노끈을 좀 찾았어. 그걸 스테이크 칼로 네 조각으로 잘랐고."

"그가 네가 칼을 갖고 있게 내버려뒀어?"

"우린 친구였어. 당신, 잊었구나."

그녀가 옳았다. 나는 그녀가 경찰에게 한 이야기—데시가 그녀를 감금했다—를 생각하고 있었다. 난 정말로 잊고 있었다. 그녀는 그만큼 뛰어난 이야기꾼인 것이다.

"데시가 없을 때마다 그걸로 손목과 발목을 최대한 꽉 묶어서 자국이 남게 했어."

그녀는 두 손목에 난 무시무시한 선을 보여주었다. 마치 팔찌 같았다.

"와인 병으로 매일 스스로를 학대해서 질 속이…… 그럴듯하게 보이도록 했고. 성폭행 피해자로서 그럴듯하게 말이야. 그리고 어제 마침내 그가 나와 섹스를 하게 만들어서 내 몸에 그의 정액을 남겼지. 그런 다음 그의 마티니에 몰래 수면제를 몇 알 넣었어."

"그가 너한테 수면제도 맡겼어?"

그녀가 한숨을 쉬었다. 나는 따라가지 못하고 있었다.

"그래, 너희 둘은 친구지."

"그리고 난……."

그녀는 그의 경정맥을 긋는 판토마임을 했다.

"하, 그렇게 쉽게?"

"하기로 했으면 하는 거야." 그녀가 말했다. "극기심. 완수. 모든 일과 마찬가지로. 당신은 한 번도 그걸 이해하지 못했지."

나는 그녀의 기분이 냉랭해지는 것을 느꼈다. 내가 그녀에게 충분히 감탄하지 않았던 것이다.

"더 말해줘." 내가 말했다. "어떻게 그 일을 했는지."

한 시간 뒤, 마침내 물이 차가워졌고 에이미는 우리의 토론을 마치겠다고 선언했다.

"당신은 인정해야만 해. 꽤 대단하단 걸." 그녀가 말했다.

나는 그녀를 노려보기만 했다.

"내 말은, 아주 조금이라도 인정해야만 한다는 뜻이야." 그녀가 재촉했다.

"데시가 죽기 전에 얼마나 오래 피를 흘렸어?"

"잘 시간이야." 에이미가 말했다. "하지만 원한다면 내일 더 얘기할 수 있어. 지금 우리는 자야 해. 함께. 난 그게 중요하다고 생각해. 끝을 위해서. 아니, 시작을 위해서."

"에이미, 난 오늘 밤에 이 집에 있을 거야. 그렇지 않을 경우 쏟아질 언론의 수많은 질문을 피하기 위해서. 하지만 아래층에서 자겠어."

에이미는 고개를 옆으로 기울이고 나를 쳐다보았다.

"닉, 난 여전히 당신한테 아주 나쁜 일을 할 수 있다는 걸 기억해."

"하! 당신이 이미 한 일보다 나쁘겠어?"

그녀는 놀란 표정이었다. "어머, 물론이지."

"그럴 수 있을 것 같지 않은데, 에이미."

나는 문밖으로 걸어 나갔다.

"살인미수." 그녀가 말했다.

나는 멈춰 섰다.

"그게 내 원래 계획이었어, 처음에 말이야. 난 불쌍하고 아픈 아내가 되는 거야. 반복되는 사건, 갑자기 심해지는 질환. 알고 보니 그녀의 남편이 아내에게 만들어준 칵테일은 모두……"

"일기장에서처럼."

"하지만 난 당신한테 살인 미수로는 부족하다는 결론을 내렸어. 그것보다는 더 커야 했지. 하지만 난 아직도 중독에 대한 생각을 머릿속에서 지우지 못하고 있어. 당신이 결국 살인자로 발전한다는 생각이 아주 마음에 들어. 당신은 우선 비겁한 방식을 시도하는 거지. 나는 앞으로 나아가면서 그것을 이겨낼 거고."

"내가 그 말을 믿기를 바라?"

"너무나 충격적인 그 토사물. 순진하고 겁에 질린 아내는 만약을 위해 토사물의 일부를 보관했을지도 모른다. 그녀를 탓할 수는 없다, 그녀에게는 약간의 피해망상증이 있으니까." 그녀가 만족스럽다는 듯이 웃었다. "언제나 차선책을 위한 차선책이 있어야 하는 법이지."

"실제로 독을 먹었다는 얘기군."

"닉, 제발, 충격받은 거야? 난 나를 죽인 사람이야."

"술이 필요해." 나는 말했고, 그녀가 입을 열기 전에 떠나버렸다.

나는 스카치 한 잔을 들고 거실 소파에 앉았다. 커튼 너머로 여전히 카메라 플래시라이트가 마당을 밝히고 있었다. 곧 밤이 지나갈 것이다. 나는 아침이 오고 또 온다는 것을 알고 아침이면 우울해지겠지.

태녀가 곧바로 전화를 받았다.

"에이미가 데시를 죽였어요." 내가 말했다. "그녀가 그를 죽인 이유는 기본적으로…… 그가 그녀를 화나게 만들었기 때문이에요. 그는 그녀와 파워플레이를 했고, 그녀는 자신이 그를 죽일 수 있고, 그렇게 해야 예전의 생활로 돌아갈 수 있으며, 모든 비난은 그가 받을 거라는 걸 알게 되었죠. 에이미는 그를 살해했어요, 태녀. 그녀가 나한테 직접 그렇게 말했어요. 자백했다고요."

"아마도 당신은…… 아무것도 녹음하지 못했겠죠? 휴대폰이든 아무것에든 다?"

"우리는 샤워기를 틀어놓고 알몸으로 얘기했어요. 거기다 에이미는 계속 속삭이며 말했고요."

"묻고 싶지도 않군요." 그가 말했다. "당신 둘은 지금까지 내가 만나본 사람들 중에서도 최고로 망가진 사람들이에요. 난 망가진 사람만 만나는데도 말이죠."

"경찰 쪽은 어떻게 되고 있습니까?"

태녀는 한숨을 쉬었다. "에이미는 모든 것을 검증했어요. 그녀의 이야기는 터무니없지만 우리의 이야기는 그보다 더 터무니없죠. 그러니까, 에이미는 기본적으로 소시오패스의 가장 믿음직한 격언을 활용하고 있는 겁니다."

"그게 뭐죠?"

"거짓말이 클수록 사람들은 더 잘 믿는다."

"왜 이래요, 태녀. 분명 무슨 수가 있을 거예요."

나는 계단 쪽으로 재빨리 걸어가 근처에 에이미가 없는 것을 확인했다. 속삭이고 있었지만 모르는 일이었다. 나는 이제 신중해져야 했다.

"지금으로선 각자 할 일을 하는 수밖에 없습니다, 닉. 에이미는 당신을 상당히 나쁜 놈으로 보이게 만들어놨어요. 일기장의 내용이 모두 사실이라고 한 거죠. 헛간 속 물건들도 당신의 것이라고 했고요. 당신이 그 신용카드로 산 물건인데 창피해서 아직 인정하지 않고 있는 거라고. 그러니까, 온실 속에서 자란 부잣집 여자일 뿐인 에이미가 남편이 몰래 만든 신용카드에 대해 뭘 알겠습니까? 그리고 맙소사, 그 포르노들!"

"그녀는 아기도 없었다고 했습니다. 노엘 호손의 오줌으로 일을 꾸민 거라고요."

"그걸 왜 이제 말합니까, 그건 중요한 거예요! 노엘 호손에게 압력을 가해보죠."

"노엘은 그 사실을 몰랐습니다."

나는 수화기 반대편에서 깊은 한숨 소리를 들었다. 그는 이제 어떻게 그랬는지조차 물으려고 하지 않았다.

"자, 우린 계속 생각할 겁니다. 계속 생각하는 거예요." 태너가 말했다. "뭔가가 터질 겁니다."

"난 이 집에서 '저것'과 함께 지낼 수 없어요. 그녀는 이제 나를 협박하고 있……."

"살인미수…… 부동액. 네, 그 얘기도 나왔다고 들었습니다."

"경찰이 그걸로 날 체포하지는 않겠죠, 네? 그녀는 아직도 토사물을 일부 갖고 있다고 했어요. 증거물이죠. 하지만 경찰이 정말……."

"지금은 시험해보지 맙시다, 알았죠, 닉?" 그가 말했다. "지금으로선, 착하게 굴어요. 이렇게 말하긴 싫지만, 정말로 싫지만, 이것이 지금 당장 당신에게 해줄 수 있는 나의 최고의 법적 조언입니다. 착하게 굴어요."

"착하게 굴라고요? 그게 당신의 조언입니까? 나의 원맨 법률 드림팀의 조언이 '착하게 굴어'라고요? 엿 먹어요."

나는 분노에 휩싸여 전화를 끊어버렸다.

죽일 거야. 나는 생각했다. 저년을 죽이고 말겠어.

나는 지난 몇 년 동안 에이미가 나를 가장 초라하게 만들 때마다 탐닉했던 험악한 상상 속으로 뛰어들었다. 나는 망치로 에이미를 내려치는 상상을 한다. 그녀의 머리를 으깨며 그녀가 마침내 말을 멈추게, 그녀가 내게 주입하던 말을 멈추게 하는 것이다. 평범해, 지루해, 이류야, 놀랍지 않아, 만족스럽지 않아, 인상적이지 않아. 기본적으로 '않아'였다. 상상 속에서, 나는 망치로 그녀를 계속해서 세게 내려치고, 이윽고 그녀는 고장 난 장난감처럼 않아, 않아, 않아 하고 웅얼거리다가 식식거리며 말을 멈춘다. 그러고도 성에 차지 않으면 그녀를 다시 완벽하게 복구시킨 다음, 다시 죽이기 시작한다. 손가락으로 그녀의 목을 감싸 쥔 다음―그녀는 언제나 친밀함을 갈망했으니―조르고 또 졸라 그녀의 맥박이…….

"닉?"

나는 뒤를 돌아보았다. 에이미가 잠옷 차림으로 계단 밑에 서서 고개를 한쪽으로 기울이고 있었다.

"착하게 굴어, 닉."

에이미 엘리엇 던

돌아온 날 밤

그는 돌아서서 내가 서 있는 것을 보더니 겁먹은 표정을 짓는다. 이건 유용한 사실이다. 나는 그를 보내줄 마음이 없기 때문이다. 그는 자신이 나를 집으로 불러들이기 위해 했던 모든 말이 거짓이었다고 생각할 수도 있다. 하지만 나는 그렇지 않다는 걸 안다. 닉이 그런 식으로 거짓말을 할 수 없다는 걸 안다. 그가 그렇게 말하면서 진실을 깨달았다는 걸 안다. 핑! 우리가 과거에 했던 사랑은 골수에 사무칠 수밖에 없기 때문이다. 우리가 했던 사랑은 경감될 수는 있지만 언제든 원래대로 돌아갈 준비를 하고 있다. 마치 세상에서 가장 달콤한 암처럼.

말도 안 된다고? 그럼 이건 어떤가? 그의 말이 거짓이었다고 치자. 그의 말에는 전혀 진심이 담겨 있지 않았다. 그렇다면, 제기랄, 그는 지나치게 잘해냈다. 왜냐하면 나는 정확히 그런 모습의 그를 원하기 때문이다. 그가 연기했던 그 남자, 여자들은 그런 남자를 사랑한다. 나도 그런 남자를 사랑한다. 나는 내 남편이 그런 남자이기를 원한다. 내가 신청했던 것은 그런 남자다. 나는 그런 남자와 살 자격이 있다.

그러므로 닉은 옛날에 그랬던 것처럼 진심으로 나를 사랑하기로 결심해야 한다. 그러지 않으면 그를 굴복시켜서 내가 결혼했던 그 남자로 만들 것이다. 그의 헛소리를 상대하는 건 진저리가 난다.

"착하게 굴어." 내가 말한다.

그는 어린애, 성난 어린애 같다. 그는 두 주먹을 꽉 쥔다.

"싫어, 에이미."

"난 당신을 망가뜨릴 수 있어, 닉."

"당신은 이미 그렇게 했어, 에이미." 그의 온몸에 분노가 퍼진다, 전율이 인다. "대관절 나와 함께 있고 싶어 하는 이유가 뭐야? 난 지루하고 평범하고 재미없고 따분해. 평균에도 못 미친다고. 당신은 지난 몇 년 동안 나한테 그렇게 말해왔잖아."

"그건 단지 당신이 노력하기를 멈췄기 때문이야." 내가 말한다. "당신은 나와 함께할 때 너무나 완벽했어. 처음 만났을 때 우리는 너무나 완벽했어. 그런데 당신은 멈췄어. 왜 그랬어?"

"당신을 사랑하기를 멈췄으니까."

"왜?"

"당신이 나를 사랑하기를 멈췄잖아. 우린 구역질나고 엿 같고 독기 서린 뫼비우스의 띠야, 에이미. 우리가 사랑에 빠졌을 땐 둘 다 우리 자신이 아니었어. 우리가 원래의 자기 모습으로 돌아갔을 때 우리는 독이었지. 우린 가장 더럽고 추악한 방식으로 서로를 완벽하게 해. 당신은 정말로 나를 사랑하지 않아, 에이미. 좋아한다고도 할 수 없어. 이혼해. 이혼하고 각자 행복해지기 위해 노력하자."

"난 당신과 이혼하지 않을 거야, 닉. 그런 일은 없어. 그리고 맹세컨대 당신이 날 떠나려고 한다면 나는 내 인생을 걸고 당신의 인생을 최대한 끔찍하게 만들 거야. 내가 당신 인생을 끔찍하게 만들 수 있다는 건 당신도 알 거야."

그는 우리에 갇힌 곰처럼 이리저리 서성거리기 시작한다. "생각해봐, 에이미, 우리가 서로에게 얼마나 나쁜지를. 서로에게 들러붙은 세상에서 제일 부족한 두 인간. 자기 꼬리를 뜯어먹는 뱀 한 마리. 당신이 이혼 신청을 하지 않으면 내가 할 거야."

"정말이야?"

"난 당신과 이혼할 거야. 하지만 당신이 이혼 신청을 해야 해. 난 이미 당신이 무슨 생각을 하고 있는지 알거든. 당신은 그것이 멋진 이야기가 되지 않는다고 생각하고 있어. 어메이징 에이미, 마침내 미친 납치 강간범을 죽이고 집으로 돌아가…… 진부하고 뻔한 이혼을 하다. 당신은 이것이 승자의 이야기가 아니라고 생각하고 있어."

물론 그것은 승자의 이야기가 아니다.

"하지만 이런 식으로 생각해봐. 당신의 이야기는 눈물을 자아내는 심각한 서바이벌 스토리가 아니야. 1992년경의 TV 드라마가 아니라고. 당신은 강하고, 활기차고, 독립적인 여자야, 에이미. 당신은 당신을 납치한 놈을 죽였고, 뒤이어 당신의 집까지 청소하는 거야. 얼간이 바람둥이인 남편을 제거하는 거지. 여자들은 당신에게 환호할 거야. 당신은 겁먹은 소녀가 아니라 터프하고 단호한 여자야. 생각해봐. 내 말이 맞다는 걸 알잖아. 용서의 시대는 끝났어. 그건 옛날이야기라고. 그 많은 여자들을 떠올려봐, 정치인의 아내들, 여배우들. 남편이 바람을 피운 유명한 여자들 중에 계속 남편과 사는 사람은 아무도 없어. 더는 '당신 남자의 곁을 지켜주세요' 시대가 아니야. '그 개새끼랑 이혼해' 시대라고."

나는 아직도 우리의 결혼에서 달아나려고 애쓰는 그에게 증오가 솟구친다. 내가 그렇게, 벌써 세 번이나 그럴 수 없다고 말했는데도. 그는 아직도 자신에게 힘이 있다고 생각한다.

"그래서 내가 이혼 신청을 하지 않으면 당신이 할 거라는 거야?" 내가 묻는다.

"난 당신 같은 여자와 결혼 생활을 할 수 없어. 정상인과 결혼하고 싶다고."

똥 같은 소리.

"알겠어. 당신은 시시하고 힘없고 패배한 자신의 원래 모습으로 돌아가고 싶은 거야? 그냥 도망치고 싶어? 안 돼! 당신은 지겨운 옆집 여자와 사는 지겨운 보통 미국인이 될 수 없어. 이미 시도해봤잖아. 잊어버렸어, 자기? 이제 당신은 그러고 싶어도 그럴 수 없어. 당신은 납치, 강간당한 아내를 버린 난봉꾼으로 알려질 거야. 세상 어떤 착한 여자가 당신한테 손을 내밀겠어? 당신이 만날 수 있는 건……."

"사이코? 미친 사이코 년들?" 그가 손가락으로 나를 가리키고 있다.

"날 그렇게 부르지 마."

"사이코 년?"

그로서는 나를 그런 식으로 깎아내리는 것이 너무나 편할 것이다. 그토록 간단하게 나를 무시할 수 있다는 사실이 아주 마음에 들겠지.

"내가 하는 모든 일에는 이유가 있어, 닉." 내가 말한다. "내가 하는 모든 일에는 계획과 정확성과 극기심이 필요해."

"넌 옹졸하고 이기적이고 제멋대로에 훈련된 사이코 년이야."

"당신은 남자야." 내가 말한다. "평범하고 게으르고 지루하고 비겁한 데다 여자를 두려워하는 남자. 내가 없으면 당신은 계속 그렇게 살았겠지, 지겹도록 말이야. 하지만 난 당신을 뭔가로 만들었어. 당신은 나와 함께 있을 때 이전에는 한 번도 되어본 적 없는 최고의 남자였어. 당신도 알 거야. 당신이 살면서 스스로를 사랑했던 유일한 시기는, 당신이 내가 좋아할 것 같은 부류인 척했을 때였어. 내가 없으면? 당신은 당신 아버지랑 똑같아."

"입 조심해, 에이미."

그가 주먹을 꽉 쥐었다.

"당신 아버지가 당신처럼 여자한테 상처받은 적이 없다고 생각해?" 나는 강아지에게 말하는 것처럼 최고로 봐주는 듯한 말투로 말한다. "아버지가 당신처럼 자신에게 주어진 것보다 더 나은 걸 얻을 자격이 없었다고 생각해? 정말로 당신 어머니가 아버지의 첫 번째 선택이었다고 생각해? 당신 아버지가 당신을 그토록 싫어했던 이유가 뭐라고 생각해?"

그가 내게 다가온다. "입 닥쳐, 에이미."

"생각해봐, 닉. 내 말이 맞다는 걸 알 거야. 설사 당신이 착하고 평범한 여자를 만난다고 해도, 당신은 매일 나를 생각하게 될 거야. 그렇지 않다고 말해봐."

"그렇지 않아."

"당신은 내가 다시 당신을 사랑한다고 생각했을 때, 그 '유능한 앤디' 계집애를 얼마나 빨리 잊어버렸어?" 나는 아랫입술까지 비죽 내밀고 불쌍한 아기 목소리로 말한다. "연애편지 한 통에? 한 통에 그랬어? 두 통? 내가 당신을 사랑하고 당신이 돌아오기를 바라며, 마침내 당신이 훌륭하다고 생각한다고 맹세한 편지 두 통, 그 때문이었어? '당신은 재치 있어, 당신은 따뜻해, 당신은 똑똑해.' 당신은 정말 한심해. 당신이 다시 보통 남자가 되는 게 가능한 일이라고 생각하는 거야? 당신은 착한 여자를 만난 후에도 계속 나를 생각할 거고, 지독한 불만을 느끼면서 그저 그런 아내와 변변찮은 어린애 둘과 함께 지루하고 평범한 인생에 갇혀 살게 될 거야. 당신은 나를 떠올리면서 아내를 보고 생각하겠지. '멍청한 년.'"

"닥쳐, 에이미. 농담 아니야."

"꼭 당신 아버지처럼. 우린 결국 모두 년들이잖아, 안 그래, 닉? 멍청한 년, 사이코 년."

그가 내 팔을 잡고 나를 세게 흔든다.

"난 당신을 더 나은 사람으로 만드는 년이야, 닉."

그는 더 이상 말을 하지 않는다. 그는 자신의 두 손을 계속 옆구리에 올려두는 데 모든 에너지를 쏟고 있다. 그는 눈가가 눈물로 젖은 채 몸을 떨고 있다.

"난 당신을 남자로 만드는 년이야."

그때 그의 두 손이 내 목을 잡는다.

닉 던

돌아온 날 밤

그녀의 맥박이 마침내 내 손아귀 안에서 고동치고 있었다. 내가 상상했던 그대로였다. 나는 더 세게 누르며 그녀를 주저앉혔다. 그녀는 내 손목을 할퀴며 암탉 울음소리 같은 소리를 냈다. 우리는 둘 다 무릎을 꿇고 10초 동안 마주 보며 기도하는 자세로 있었다.

이 좆같은 미친 년.

눈물 한 방울이 나의 턱 끝에서 바닥으로 떨어졌다.

이 살인자, 사기꾼 같은 악랄한 미친 년.

에이미의 옅은 파란색 눈이 깜박이지도 않고 내 눈을 똑바로 노려보고 있었다.

그때 너무나도 이상한 생각이 나의 뇌 뒤쪽에서 앞쪽으로, 술에 취한 것처럼 덜걱거리며 나왔다. 눈앞이 캄캄해졌다. 에이미를 죽이면, 나는 뭐가 되지?

새하얀 빛이 눈앞에서 번쩍 하고 지나갔다. 나는 뜨거운 쇠붙이를 잡고 있던 것처럼 아내를 떨어뜨렸다.

그녀는 바닥에 주저앉아 숨을 헐떡이고 기침을 했다. 호흡이 정상으로 돌아오자 그녀는 갈라져서 쉰 소리를 내더니, 끝에 가서는 기이하고 거의 에로틱하게 끅끅거렸다.

그럼 난 누구지? 그 질문은 반박하기 위한 것이 아니었다. 종교적인 질문도 아니었다. 그럼 넌 살인자야, 닉. 에이미만큼 나쁜 인간이야. 모두가 너라고 생각했던 사람이 되는 거야. 아니, 무섭도록 영혼이 깃든, 문자 그대로의 질문이었다. 반작용을 할 에이미가 없으면 나는 무엇이 될까? 그녀의 말이 옳았다. 남자로서 나는 그녀를 사랑했을 때 가장 인상적인 사람이었다. 그리고 그녀를 증오했을 때의 내가 그다음으로 나은 사람이었다. 에이미를 만난 지는 겨우 7년밖에 되지 않았지만 나는 그녀가 없는 인생으로 돌아갈 수 없었다. 그녀의 말이 옳았다. 나는 평범한 삶으로 돌아갈 수 없었다. 그녀가 입을 열기 전부터 나는 그 사실을 알고 있었다. 나는 이미 보통 여자―착하고 평범한 옆집 여자―와 함께하는 내 모습을 상상해본 적이 있었다. 그 보통 여자에게 에이미의 이야기를, 그녀가 나를 벌하고 내게 돌아오기 위해 어디까지 갔는지 이야기하는 모습을 상상했다. 그리고 그 착하고 그저 그런 여자가 '어머, 안 돼애애애'나 '어머나, 세상에' 같은 재미없는 대답을 늘어놓는 모습을 상상했다. 나의 일부가 그 여자를 보며 이렇게 생각하리라는 것을 이미 알고 있었다. 너라면 나 때문에 절대 사람을 죽이지 않을 거야. 너라면 내게 절대 누명을 씌우지 않을 거야. 넌 에이미가 했던 일을 어떻게 시작해야 하는지조차 모를 거야. 넌 그만큼 신경 쓸 수도 없을 거야. 내 안의 응석받이 마마보이는 그 평범한 여자에게서 안식을 찾을 수 없을 것이고, 얼마 못 가 그녀는 평범한 것이 아니라 표준 이하가 될 것이며, 이어 내 아버지의 목소리―멍청한 년―가 올라와 내 안에 계속 머물 것이다.

에이미가 분명 옳았다.

그러니 어쩌면 내게 좋은 결말이란 없는지도 모른다.

에이미는 독이지만 나는 그녀가 아예 없는 세상을 상상할 수가 없었다. 에이미가 사라져버리면 나는 무엇이 되겠는가? 내게는 더 이상 흥미로운 선택지가 없었다. 하지만 그녀를 굴복시켜야 했다. 감옥 안에 있는 에이미, 이것이 그녀에게 좋은 결말이었다. 상자 속에 갇힌 그녀는 나를 일상적으로 괴롭힐 수 없겠지만 나는 때때로 그녀를 방문할 수 있을 것이다. 또는 적어도 그녀를 상상할 수는 있을 것이다. 저 바깥 어딘가에 남겨진 맥박, 나의 맥박.

그녀를 그곳에 집어넣는 사람은 내가 되어야만 했다. 그것은 나의 의무였다. 내가 최고의 내가 된 것이 에이미 때문인 것과 마찬가지로, 나는 에이미 안에 광기가 꽃피게 한 책임을 져야만 한다. 세상에는 에이미를 사랑하고 존경하고 그녀에게 복종하면서, 그런 자신이 행운아라고 생각했을 수많은 남자들이 있다. 에이미로 하여금 완벽하고 강인하고 까다롭고 똑똑하고 독창적이고 매혹적이고 탐욕스럽고 과대망상증이 있는 본래의 모습이 아닌 다른 사람인 척하라고 강요하지 않았을, 당당하고 자신감 있는 진짜 남자들이.

아내를 극진히 위할 줄 아는 남자들.

아내를 미치지 않게 할 수 있는 남자들.

에이미의 이야기는 수없이 많은 방식으로 전개될 수 있었다. 하지만 그녀는 나를 만났고, 나쁜 일들이 일어났다. 따라서 그녀를 멈추게 하는 것은 나의 책임이었다.

그녀를 죽이는 것이 아니라 막아야 한다.

그녀를 그녀의 상자들 중 하나에 집어넣어야 한다.

에이미 엘리엇 던

돌아온 지 5일째

안다, 이제 확실하게 안다. 내가 닉에 대해 더 신중해져야 한다는 것을. 그는 예전만큼 유순하지 않다. 그의 내면의 무언가에 전기가 흐른다, 스위치가 켜졌다. 마음에 든다. 하지만 나는 예방 조치를 할 필요가 있다.

나는 또 하나의, 아주 확실한 예방 조치가 필요하다.

이 예방 조치를 마련하려면 시간이 좀 걸릴 것이다. 하지만 계획은 예전에 세워놓았다. 당분간은 우리의 관계 회복에 힘써야 한다. 외관부터 손을 봐야 한다. 우리는 무슨 일이 있어도 행복한 결혼 생활을 하게 될 것이다.

"당신은 다시 날 사랑하려고 노력해야만 할 거야." 나는 그에게 말했다. 그가 나를 죽일 뻔한 다음 날 아침이자 닉의 서른다섯 번째 생일이었다. 그는 생일에 대해 아무 말도 하지 않았다. 내가 주는 선물이라면 이미 질릴 정도로 받았으니까.

"어젯밤 일은 용서할게." 내가 말했다. "우린 둘 다 심한 스트레스를 받고 있었어. 하지만 지금부터 당신은 다시 노력해야만 할 거야."

"알아."

"지금부터 모든 것이 달라져야만 해." 내가 말했다.

"알아." 그가 말했다.

사실 그는 알지 못한다. 하지만 알게 될 것이다.

나의 부모는 날마다 우리 집에 온다. 랜드와 메리베스와 닉은 내게 아 낌없는 관심을, 베개를 베푼다. 베개. 모두들 내게 베개를 주고 싶어 한 다. 우리는 내가 강간과 유산 때문에 언제까지나 아프고 허약할 거라는 집단 정신병을 앓느라 쓸데없는 고생을 하고 있다. 나는 영원히 참새의 뼈를 가진 사람이 되었다. 손바닥 위에 조심스럽게 올려놓지 않으면 부러 지고 만다는 듯이. 그래서 나는 두 발을 그 악명 높은 오토만 위에 올려놓 고, 내가 피를 흘렸던 부엌에서 조심조심 발걸음을 옮긴다. 모두들 나를 잘 돌봐야만 한다.

하지만 내가 아닌 다른 사람과 함께 있는 닉을 지켜볼 때면 이상하게 초조하다. 그는 언제나 불쑥 털어놓기 직전인 것처럼 보인다. 그의 허파 가 터지면서 나에 대한 말, 파멸적인 말이 튀어나올 것만 같다.

나는 닉이 필요하다는 사실을 깨닫는다. 나의 이야기를 뒷받침하기 위 해서 정말로 그가 필요하다. 그가 부인하기를 멈추고 자신의 짓이었다는 것을 인정하게 해야 한다. 신용카드, 헛간의 물건, 보험금 증액. 그러지 않으면 나는 영원히 희미한 불확실성을 안고 살아가야 한다. 내게는 몇 가지 미해결 사안이 있다. 바로 사람들이다. 경찰과 FBI는 아직도 내 이 야기를 철저하게 조사하고 있다. 보니는 물론 나를 체포하는 일을 아주 좋아할 것이다. 하지만 그들은 예전에 일을 너무 망쳐놓아서 — 그들은 완 전 바보처럼 보였다 — 증거가 없는 한 나를 건드리지 못할 것이다. 그리 고 그들에게는 증거가 없다. 그들에게 있는 것은 아직도 내가 그가 했다고 맹세한 일들을 하지 않았다고 맹세하는 닉이다. 이것이 큰 문제는 아니지만 마음에는 들지 않는다.

나는 오자크 친구들—제프와 그레타—이 나의 명성과 돈 냄새를 맡고 나타날 때를 대비해서도 준비해놓았다. 나는 벌써 경찰에게 이렇게 말해두었다. 데시는 나를 곧바로 그 집으로 데려가지 않았다. 그는 눈을 가리고 재갈을 물리고 약을 먹인 나를 며칠 동안—내 생각에 며칠 동안이었던 것 같다—어떤 방, 모텔 방 같은 곳에 가뒀다. 아니 아파트였나? 그때 정신이 너무 몽롱해서 확신할 수는 없지만. 나는, 여러분도 알겠지만, 완전히 겁에 질려 있었고 수면제를 먹고 있었다. 제프와 그레타가 끝이 뾰족하고 비열한 얼굴을 들고 나타나서 어떻게든 경찰로 하여금 하이드-어-웨이에 기술팀을 내려보내도록 설득한다 해도, 나의 지문이나 머리카락이 발견된다 해도 그것으로는 퍼즐의 일부밖에 풀 수 없다. 나머지 사실은 그 둘이 거짓말을 하고 있다는 것이다.

따라서 문제가 되는 것은 정말로 닉뿐이다. 어서 그를 내 편으로 만들어야 한다. 나는 똑똑하기 때문에 다른 증거를 남기지 않았다. 경찰이 내 말을 모두 믿지 않을 수도 있지만, 아무것도 할 수 없을 것이다. 보니의 심통 사나운 말투로 보건대 알 수 있다. 그녀는 이제부터 평생 동안 항상 화가 난 기분으로 살아가게 될 것이다. 그리고 그녀가 화를 내면 낼수록 더 많은 사람들이 그녀를 무시할 것이다. 그녀에게는 벌써부터 음모론에 빠진 괴짜의 독선적이고 눈알을 굴리는 듯한 억양이 생겨났다. 그녀는 자기 머리에 포일을 씌우는 편이 나을 것이다.

그렇다, 수사가 서서히 끝나고 있다. 하지만 '어메이징 에이미'는 정반대다. 우리 부모의 출판업자는 겸연쩍어하면서 또 한 권의 《어메이징 에이미》를 내달라고 간청했고, 우리 부모는 후한 대가를 받고 순순히 따랐다. 다시 한 번, 그들은 나의 정신세계에 쭈그리고 앉아 돈을 벌고 있다. 그들은 오늘 아침 카르타고를 떠났다. 그들은 닉과 내가 둘만의 시간을 가지며 치유하는 것이 중요하다고 말하지만, 나는 진실을 안다. 그들은 일을 시작하고 싶은 것이다. 그들은 내게 자신들이 '제대로 된 톤을 찾으려고' 노력하고 있다고 말한다. 다음과 같이 말하는 톤. 우리 딸은 괴물에게 납치되어 반복적으로 강간당했다. 그녀는 결국 그 괴물의 목을 칼로 찔러야 했다…… 하지만 이 글은 결코 현금 탈취가 아니다.

나는 그들의 비참한 작은 왕국을 재건하는 데는 별로 관심이 없다. 왜냐하면 매일같이 나의 이야기를 들려달라는 전화를 받기 때문이다. 나의 이야기. 나의 이야기 말이다. 내게 필요한 건 최고의 계약 조건을 선택해 글쓰기를 시작하는 것뿐이다. 내게 필요한 건 닉을 동참시켜 이 이야기의 결말, 행복한 결말에 우리 둘 다 동의하도록 만드는 것뿐이다.

닉이 아직 나를 사랑하지 않는다는 걸 알지만 그는 나를 사랑하게 될 것이다. 나는 정말로 그렇게 믿고 있다. '성공할 때까지 성공한 척하라'는 말이 있지 않던가? 지금 그는 옛날의 닉처럼 행동하고 나는 옛날의 에이미처럼 행동한다. 우리가 행복했던 옛날. 우리가 지금만큼 서로를 잘 알지 못했던 옛날. 어제 나는 뒷베란다에 서서 강 위로 떠오르는 해를 보고 있었다. 이상하리만치 서늘한 8월의 아침이었다. 주위를 둘러보다가 주방 창문 너머로 나를 쳐다보고 있는 닉의 모습을 보았다. 그는 질문의 의미로 커피 잔을 들어 올렸다. 한 잔 마실래? 내가 고개를 끄덕이자 그는 곧 내 옆에 와서 섰다. 잔디 냄새가 나는 공기 속에서, 우리는 함께 커피를 마시며 강물을 바라보았다. 정상적이고 좋은 느낌이었다.

그는 아직 나와 자려고 하지 않는다. 그는 아래층 손님방에서 문을 잠그고 잔다. 하지만 어느 날 나는 그를 굴복시킬 것이다. 그를 방심하게 만들 것이다. 그는 밤마다 계속되는 전투에 쓸 에너지가 다 떨어질 것이고, 나와 함께 침대에 들 것이다. 그리고 한밤중에, 나는 그를 향해 돌아누워 그의 몸에 내 몸을 밀착시킬 것이다. 나는 기어올라 친친 감는 뱀처럼 그에게 들러붙을 것이다. 그리하여 마침내 나는 그의 모든 곳을 침범하고 그를 내 것으로 만들 것이다.

닉 던

돌아온 지 30일째

에이미는 자신이 지배자라고 생각하지만 완전히 틀렸다. 혹은, 완전히 틀리게 될 것이다.

보니와 고와 나는 일을 도모하고 있다. 이제 경찰도, FBI도 별로 신경을 쓰지 않고 있다. 하지만 어제 보니가 갑자기 전화를 했다. 내가 전화를 받자 그녀는 자기가 누군지 밝히지도 않고 오랜 친구처럼 그냥 이렇게 말했다. 나랑 커피 한 잔 할래요? 나는 고를 데리고 갔고 우리는 다시 그 팬케이크 식당으로 갔다. 보니는 이미 자리에 앉아 있었다. 그녀는 일어서서 힘없이 웃었다. 그녀는 언론의 뭇매를 맞는 중이었다. 우리는 어색하게 한패 같은, 포옹과 악수가 섞인 무언가를 했다. 보니가 마침내 마지못해 고개를 끄덕였다.

음식을 먹고 나서 그녀가 내게 첫마디를 꺼냈다. "나는 딸이 하나 있어요. 열세 살이고, 이름은 미아, 미아 햄이에요. 우리 나라가 월드컵에서 우승한 날 태어났죠. 그러니까, 그 애가 내 딸이에요."

나는 눈썹을 치켜떴다. 정말 흥미롭군요, 더 말해줘요.

"저번에 당신이 물어봤을 때, 나는…… 난 무례했어요. 당신이 결백하다고 확신했는데 그때는…… 모든 것이 당신이 결백하지 않다고 말하고 있었고, 그래서 난 화가 났어요. 내가 그렇게 속을 수 있다는 사실에요. 그래서 당신 앞에서 내 딸의 이름조차 말하고 싶지 않았던 거예요." 보니가 나와 고에게 보온병의 커피를 더 따라주었다.

"그래서, 그 애 이름은 미아라고요." 그녀가 말했다.

"고맙군요." 내가 말했다.

"아뇨, 내 말은…… 헛소리예요." 보니가 위를 보며 입김을 뿜어냈다. 세찬 입김에 그녀의 앞머리가 펄럭거렸다. "내 말은, 난 에이미가 당신에게 누명을 씌운 걸 알아요. 그녀가 데시 콜링스를 죽인 것도 알고요. 난 알아요. 그저 증명할 수가 없을 뿐이죠."

"당신은 사실상 이 사건을 맡고 있는데 다른 사람들은 다 뭘 하고 있죠?" 고가 물었다.

"사건은 없어요. 그들은 다른 사건으로 넘어갔어요. 길핀은 완전히 손을 뗐고요. 사실 전 윗선에서 이 똥 같은 사건을 그냥 묻어버리라는 말을 들었어요. 묻어버리라고요. 우린 전국 방송에서 덩치 큰 시골뜨기 바보 얼간이로 비춰지고 있어요. 난 당신한테서 뭔가를 얻지 못하면 아무것도 할 수 없어요, 닉. 뭐라도 아는 거 없어요?"

나는 어깨를 으쓱했다. "내가 아는 건 당신도 다 알고 있어요. 에이미는 내게 자백을 했지만……."

"에이미가 자백했어요?" 보니가 말했다. "이런, 젠장, 닉, 우리가 당신한테 도청 장치를 할게요."

"소용없을 겁니다. 소용없을 거예요. 에이미는 모든 걸 다 생각해요. 그러니까, 그녀는 경찰이 일하는 방식을 완벽하게 알고 있어요. 그녀는 공부를 해요, 론다."

그녀는 와플에 시퍼런 시럽을 더 부었다. 나는 포크로 둥글납작한 달걀 노른자를 터뜨려 휘저었다. 태양을 더럽혔다.

"당신이 날 론다라고 부를 때마다 미칠 것 같아요."

"그녀는 공부를 해요, 보니 형사 여사님."

보니는 위쪽으로 숨을 뱉어냈다. 앞머리를 흐트러뜨리는 깊은 한숨이었다. 이어 팬케이크를 한 입 먹었다. "어차피 이제는 나한테 도청 장치를 해 봤자예요."

"왜 이래, 뭔가 방법이 있을 거야." 고가 톡 쏘았다. "닉, 얻는 것도 없다면 대관절 그 집에 왜 붙어 있는 거야?"

"시간이 필요해, 고. 난 그녀가 다시 나를 신뢰하게 만들어야 해. 에이미가 나한테 스스럼없이 얘기하기 시작한다면, 그러니까 우리 둘 다 알몸이 아닐 때."

보니가 눈을 문지르며 고에게 말했다. "내가 물어보기라도 해야 하나요?"

"두 사람은 언제나 옷을 벗고 샤워기를 틀어놓은 채로 이야기를 해요." 고가 말했다. "샤워실 어딘가에 도청 장치를 할 수는 없는 거야?"

"에이미는 샤워기 물로도 모자라서 내 귀에 대고 속삭여." 내가 말했다.

"그 여자는 정말로 공부를 하는군요." 보니가 말했다. "정말 그래요. 난 에이미가 타고 온 데시의 재규어를 살펴봤어요. 에이미가 납치당한 뒤 갇혔다고 주장한 트렁크까지, 사람들을 시켜 조사했죠. 그곳에 아무것도 없다면 그녀가 거짓말을 한다는 걸 알아낼 수 있을 거라고 생각했어요. 닉, 에이미는 트렁크에서 뒹굴었어요. 경찰견들이 그녀의 냄새를 맡았거든요. 그리고 긴 금발 머리카락 세 가닥도 발견됐어요. 긴 금발 머리카락이요. 자르기 전의 머리카락 말이에요. 대체 어떻게 그랬는지……."

"선견지명이죠. 에이미는 분명 머리카락을 한 봉지 정도 보관하고 있었을 겁니다. 날 엿 먹이기 위해 필요할 때마다 어딘가에 떨어뜨려두기 위해서요."

"맙소사, 그런 여자가 엄마라면 어떨지 상상이 돼요? 거짓말이라고는 전혀 못하겠네요. 엄마가 언제나 몇 걸음 앞서 있을 테니까요."

"보니, 그런 여자가 아내면 어떨지 상상이 됩니까?"

"에이미는 자백할 겁니다." 보니가 말했다. "언젠가는 그럴 수밖에 없을 거예요."

"그런 일은 없을 겁니다." 내가 말했다. "그냥 제가 에이미에게 불리한 증언을 하는 건 어때요?"

"그러기엔 당신에 대한 신뢰성이 부족해요." 보니가 말했다." 당신에 대한 신뢰성은 오직 에이미에게서 나오고 있어요. 그녀는 혼자 힘으로 당신의 명예를 회복시켰어요. 그리고 그녀는 그걸 다시 뒤집을 수도 있고요. 그녀가 부동액 이야기를 들고 나온다면……."

"그 토사물을 찾아야겠어요." 내가 말했다. "그걸 없애버린 다음 우리가 그녀의 거짓말을 좀 더 공개하면……."

"우린 그 일기를 자세히 검토해야 해요." 고가 말했다. "7년치 일기랬죠? 분명 어긋나는 부분이 있을 거예요."

"경찰이 랜드와 메리베스에게 일기를 검토해달라고, 그들이 보기에 이상한 부분이 있는지 봐달라고 했죠." 보니가 말했다. "어떻게 됐을지 짐작이 가죠? 메리베스는 내 눈을 뽑아버릴 기세였어요."

"재클린 콜링스나 토미 오하라, 힐러리 핸디는 어때요?" 고가 말했다. "그들은 모두 에이미의 진짜 모습을 알고 있으니 분명 뭔가 건질 수 있을 거예요."

보니가 고개를 저었다. "내 말을 믿어요, 그걸로는 부족해요. 그들은 모두 에이미보다 신뢰성이 떨어져요. 중요한 건 오직 여론이에요. 그리고 지금 경찰이 신경 쓰는 것 역시 여론이고요."

보니의 말이 옳았다. 재클린 콜링스는 몇몇 케이블 프로그램에 출연해 아들의 결백을 주장했다. 그녀는 늘 안정감 있게 이야기를 시작했지만 모성애가 적대적으로 작용했다. 그녀는 곧 자신의 아들이 착한 사람이라고 절박하게 믿고 싶어 하는, 비탄에 빠진 여자라는 인상을 주었고, 사회자가 그녀를 동정하면 할수록 딱딱거리고 으르렁댔으며, 시청자의 반응도 점점 더 냉담해졌다. 그녀는 곧 보이지 않게 되었다. 토미 오하라와 힐러리 핸디 모두 에이미가 처벌을 받지 않는 것에 분개해 내게 전화를 걸어 자신들의 이야기를 하겠다고 했지만, 평정심을 잃은 과거의 두 아무개의 이야기를 듣고 싶어 하는 사람은 아무도 없었다. 기다려요, 나는 그들에게 말했다. 우리가 계속 작업하고 있으니까. 나와 힐러리와 토미와 재클린과 보니와 고. 우리에게 때가 올 것이다. 나는 그렇게 믿어야 한다고 스스로에게 말했다.

"앤디의 도움만이라도 받아보면 어떨까요?" 내가 물었다. "앤디에게 에이미가 단서를 숨긴 모든 곳이 우리가 같이 잤던 장소라고 증언해달라고 하면요? 앤디는 평판이 좋잖아요, 사람들은 그녀를 좋아해요."

앤디는 에이미가 돌아온 뒤 예전의 명랑한 모습으로 돌아갔다. 가끔 타블로이드 신문에 실린 스냅 사진들을 봐서 알고 있다. 그녀는 자기 또래의 귀엽고 털이 덥수룩한, 언제나 목 언저리에 이어폰을 매달고 다니는 남자애를 만나고 있었다. 함께 있는 그들은 좋아 보였다. 젊고 건강한 커플. 언론은 그들을 총애했다. 최고의 헤드라인은 "사랑이 앤디를 강하게

621

만들다(Love Finds Andie Hardy)!"였다. 미키 루니가 출연한 1938년도 영화 제목을 이용한 말장난인데, 이 말을 이해한 사람은 스무 명 정도밖에 되지 않았을 것이다. 나는 앤디에게 문자를 보냈다. '미안해. 전부 다.' 그녀는 답장을 보내지 않았다. 그녀가 잘 지내서 다행이다. 진심으로.

"우연이죠." 보니가 어깨를 으쓱했다. "내 말은, 기이한 우연이긴 하지만…… 일을 진척시킬 만큼 인상적이진 않다는 겁니다. 이런 분위기에서는요. 닉, 아내가 당신에게 뭔가 유용한 말을 하도록 만들어야 해요. 지금 우리의 희망은 당신뿐이에요."

고가 커피 잔을 탁 소리 나게 내려놓고 말했다. "우리가 지금 이런 대화를 한다는 사실을 믿을 수가 없네요. 닉, 난 네가 그 집에서 나왔으면 좋겠어. 네가 무슨 비밀경찰도 아니고, 그건 네 일이 아니야. 넌 지금 살인자랑 살고 있다고. 염병할, 얼른 떠나. 미안하지만 에이미가 데시를 죽였든 아니든 알 게 뭐야? 하지만 난 그년이 널 죽이는 꼴은 못 봐. 어느 날 네가 그년의 치즈 샌드위치를 태워버렸다고 쳐. 다음엔 뭐겠어? 네가 지붕에서 떨어졌다거나 다른 똥 같은 얘기를 듣게 되겠지. 떠나."

"그럴 수 없어. 아직은. 에이미는 결코 내가 떠나게 내버려두지 않을 거야. 그녀는 이 게임을 지나치게 즐기고 있어."

"그럼 게임을 멈춰."

그럴 수 없다. 난 지금 예전보다 훨씬 더 이 게임에 능숙하다. 나는 그녀 곁에 머물면서 마침내 그녀를 쓰러뜨릴 것이다. 그 일을 할 수 있는 사람은 이제 나뿐이다. 언젠가 에이미는 내게 쓸 만한 말을 하는 실수를 저지를 것이다. 나는 며칠 전에 우리의 침대로 들어갔다. 우리는 섹스를 하지도, 서로의 몸을 건드리지도 않는다. 하지만 우리는 한 침대를 쓰는 남편과 아내다. 에이미도 지금 당장은 그것으로 만족한다. 나는 그녀의 머리카락을 쓸어내린다. 나는 집게손가락과 엄지손가락으로 그녀의 머리카락을 약간 잡고 아래쪽 끝까지 쓸어내린 다음, 종을 울리듯이 잡아당긴다. 우린 둘 다 이런 행위를 좋아한다. 문제다.

우린 둘 다 사랑에 빠진 척하며 우리가 사랑에 빠졌을 때 좋아하던 행동을 한다. 때로는 거의 진짜 사랑하고 있다는 느낌이 들 정도다. 왜냐하면 우리는 너무나 완벽하게 우리의 기량을 시험해보고 있기 때문이다. 연애 초기의 근육 기억을 되살리고 있는 것이다. 잊고 있을 때—실제로 나는 가끔, 잠깐씩 아내의 실체를 잊어버린다—에이미와, 혹은 에이미가 연기하고 있는 그녀와 함께 있는 것이 좋다. 사실 내 아내는 가끔 정말 재미있는 살인자다. 예를 하나 들어볼까? 어느 날 밤 그녀는 내가 항공우편으로 주문한 바닷가재를 들고 나를 쫓아오는 척했고 나는 숨는 척했다. 그런 다음 우리 두 사람은 동시에 영화 〈애니 홀〉에 나오는 농담을 했다. 그것이 어찌나 완벽하고 적절하던지, 나는 잠시 방에서 나와야만 했다. 심장 뛰는 소리가 들렸다. 나는 나의 만트라를 반복해서 읊었다. 에이미는 사람을 죽였어. 아주, 아주 조심하지 않으면 너도 죽일 거야. 아주 재미있고 아름다운 살인자인 나의 아내는, 내가 그녀를 화나게 하면 나를 해칠 것이다. 나는 집에서 초조해하고 있었다. 한낮에 주방에 서서 샌드위치를 만들며 칼에 묻은 땅콩버터를 핥아먹다가 뒤를 돌았을 때 에이미가 그곳에 있다는 걸 알게 된다면—그녀의 소리 없는, 고양이처럼 작은 두 발—나는 말 그대로 펄쩍 뛸 것이다. 수많은 세부 사항을 잊어버리는 남자였던 나는 내가 불쾌감을 주지 않았다고 확신하기 위해, 아내의 심기를 건드리지 않았다고 확신하기 위해 우리가 나눈 대화를 다시 떠올려보는 남자가 되었다. 나는 아내가 나를 테스트할 때를 대비해 그녀의 하루,

그녀가 좋아하는 것과 싫어하는 것을 모두 기록한다. 나는 훌륭한 남편이
다. 아내가 나를 죽일까 봐 두려워하고 있기 때문이다.

우리는 나의 편집증에 대해서 한 번도 대화를 한 적이 없다. 우리는 서
로 사랑하는 척하고 있고, 나는 그녀를 무서워하지 않는 척하고 있기 때
문이다. 하지만 한번은 아내가 의미심장한 말을 했다. 알겠지만, 닉, 당신
은 나랑 한 침대에서 자도 돼, 그러니까, 진짜로 자도 된다는 말이야. 아
무 일도 없을 거야. 약속할게. 지난번에 있었던 데시의 일은 예외적인 사
건일 뿐이었어. 눈을 감고 잠을 자.

하지만 나는 내가 다시는 잠을 잘 수 없다는 걸 안다. 나는 그녀의 옆에
서 눈을 감을 수가 없다. 그것은 거미와 함께 자는 것과 마찬가지다.

에이미 엘리엇 던

돌아온 지 8주째

아무도 나를 체포하지 않았다. 경찰은 질문을 멈췄다. 아주 안전한 기분이다. 조만간 나는 한층 더 안전해질 것이다.

어찌나 기분이 좋은지 이런 일도 있었다. 어제 아침을 먹으러 일층으로 내려왔더니 내 토사물을 담아놓은 유리병이 비워진 채 조리대 위에 놓여 있었다. 닉—그 식객—이 그 작은 지렛대 효과를 없애버린 것이다. 나는 눈을 한 번 깜박인 다음 유리병을 던져버렸다.

그것은 이제 거의 중요하지 않다.

좋은 일들이 일어날 것이다.

나는 책 출판 계약을 했다. 이제 나는 공식적으로 우리 이야기를 지배하게 되었다. 멋지게 상징적인 느낌이다. 결국 모든 결혼은 그의 말과 그녀의 말 사이의 기나긴 시합일 뿐이지 않은가? 자, 그녀가 말하고 있다. 세상은 귀를 기울이게 될 것이고, 닉은 웃으며 동의하게 될 것이다. 나는 내가 원하는 대로 그를 묘사할 것이다. 낭만적이고 사려 깊고, 신용카드와 쇼핑과 헛간에 대해 아주 깊이 뉘우치는 모습으로. 그가 소리 내어 말하게 할 수 없다면 책 속에서 말하게 할 것이다. 그리고 그는 나와 함께 홍보 여행을 하며 웃고 또 웃게 될 것이다.

책 제목은 단순하게 지었다. '어메이징(Amazing).' 엄청난 감탄 또는 놀라움, 그리고 충격을 불러일으키는 이야기. 내 생각에 나의 이야기는 이렇게 요약된다.

닉 던

돌아온 지 9주 후

토사물을 발견했다. 에이미는 그것을 유리병에 담아 싹양배추 상자에 넣은 뒤 냉동실 깊숙한 곳에 숨겨두었다. 상자에 성에가 잔뜩 끼어 있는 걸로 보아, 몇 달은 지난 것이 분명했다. 나는 그것이 그녀가 스스로에게 하는 특유의 농담이었다는 걸 안다. 닉은 야채를 먹지 않을 거야, 닉은 절대 냉장고를 청소하지 않아, 닉은 여길 들여다볼 생각을 하지 않을 거야.

하지만 닉은 했다.

닉은 냉장고 청소를 할 줄 아는 것으로 판명되었다. 닉은 심지어 해동시키는 법도 안다. 나는 그 역겨운 것을 하수구에 쏟아버리고 그녀가 볼 수 있게 조리대 위에 유리병을 올려놓았다.

그녀는 그것을 쓰레기통에 던져버렸다. 그리고 그것에 대해 일언반구도 하지 않았다.

뭔가 잘못됐다. 뭔지는 모르지만 아주 잘못됐다.

내 인생이 에필로그처럼 느껴지기 시작했다. 태너는 새로운 사건을 맡았다. 내슈빌에 사는 어느 가수가 아내의 외도를 알게 되었다. 다음 날 두 사람의 집 근처에 있는 하디스 레스토랑의 쓰레기통에서 그녀의 시체와, 그의 지문으로 뒤덮인 망치가 발견되었다. 태너는 나를 방어책으로 이용하고 있다. 상황이 나빠 보인다는 건 알지만, 닉 던의 경우에도 상황은 나빠 보였습니다. 그리고 그 사건이 어떻게 전개되었는지는 여러분도 아실 겁니다. 나는 그가 카메라 렌즈들을 통해 내게 윙크를 하고 있는 것 같다는 느낌이 들었다. 그는 가끔씩 문자를 보냈다. '괜찮아요?' 또는 '뭐 없어요?'

아니, 아무것도.

보니와 고와 나는 팬케이크 하우스에서 은밀히 만나 에이미 이야기의 더러운 모래를 체로 치면서 쓸 만한 뭔가를 찾아내려고 애썼다. 우리는 일기장을 구석구석 뒤졌지만 공들인 시대착오적 사냥에 불과했고, 결국 다음과 같은 절망적인 트집 잡기로 귀결되었다. "에이미가 여기서 다르푸르에 대해 언급했는데, 그 이야기가 2010년에 세간의 주목을 받았나요?" (그랬다. 우리는 조지 클루니가 다르푸르 이야기를 했다는 2006년도 기사를 찾아냈다.) 나의 최악의 지적도 있다. "에이미는 2008년 7월 일기에 부랑자를 죽인다는 농담을 하는데, 내 생각에 죽은 부랑자에 관한 농담은 2009년부터 유행했어요." 이 말에 보니는 이렇게만 대답했다. "시럽 좀 건네 줘요, 괴짜 양반."

사람들은 떨어져 나갔고, 자신들의 삶으로 돌아갔다. 보니는 남았다. 고도 남았다.

그러던 중 사건이 있었다. 마침내 내 아버지가 죽었다. 밤에, 자다가 죽었다. 어떤 여자가 그의 마지막 식사를 그의 입 안에 떠 넣어주었고, 어떤 여자가 그의 마지막 휴식을 위해 그를 침대에 뉘었으며, 어떤 여자가 그가 죽은 다음 그의 몸을 씻겼고, 어떤 여자가 내게 소식을 전하기 위해 전화를 걸었다.

"좋은 분이셨어요." 그 여자는 감정을 억지로 짜내어 멍한 목소리로 말했다.

"아니, 그렇지 않아요." 내가 말했고, 그녀는 한 달 동안 웃지 못한 사람처럼 웃어댔다.

나는 그 사람이 세상에서 사라지면 기분이 나아질 거라고 생각했지만, 실제로는 크고 무시무시한 공허함이 나의 가슴 속에서 입을 벌렸다. 나는 평생 동안 나 자신을 아버지와 비교하며 살았다. 이제 아버지가 사라지면서, 내가 맞설 사람은 에이미밖에 남지 않았다. 작고 칙칙하고 쓸쓸한 장례식이 끝난 다음, 나는 고와 함께 떠나지 않고 에이미와 함께 집으로 가서 그녀를 끌어안았다. 그렇다, 나는 내 아내와 함께 집으로 갔다.

난 이 집을 나가야만 해. 나는 생각했다. 나는 에이미와 영원히 끝을 내야 해. 내가 돌아갈 수조차 없게 우리를 다 태워버려야 한다.

당신이 없으면 나는 뭐가 될까?

나는 찾아내야 했다. 나만의 이야기를 해야 했다. 그것은 너무나 분명했다.

다음 날 아침, 에이미가 자판을 두드리며 리서치를 하고 있을 때, 세상에 그녀의 '어메이징한' 이야기를 들려주고 있을 때, 나는 노트북을 들고 아래층으로 내려가 반짝거리는 흰색 페이지를 노려보았다.

나는 내 책의 첫 페이지를 쓰기 시작했다.

나는 배우자를 속이고, 유약하고, 여자를 두려워하는 겁쟁이이자 당신이야기의 영웅이다. 왜냐하면 내가 속인 여자, 나의 아내, 에이미 엘리엇 던은 소시오패스 살인자이기 때문이다.

그렇다. 난 그렇게 썼다.

에이미 엘리엇 던

돌아온 지 10주째

닉은 아직도 내 앞에서 연기를 한다. 우리는 둘 다 연기를 한다. 우리가 행복하고 근심 없고 사랑하는 척. 하지만 나는 그가 밤늦게 컴퓨터 자판을 두드리는 소리를 듣는다. 쓰고 있다. 자신의 이야기를 쓰고 있다. 나는 안다. 나는 안다. 정신없이 쏟아지는 말들, 수백만 마리의 벌레처럼 딸깍거리는 자판 소리를 들어보면 알 수 있다. 나는 그가 잠들었을 때 몰래 엿보려고 애쓴다. (물론 이제 그는 예전의 나처럼 안달복달하며 불안하게 자고, 나는 예전의 그처럼 자지만.) 하지만 교훈을 얻은 그는 이제 순진한 총아 니키가 아니다. 이제 그는 자신의 생일이나 시어머니의 생일 또는 블리커의 생일을 비밀번호로 쓰지 않는다. 나는 엿볼 수 없다.

하지만 나는 그가 멈추지 않고 빠르게 자판을 두드리는 소리를 들으며, 두 어깨를 들어 올리고 윗니와 아랫니 사이에 혀를 끼운 채 키보드 앞에 웅크리고 앉은 그를 상상하며, 내가 스스로를 보호하기로 한 것이 잘한 일이었음을 깨닫는다. 예방 조치를 취한 것이.

왜냐하면 그가 쓰고 있는 것은 러브스토리가 아니기 때문이다.

닉 던

돌아온 지 20주째

나는 집을 나가지 않았다. 나는 결코 놀라는 법이 없는 내 아내를 깜짝 놀라게 해주고 싶었다. 출간 계약을 한 다음 그녀에게 원고를 던져주고 문밖으로 나가고 싶었다. 그녀에게 똑똑 떨어지는 공포를, 곧 세상이 기울어지며 온갖 오물이 자신을 뒤덮을 것이지만, 그것에 대해 자신이 할 수 있는 일은 아무것도 없다는 데서 오는 공포를 느끼게 해주고 싶었다. 그래, 그녀가 감옥에 가는 일은 결코 없을지도 모른다. 나의 이야기는 언제까지나 그녀의 이야기에 대한 반박으로만 남게 될지도 모른다. 하지만 나의 주장은 설득력이 있었다. 법적인 울림은 없다 해도 감정적인 울림은 있었다.

그리하여 사람들은 둘로 나뉠 것이다. 닉 팀과 에이미 팀. 상황은 한층 더 게임처럼 변하겠지. 좆같은 티셔츠나 좀 팔까.

에이미에게 말하러 갈 때 두 다리가 후들거렸다. 나는 더 이상 그녀 이야기의 일부가 아니었다.

나는 그녀에게 원고를 들이밀며 제목을 보여주었다. '사이코 비치(Psy-cho Bitch).' 우리만의 작은 농담. 우린 둘 다 우리만의 농담을 좋아한다. 나는 그녀가 내 뺨을 할퀴고, 내 옷을 찢고, 나를 물어뜯기를 기다렸다.

"아! 타이밍 한번 완벽하네." 그녀가 명랑하게 말한 뒤 함박웃음을 지었다. "당신한테 보여줄 게 있어."

나는 그녀가 내 앞에서 그 일을 다시 하게 만들었다. 테스트기에 오줌 누기. 나는 욕실 바닥에, 그녀 옆에 쭈그리고 앉아 그녀의 몸에서 나오는 소변이 테스트기에 떨어지는 것을, 테스트기가 임신을 알리는 파란색으로 변하는 것을 지켜보았다.

그런 다음 나는 그녀를 차로 밀어 넣고 병원으로 차를 몰았다. 나는 그녀의 몸에서 나오는 피를 지켜보았고—그녀는 사실 피를 무서워하지 않기 때문이다—두 시간 동안 테스트 결과를 기다렸다.

에이미가 임신을 했다.

"내 아이일 리가 없어." 내가 말했다.

"당신 아이야." 그녀가 웃으며 대답했다. 그녀가 내 품에 파고들려고 했다. "아빠가 된 걸 축하해."

"에이미." 나는 말하기 시작했다. 물론 그럴 리가 없었기 때문이었다. 나는 그녀가 돌아온 후 그녀를 건드리지 않았다. 그때 내 눈앞에 티슈 상자, 비닐 안락의자, TV와 포르노, 어딘가 냉동되어 있을 나의 정액이 떠올랐다. 나는 죄책감을 불러일으킬 무력한 시도로 그 처분 예고 통지서를 탁자 위에 올려놓았고, 그 후 통지서는 사라졌다. 언제나처럼 나의 아내가 행동을 개시했기 때문이다. 그 행동이란 그 물건을 없애는 것이 아니라 보관하는 것이었다. 만일을 위해.

나는—어쩔 수 없이—거대한 물거품 같은 기쁨을 느꼈다. 금속성 공포에 둘러싸인 기쁨이긴 했지만.

"나의 안위를 위해 몇 가지를 해야겠어, 닉." 그녀가 말했다. "그건 오직, 이렇게 말하고 싶지는 않지만, 당신을 신뢰하는 것이 거의 불가능하기 때문이야. 먼저, 당신은 물론 당신의 원고를 삭제해야 해. 그리고 우리의 다른 문제를 완전히 잠재우기 위해 공술서가 필요할 거야. 당신은 당신이 헛간 속에 있는 물건들을 사서 그곳에 숨겼고, 한때 내가 당신에게 누명을 씌운다고 생각했지만, 이제는 나를 사랑하고 모든 것이 좋다고 맹세해야 해."

"거절한다면?"

그녀는 자신의 배 위에 한 손을 얹고 얼굴을 찌푸렸다. "그럼 아주 끔찍해질 거야."

우리는 수년 동안 우리의 결혼과 러브 스토리, 인생 스토리의 지배권을 두고 싸움을 했다. 나는 마침내, 완전히 패배했다. 나는 원고를 창조했고 그녀는 생명을 창조했다.

나는 양육권 싸움을 시작할 수 있겠지만 이미 내가 질 거라는 걸 알고 있었다. 에이미는 그 싸움을 즐길 것이다. 그녀가 이미 무엇을 준비해놓았을지는 하늘만 알겠지. 그녀가 일을 끝냈을 즈음에는, 나는 격주에 한 번 보는 아빠조차 되지 못할 것이다. 나는 옆에서 커피를 홀짝이며 나를 지켜보는 보호자가 있는 낯선 방에서 내 아이와 만나게 될 것이다. 아니, 그보다 더 심할지도 모른다. 나는 갑자기 추행이나 학대로 고발당해 다시는 나의 아기를 못 보게 될지도 모른다. 나는 나와 아주 멀리 떨어진 곳에서 사는 내 아이의 작은 분홍색 귀에 대고 그 애의 엄마가 거짓말을 속삭이고 또 속삭인다는 걸 알게 될 것이다.

"그건 그렇고, 아들이야." 그녀가 말했다.

나는 결국 죄수였다. 에이미는 영원히, 또는 그녀가 원할 때까지 나를 소유할 것이다. 왜냐하면 나는 내 아들을 구해야 하기 때문이다. 에이미가 하는 모든 것을 벗기고, *끄르고*, 풀고, 되돌려놓아야 하기 때문이다. 나는 내 아이를 위해 말 그대로 내 인생을 희생할 것이다. 기꺼이 그렇게할 것이다. 나는 내 아들을 좋은 사람으로 키울 것이다.

나는 나의 이야기를 삭제했다.

보니는 첫 번째 연결음이 울릴 때 전화를 받았다.

"팬케이크 하우스? 20분 뒤?" 그녀가 말했다.

"아뇨."

나는 론다 보니에게 내가 아버지가 될 예정이며, 따라서 앞으로 수사에 어떤 도움도 줄 수 없다고 알렸다. 그리고 아내가 내게 누명을 씌웠다는 나의 잘못된 믿음과 관련해 내가 했던 모든 진술을 철회할 계획이며, 신용카드에 대한 나의 책임도 인정할 계획이라고 말했다.

전화기 너머의 긴 침묵. "허." 그녀가 말했다. "허."

나는 볼 안쪽을 깨문 채 한 손으로 축 처진 머리카락을 빗고 있는 보니를 상상할 수 있었다.

"당신 자신을 잘 돌봐요, 알았어요, 닉?" 마침내 그녀가 말했다. "그 어린 것도 잘 돌보고요." 이어 그녀는 웃었다. "에이미는, 죽거나 말거나."

나는 고에게 직접 말하기 위해 고의 집으로 갔다. 나는 기쁜 소식으로 가장하려고 애썼다. 아기, 누구도 아기에 대해 화를 낼 수는 없으니까. 상황을 싫어할 수는 있지만 아이를 싫어할 수는 없다.

나는 고가 나를 때릴 거라고 생각했다. 그녀는 내가 그녀의 호흡을 느낄 만큼 가까이 서 있었다. 그녀는 집게손가락으로 나를 찔렀다.

"넌 그저 떠나지 않을 이유가 필요한 거야." 고가 속삭였다. "너희 두 사람은 서로에게 좆같이 중독되었어. 너희 둘은 말 그대로 핵가족이 될 거야, 알아? 넌 폭발하고 말 거야. 좆같이 터져버리고 말 거라고. 넌 네가, 뭐야, 앞으로 18년 동안 버틸 수 있을 거라고 생각해? 그 여자가 널 죽일 거라는 생각은 안 들어?"

"내가 결혼하던 때의 남자로 사는 한, 죽이지 않을 거야. 한동안 난 그 남자가 아니었지만, 이젠 될 수 있어."

"네가 그녀를 죽일 거라고는 생각 안 해? 아빠처럼 변하고 싶은 거야?"

"모르겠니, 고? 이건 아빠처럼 변하지 않겠다는 나의 약속이야. 난 세상에서 제일 좋은 남편이자 아버지가 될 거야."

그러자 고가 눈물을 터뜨렸다. 어린아이였을 때 이후로 그녀가 우는 것을 보는 건 처음이었다. 고는 마치 다리에서 힘이 빠진 듯 갑자기 바닥에 주저앉았다. 나는 고의 옆에 앉아 내 머리를 그녀의 머리에 갖다 댔다. 그녀는 마침내 울음을 멈추고 나를 바라보았다. "어찌어찌하더라도 나는 너를 사랑할거라고 했던 말, 기억나? 어찌어찌가 뭐든지 간에 난 널 사랑할 거라는 말?"

"그래."

"난 지금도 너를 사랑해. 하지만 심장이 찢어지는 것 같아." 고는 어린아이처럼 엉엉 울었다. "일이 이런 식으로 풀리면 안 되는 거였어."

"기이한 전개지." 나는 분위기를 가볍게 만들려고 애쓰며 말했다.

"에이미가 우리를 떼어놓지는 않겠지, 그렇지?"

"응. 에이미가 더 나은 사람인 척도 하고 있다는 사실을 기억해."

그렇다, 마침내 나는 에이미의 적수가 되었다. 어느 날 아침 그녀의 옆에서 잠을 깬 나는, 그녀의 뒤통수를 찬찬히 뜯어보았다. 그녀의 생각을 읽으려고 애썼다. 그때만큼은 내가 태양을 응시하고 있는 것 같은 느낌이 들지 않았다. 나는 아내와 같은 수준의 광기에 다다르고 있는 중이다. 그녀가 나를 다시 바꾸고 있다는 걸 느낄 수 있기 때문이다. 나는 비겁한 소년이었고, 그다음에는 좋거나 나쁜 남자였다. 이제 나는 마침내 영웅이다. 나는 우리의 결혼이라는 끝나지 않는 전쟁 이야기 속에서 응원을 받아야 할 사람이다. 나는 그 이야기와 함께 살아갈 수 있다. 젠장, 이제 나는 에이미가 없는 나의 이야기는 상상할 수가 없다. 그녀는 나의 영원한 적대자다.

우리는 하나의 길고 무서운 클라이맥스다.

에이미 엘리엇 던

돌아온 지 10개월 2주 6일째

사랑에는 조건이 없다고 들었다. 모두가 그것이 규칙이라고 말한다. 하지만 사랑에 경계도, 한계도, 조건도 없다면 그 누가 옳은 일을 하려고 애쓰겠는가? 내가 무슨 일이 있어도 사랑받는다는 걸 안다면 도전은 어디에 있는가? 나는 닉의 모든 결점에도 불구하고 그를 사랑해야 하고 닉은 나의 모든 기벽에도 불구하고 나를 사랑해야 한다. 하지만 우린 둘 다 분명 그렇게 하지 않는다. 모두들 단단히 착각하고 있다. 사랑은 많은 조건을 요구해야 한다. 사랑은 두 사람 모두에게 언제나 최고의 자신이 되라고 요구해야 한다. 조건 없는 사랑은 극기심이 없는 사랑이며, 우리 모두가 보았듯이, 극기심 없는 사랑은 재앙이다.

내 생각을 더 알고 싶다면 《어메이징》을 읽어보길. 곧 출간된다!

하지만 먼저, 모성. 출산예정일이 내일이다. 마침 우리의 결혼기념일이기도 하다. 6주년. 철. 닉에게 근사한 수갑을 선물할까 생각했지만 아직까지는 그가 그것을 재미있다고 생각하지 못할 것 같다. 이런 생각을 하면 너무나 이상하다—1년 전 오늘, 나는 내 남편을 망가뜨리고 있었다.

지금 나는 그를 재조립하는 일을 거의 다 끝냈다.

닉은 시간이 날 때마다 코코아버터로 내 배를 문지르고, 달려 나가 피클을 사 오면서, 좋은 예비 아빠가 하는 온갖 일을 하면서 몇 달을 보냈다. 나를 애지중지하면서. 그는 나를 무조건적으로, 나의 모든 조건에도 불구하고 나를 사랑하는 법을 배우는 중이다. 우리는 세상에서 가장 행복한 가족이 될 것이다. 나는 마침내 우리가 행복으로 가는 길 위에 있다고 생각한다. 마침내 나는 그 길을 찾아냈다.

우리는 세상에서 가장 밝은 핵가족이 되기 하루 전날을 보내고 있다.

우리는 이것을 유지할 필요가 있다. 닉은 아직도 완전히 이해하지 못했지만. 오늘 아침, 그는 내 머리를 쓰다듬으며 내게 더 해줄 수 있는 일이 없느냐고 물었다. 나는 말했다. "맙소사, 닉, 당신 나한테 왜 이렇게 잘해주는 거야?"

그는 이렇게 말해야 했다. '당신은 그럴 자격이 있어. 당신을 사랑해.'

하지만 그는 말했다. "당신이 불쌍해서."

"왜?"

"왜냐하면 당신은 매일 아침 눈을 뜨고 당신이 되어야 하니까."

나는 정말로, 진정으로 그가 그 말을 하지 않았기를 바란다. 나는 계속해서 그 말을 생각하고 있다. 멈출 수가 없다.

다른 덧붙일 말은 없다. 단지 마지막 말을 하는 사람이 나라는 것을 확실히 하고 싶을 뿐이다. 나는 그럴 자격이 있다고 생각한다.

옮긴이 강선재

부산대학교 영어영문학과와 이화여자대학교 통번역대학원 한영번역학과를 졸업하고 전문 번역가로 활동 중이다. 번역한 책으로는《모든 문학 청년들의 슬픔(All the Sad Young Literary Men)》,《세 길이 만나는 곳(Where Three Roads Meet)》,《타인들의 책(The Book of Other People)》이 있다.

나를 찾아줘

첫판 1쇄 펴낸날 2013년 4월 1일
      27쇄 펴낸날 2016년 7월 7일

지은이 길리언 플린   옮긴이 강선재
발행인 김혜경
편집인 김수진
책임편집 이다희
편집기획 이은정 김교석 백도라지 조한나 윤진아
디자인 김은영 정은화 엄세희
경영지원국 안정숙
마케팅 문창운 노현규
회계 임옥희 양여진 김주연

펴낸곳 (주)도서출판 푸른숲
출판등록 2002년 7월 5일 제 406-2003-032호
주소 경기도 파주시 회동길 57-9번지, 우편번호 413-120
전화 031)955-1400(마케팅부), 031)955-1410(편집부)
팩스 031)955-1406(마케팅부), 031)955-1424(편집부)
www.prunsoop.co.kr

ⓒ푸른숲, 2013
ISBN 978-89-7184-782-2(03840)

* 잘못된 책은 구입하신 서점에서 바꾸어 드립니다.
* 본서의 반품 기한은 2021년 7월 31일까지 입니다.

이 도서의 국립중앙도서관 출판시도서목록(CIP)은 e-CIP 홈페이지(http://www.nl.go.kr/ecip)와 국가자료공동목록시스템(http://www.nl.go.kr/kolisnet)에서 이용하실 수 있습니다. (CIP2013001302)